A marca FSC® é a garantia de que a madeira utilizada na fabricação do papel deste livro provém de florestas que foram gerenciadas de maneira ambientalmente correta, socialmente justa e economicamente viável, além de outras fontes de origem controlada.

bahia de todos-os-santos

COLEÇÃO JORGE AMADO

Conselho editorial

Alberto da Costa e Silva

Lilia Moritz Schwarcz

Coordenação editorial

Thyago Nogueira

O país do Carnaval, 1931
Cacau, 1933
Suor, 1934
Jubiabá, 1935
Mar morto, 1936
Capitães da Areia, 1937
ABC de Castro Alves, 1941
O cavaleiro da esperança, 1942
Terras do sem-fim, 1943
São Jorge dos Ilhéus, 1944
Bahia de Todos-os-Santos, 1945
Seara vermelha, 1946
O amor do soldado, 1947
Os subterrâneos da liberdade
   Os ásperos tempos, 1954
   Agonia da noite, 1954
   A luz no túnel, 1954
Gabriela, cravo e canela, 1958
De como o mulato Porciúncula descarregou seu defunto, 1959
Os velhos marinheiros ou O capitão-de-longo-curso, 1961
A morte e a morte de Quincas Berro Dágua, 1961
As mortes e o triunfo de Rosalinda, 1963
Os pastores da noite, 1964
O compadre de Ogum, 1964
Dona Flor e seus dois maridos, 1966
Tenda dos Milagres, 1969
Tereza Batista cansada de guerra, 1972
O gato malhado e a andorinha Sinhá, 1976
Tieta do Agreste, 1977
Farda, fardão, camisola de dormir, 1979
O milagre dos pássaros, 1979
O menino grapiúna, 1981
A bola e o goleiro, 1984
Tocaia Grande, 1984
O sumiço da santa, 1988
Navegação de cabotagem, 1992
A descoberta da América pelos turcos, 1992
Hora da Guerra, 2008
Toda a Saudade do Mundo, 2012

bahia de todos-os-santos
guia de ruas e mistérios

JORGE AMADO

Posfácio de Paloma Jorge Amado
Fotografias de Flávio Damm

4ª reimpressão

Copyright © 2010 by Grapiúna — Grapiúna Produções Artísticas Ltda.
1ª edição, Livraria Martins Editora, São Paulo, 1945

Grafia atualizada segundo o Acordo Ortográfico da Língua
Portuguesa de 1990, que entrou em vigor no Brasil em 2009.

Consultoria da coleção Ilana Seltzer Goldstein

Projeto gráfico Kiko Farkas e Mateus Valadares/ Máquina Estúdio

Imagens de capa © Flavio Damm (capa); © Luiza Chiodi/ Companhia Fabril
Mascarenhas (chita); © Acervo Fundação Casa de Jorge Amado (orelha).
Todos os esforços foram feitos para determinar a origem das imagens deste
livro. Nem sempre isso foi possível. Teremos prazer em creditar as fontes,
caso se manifestem.

Cronologia Ilana Seltzer Goldstein e Carla Delgado de Souza

Atualização dos termos do candomblé Reginaldo Prandi

Índice remissivo Luciano Marchiori

Preparação Leny Cordeiro

Revisão Camila Saraiva *e* Renata Del Nero

Texto estabelecido a partir dos originais revistos pelo autor. Os personagens e
as situações desta obra são reais apenas no universo da ficção; não se referem
a pessoas e fatos concretos, e não emitem opinião sobre eles.

Dados Internacionais de Catalogação na Publicação (CIP)
(Câmara Brasileira do Livro, SP, Brasil)

> Amado, Jorge, 1912-2001.
> Bahia de Todos-os-Santos : guia de ruas e mistérios / Jorge
> Amado ; posfácio de Paloma Amado. — 1ª ed. —
> São Paulo : Companhia das Letras, 2012.
>
> ISBN 978-85-359-2137-3
>
> 1. Salvador - Descrição 1. Amado, Paloma. 11. Título.

12-07834	CDD-918.1421

Índice para catálogo sistemático:
1. Cidade do Salvador : Descrição   918.1421
2. Salvador : Cidade : Descrição   918.1421

Diagramação Spress
Papel Pólen, Suzano S.A.
Impressão Gráfica Santa Marta

[2024]
Todos os direitos desta edição reservados à
EDITORA SCHWARCZ S.A.
Rua Bandeira Paulista, 702, cj. 32
04532-002 — São Paulo — SP
Telefone (11) 3707 3500
www.companhiadasletras.com.br
www.blogdacompanhia.com.br
facebook.com/companhiadasletras
instagram.com/companhiadasletras
twitter.com/cialetras

NOTA À 40ª EDIÇÃO

A PRIMEIRA VERSÃO DESTE GUIA DE RUAS E MISTÉRIOS DE SALVADOR da Bahia de Todos-os-Santos foi escrita em 1944 e contava de uma cidade provinciana, descansada, tranquila, doce, bela e única, cuja população mal passava dos 300 mil habitantes. Para designá-la, dizia-se cidade da Bahia, pura e simplesmente. Hoje, dizem cidade de Salvador: metrópole ruidosa, movimentada, turbulenta, sua doçura fundamental entrecortada de violência. Chega a parecer outra cidade, mas ainda assim aqueles que a conhecem como eu a conheço sabem que ela continua bela e única, sem igual na vastidão do mundo.

No espaço de tempo decorrido desde aquela primeira edição ilustrada com magníficas gravuras de Manuel Martins, este guia teve algumas versões, necessárias devido ao crescimento e às modificações ocorridas na cidade, mantendo-se, no entanto, a estrutura fundamental e o espírito do livro. A partir de 1976, as edições foram iluminadas pelos desenhos de Carlos Bastos, belos como a cidade. Aos poucos este guia foi se convertendo numa espécie de enciclopédia da vida baiana — paisagens, histórias, velhas ruas, novas avenidas, costumes, festas, a permanente miséria e a imbatível alegria, igrejas e candomblés, santos, orixás e personagens os mais variados, que juntos dão a imagem real e mágica desta terra e do povo que a habita, da mistura de sangue, de raças, de culturas que faz nossa originalidade mestiça.

Livro já tão antigo e ao mesmo tempo tão recente, por vezes o leitor cobra do autor.

— Você diz no livro que o poeta Carlos Eduardo da Rocha é diretor do Museu do Estado, cargo que ele não exerce faz um tempão...

— É que eu jamais o demiti, e se ele pedisse demissão, eu não a concederia...

Coisas da Bahia, maneiras de ser e de viver. O livro, com suas versões em mais de quarenta anos de sucessivas edições no Brasil, Argentina e Portugal, reflete esses mistérios da Bahia, cidade onde a magia faz parte do quotidiano.

Axé.

J. A.
Bahia, março de 1986

NA PORTADA DESTE LIVRO, NA ENTRADA DA BARRA DA BAHIA DE TODOS-OS-SANTOS, quero escrever teu nome de baiana. Um dia vieste de passagem conhecer minha cidade, ficaste para sempre. Aqui neste jardim onde cresceram nossos filhos e crescem nossos netos, entre as árvores que plantamos, no culto da amizade, tomo de tua mão de namorada e te proclamo Zélia de Euá, filha de Oxum, mulher de Oxóssi, doce companheira, jovem coração irredutível, única e sem comparação.

— *Você já foi à Bahia, nega?*
— *Não!*
— *Então vá...*

(Dorival Caymmi)

CONVITE

E QUANDO A VIOLA GEMER NAS MÃOS DO SE-RESTEIRO NA RUA TREPIDANTE *da cidade mais agitada, não tenhas, moça, um minuto de indecisão. Atende ao chamado e vem. A Bahia te espera para sua festa quotidiana. Teus olhos se encharcarão de pitoresco, mas se entristecerão também diante da miséria que sobra nestas ruas coloniais onde se elevaram, violentos, magros e feios, os arranha-céus modernos.*

Ouves? É o chamado insistente dos atabaques na noite misteriosa. Se vieres eles tocarão mais alto ainda, no poderoso toque do chamado do santo, e os deuses negros chegarão das florestas da África para dançar em tua honra. Com os vestidos mais belos, bailando os inesquecíveis bailados. As iaôs cantarão em iorubá os cânticos de saudação.

Os saveiros abrirão as velas e rumarão para o mar largo de tempestades. Do forte velho virá música antiga, valsa esquecida que só o ex-soldado recorda. Os ventos de Iemanjá serão apenas doce brisa na noite estrelada. O rio Paraguaçu murmurará teu nome e os sinos das igrejas de repente tocarão Ave-Maria apesar de que o crepúsculo já passou com sua desesperada tristeza.

No Mercado das Sete Portas, nos pobres pratos de flandres o sarapatel te espera, escuro e gostoso. Os potes e as moringas de barro que comprarás, as redes para a sesta, os inhames e aipins, as frutas coloridas. Se vieres, a feira terá outra animação, beberemos cachaça com ervas aromáticas.

Os sobradões te esperam. Os azulejos provêm de Portugal e desbotam hoje ainda mais belos. Lá dentro a miséria murmura pelas escadas onde os ratos correm, pelos quartos imundos. As pedras com que os escravos calçaram as ruas, quando o sol as ilumina ao meio-dia, têm laivos de sangue. Sangue escravo que escorreu sobre essas pedras nos dias de ontem. Nos casarões moravam os senhores de engenho. Agora são os cortiços mais abjetos do mundo.

Verás as igrejas, grávidas de ouro. Dizem que são trezentas e sessenta e cinco. Talvez não sejam tantas, mas que importa? Onde estará mesmo a verdade quando ela se refere à cidade da Bahia? Nunca se sabe bem o que é verdade e o que é lenda nesta cidade. No seu mistério lírico e na sua trágica pobreza, a verdade e a lenda se confundem. Se subires o Tabuão, zona de mulheres que já perderam a última parcela de esperança nos quinto-andares de prédios aleijados, nunca saberás ao certo se é uma rua maravilhosa de pitoresco, com suas janelas coloniais e suas portas centenárias, ou se é apenas um hospital enorme, sem médicos, sem enfermeiras, sem remédios. Ah! moça, esta cidade da Bahia é múltipla e desigual. Sua beleza eterna, sólida como a de nenhuma outra cidade brasileira, nascendo do passado, rebentando em pitoresco no cais, nas macumbas, nas feiras, nos becos e nas ladeiras, sua beleza tão poderosa que se vê, apalpa e cheira, beleza de mulher sensual, esconde um mundo de miséria e de dor. Moça, eu te mostrarei o pitoresco mas te mostrarei também a dor.

Vem e serei teu cicerone. Juntos comeremos no Mercado sobre o mar o vatapá apimentado e a doce cocada de rapadura. Serei teu cicerone mas não te levarei, apenas, aos bairros ricos, de casas modernas e confortáveis, Barra, Pituba, Graça, Vitória, Morro do Ipiranga. Em ônibus superlotados iremos à Estrada da Liberdade, bairro operário, onde descobrirás a miséria oriental se repetindo nos casebres das invasões, Massaranduba, Coreia, Cosme de Faria, Uruguai, iremos aos cortiços infames, cruzaremos as pontes de lama dos Alagados.

Esse é bem um estranho guia, moça. Com ele não verás apenas a casca amarela e linda da laranja. Verás igualmente os gomos podres que repugnam ao paladar. Porque assim é a Bahia, mistura de beleza e sofrimento, de fartura e fome, de risos álacres e de lágrimas doloridas.

Quando a viola gemer nas mãos do seresteiro, nascido na Bahia, filho de sua poesia e sua dor, não reflitas sequer, pois a cidade mágica te espera e eu serei teu guia pelas ruas e pelos mistérios. Teus olhos se encherão de pitoresco, teus ouvidos ouvirão histórias que só os baianos sabem contar, teus pés pisarão sobre os mármores das igrejas, tuas mãos tocarão o ouro de São Francisco, teu coração pulsará mais rápido ao bater dos atabaques. *Mas também sentirás dor e revolta e teu coração se apertará de angústia ante a procissão fúnebre dos tuberculosos na cidade de melhor clima e de maior percentagem de tísicos do Brasil. A beleza habita nesta cidade misteriosa, moça, mas ela tem uma companheira inseparável que é a fome.*

Se és apenas uma turista ávida de novas paisagens, de novidades para virilizar um coração gasto de emoções, viajante de pobre aventura rica, então não queiras esse guia. Mas se queres ver tudo, na ânsia de aprender e melhorar, se queres realmente conhecer a Bahia, então, vem comigo e te mostrarei as ruas e os mistérios da cidade do Salvador, e sairás daqui certa de que este mundo está errado e que é preciso refazê-lo para melhor. Porque não é justo que tanta miséria caiba em tanta beleza. Um dia voltarás, talvez, e então teremos reformado o mundo e só a alegria, a saúde e a fartura caberão na beleza imortal da Bahia.

Se amas a humanidade e desejas ver a Bahia com olhos de amor e compreensão, então serei teu guia, riremos juntos e juntos nos revoltaremos. Qualquer catálogo oficial, ou de simples cavação, te dirá quanto custou o Elevador Lacerda, a idade exata da Catedral, o número certo dos milagres do Senhor do Bonfim. Mas eu te direi muito mais, pois te falarei do pitoresco e da poesia, te contarei da dor e da miséria.

Vem, a Bahia te espera. É uma festa e é também um funeral. O seresteiro canta o seu chamado. Os atabaques saúdam Exu na hora sagrada do padê. Os saveiros cruzam o mar de Todos-os-Santos, mais além está o rio Paraguaçu. É doce a brisa sobre as palmas dos coqueiros nas praias infinitas. Um povo mestiço, cordial, civilizado, pobre e sensível habita essa paisagem de sonho.

Vem, a Bahia te espera.

ATMOSFERA DA CIDADE DO SALVADOR DA BAHIA DE TODOS-OS-SANTOS

QUEM GUARDA OS CAMINHOS
DA CIDADE

QUEM GUARDA OS CAMINHOS DA CIDADE DO SALVADOR DA BAHIA É EXU, orixá dos mais importantes na liturgia dos candomblés, orixá do movimento, por muitos confundido com o diabo no sincretismo com a religião católica, pois ele é malicioso e arreliento, não sabe estar quieto, gosta de confusão e de aperreio. Postado nas encruzilhadas de todos os caminhos, escondido na meia-luz da aurora ou do crepúsculo, na barra da manhã, no cair da tarde, no escuro da noite, Exu guarda sua cidade bem-amada. Ai de quem aqui desembarcar com malévolas intenções, com o coração de ódio ou de inveja, ou para aqui se dirigir tangido pela violência ou pelo azedume: o povo dessa cidade é doce e cordial e Exu tranca seus caminhos ao falso e ao perverso.

A primeira obrigação a se fazer quando nesse solo se põem os pés, quando aqui se desembarca, é dar de beber a Exu para assim lhe conquistar as boas graças, impedindo que ele venha perturbar a festa com suas diabruras e arrelias. Para não se escorregar numa ladeira calçada de pedras negras e antigas, para não se correr susto num beco de fantasmas, para evitar os ebós, os feitiços, as coisas-feitas.

Exu bebe cachaça mas, na falta, aceita um substitutivo mesmo que seja uísque ou vodca. O ideal, porém, é a aguardente de cana-de-açúcar, destilada em alambique de barro, se possível. Cachaça destilada em alambique de barro é coisa fina, por isso chamada de purinha. A melhor cachaça da Bahia vem de Santo Amaro da Purificação, cidade do Recôncavo, coração da zona açucareira, terra de Caetano Veloso e Emanoel Araújo. Entre as cachaças de Santo Amaro mais conhecidas e festejadas pela sua qualidade encontra-se a "Azuladinha", a "Água Fria" e a "Dois Amigos", esta última de muita reputação.

É aconselhável que o viajante, ao pretender ingerir bebida alcoólica, destine o primeiro trago a Exu, derramando-o discretamente no chão. Assim ficará colocado sob sua guarda e proteção e todos os caminhos se abrirão para lhe dar passagem, seja os que conduzem aos mistérios de Salvador, à sua beleza e à sua intimidade, seja os que levam ao coração das mulheres — mulheres morenas da Bahia, gama de cores que vai do marfim ao cobre, e o dengue infinito.

A FORÇA DO POVO

O POVO É MAIS FORTE DO QUE A MISÉRIA. IMPÁVIDO, RESISTE ÀS PROVAÇÕES, vence as dificuldades. De tão difícil e cruel, a vida parece impossível e no entanto o povo vive, luta, ri, não se entrega. Faz suas festas, dança suas danças, canta suas canções, solta sua livre gargalhada, jamais vencido. Mesmo o trabalho mais árduo, como a pesca de xaréu, vira festa. Em tendo ocasião, o povo canta e dança. Em terra ou no mar, nos saveiros e jangadas, nas canoas. Por isso mesmo a Bahia é rica de festas populares. Festas de rua, de igreja, de candomblé. Guardam todas elas nossa marca original de miscigenação, de nossa civilização mestiça.

ATMOSFERA DA CIDADE

EM CERTO COMÍCIO, REALIZADO QUANDO DA INVASÃO da Abissínia pelas forças fascistas de Mussolini, um orador, solene na roupa preta e no português castiço, afirmou que os baianos, como latinos dos melhores e mais puros, estavam ligados à Roma Imperial que o Duce queria reviver à custa dos negros abexins. Foi aí que subiu à tribuna um majestoso mulato e declarou que os baianos como descendentes dos africanos, mestiços dos melhores, estavam ligados sentimentalmente à sorte da Etiópia.

Assim é a Bahia. Quem disser que esta é a cidade de Castro Alves estará dizendo apenas meia verdade. Se disser que esta é a cidade de Rui Barbosa estará também dizendo apenas meia verdade. Entre o espírito libertário e o espírito liberal vive a Bahia. Nunca fascista, se bem por vezes reacionária, saudosista, enamorada de fórmulas passadas. Mas por outro lado, revolucionária, afirmativa, progressista e, se absolutamente necessário, violenta. Essas duas figuras do seu passado e tudo que elas representaram dominam a mentalidade da Bahia: o poeta libertário Castro Alves e o tribuno liberal Rui Barbosa. De Rui toma a Bahia certo amor ao castiço, ao verbo eloquente, mesmo à retórica, à frase sonora, ao liberalismo político. De Castro Alves recebe a vocação do futuro, o desejo de liberdade, a capacidade de romper com o passado, de marchar para a frente, a flama revolucionária. Gilberto Freyre já notou que a vaia do moleque rompe sempre, na Bahia, o excesso conservador que tenta impor-se. O conservador e o revolucionário coexistem no espírito da cidade, chocam-se, fundem-se por vezes, são quase palpáveis no seu contraste. Aqui o viajante verá diferenças mais absurdas em todas as coisas. Encontrará uma arte essencialmente política, desde os tempos longínquos de Gregório de Matos até os dias de hoje, uma arte a serviço do povo, ligada ao quotidiano, ao local, ao social, engajada, comprometida, visando ao futuro, mas encontrará também, com certa notoriedade estadual ou municipal, os mais carunchentos gramáticos, os estilistas mais torcidos, mais quinhentistamente ilegíveis de todo o país.

A Bahia orgulha-se do gramático Carneiro Ribeiro, discutindo com Rui Barbosa, seus pronomes tão bem colocados como não o faria o melhor professor de Coimbra, e orgulha-se de um educador como Anísio Teixeira, que revolucionou a pedagogia brasileira. Assim é a Bahia do choque permanente de suas duas faces, dos seus dois pensamentos. Sempre política. Não será política por acaso a literatura histórica de Pedro Calmon, tão política quanto os ensaios de Hermes Lima ou de Edison Carneiro? A política é a vocação do baiano.

No equilíbrio resultante do choque desses espíritos díspares que povoam a cidade surge um João Mangabeira, perfeito exemplo da fusão das duas matrizes, o baiano com todas as virtudes de sua inteligência e com todas as características do seu temperamento. Cultuando o passado e sonhando o futuro. O baiano que faz da amabilidade uma verdadeira arte, que é arguto até não mais poder, que é cordial e compreensivo, descansado e confiante. Que desmorona com uma piada agressiva todo um edifício de retórica. Escondendo sob o fraque solene um coração jovem. Gostando de rir, de conversar, de contar casos.

Eis uma cidade onde se conversa muito. Onde o tempo ainda não adquiriu a velocidade alucinante das cidades do Sul. Ninguém sabe conversar como o baiano. Uma prosa calma, de frases redondas, de longas pausas esclarecedoras, de gestos comedidos e precisos, de sorrisos mansos e de gargalhadas largas. Quando um desses baianos gordos e mestiços, um pouco solene e um pouco moleque, a face jovial, começa a conversar, quem fechar os olhos e fizer um pequeno esforço de imaginação poderá distinguir perfeitamente o seu remoto ascendente português e seu remoto ascendente negro, recém-chegado um da Europa colonizadora, recém-chegado outro das florestas da África. De quem é essa gargalhada clara e solta se não do negro? De quem é essa solene consideração para com o doutor, que é salafrário personagem da história que ele conta, se não do português imigrante, rude admirador dos mais sábios? Essa mulataria baiana, essa mestiçagem onde o sangue negro entrou com uma boa parte, não produziu o mulato espevitado, pernóstico, egoísta, adulador e violento com os inferiores, das caricaturas racistas. Sempre que penso no mulato baiano vejo um homem gordo. Gordo não apenas fisicamente. Como caráter também: bom, amável, glutão, sensual, agudo de inteligência, bem-falante mas de fala mansa, sabendo tratar tão bem os inferiores quanto os superiores, ou melhor ainda. Comendo comida gordurosa, cheia de azeite, mas apimentada também. Assim é o homem da cidade da Bahia, um pouco derramado e um pouco distraído. Um pouco poeta, poder-se-ia dizer, mas também astutamente político, o mais hábil político do Brasil. Assim é a Bahia. Esse é o seu clima, ligado ao passado, fitando o futuro. Nenhuma outra cidade do Brasil se mantém nesse equilíbrio espiritual que exige dos homens uma constante vigilância para não cair num conservadorismo reacionário ou num anarquismo inconstrutivo. Ao lado da vetusta Catedral está a Faculdade de Medicina, onde os estudantes abrem cadáveres para buscar a explicação da vida. Já há algum tempo que os candomblés deixaram de ser apenas uma constante religiosa dos negros querendo conservar bens de sua cultura original. São hoje também tema e material de estudos de jovens sábios, da criação de grandes artistas.

Existe uma cultura baiana com características próprias, originais? Creio que sim. Aqui toda a cultura nasce do povo, poderoso na Bahia é o povo, dele se alimentam artistas e escritores. Há uma tradição social na arte e na literatura baianas que vem desde Gregório de Matos e prossegue até hoje. Essa ligação com o povo e com seus problemas é marca fundamental da cultura baiana. Cultura baiana que influencia toda a cultura brasileira da qual é célula máter.

Sendo a cidade negra por excelência do Brasil, com uma grande população de cor, é aquela onde menos existe, em nosso país, o preconceito racial. O que não quer dizer que ele seja inteiramente inexistente. A mistura de sangue é muito grande e em sã consciência pouca gente poderá negar o avô negro mais ou menos remoto. A influência do negro sente-se em toda a parte. Não apenas no aspecto físico da cidade mas na sua vida. A superstição alastrada confundindo-se muitas vezes com a religião. Cidade religiosa, sem dúvida. Onde se encontrarão na religiosidade do baiano os limites entre religião e superstição?

Estão as duas quase sempre confundidas e quase sempre predominando a última. Os ritos religiosos adquirem aqui estranhas modalidades, os cultos católicos aformoseiam-se com uma aura fetichista. Há qualquer coisa de pagão na religião dos baianos, qualquer coisa que raia pelo sensual e que faz com que as múltiplas igrejas não sejam senão uma continuação, estilizada e civilizada, das macumbas misteriosas. Ao lado desse religiosismo supersticioso encontramos um anticlericalismo militante no povo em geral. Raramente existem, como em muitas cidades, padres de larga popularidade. Ao contrário, muitas das festas religiosas e populares (a do Senhor do Bonfim por exemplo) encontram feroz oposição de certa parte do clero. Nesse particular a Bahia recorda a Vascôncia, na Espanha, com seu povo religioso e anticlerical. Ou os mexicanos que, nas revoluções de Zapata e Pancho Villa, fuzilavam os padres aos gritos de "Viva Nossa Senhora de Guadalupe". Fenômeno idêntico se passa na Bahia onde junto ao povo negro a autoridade do padre é nenhuma se comparada à dos pais e mães de santo, enquanto que as classes ricas, como em toda a parte, utilizam politicamente o padre sem lhe ter o menor respeito.

Um povo bom, amigo de cores berrantes, ruidoso, manso e amável, de admiração fácil, acolhedor e democrata. Sob um céu de admirável limpidez, na fímbria do mar ou na montanha onde corre sempre uma cariciosa aragem, vive o povo mais doce do Brasil. Na cidade do Salvador da Bahia.

ESCORRE O MISTÉRIO SOBRE A CIDADE COMO UM ÓLEO

ESCORRE O MISTÉRIO SOBRE A CIDADE COMO UM ÓLEO. Pegajoso, todos o sentem. De onde ele vem? Ninguém o pode localizar perfeitamente. Virá do baticum dos candomblés nas noites de macumba? Dos feitiços pelas ruas nas manhãs de leiteiros e padeiros? Das velas dos saveiros no cais do Mercado? Dos Capitães da Areia, aventureiros de onze anos de idade? Das inúmeras igrejas? Dos azulejos, dos sobradões, dos negros risonhos, da gente pobre vestida, de cores variadas? De onde vem esse mistério que cerca e sombreia a cidade da Bahia?

"Roma negra", já disseram dela. "Mãe das cidades do Brasil", portuguesa e africana, cheia de histórias, lendária, maternal e valorosa. Nela se objetiva, como na lenda de Iemanjá, a deusa negra dos mares, o complexo de Édipo. Os baianos a amam como mãe e amante, numa ternura entre filial e sensual. Aqui estão as grandes igrejas católicas, as basílicas, e aqui estão os grandes terreiros de candomblé, o coração das seitas fetichistas dos brasileiros. Se o arcebispo é o primaz do Brasil, o pai Martiniano do Bonfim era uma espécie de papa das seitas negras em todo o país e mãe Menininha é a papisa de todos os candomblés do mundo. Os pais de santo e as mães de santo da Bahia vão bater candomblés no Recife, no Rio, em Porto Alegre. E seguem como bispos em viagem pastoral, acompanhados de enorme comitiva. De tudo isso escorre um mistério denso sobre a cidade que toca o coração de cada um.

Não há cidade como essa por mais que se procure nos caminhos do mundo. Nenhuma com as suas histórias, com o seu lirismo, seu pitoresco, sua funda poesia. No meio da espantosa miséria das classes pobres, mesmo aí nasce a flor da poesia porque a resistência do povo é além de toda a imaginação. Dele, desse povo baiano, vem o lírico mistério da cidade, mistério que completa sua beleza.

A cidade da Bahia se divide em duas: a Cidade Baixa e a Alta. Entre o mar e o morro, a Cidade Baixa é do grande comércio. As casas exportadoras, os representantes de firmas de outros estados e do estrangeiro, os bancos, as sociedades anônimas, a Associação Comercial, o Instituto do Cacau. Antigamente, quando o mar não se quebrava no cais, quando vinha até os fundos do Café Pirangi, esta parte da cidade era tipicamente portuguesa, com seus casarões, seus azulejos, suas escadas incômodas, um cheiro a mercadorias importadas característico de armazéns e mercearias. As ruas mais próximas ao morro e as ladeiras que partem em busca da Cidade Alta, igrejas como a da Conceição da Praia que veio pronta de Portugal para ser armada aqui, tudo isso recorda as cidades portuguesas. Mas na parte conquistada ao mar, onde foi antes o areal do cais, as construções modernas já não lembram a colonização lusa. Prédios como o do Instituto do Cacau, os modernos edifícios de cimento armado, os arranha-céus construídos nessa área, a primeira a ser vista pelo turista que chega por mar, modificaram a impressão inicial que se tinha da cidade. É bem verdade que logo se encontra o viajante ante o edifício da Alfândega, tipicamente português, construído durante o reinado de d. João VI, onde hoje se localiza o Mercado Modelo.

Na estreita faixa de terra entre o mar e a montanha, onde se situam umas poucas ruas paralelas e alguns becos que as cortam, ladeiras que sobem o morro, a Cidade Baixa trabalha sob a proteção de um monumento ao visconde de Cairu que se levanta em frente à Associação Comercial, em estilo neoclássico inglês, casa belíssima. Nas suas proximidades fica a Mesa de Rendas Estadual. Esses dois edifícios e o da Alfândega são admiráveis casarões antigos, de largas paredes e grossas portas. Já aqui estamos num mundo português adoçado pelo negro.

Várias ladeiras ligam a Cidade Baixa à Alta. A mais importante delas é a ladeira da Montanha, aberta no morro em cuja encosta rasgam-se buracos acimentados onde ferreiros trabalham e nos quais, por mais incrível que pareça, residem famílias. Casas, cujas fachadas simples dão para as ladeiras, descem o morro numa sucessão de andares para baixo, arranha-céus ao vice-versa. Ficam trepadas no morro como se fossem largas e estranhas escadas. Seu colorido rosa ou azul brilha entre o verde da montanha.

Para além da Cidade Baixa no contorno da baía, fica a península de Itapagipe, bairro de pequena burguesia pobre e de proletariado, separado do resto da cidade por uma longa rua que parte da Associação Comercial e vai até a Calçada. Aí estava localizada a célebre Feira de Água dos Meninos que um incêndio devorou pouco antes de ser também devorado pelo fogo o Mercado Modelo. Em substituição à feira célebre funciona hoje a Feira de São Joaquim, pouco adiante, ao lado do edifício da Petrobras, em frente ao Orfanato de São Joaquim, que é uma das mais belas casas coloniais da Bahia.

A Cidade Alta, excetuando as ruas centrais de comércio, é residencial, desdobrando-se em bairros no caminho do mar, subindo colinas e encostas. À noite o silêncio povoa a Cidade Baixa. Ela dorme no cais, as casas comerciais fechadas, bancos sem movimento, nos casarões e nos saveiros de velas arriadas. A Cidade Alta movimenta-se para os cinemas, para as festas, para as visitas. Os elevadores e planos inclinados a estas horas quase não têm freguesia.

As duas cidades se completam, no entanto, e seria difícil explicar de qual das duas provém o mistério que envolve a Bahia. Porque o viajante o sente tanto na Cidade Baixa como na Alta, pela manhã ou pela noite, no silêncio do cais ou nos ruídos da multidão na baixa dos

Sapateiros. Impossível explicar o mistério dessa cidade. É segredo que ninguém sabe, chega talvez do seu passado na sombra do forte velho sobre o mar, chega talvez do seu povo misturado e alegre, talvez do mar onde reina Inaê, talvez da montanha coberta de verde e salpicada de casas. É certo que todos o sentem. Ele rola sobre a Bahia, é como um óleo a envolvê-la. Quando na noite solitária da Cidade Baixa o ruído do baticum longínquo do candomblé coincidir com o encontro de um casal de mulatos que se dirige ao amor no cais, então o forasteiro se rende conta que esta é uma cidade diferente, que nela existe algo que alvoroça os corações.

É uma cidade negra, mas é também uma cidade portuguesa. Por que explicá-la? Basta que a amemos como ela o merece. Com um amor que não tente esconder suas chagas tão à vista. Que não tente negar a existência dos bandos de Capitães da Areia, roubando e assaltando porque têm fome. A Bahia não precisa de benevolência. Precisa, sim, de compreensão e de apoio para que seu mistério se liberte da miséria, para que sua beleza não permaneça manchada de fome.

Não é preciso explicá-la. Pois seu mistério é como um óleo que escorre do céu e do mar e vos envolve todo, corpo, alma e coração.

NOME DA CIDADE

OS FILÓLOGOS E HISTORIADORES PERDEM TEMPO DISCUTINDO SE ESTA CIDADE se chama cidade do Salvador ou cidade de São Salvador. Cidade do Salvador da Bahia, dizem alguns. A verdade é que ninguém está ligando a mais mínima aos filólogos. Os nomes das cidades não resultam da discussão acalorada dos graves senhores acadêmicos. Podem eles perder o tempo que quiserem, podem encher colunas de jornais com massudos e maçantes artigos, escrever grossos volumes que ninguém lê, xingar e esbravejar, o povo continua chamando sua cidade pelo doce nome de Bahia. Esta é a cidade da Bahia. Assim a trata o povo de suas ruas desde a sua fundação a 1º de novembro de 1549.

Pode ser que o colonizador devoto desejassse colocar a nova povoação sob o patrocínio de Jesus designando-a Cidade do Salvador. Mas somos um povo misturado, com sangue índio e muito sangue negro, e o nosso primitivismo ama os nomes pagãos tirados da natureza em torno. Bahia. Em frente à cidade está a baía enorme, belíssima, rodeando a ilha de Itaparica, recebendo as águas do rio Paraguaçu. Nela nadou Moema em busca de seu amor até morrer. Bahia de Todos-os-Santos. O católico lusitano batizou a baía em redor. O índio e o negro crismaram a cidade que ali nasceu: Bahia tão somente. Não adiantou o desejo de d. João III, rei de Portugal, que, mesmo antes de fundar a cidade, deu-lhe o nome de Salvador. Não adiantou a pertinácia de Tomé de Sousa conservando-lhe esse nome quando todos a chamavam Bahia. Esse povo misturado é, por vezes, cabeçudo. Permaneceu Bahia.

De nada adianta a grave discussão dos senhores acadêmicos. Ela se processa sob a mais absoluta indiferença popular. O povo não deseja saber se a cidade se chama Salvador ou São Salvador, se quem tem razão é o rato de biblioteca que não enxerga a vida há um quarto de século e ainda intitula amante de concubina ou se é o charlatão de pouco saber que apenas deseja bancar importância e exibir conhecimentos que não possui. Para o povo é a cidade da Bahia.

BAIANO É UM ESTADO DE ESPÍRITO

BAIANO QUER DIZER QUEM NASCE NA BAHIA, QUEM TEVE ESTE alto privilégio, mas significa também um estado de espírito, certa concepção de vida, quase uma filosofia, determinada forma de humanismo. Eis por que homens e mulheres nascidos em outras plagas, por vezes em distantes plagas, se reconhecem baianos apenas atingem a fímbria desse mar de saveiros, as agruras desse sertão de vaquejadas e de milagres, os rastros desse povo de toda resistência e de toda gentileza. E como baianos são reconhecidos, pois de logo se pode distinguir o verdadeiro do falso. Aqui entre nós: tem gente que há vinte anos tenta obter seu passaporte de baiano e jamais consegue pois não é fácil preencher as condições e como diz o moço Caymmi, nosso poeta, "quem não tem balangandãs não vai ao Bonfim".

Pierre Verger, mestre francês de artes e de ciências, andou meio mundo, cruzou caminhos do Oriente e do Ocidente, mares e desertos, montanhas e arranha-céus; era um ser errante, um inquieto. Já duvidava da alegria quando de súbito a encontrou ao chegar às ladeiras da cidade do Salvador da Bahia de Todos-os-Santos. Viu realizado seu sonho antigo na civilização mestiça que aqui plantamos e construímos com a nossa democracia racial. Chegara à pátria de seu coração.

Foi reconhecido e confirmado e, em festa de dança e canto, no terreiro recebeu o nome de Oju Obá. As iaôs dançaram em sua honra, sentou-se Pierre entre os notáveis de Xangô, entre os notáveis da Bahia. Sábio de Paris, feiticeiro da África, baiano dos melhores.

Muitos são os baianos nascidos noutras terras que nos têm trazido a contribuição de seu trabalho criador. O pintor Henrique Oswald, tão cedo falecido, quando alcançava sua completa maturidade de artista. O poeta Odorico Tavares, intemerato defensor de cada pedra de nossa cidade. O gravador Karl Hansen, da Alemanha, que juntou ao seu nome o da terra prometida: hoje se chama Hansen Bahia. Mestre Rescala, a quem tanto devemos pois preservou e restaurou tesouros de arte ameaçados pelo tempo e pela insídia dos governantes.

Baianos nascidos na Amazônia, os poetas Carlos Eduardo da Rocha e seu irmão Wilson, o psiquiatra Rubim de Pinho; no Maranhão, o desenhista e pintor Floriano Teixeira; em Sergipe, Jenner Augusto e José de Dome, mestres pintores, o historiador José Calazans e os jornalistas João Batista de Lima e Silva e Junot Silveira. Vindos de Portugal, como o padre Vieira que aqui desembarcou ignorante e tapado, dura cabeça de pedra — apenas aspirou o ar baiano, deu-lhe um estalo na cabeça, a pedra virou talento, floresceu no padre mais inteligente do mundo — e Antônio Simões Celestino, flor dos Celestinos da Póvoa do Lanhoso. O mais baiano de todos os baianos é o pintor Carybé, nascido no mar, dos ilícitos amores de Iemanjá com um certo senhor H. J. P. de Bernabó, de duvidosa nacionalidade.

Baiano é um estado de espírito.

REVOLUÇÕES

INQUIETA CIDADE REVOLUCIONÁRIA! AQUI OS POETAS FIZERAM DE SEUS VERSOS armas de combate e de revolta. De Gregório de Matos a Castro Alves, de Junqueira Freire a Jacinta Passos e a Capinam. Os tribunos pregaram as largas ideias, daqui saiu Rui Barbosa. Vive nas docas a memória do grevista João de Adão. Aqui nasceu Carlos Marighella.

Era ainda o governo Duarte da Costa, segundo governador-geral, e já índios, reduzidos à condição de escravos pelos portugueses recém-chegados, sublevaram-se. A vida nas imediações da jovem cidade tornou-se impossível. O filho do governador, Álvaro da Costa, conduzindo tropas bem armadas venceu um combate em Pirajá; os índios fugiram para as bandas do Rio Vermelho. Ali continuaram a lutar até o combate decisivo de Itapuã, quando os silvícolas foram obrigados à rendição. Ao filho do governador foram dadas as terras dos índios revoltosos, além das honras que a Corte lhe conferiu. As índias ficaram para os soldados portugueses bem armados.

Depois os negros vindos da África substituíram os índios na escravidão. Existem ainda alguns cretinos tão salafrários que dizem que a abolição se deve à bondade da casa reinante do Brasil, ao suposto bom coração de d. Pedro ii e da princesa Isabel, sua filha. Isso é desconhecer não apenas as condições econômicas do Brasil de então, como esconder, criminosamente, a longa batalha que os negros lutaram pela sua libertação. Foram muitos os levantes de negros em todo o Brasil. Nas senzalas brasileiras não lhes corria vida tão doce como nos querem fazer crer certos historiadores interessados em apresentar os senhores de escravos como santos de auréola à vista. Os negros se bateram muitas vezes pela sua libertação. Como esquecer a epopeia imortal de Palmares?

Sucederam-se na Bahia os levantes de negros. As crônicas da época estão cheias de notícias iguais a esta, de um cronista letrado, sobre movimentos libertários:

Em 4 de janeiro de 1809, em uma quarta feira, levantarão-se os Negros Africanos nesta cidade, de q'. se teve notícia no dia de quinta feira pelos grandes estragos q'. eles iam fazendo pelos Caminhos da Boiada, queimando casas quantas encontravão nos mesmos caminhos, sendo o número dos ditos Negros pa. mais de tresentos segundo listas das faltas q'. derão os Senres. dos ditos Negros, e logo no dia mediato vierão presos 30 além dos feridos pela grande resistência q'. fiserão, e da mesma forma nos mais dias sendo muitos presos; e também fiserão o mesmo levante em Nasareth das Farinhas donde também muitas mortes. Caso extraordinário, q'. logo o Senr. Conde, Governador desta cidade deo ordem q'. matassem a todos quantos se não quizessem entregar — Conde da Ponte —, sendo castigados os q'. não eram cabeças, a correr pelas ruas tanto femeas como machos, no serviço do desentulho da praça da quitanda de S. Bento donde depois foi a casa da opera.

Ainda não havia transcorrido um ano e já os negros se levantavam outra vez, em fevereiro de 1870. Cento e cinquenta açoites levou cada um dos que se revoltaram, excetuando os cabeças cujo triste fim se pode imaginar qual foi.

Em 1826 um poderoso levante de negros abalou novamente a Bahia. Durou vários dias de encarniçada luta entre os negros e a tropa e somente depois da prisão do chefe dos revoltosos, a quem haviam dado o título de Rei dos Negros, é que voltou a cidade à calma habitual. O chefe negro foi feito prisioneiro quando já não podia lutar, todo crivado de balas. Esse levante aconteceu a 25 de agosto de 1826 e já em 17 de dezembro do mesmo ano novamente os negros tomaram das armas roubadas aos senhores. Em 11 de março de 1828, novo levante. E assim, heroicamente, tenazmente, lutavam os negros pela sua liberdade.

Em 1832 houve a grande revolta dos negros malês. Negros com um nível de cultura em muitos pontos superior ao dos senhores de escravos, maometanos, ligados à mãe pátria, os malês eram uma força e em 1832 levantaram-se contra sua desgraçada condição de escravos. Chefiava a revolta o alufá Licutã e mais de mil e quinhentos negros puseram-se às suas ordens. A luta foi das mais sangrentas e a revolta dos escravos malês terminou afogada em sangue. Os senhores de escravos vingaram-se de maneira violenta, castigando barbaramente os negros revoltosos.

De toda essa agitação resultou a Sabinada que pretendia estabelecer a República da Bahia. Sob a chefia do dr. Sabino Álvares da Rocha Vieira, a famosa revolta baiana foi precedida, em 1788, por um levante de mulatos que desejavam a República Bahiense. Quatro desses conspiradores morreram na forca, na praça da Piedade. Os demais foram deportados para Angola.

O que caracteriza a Sabinada é o seu caráter acentuadamente democrático e popular. O movimento revolucionário baiano teve o apoio das massas pobres. Combatido pelos latifundiários, pela aristocracia do açúcar, pois trazia o germe de novas ideias sociais, foi talvez o movimento revolucionário de tendências mais avançadas de quantos se processaram no Brasil de então.

No Campo da Pólvora foi arcabuzado o padre Roma. O herói da Revolução Pernambucana fugiu para a Bahia e seu sangue ilustre correu em nosso chão, regou o solo baiano.

Na Bahia deram-se as batalhas decisivas da Independência. Quando Pedro i declarou o Brasil desligado de Portugal e foi dormir com a marquesa de Santos, em São Paulo, os baianos tomaram das armas, na capital e no Recôncavo, e concretizaram a Independência, deram realidade ao Grito do Ipiranga.

Um ano depois da proclamação da Independência estavam os baianos expulsando os últimos soldados lusos que ainda tentavam manter sob o jugo de Portugal as terras do Brasil. Em 2 de julho de 1823 as tropas liberadoras entraram triunfantes na cidade da Bahia.

ALUFÁ LICUTÃ: O ESQUECIDO

DOS PERSONAGENS HISTÓRICOS BRASILEIROS, O MEU PREFERIDO. O mais esquecido de todos, enterrado em cova funda pelos senhores de escravos, de lá ainda não foi retirado para as páginas da história, nem da que se escreve com h maiúsculo e em geral se ocupa apenas das personalidades oficialmente consentidas e consagradas, nem mesmo daquela outra história, mais verdadeira, feita à margem da aprovação das classes dominantes. Dos heróis brasileiros que lutaram contra a escravidão negra, bem poucos são lembrados. De qualquer maneira Zumbi dos Palmares (ou a legenda dos Zumbis) rompeu, devido talvez à violência romântica da revolta, a conspiração do silêncio. Ocupou palcos de teatro, páginas de romance, vive na imaginação do povo. Do alufá Licutã quem conhece o nome, os feitos, o saber, o gesto, a face de homem?

Comandou a revolta dos negros escravos durante quatro dias e a cidade da Bahia o teve como seu governante quando a nação malê acendeu a aurora da liberdade, rompendo as grilhetas, e empunhou as armas, proclamando a igualdade dos homens. Não sei de história de luta mais bela do que essa do povo malê, nem de revolta reprimida com tamanha violência.

A nação malê não era apenas a mais culta entre quantas forneceram mercadoria humana para o tráfico repugnante, em verdade os escravos provindos dessa nação alcançavam os preços mais altos, sendo não só os mais caros, também os mais disputados. Serviam de professores para os filhos dos colonos, estabeleciam as contas dos senhores, escreviam as cartas das iaiás, intelectualmente estavam bem acima da parca instrução dos lusos condes e barões assinalados e analfabetos ou da malta de bandidos degredados à longínqua colônia. O mais culto dos malês era o alufá Licutã.

Levantaram-se os escravos, dominaram e ocuparam a cidade. Logo derrotados pelo número dos soldados e pela força das armas, a ordem dos senhores furiosos foi matar todos os membros da nação malê, sem deixar nenhum. Homens, mulheres e crianças, para exemplo. Ordem executada com requintes terríveis, para que o exemplo pesasse e perdurasse. Assim aconteceu. A repressão foi tamanha, tão desmedida, que ainda hoje a palavra malê continua como que maldita; ainda hoje a ascendência malê é escondida, silenciada, quando já as razões do medo foram esquecidas.

Da revolta e de seu chefe pouco se sabe. Pedro Calmon tratou do assunto numa novela que parece haver se tornado, ela também, vítima do *diktat* dos escravagistas pois, sendo dos primeiros livros de mestre Pedrinho, não tenho notícias de que haja sido reeditado. No mais, o silêncio. É o caso de se perguntar onde estão os jovens historiadores baianos, alguns de tanta qualidade e coragem intelectual, que não pesquisam a revolta dos malês, não levantam a figura magnífica do chefe?

Quando escrevi *Tenda dos Milagres* andei no rastro difícil do alufá Licutã, alguma coisa consegui saber sobre sua nobre estatura de homem, bem-amado das massas populares da cidade. Uma das cenas daquele meu romance, a do povo reunido em frente à cadeia quando da prisão de Pedro Archanjo, baseia-se em fato sucedido com o líder malê.

Tema para estudos históricos que venham repor a verdade, redimir a nação condenada, ressuscitar o alufá, retirá-lo da cova funda do esquecimento na qual o enterrou a reação escravagista. Tema para um grande romance, para um poema bravio, para a arena e o palco, para as telas de cinema. Maldito, o alufá Licutã espera que venha proclamar na praça pública, em meio ao povo, sua força, sua medida, sua presença de herói. Herói não somente da nação malê, herói do povo brasileiro, herói da liberdade ainda hoje em luta contra a escravidão.

O ARTISTA, O ESCRITOR
E A MEMÓRIA DO GUERREIRO

A MEMÓRIA DE ANTÔNIO CONSELHEIRO ES-
TÁ PLANTADA NO SERTÃO DE CANUDOS, brota cada manhã do
sangue derramado pelos camponeses em armas, na caatinga feudal onde a
miséria fecunda jagunços e beatos.

Na cidade da Bahia, a memória de Antônio Conselheiro está viva na
madeira e no livro. Na madeira, no Solar do Unhão onde se encontram as
peças do acervo do Museu de Arte Moderna e, entre elas, uma das obras
maiores da escultura brasileira, o Antônio Conselheiro, de mestre Mário
Cravo, onde a força indômita do guerreiro rural está talhada no tronco de
jaqueira e dele salta para o combate sempre renovado. Colocado no fundo
da Capela um dia maldita, pois ali ocorreu morte de homem, vive, inteiro,
o gigante do sertão.

No livro, nasce e renasce nos estudos de mestre José Calazans, a
maior autoridade brasileira sobre a "guerra dos pobres" e seu extraordinário comandante. Numa série admirável de ensaios da mais alta qualidade, pela seriedade da pesquisa, pela inteligência do comentário, pela pre-
cisão histórica e pela beleza literária, José Calazans construiu outro
definitivo monumento à memória de Antônio Conselheiro. Vista de vários ângulos, a figura do taumaturgo sertanejo se revela em sua múltipla
riqueza na obra do ensaísta. Falta apenas ao escritor reunir os dispersos
estudos, plaquetes, artigos, conferências, num volume onde toda essa fecunda matéria se apresente coordenada, dando-nos a medida exata do
guerreiro.

Recriada pelo artista e pelo escritor, a memória de Antônio Conselheiro prossegue a guerra dos pobres na cidade da Bahia.

A BAHIA SE LEVA NA CABEÇA

PASSA GENTE CARREGANDO COISAS NA CA-
BEÇA. A BAHIA SE LEVA NA CABEÇA. Odorico Tavares confirma:
"Quem chega a Salvador, vê que ainda Atlas carrega seu mundo como
nos outros tempos: se não aos ombros, pelo menos na cabeça". Donald
Pierson chegou a ver "uma carta levada à cabeça, trazendo uma pedra

em cima para que não voasse". As baianas levam seus tabuleiros com comida e frutas num equilíbrio impossível! Num mesmo cesto, o negro velho vende verduras e flores. Outro carrega um balaio de laranjas, o menino conduz uma penca de bananas. Quatro mulatos fortes levam um piano, outro um caixão de defuntos. Passam todos pelo Pelourinho, encruzilhada da cidade. Pela manhã, nas esquinas, os ebós, os feitiços ameaçadores, anunciam vinganças de amor. Nessas esquinas Exu arma suas trampas, há quem diga que durante o dia ele se esconde na Igreja do Rosário dos Negros, no fundo dos altares, por detrás dos santos. Quando sai, arma fuzuê, derruba balaios, provoca quedas. Mas se acalma com um gole de cachaça e o povo continua levando a Bahia na cabeça.

IMPORTÂNCIA DA CULTURA POPULAR

O IMPORTANTE NA BAHIA É O POVO. DE UMA FORÇA VITAL SEM MEDIDA, artista de nascença, senhor da gentileza, capaz de superar as piores condições de existência e seguir adiante, amando o riso e a festa, criador de civilização e de cultura, o povo baiano marca e atesta toda a obra da criação aqui realizada.

Ponto de encontro de raças e costumes, primeira capital do país, rica e famosa nos inícios da nação brasileira, porto aberto aos barcos do mundo, às ideias e aos forasteiros, tais condições propiciaram a mestiçagem e o sincretismo cultural (e religioso), a interpenetração de fontes e correntes de pensamento na mistura de sangues — negro, branco, indígena — mistura sempre crescente até tornar-se a característica dominante do panorama social, dando à Bahia uma poderosa cultura popular, evidente nos diversos aspectos da vida do estado, estuante na capital. Dela nos alimentamos todos os que aqui criamos literatura e arte.

Mais de uma vez escrevi ser a África o nosso umbigo. Como sensibilidade, maneira de ver a vida e o mundo, forma de reagir aos acontecimentos, de viver e conviver, de pensar e agir, somos pelo menos tão africanos quanto ibéricos. Definitiva foi a contribuição dos negros para a formação de nossa cultura nacional. Apesar das terríveis, monstruosas condições em que a cultura negra se encontrou no Brasil ao desembarcar dos navios negreiros — nas condições de cultura de escravos, vilipendiada, desprezada, combatida à morte, violada, cuja substituição violenta, na base do cacete e do batismo, foi tentada quando os senhores de escravos quiseram impor aos negros, íntegra, a cultura dos colonos, da língua aos deuses.

A força de vida dos negros foi mais forte do que o chicote e a água benta, conseguindo manter viva e permanente, em meio às incríveis condições da escravidão, uma face original, mesclando-a no correr do tempo às duas outras matrizes da nação brasileira, para dar como resultado a originalidade da cultura mestiça do Brasil, única talvez no mundo. Tudo aqui se misturou, as línguas faladas na casa-grande, na senzala e na mata, os santos vindos da Península Ibérica, os orixás chegados da África, as iaras e os caboclos retirados da floresta e dos rios. Mulatos somos, Senhor do Bonfim e Oxalá sejam louvados, amém, axé.

Na Bahia, a cultura popular entra pelos olhos, pelos ouvidos, pela boca (culinária tão rica, colorida e saborosa), penetra sentidos adentro, determina a criação literária e artística, é sua viga mestra. Determina, assim, a condição nacional da literatura e da arte: caráter popular presente mesmo na obra mais refinadamente intelectual.

OS POETAS, OS FICCIONISTAS E OUTROS LITERATOS

PARA O VISITANTE DESEJOSO DE COMPLETAR SEU CONHECIMENTO DA TERRA e da gente, aqui vão alguns nomes de poetas, romancistas, contistas, cronistas, ensaístas, e títulos de livros importantes. Lista certamente incompleta, um ou outro autor, esse ou aquele livro, deixando de ser citado, injustamente esquecido. Os próprios visitantes podem completar a relação, é só perguntar ao livreiro Dmeval Chaves, latifundiário do livro na Bahia, ele conhece todos os autores baianos e inclusive os edita. Assim vale a pena de logo louvar a Coleção Itapuã, editada por ele, onde estão publicados ensaios sobre temas baianos indispensáveis, a começar pelas *Cartas de Vilhena*, terminando num delicioso livro de Hildegardes Vianna sobre costumes da Bahia.

Falamos da Editora Itapuã, cita-se igualmente a Macunaíma, editora de escolhidos volumes de poesia, em edições restritas para assinantes, todas elas ilustradas por mestre Calasans Neto. Vale a pena buscar e adquirir os volumes que por acaso não estejam esgotados: poesia de Godofredo

Filho, de Florisvaldo Matos, de Odorico Tavares, de Myriam Fraga, de Capinam, poetas todos de alta qualidade. Acrescente-se aos volumes de poesia os álbuns de gravura de mestre Calasans, com textos de Vinicius de Moraes, James Amado, Antônio Celestino, Glauber Rocha, Guido Guerra e desse vosso criado. Admirável o trabalho realizado pela Macunaíma.

A Editora Janaína não prosperou, mas nos deixou a edição da *Obra completa* de Gregório de Matos, nosso pai, reunida, comentada e analisada por James Amado. O prefácio e o posfácio constituem definitivo estudo da obra e da figura do poeta e cidadão brasileiro Gregório de Matos.

I. OS POETAS

Aliás, pela obra de Gregório, na edição Janaína, devemos iniciar o conhecimento literário da Bahia. Gregório de Matos é nosso primeiro poeta e o principal, assentou as bases da nação baiana, riu uma gargalhada que ainda hoje ressoa em nossos ouvidos, denunciou os nobres, os padres, os opressores, com vigor, asco e graça, abriu caminhos e nos criou a todos.

Em seguida, Castro Alves, o moço de gênio, libertando escravos, derrubando a monarquia, na força do verso. Era a própria liberdade restituindo a praça ao povo e foi o canto de amor mais belo até hoje composto sob os céus do Brasil. Da liberdade e do amor, ele soube tudo e tudo nos ensinou.

Leiam os poetas Junqueira Freire, Artur de Sales, Pedro Kilkerry, Francisco Mangabeira, Pinheiro Viegas, Pethion de Villar — de alguns será difícil obter os livros há muito esgotados e não mais reeditados.

É possível talvez encontrar um exemplar da *Obra poética*, de Sosígenes Costa. Difícil obter a *Balada de Ouro Preto*, a *Balada da dor de corno*, os demais livros raríssimos de mestre Godofredo Filho, inclusive o embriagador volume dos *Sete sonetos dos vinhos*, dos sete licorosos. Quando finalmente será lançada uma edição completa de sua poesia, destinada ao grande público?

Difícil, não impossível, encontrar nas livrarias a *Face oculta*, de Carvalho Filho. Ainda mais difícil os livros de poemas de Hélio Simões. Os grandes nomes do modernismo precisam providenciar urgentemente a reedição de seus livros. Só agora Alves Ribeiro reúne em volume seus magníficos sonetos. Onde os livros de Eurico Alves, de Bráulio de Abreu, cuja poesia hoje poucos conhecem?

Também Florisvaldo Matos, João Carlos Teixeira Gomes, Myriam Fraga e Fernando da Rocha Perez, jovens mestres da poesia, necessitam de edições para o grande público, rompendo os estreitos limites do livro de luxo. Jacinta Passos, Wilson Rocha, Ildásio Tavares. Capinam, Carlos Eduardo da Rocha, Santos Moraes, Cid Seixas, Carlos Cunha, Ruy Espinheira Filho, Jehová de Carvalho, Antônio de Jesus Saldanha, excelente poeta que exerce a profissão de barbeiro, Carlos Anísio Melhor, Fernando Batinga, Antônio Brasileiro, Mário Paranhos, Humberto Fialho Guedes, Jair Gramacho, Sérgio Matos, Helena Cunha, eis aí alguns nomes representativos de tendências diferentes, todos no entanto de real qualidade. Telmo Padilha, de Itabuna, se projetou mundo afora, hoje exibe traduções na Europa, prêmios nacionais e internacionais.

II. OS FICCIONISTAS

O pai do romance baiano é Xavier Marques, cuja obra começa a ser reeditada mas que, em verdade, necessita de uma edição completa e cuidada, que coloque na mão dos leitores a importante saga novelística do criador de *Jana e Joel*, obra-prima, de *O sargento Pedro*, de *O feiticeiro*, de *Os praieiros*, de *A curva da estrada*. Xavier Marques é um dos grandes do romance brasileiro.

Afrânio Peixoto, criatura admirável, dono de uma cultura multifacetada, divulgador da ciência moderna, inigualável conversador, romancista ameno, tratou mais do Rio de Janeiro do que da Bahia. Foi no entanto o primeiro a tocar o tema do cacau, possuiu grande público. É preciso ler seus romances: *Maria Bonita*, *Bugrinha*, *Fruta do mato*, *A esfinge*.

Lindolfo Rocha nasceu em Minas, mas *Maria Dusá* é um bravio romance baiano, da dura terra do sertão. *Dois metros e cinco*, de Cardoso de Oliveira, mostra a cidade da Bahia no século passado e as terras do Recôncavo, romance pleno de humor, por vezes ingênuo mas rico de interesse na descrição de costumes e paisagens.

A ficção contemporânea apresenta um poderoso grupo de criadores cuja temática é o cacau: as terras, o povo, a economia, as cidades e as fazendas. Dessas terras, onde o sangue correu na saga da conquista, nasceram romancistas e contistas que se colocam entre os maiores do Brasil. Aqui vão alguns nomes e títulos:

Adonias Filho, filho querido de Ilhéus: *Memórias de Lázaro*, *Corpo vivo*, *Os servos da morte*, *O forte*, *As velhas*.

James Amado: *O chamado do mar*, romance, e um punhado de contos. Um deles, "O sentinela", é uma pequena obra-prima.

Jorge Medauar: "Água preta", "A procissão e os porcos", "O incêndio", um contista da mais alta qualidade, uma narrativa dramática e lírica, magnífico escritor.

Outro contista de invulgar talento é Hélio Pólvora. Dono de extraordinária força criadora, homem de Itabuna, cujos contos, recriando a vida da região cacaueira, têm sutilezas de escritor de velhas civilizações, na preocupação formal, na riqueza de linguagem, a situá-lo entre os jovens mestres a partir da publicação de *Os galos da aurora*.

A esses nomes devem-se somar o de Ciro de Matos, moço de impetuoso talento. E o meu próprio, por ter sido eu o primeiro a aprofundar o tema do cacau, apenas referido por Afrânio Peixoto.

Onde situar, na geografia literária baiana, a figura ímpar de João Ubaldo Ribeiro? *Setembro não tem sentido* pretende ser a história de uma geração, é sobretudo a revelação de um romancista que, logo depois, nos daria um espantoso romance, *O sargento Getúlio*, seguido das novelas de *Vencecavalo e o outro povo*. Esse escritor nascido em Itaparica, do coito dos heróis da Independência com as sereias, invadiu o território literário de Sergipe e o engrandeceu. Uma estrela solitária, um revolucionário do romance, um clássico.

Vasconcelos Maia e Dias da Costa, eis dois excelentes contistas da cidade do Salvador, *Contos da Bahia*, *O cavalo e a rosa*, *O leque de Oxum*, *Histórias do povo baiano* intitulam-se os livros de Vasconcelos Maia, autor selecionado em todas as antologias de contos, inclusive em várias estrangeiras. *Canção do beco* e *Mirante dos aflitos* são os títulos dos dois volumes de Dias da Costa, cheios de ternura humana. Contista de extrema sensibilidade, renovando o gênero, a moça Sônia Coutinho, nome marcante e definitivo. Outros ficcionistas a serem lidos para se ter uma ideia mais cabal da vida baiana: Ariovaldo Matos — também cronista e dramaturgo, inquieto e cheio de talento — José Pedreira, David Sales, Mendes Neto, Luiz Ademir, Zadala Maron, Nélson Galo e Ildásio Tavares, esse último um talento multiforme a trabalhar os gêneros mais diversos, sempre com resultados válidos. Um romance da vida de Salvador, publicado na década de 30, esquecido, exigindo reedição, *A corja*, de João Cordeiro.

Outro grupo poderoso: o dos ficcionistas do sertão, recriando a vida das terras bravias, da caatinga e dos cascalhos onde fulgem diamantes.

Cascalho é o título de um famoso romance de Herberto Sales. *Além dos marimbus* amplia a importância de sua obra novelística. Autor até agora de quatro romances, todos de grande qualidade literária, de contos excelentes, Herberto Sales é hoje um dos primeiros nomes da literatura brasileira.

Wilson Lins é proprietário de uma vasta faixa de chão literário: o sertão do São Francisco, que ele divide com o falecido D. Martins de Oliveira — *Caboclo d'água, Os romeiros* — e com Ruy Santos, o autor de *Água barrenta* e de *Teixeira moleque*. De Wilson Lins são *Os cabras do coronel, O reduto, Remanso da valentia, Responso das almas*, romances em que recriou a saga das lutas sertanejas e o perfil dos grandes chefes, um dos quais, o maior, foi seu pai, o célebre coronel Franklin, de quem tive a honra de ser amigo. O tema da vida sertaneja foi tocado igualmente por Nestor Duarte, homem de grande inteligência, dispersivo, perdido na política, autor de dois romances: *Gado humano* e *O cavalo de Deus*, nos quais a narrativa é por vezes perturbada pelas considerações do ensaísta, o sociólogo.

As novelas de *O senhor capitão*, de Luiz Henrique, retratam o Recôncavo. Luiz Henrique exerceu também a crônica, com graça e emoção. Sobre o Recôncavo, a cultura da cana-de-açúcar, Clóvis Amorim, rica personalidade, escreveu os romances *O alambique* e *Massapê*, este último ainda inédito.

Entre os ficcionistas mais jovens, existem três grandes revelações. Antônio Torres, romancista que tem o que dizer e sabe dizer, um verdadeiro inovador, a meu ver muito importante, um senhor escritor. Ramiro de Matos, que se assina igualmente Ramirão e Gramiro de Matos, indiscutível, decidida vocação, ainda em intensa busca, aparentemente anárquica, em verdade muito planejada. E Guido Guerra, pleno de sensibilidade, sério, de real talento, que vem realizando pesquisa e criação com consciência e dignidade, escritor original e participante, de forte conotação social — começou com a crônica, ascendeu ao conto, triunfou no romance com o excelente *As aparições do doutor Salu* e assegurou sua realidade literária com *Percegonho céu azul do sol poente*. Nomes a guardar, entre os moços que trabalham o romance e o conto: Naomar de Almeida Filho, Fernando de Souza Ramos, Oleone Coelho Fontes, Alberto Castro Lima, Aurélio Vellame, José Benjamim, Leopoldo Alves, Antônio J. da Costa Filho, Marcos Santarrita, Almir Vasconcelos e o surpreendente Waly Salomão, cujo talento explode em violenta e agressiva afirmação.

III. ENSAÍSTAS E CRONISTAS

Impossível citar os nomes de todos os ensaístas e os títulos de seus muitos livros. Devem ser lidos os estudos de Manuel Quirino, Nina Rodrigues, Artur Ramos, Luís Viana Filho, Edison Carneiro, Anísio Teixeira, Pedro Calmon, Afonso Ruy Zitelmann Oliva, Renato Almeida, Wanderley de Pinho, José Calazans, Eugênio Gomes, Waldir Freitas de Oliveira, Guido Araújo, Walter da Silveira, Tales de Azevedo, Hermes Lima, Waldeloir Rego, David Sales, Sá Menezes, Afrânio Coutinho, Hildegardes Viana, Paulo Tavares, Clarival Valadares, Vivaldo Costa Lima, Milton Santos, Péricles Madureira de Pinho e João Mangabeira, cujo livro sobre Rui Barbosa é realmente uma obra-prima.

Entre os vários cronistas, nos jornais diários: Raimundo Reis, com muito senso de humor; Carlos Coqueijo Costa, vivo e ágil; Ruy Espinheira Filho, culto, humano, inquieto, bom poeta; Armando Oliveira — penso tratar-se de um grapiúna — perspicaz, gozador, irônico; Jehová de Carvalho, também poeta, boêmio, romântico, talvez o mais baiano de todos, homem do povo. E por fim Adroaldo Ribeiro Costa com sua coluna em *A Tarde*, lidíssima, dono de um público fiel, homem a quem se deve a admirável criação da *Hora da Criança*, hoje uma das mais louváveis realizações no campo cultural visando à infância e à adolescência baianas. Críticos de arte: Antônio Celestino, com um livro excelente sobre os artistas baianos, *Gente da terra*; Ivo Vellame, diretor da Escola de Belas-Artes, promotor de exposições; Wilson Rocha, um mestre; Matilde Matos, polêmica e informada. Crítico de cinema: José A. Berbert de Castro — sabe tudo sobre o assunto.

AS ARREPENDIDAS E A FRASE

O CONVENTO DA LAPA FICA NAS PROXIMIDADES DO COLÉGIO DA BAHIA (ex-Ginásio da Bahia), na avenida Joana Angélica, onde residia também o tribuno Edgard Mata, líder popular de extensa influência. O convento é de arrependidas. Isso pretende significar que residem nesse casarão de péssimas condições sanitárias e nele morrem indefectivelmente de tuberculose, aquelas graciosas mulheres que, após uma vida de agradável loucura, resolveram penitenciar-se. Em verdade raras vezes isso acontece. Quase sempre as desgraçadas que ali se estiolam são vítimas do feudalismo familiar ainda generalizado na pequena burguesia baiana, especialmente no interior. Moças que "se perderam" e cujos pais de honra em punho as trancafiaram no tenebroso Convento da Lapa, a coberto de olhares masculinos.

A visão deste convento igual a uma penitenciária é uma das impressões mais cruéis que nos deixa a cidade da Bahia. Seus altos muros negros, suas janelas de tal maneira gradeadas que é impossível ver através delas qualquer nesga do céu azul, qualquer trecho de rua por menor que seja, qualquer movimento por mais mínimo, qualquer parcela de vida, o silêncio dramático que vem do seu interior e que aperta o coração dos que passam. Ali pobres moças sofrem a tirania dos preconceitos, fenecem à luz sombria das velas e das macerações. Certa vez, desesperada, uma jovem jogou-se do alto de uma janela. Pronunciou um nome qualquer — bem-amado nome masculino — e atirou-se.

Mas ninguém sabe esta história. A história que todos sabem, ligada a este convento, é outra. Na porta que dá para a avenida, soror Joana Angélica, no ano de 1823, tombou sob as armas portuguesas. Os soldados da Corte quiseram entrar no convento para tomar posição de batalha, mas a freira postou-se na porta e disse a frase célebre:

— Só passando sobre meu cadáver...

Os portugueses passaram e uma placa lembra o lugar onde caiu a religiosa que defendia o trágico mistério sexual que esses frios muros encerram.

Hoje, o convento vai ser transformado em museu ou em hotel de luxo. As últimas arrependidas, felizmente, libertaram-se: com o passar do tempo e com a pílula. O prédio onde se situa o convento é um dos mais belos da Bahia.

AS UNIVERSIDADES

NO COMPLEXO CULTURAL DA CIDADE E DO ESTADO, A UNIVERSIDADE FEDERAL DA BAHIA desempenha papel decisivo. Inclusive no que se refere à arquitetura: do prédio em estilo colonial da Reitoria até os edifícios das novas faculdades e institutos, como a Escola Politécnica e as construções do vale do Canela (hoje vale Edgard Santos, em homenagem ao grande, ao realmente Magnífico Reitor), do Convento de Santa Teresa restaurado em seu esplendor ao

Solar onde fica a Escola de Teatro: — onde esteja a Universidade está o bom gosto e o amor à Bahia. Ela soube renovar e ampliar sem romper a fisionomia da cidade, sem violar seu caráter. Mestre Edgard Santos era um fidalgo da Renascença e ao mesmo tempo dinâmico cidadão do mundo de hoje, amava sua terra, cada pobre viela da Bahia, cada pedra de seu calçamento, e amava a cultura, a arte, o progresso. Quando o tiraram de sua Universidade, ou seja do formidável trabalho que estava realizando, já não teve motivos para viver, foi-se embora primeiro para o Rio, depois para sempre. A ele se deve, em grande parte, o atual prestígio cultural da Bahia, o desenvolvimento não apenas dos estudos universitários mas de toda nossa vida intelectual. Se hoje temos um movimento plástico importante, se na Bahia se formou um núcleo de cineastas de sucesso internacional, se os grupos de teatro começam a se multiplicar, se existe um modelar Laboratório de Fonética, um curso de língua iorubá, tudo isso se deve à Universidade e ao exemplo deixado por Edgard Santos. Vale a pena ressaltar que a obra de Edgard Santos foi continuada anos depois por seu filho Roberto, também ele reitor de qualidade excepcional. Tendo exercido a Reitoria em momento particularmente difícil, exibiu inteira a herança paterna: a capacidade de realização, o amor à cultura e o devotamento à democracia.

A Universidade da Bahia, com suas realizações e com seu reitor Edgard Santos, de onde ela nasceu, de onde provém, onde se encontram suas raízes? Naquilo que o ensaísta Clarival do Prado Valadares intitulou, com rara felicidade, de Universidade do Tabuão, e eu, noutro livro, chamei de Universidade do Pelourinho, escola de vida na qual não se têm férias jamais. Ou seja na cultura popular, naquela civilização nascida do povo, no humanismo resultante da mistura de sangues e costumes, resultante de nossa democracia racial.

Se nós, brasileiros, possuímos um valor próprio a incorporar ao patrimônio da cultura universal, essa contribuição é a nossa luta pela democracia racial, a interpenetração de raças, levando ao surgimento de uma consciência e de uma cultura mestiças. Aqui tudo se misturou: — todas as coisas estão misturadas nessa terra. Mais do que misturadas; fundidas umas nas outras, formando uma coisa nova, baiana, brasileira. Anjos e exus, o barroco e o agreste, o branco e o negro, o mulato e o caboclo, o candomblé e a igreja, os orixás e os santos, tudo misturado.

Em suas oficinas, os artesãos fabricam as ferramentas dos orixás, os emblemas, os símbolos. Alguns atingem um nível tão alto que seu trabalho alcança aquela mudança qualitativa que modifica seu valor: o artesanato vira arte. Fenômeno que ocorre com Didi (esse curioso Deoscóredes M. dos Santos, conhecida figura dos cultos afro-baianos e ao mesmo tempo escritor e artista) e com suas peças de candomblé nas quais se pode situar o momento exato em que o artesanato começa a se transformar em arte, quando seus limites ainda se confundem. Em sua oficina no Cabeça, Alfredo Simões esculpe a imagem do Cristo, os santos católicos. São muitos os santeiros da cidade, muitos os artesãos de candomblé, mas esses santos e esses orixás se interpenetram e vão terminar num orixá com jeito de santo ou numa madona com traços negros.

De súbito de todo esse mundo artesanal — trabalhando o ferro, o cobre, a prata, os metais diversos, a madeira, a palha, o vime, o barro — surge, como numa explosão, um gênio do povo, armado com a força do povo, e então constrói a beleza, a grande arte. Assim sucedeu com Agnaldo dos Santos, o escultor, ex-caieiro da ilha de Itaparica, morto aos 36 anos pela moléstia de Chagas, ainda tão comum na Bahia, recentemente laureado com o Grande Prêmio Internacional no Festival de Dakar. Artista que foi carne e sangue de sua gente, Agnaldo não surgiu por acaso. Nasceu de toda a escultura anônima de santos e orixás, das carrancas dos barcos do rio São Francisco, dos ex-votos, das talhas em madeira. Nasceu do mestre João Duarte da Silva, "riscador de milagres", desenhista de ex-votos na ladeira do Tabuão nos fins do século passado, nos começos deste.

João Duarte da Silva, homem de variadas ocupações e de pitoresca humanidade, mantinha no Tabuão uma tenda à qual deu o nome de "Toilette de Flora", em homenagem à esposa. Ali riscava seus milagres (muitas dessas pinturas deliciosas se encontram na Igreja do Bonfim e na de Nossa Senhora das Candeias, onde estão sendo, infelizmente, destruídas pelo tempo e pelo descuido) e exibia, numa espécie de lanterna mágica, imagens pornográficas recortadas em papel — precursor do cinema. Muitos foram os riscadores de milagres, que, como João Duarte da Silva, nos deixaram farta e poderosa herança. Como se vê, Agnaldo não é resultado do acaso, não é um simples talento que teve a possibilidade de se revelar, e, sim, um produto de seu povo: sua grande arte nasce de toda a madeira trabalhada antes dele, de todo ferro fundido, de todo o papel riscado.

Nessa cidade a cultura popular é tão poderosa, possui uma tradição tão densa, persiste porque foi defendida com tanta fúria e coragem, que ela não só marca como condiciona toda a criação artística e literária. Basta examinar a obra dos mestres escultores — Mário Cravo,

Mirabeau Sampaio, Antônio Rebouças, Madalena Rocha, Tatti Moreno, Manuel Bonfim — para que nela encontremos recriada em arte a criação quotidiana do povo. Basta atentar na pintura de um Carybé, de um Carlos Bastos, de um Jenner, de um Willys, de um Fernando Coelho, de um Hélio Basto, nos desenhos de Floriano Teixeira ou de Juarez Paraíso, nas gravuras de Calasans Neto ou de Emanoel Araújo. Sem falar sequer nos primitivos, em João Alves, Ana Lúcia, Cardoso e Silva, Licídio Lopes, Pedroso. Em todos eles a marca da cultura mestiça do nosso povo está presente, emprestando um caráter próprio ao seu trabalho criador.

Onde foi o tapeceiro Genaro de Carvalho — grande artista da Bahia e baiano exemplar em sua delicadeza, em sua civilidade — buscar as cores e os motivos para seus tapetes tão belos? Não foi por acaso na criação popular, nos mercados e nas feiras? Os santos de frei Agostinho da Piedade ou de Chagas, o Cabra — seu maravilhoso Cristo na coluna — não são iguais aos da Europa; tampouco os Xangôs e os Exus baianos são iguais aos da África. Há um Oxóssi de Agnaldo que se encontra no acervo do Museu de Arte Moderna da Bahia: é um jagunço da caatinga brasileira, cangaceiro engajado no bando de Lampião, antes de ser um deus da floresta do Daomé, um caçador de feras. Tudo aqui se misturou, sob o comando do povo. Porque esses bens de cultura foram defendidos com sangue e com raiva, com determinação implacável. A Nossa Senhora esculpida por Agnaldo tem uma coroa de pregos cravados na cabeça. A Iemanjá de Antônio Rebouças veste o manto de Nossa Senhora da Conceição.

Jean-Paul Sartre, depois de ter percorrido o nosso país de Norte a Sul, de Brasília a Manaus, de São Paulo a Belém, disse que o Brasil possuía uma cidade feita para o homem viver, cidade de vida popular, uma única: a cidade do Salvador da Bahia; as demais são inumanos campos de trabalho onde a vida é cruel para todos, mesmo para aqueles que possuem os bens do dinheiro e do poder, onde a vida é apenas competição e vaidade, tolice e pressa.

Isso não quer dizer que na Bahia a vida seja mais fácil, menos dura, menos difícil para o povo. Ao contrário: cidade pobre, estado quase paupérrimo apesar das inumeráveis riquezas, subdesenvolvido, na Bahia o povo tem oportunidades e possibilidades muito menores do que no Rio e em São Paulo. A diferença está na civilização popular, na cultura do povo, que humaniza a cidade e torna a vida menos áspera e brutal, fazendo das relações entre os cidadãos um convívio humano e não um permanente conflito de inimigos. Não me refiro, é claro, aos problemas de luta de classes, de injustiças sociais, que aqui existem como em qualquer outra parte. Refiro-me às relações entre pessoas, ao trato quotidiano, refiro-me ao humanismo baiano.

A vida popular é intensa e poderosa. Se a Universidade Federal da Bahia tem faculdades e escolas, institutos e colégios espalhados em diversos bairros — no Canela, no Garcia, em Nazaré, na Federação — a Universidade do Pelourinho é a própria cidade: cada feira, cada mercado, cada praça, cada largo, os saveiros nos caminhos do Recôncavo, os arcos da ladeira da Conceição da Praia, as jangadas na pesca do xaréu, as ruas onde os moleques jogam futebol e onde os Capitães da Areia, crianças abandonadas, sem lar e sem pais, aprendem as disciplinas mais difíceis, as que ensinam a sobreviver. Essa Universidade da vida popular ocupa por vezes as salas eruditas da Universidade da Bahia. Um dos espetáculos mais fascinantes que vi nos últimos tempos foram as aulas de língua iorubá ministradas por um professor nigeriano contratado ao tempo do reitor Edgard Santos. Nos bancos universitários sentava-se o povo dos candomblés: mães e pais de santo, ogãs, obás, feitas de múltiplas casas de santo, o povo com sede de saber. Alguns de cabelos brancos, com seus cadernos e seus lápis. Ali estava, viva, outra prova dessa constante interpenetração do popular e do erudito: aquela língua conservada a duras penas pelo povo negro, transformada quase pelo tempo em língua ritual dos cultos afro-baianos, voltava ao saber do povo através da Universidade. Essa troca é permanente, esse dar e receber.

DE MÚSICA E MÚSICOS

A MÚSICA É PARTE DA ATMOSFERA DA CIDADE. CHEGA DO MAR, no canto dos pescadores, no grave som dos búzios anunciando a partida dos saveiros. Chega dos caminhos, das encruzilhadas, dos becos escondidos, onde roncam os atabaques, nas orquestras dos candomblés saudando os encantados. Chega das escolas de capoeira angola, dos berimbaus erguidos em combate. Eleva-se nas rodas de samba — do samba de roda da Bahia, levado para o Rio de Janeiro pelas velhas tias, nasceu o samba brasileiro. Igual às cores do mar, do céu e da montanha, aos aromas orientais, aos sabores doces e picantes, a música é parte integrante da cidade, vive no ar, vibra nas ruas, ressoa no coração de cada um.

No seio de Iemanjá fez sua cama de noivo Dorival Caymmi, filho e amante, pescador e poeta. Descansado trovador estabelecido na Pedra da Sereia, destilando música, a voz solta na doce brisa da tarde.

O pai Caymmi, parindo todos os demais, a começar de João Gilberto que ele foi descobrir nas ribanceiras do rio São Francisco. Dramático João Gilberto, aquele a quem coube começar um tempo novo, marcar o início de uma época. Dos filhos de Caymmi, o mais louco e o mais angelical.

Dos segredos das camarinhas surgiu Gilberto Gil, acento negro na voz límpida, melodia que desce da senzala para conquistar a praça e o poder. Da festa de Nossa Senhora da Purificação em Santo Amaro, de comício impossível, proibido, desembocou Caetano Veloso, barco em mar de temporal.

Vieram os Novos Baianos, impuseram-se sem pedir licença a ninguém, um turbilhão, Antonio Carlos e Jocafi, tão iguais, tão diferentes, completando-se em perfeito entendimento, Cosme e Damião, mabaças. Raul Seixas, sem parentesco com outro qualquer, anunciando sua crua verdade. Walter Queiroz, a vivência da cidade, o talento da família Queiroz, a violenta paixão de Luz da Serra. Tom e Dito, dois moços dos bairros da Babia, recriando com picardia e encanto os ritmos populares, namorados de todas as adolescentes. Os cabras da caatinga deram o acento de dor e revolta, de luta e esperança da música de Elomar, melodia da terra agreste, do sofrido sertão. Tião Motorista, a festa da Bahia, a procissão de Iemanjá, o samba na praça, o canto do povo. João Só, poderoso criador, solitário como o nome indica.

Alcivano Luz e seu parceiro Carlos Coqueijo Costa: algumas das composições da dupla estão entre as mais belas da música popular brasileira. Jairo Simões, poeta, professor, jornalista, compositor de aguda sensibilidade. Batatinha, figura singular, a cabeça branca, o sorriso doce, seu samba é como ele, jovial e simples. Pleno de inventiva, Riachão ganhou fama nacional na voz de Caetano. Walmir Lima, músico de carnaval, à frente dos compositores das Escolas de Samba. Osmar e Dodô, na descoberta do som irresistível do Trio Elétrico. Camafeu de Oxóssi com o berimbau e os sambas de angola.

Para interpretar tanta melodia, para cantar tantas canções, quatro irmãs, bonitas, ternas, alegres: Cyva, Cybele, Cynara e Cylene, se reuniram e formaram o Quarteto em Cy. Conquistaram o Brasil, atravessaram fronteiras e oceanos. Comprei discos desse quarteto em lugares tão diferentes como Paris e Buenos Aires, Madri e Lisboa, Nova York e Munique. Tomou a frente do conjunto a mais doce das quatro, a mais poderosa, valente campeã dos direitos femininos. A criatura mais obstinada que conheci em minha vida, a mais brava lutadora. Com as três companheiras do Quarteto magnífico, Cyva leva sua mensagem de paz e amor aos corações cansados, violentados e violentos. No canto fraterno das quatro moças da Bahia, dissolvem-se a ira e o desespero e a barca da esperança retoma sua navegação. Cybele, Cynara, Cylene, a doce e poderosa Cyva, invencível vontade. Ouvir o Quarteto em Cy, que alegria! Conhecer Cyva, conviver com ela, ser seu amigo, que imenso privilégio!

Maria Bethânia, a grande intérprete da Bahia; Gal Costa tão sua irmã como se fossem do mesmo sangue ou mais ainda, sua igual; Maria Creuza, voz tão bela e pura. Para tão grandes compositores, as melhores cantoras.

Crucificado na inquieta e obscura busca de sua verdade, Edy Star; um dia, no passado, pintor de melancólicos palhaços, hoje rasgando o coração em público. O moço Armandinho com seu bandolim. Músicos importantes a lutar na Universidade e na praça pública, os maestros Manuel da Veiga, Carlos Lacerda e Carlos Veiga, o bom Carlinhos que foi embora chorando porque desejava ficar, mesmo sendo tão pequenas as oportunidades.

Um homem chegado de terras longínquas, aqui plantou raízes, a compor, a tocar, a inventar instrumentos, misto de músico e escultor, de filósofo e profeta, uma das figuras mais extraordinárias da arte brasileira: Smetack.

DUAS NOTÍCIAS DA COLÔNIA

UM EX-SOLDADO, IRMÃO DE JOSÉ DA SILVA BARROS, escrevia um diário onde anotava os acontecimentos importantes da cidade e de sua vida particular. O diário abrange de 1809 a 1828.

Uma notícia de 1810
Em 5 de outubro, o Comerciante Friandes professou no Convento do Desterro duas filhas q. ahi tinhão entrado, fazendo, uma pomposa função no dito Convento, com assistência do Exmo. Sr. Conde dos Arcos, e a Senra. Condessa do Conde da Ponta, e mais pessoas nobres, e povo, com uma grande iluminação, entrando tambem na mesma ocasião uma Sobrinha do dito,

houve grande jantar e á tarde um copo de agoa, alem de um Palanque que tinha para mais de tresentas pessoas, cujo Palanque forrado por fora de damasco, e por dentro de murim, e uma mui rica armação da Igreja, enfim coisa mais rica e estupenda.

Uma notícia de 1816

Em 24 de agôsto pregou-se na praça o Pastoral contra os negros, vindo do Rio de Janeiro pr. ordem regia pa. q'. todo negro cativo q'. fosse encontrado de noite depois das 9 horas, ia apanhar cento e cincoenta açoutes na grade da Cadeia, igualme. pa. elles não andarem em ranxos pelas ruas com a pena de todos os q'. assim fossem encontrados apanharem os ditos açoutes de cento e cincoenta; trasidas todas as novidades pelo Senr. Felisberto, Inspetor do Rio de Janeiro; e o Major do Primeiro Regimento Antonio Soares, entregue de todas as rondas da Cidade pa. dar conta estas execuções feitas o q'. elle executou a risca.

CHEGADA À BAHIA DA ARTE MODERNA CONTEMPORÂNEA

A CHEGADA À BAHIA DO "MODERNISMO" PAULISTA E CARIOCA ("Semana de Arte Moderna", conferência de Graça Aranha na Academia Brasileira etc.) deu-se por volta de 1927, ou seja, uns cinco anos após 1922. O que não significa demasiado atraso se levarmos em conta que na época Rio e São Paulo, então as capitais da cultura, dominantes, absolutas, ficavam extremamente distantes da província (o resto do Brasil), os meios de comunicação eram lentos, as ideias viajavam devagar, demoravam a chegar da Europa ao Rio e a São Paulo e ainda mais a atingir a Bahia. Cinco anos gastou em viagem a revolução literária, muito mais gastaria a revolução artística.

Creio serem de 1927 os primeiros poemas modernos de Godofredo Filho, e dessa época (1927 a 1930) são as revistas *Arco & Flexa*, *Samba* e *Meridiano*, o movimento liderado por Carlos Chiacchio (Arco & Flexa) e o liderado por Pinheiro Viegas (Academia dos Rebeldes). Nesse então, ao sopro dos ventos do modernismo paulista e do carioca (note-se de passagem que o chamado "regionalismo nordestino" de Gilberto Freyre não teve jamais a menor repercussão na Bahia) adaptados à brisa do Recôncavo, nasceram primeiro a nossa poesia moderna — o já citado Godofredo Filho, o grande Sosígenes Costa, Hélio Simões, Carvalho Filho, Alves Ribeiro, Eurico Alves, Bráulio de Abreu — e depois a novelística, essa já sob os influxos da revolução de 30, com profunda conotação social.

A essa revolução literária não correspondeu, na época, idêntica renovação do plano das artes visuais. Nos anos entre as duas guerras, anos do "modernismo" e do "romance de 30", a literatura sofre na Bahia total transformação, mas as artes visuais continuaram na mais completa estagnação. Na admiração pela figura tutelar de Prisciliano Silva (aliás bom pintor e excelente pessoa), a Bahia fez-se reduto do academismo quando já a arte moderna se impunha em todo o Sul.

Só durante a guerra, em 1944, acontece em Salvador uma primeira e pequena mostra de arte moderna. Para ilustrar um livro meu (as primeiras edições deste guia da cidade), desembarcou na Bahia o pintor e gravador paulista Manuel Martins. Veio por um mês, demorou-se sete. Em sua bagagem trouxe uma pasta contendo desenhos, gravuras, litos, pontas-secas de artistas novos de São Paulo, de Segall a Tarsila, de Flávio de Carvalho a Graciano, de Rebolo a Bonadei, de Gomide a Walter Levy. Juntamos a esses trabalhos alguns quadros, aquarelas, desenhos e gravuras de Portinari, Pancetti, Di Cavalcanti, Goeldi, Santa Rosa, Cícero Dias que possuíamos eu e Odorico Tavares. Odorico, recém-chegado à Bahia, eu, aqui novamente vivendo com residência obrigatória determinada pela polícia do Estado Novo, Manuel Martins, de prolongada passagem — entre os três armamos a exposição em sala da Biblioteca do Estado, na praça Municipal. Foi o grande escândalo.

Uma das repercussões dessa pequena mostra é extremamente significativa do atraso das artes plásticas em relação à literatura na Bahia. Estávamos em 1944, mais de 25 anos após a exposição de Anita Malfatti em São Paulo. Pois bem: escritores literariamente avançados, figuras de proa de renovação literária, à frente Wilson Lins e Lafayete Spínola, organizaram no hall do Palace Hotel uma exposição caricatural de revide àquela primeira visão de arte moderna, ridicularizando-a.

Só após a guerra, ou seja após 1945, a arte moderna joga e vence sua dura batalha na Bahia. Os pioneiros são três grandes: Genaro de Carvalho, Mário Cravo, Carlos Bastos, esquadrão de vanguarda logo reforçado com a chegada de Carybé, que já estivera na Bahia em 1938 mas que só então se fixou em definitivo para ser o mais baiano de todos os artistas baianos. Em seguida somam-se outros nomes: Jenner Augusto,

Agnaldo, Raimundo de Oliveira, Rubem Valentim, Mirabeau, Maria Célia, Antônio Rebouças, os arquitetos Lew Smarchevsky, Bina Fonyat, Diógenes Rebouças. Pierre Verger descobre João Alves, engraxate; aparecem Willys, Cardoso e Silva, Pedroso, a Bahia se veste de festa.

REVISTAS
E MOVIMENTOS LITERÁRIOS

"EM TAREFA PIONEIRA", COMO RESSALTA EDILENE MATOS, que a realizou, a Fundação Cultural do Estado da Bahia publicou em 1978 edição fac-similar comemorativa do cinquentenário da revista *Arco & Flexa*, que circulou de 1928 a 1929 (cinco números reunidos em três tomos) e foi expressão baiana do movimento modernista de São Paulo. Os ecos da Semana de Arte Moderna, como foi dito antes, levaram cinco anos na viagem de São Paulo para a Bahia.

O movimento do Arco & Flexa afirmou-se através da publicação da revista e de livros dos principais membros do grupo, como, por exemplo, *Rondas*, poemas de Carvalho Filho, e *Entre duas épocas*, romance de José Queirós — meu colega no Ginásio Ipiranga. Queirós Júnior não tinha ainda completado dezesseis anos quando editou seu primeiro livro. Gente jovem, precedida por alguns nomes que já se faziam citar pela crítica do Sul: Eugênio Gomes, o poeta de "Moema", que depois se afirmaria um dos maiores ensaístas de literatura do país; Godofredo Filho, com a *Balada de Ouro Preto*; Herman Lima, cearense residente na Bahia, contista de *Tigipió* e de *Água-mãe*.

O grupo propriamente dito era constituído por Pinto de Aguiar, Hélio Simões, Carvalho Filho, Ramyana De Chevalier (vindo do Amazonas, com seu irmão Carlyle, para estudar Medicina em Salvador), Jonathas Milhomens, De Cavalcante Freitas, procedente de Alagoas, José Queirós Júnior, Damasceno Filho e Eurico Alves, poeta que ainda está esperando quem reúna em livro sua obra completa — a meu ver Eurico Alves foi um dos poetas mais originais do modernismo baiano.

As fronteiras da revista iam além do grupo, incorporando nomes de importantes aliados: Artur de Salles, grande poeta e criatura adorável; Roberto Correa, pessoa boníssima a quem devo ter passado no exame do preparatório de Latim sem ter frequentado uma única aula; Pinheiro de

Lemos, Castellar Sampaio, Lafayette Spínola, além de Carlos Chiacchio, o temido crítico de *A Tarde*, cujo rodapé semanal fazia e desfazia reputações literárias. Colocou o peso de seu indiscutível prestígio a serviço da renovação das letras baianas, tendo sido "o responsável pelos parâmetros ideológicos da revista", segundo esclarece inteligentemente Edilene Matos. Da revista e do movimento do Arco & Flexa, acrescento eu.

Num dos números de *Arco & Flexa* figura simpática referência à revista *Samba*, de outro grupo modernista: Alves Ribeiro, Bráulio de Abreu, Elpídio Bastos, Otto Bitencourt Sobrinho, Clodoaldo Mílton, grande tipo, alegre camarada que terminou jornalista no Rio. *Samba* desempenhou igualmente considerável papel na renovação literária.

Afastando-se do grupo Samba, Alves Ribeiro, figura decisiva na orientação justa dos jovens revolucionários das letras, fundou a revista *Meridiano* e, com João Cordeiro, Da Costa Andrade (piauiense que cursava a Escola de Agronomia e trabalhava na prefeitura de Salvador), Dias da Costa, Edison Carneiro, Clóvis Amorim, Walter da Silveira, Aydano do Couto Ferraz, Sosígenes Costa e eu próprio, criou a famigerada Academia dos Rebeldes.

Nosso nume tutelar, fazendo face a Chiacchio, era o poeta e panfletário Pinheiro Viegas, e contávamos com a simpatia do professor Sousa Carneiro, de Artur Ramos, de Manuel Lima, de D'Almeida Victor, de Epaminondas de Sousa Pinto, de Dias Gomes, irmão mais velho do teatrólogo, morto precocemente.

Meridiano não passou do primeiro número; nós, os Rebeldes, éramos pobres como Job, exercíamos nossa prosa e nossa poesia em qualquer gazeta que nos desse guarida: *O Jornal*, órgão da Aliança Liberal, as revistas *A Luva* e *Etc*.

Decorridos vinte anos, em 1947 surge em Salvador a revista *Caderno da Bahia*, de fundamental importância na evolução literária e sobretudo na revolução das artes plásticas baianas. "Não foi somente uma revista. Foi um movimento de ampla envergadura, dinâmico, do qual a revista era o porta-voz. Lutávamos por uma arte mais de acordo com os problemas de nossos dias, inclusive os problemas políticos da época", explica Vasconcelos Maia, que liderava o grupo e compunha, com Cláudio Tuiuti Tavares, Darwin Brandão e Wilson Rocha, o corpo diretivo de *Caderno da Bahia*. Da redação faziam parte Mota e Silva, José Pedreira, Pedro Moacir Maia, Heron de Alencar, Adalmir da Rocha Miranda, Paulo Jatobá, Hélio Vaz. Ligados à revista e ao movimento, nomes que logo se fizeram nacionalmente conhecidos: Clóvis Moura, Jair Gramacho, James Amado, Camilo de Jesus Lima, José Calazans, Nélson Araújo, Luís Henrique e Jacinta Passos, que publicou em *Caderno da Bahia* alguns de seus mais belos poemas.

A maior importância desse movimento está, segundo me parece, na aliança dos jovens literatos com os jovens artistas que só então iniciavam a luta contra o academicismo ainda dominante na plástica baiana. Três nomes se impõem desde o primeiro número da revista, os de Mário Cravo Júnior, Genaro de Carvalho e Carlos Bastos (ou, como se assinava na época, Carlos Frederich), aos quais logo se somam os de Rubem Valentim, Mirabeau Sampaio e Jenner Augusto, este recém-chegado de Sergipe, magro, inquieto, revolucionário. O grupo promove exposições, algumas em praça pública, que provocam imenso escândalo. Desencadeia-se a batalha da arte moderna na Bahia.

Outro aspecto positivo da revista é seu posicionamento diante dos problemas brasileiros. Reflete a luta política, toma posição, consciente órgão de esquerda. É tempo de fazer-se com *Caderno da Bahia* o que foi feito com *Arco & Flexa* — uma edição fac-similar dos seis números aparecidos entre 1947 e 1951.

Anos depois, em 1958, alguns moços universitários lançam a revista *Mapa*, rompendo mais uma vez velhas estruturas. Desse movimento nasce o Cinema Novo e todo o moderno teatro baiano. O diretor de *Mapa* era Glauber Rocha e a seu lado estava Paulo Gil Soares. Outros redatores importantes: Fernando da Rocha Perez, fundador da revista, Florisvaldo Matos, Carlos Anísio Melhor, José Contreiras, Frederico Sousa Castro. Os artistas do grupo eram Calasans Neto (que aliás, na época, em românticos bilhetes para a namorada Auta Rosa, assinava-se Kallah, assim mesmo, com k, dois eles e agá no fim). Sante Scaldaferri, Hélio Basto. A revista trata de Brecht, apresenta Albert Camus, traduz Eliot, Langston Hughes, Pound, Rafael Alberto. Os meninos que fizeram *Mapa* revelavam uma incrível maturidade intelectual, davam a volta por cima.

OS PERFUMES VIERAM DO ORIENTE

EXU VEIO DA ÁFRICA, DAS BANDAS DA NIGÉRIA, DO DAOMÉ, DE ANGOLA, do Congo, com os demais orixás e o canto e a dança, num navio de escravos, ao tempo do comércio infame.

Os perfumes da cidade vieram quase todos do longínquo Oriente. Chegaram nas caravelas das descobertas, no tempo da audácia e do assombro. Singraram o mar das Índias, costas da China e do Ceilão — em certas igrejas do Recôncavo os Cristos e as Virgens têm olhos amendoados, santas chinesas de Macau. Ainda outro dia, no antiquário Jorge Tarrapp — um dos melhores da cidade, ser humano cordialíssimo — vi preciosa arca procedente de Goa. O Oriente se infiltrou nessa terra baiana, concorreu para a paisagem com as árvores frutíferas, deixou seu poderoso aroma.

Cheiro vindo com as mangas, as jacas, as frutas olorosas. Com as pimentas, os picantes, com a alfazema, com os incensos, cheiro de mel e de malagueta. Nos mercados, nos becos, nas cozinhas, no ar da cidade.

Folhas de pitangueiras sobre o piso das casas, folhas rituais nos banhos para lavar o corpo. Um banho para lavar o corpo do mau-olhado é sempre recomendável. Mas o viajante não deve fazê-lo por conta própria, sem antes consultar uma ialorixá ou um babalaô.

PAIS E FILHOS

A SOCIEDADE DE BELAS-ARTES DA BAHIA FOI FUNDADA PELOS PAIS de Castro Alves e de Rui Barbosa, em 1856. Os dois filhos, moços baianos estudando na Faculdade de Direito de Pernambuco, fundariam, anos depois, a primeira Sociedade Abolicionista do Recife, primeira também do Brasil, para dar fuga aos negros escravos. Da arte pela arte à arte política...

NOTÍCIA DE IMPRENSA

A MÁSCARA, REVISTA MENSAL DE SALVADOR, publicou sob o título de "Um poeta esquecido", a seguinte notícia:

Nesta velha Tomé de Sousa, quem não conhece o poeta e repentista Álvaro Martins, em todas as camadas sociais? Tipo legítimo do vate antigo, cabeleira luzidia à Castro Alves, cuja conformação da cabeça se assemelha à desse imortal cantor dos escravos, o Álvaro Martins já teve, nesta capital e no Recôncavo, a sua fase, o seu apogeu.

Era de vê-lo, nas festas cívicas, nas praças públicas, cabeleira ao vento, a recitar versos de seu fecundo estro ou a dizer belíssimos discursos, que eram sempre aplaudidos, com verdadeiro entusiasmo, pela multidão. Modesto, de uma popularidade surpreendente, o Álvaro Martins goza também de larga estima na repartição onde empregou toda sua mocidade e velhice.

No tempo dos seus triunfos literários, obteve duas glórias segundo expressão sua: uma o de ser abraçado pelo conselheiro Rui Barbosa, quando da sua excursão política pelo Norte; e a outra o de ser osculado na fronte pelo célebre aviador lusitano Sacadura Cabral, ao terminar uma formosa poesia sua, exaltando o ousado feito dos ases do país amigo, quando das festas do centenário.

Conhece e fala três línguas, não é formado; mas tem pronunciada cultura e largo descortínio em todos os campos da atividade intelecto-administrativa.

Sem sorte, porém, como acontece em geral com os literatos, sempre marcou passo na burocracia, onde sistematicamente não se dá valor a quem o tem.

Álvaro Martins possui incontáveis produções literárias, na maioria sonetos da escola condoreira. Jamais se lhe ofereceu oportunidade de publicar um livro, sequer; tendo, no entanto, bagagem suficiente para vários livros.

Álvaro Martins, porém, com essas preclaras credenciais, vive esqueci-do. Em homenagem ao seu valor literário, a *A Máscara*, com prazer, lembra à Bahia ilustre e artística o grande poeta repentista.

São de Álvaro Martins estas sentimentais estrofes:

Saudade!... Lágrima triste
De Mãe ajoelhada
Na sepultura onde existe
Pálida sombra e mais nada.
Irmã de um bem que reparte
A Dor que nos mortifica,
Triste exílio de quem parte —
Desolação de quem fica!...

FREIRAS E ESCADAS DE CORDA

DIZEM QUE NOS MUROS DO CONVENTO DO DESTERRO PODEM-SE AINDA ver as marcas dos lugares onde as freiras dependuravam nos tempos passados as escadas de corda pelas quais subiam os amantes nas noites mornas da Bahia. Ah! esse Convento, bem ao contrário do Convento da Lapa, relembra coisas alegres: literatura, trocadilhos, epigramas, poemas e amores. Convento de fidalgas, da ordem das Irmãs Franciscanas do Sagrado Coração de Jesus, fundado em 1655, as abadessas faziam política e literatura. Moças ricas que se haviam apaixonado por mulatos brasileiros eram levadas ao Convento de Santa Clara do Desterro onde as freiras procuravam lhes provar praticamente as vantagens físicas dos fidalgos lusitanos sobre a mestiçagem nacional. As escadas de corda, os jantares com bons vinhos e canções picantes, meias cor de carne para as pernas perfeitas destas freiras do amor. Eleição de abadessa no Convento do Desterro era que nem hoje eleição para a Academia Brasileira de Letras, com fuxicos, calúnias, anedotas, epigramas, curvatura de espinha. Reuniam-se nos salões do convento, para festas que os cronistas afirmam terem sido orgias monumentais, o que de mais elegante e viciado possuía a cidade. Ali esteve em novembro de 1717 o francês Monseigneur de la Barbinais le Gentil que saiu bastante escandalizado. No seu lindo barroco português, o Convento do Desterro recorda uma comunidade alegre, literária, festeira, devassa e sensual, que mereceu reprimendas terríveis e figurou nas cartas de Vilhena. As freiras amavam representar peças profanas no improvisado teatro do Convento. E as celas se enchiam de ais de amor nas noites baianas.

Tudo isso passou. Foi antigamente. Agora só resta o muro, o "muro das freiras", onde caíam as escadas de corda para os visitantes noturnos que o povo apelidara de "fraderescos". Poderemos, oh, turistas! organizar um coro em frente a este Convento do Desterro, após admirar-lhe a arquitetura barroca, e cantar melancolicamente:

— Ai! que pena...

OS CASTELOS

NÃO SEI QUANTOS RESTAM NA CIDADE, CERTAMENTE NÃO HÁ DE TER SOBRADO nenhum parecido com os de meus tempos de rapaz, de jovem literato, quando os castelos não eram somente lugar de encontro e cama, assumiam a posição dos salões literários inexistentes na vida da burguesia local. Os magros poetas, os novéis ficcionistas, os filósofos (existiam muitos filósofos no meu tempo de moço) liam suas produções no recinto dos castelos para senhoras prostitutas, inteligentes, românticas, lindas. Mesmo as completamente iletradas, recém-chegadas do interior, de defloramento recente, pasto à disposição dos senhores da terra e de seus filhos, meninas algumas de treze e quatorze anos, mesmo essas aplaudiam o soneto de rimas ricas de Bráulio de Abreu, o poema moderno de Clóvis Amorim, o entrecho do conto de Dias da Costa que para elas era o moço Oswaldo, pequeno de altura mas bom de briga e de pernada.

Herdeiros da tradição literária de certos conventos de freiras da época colonial, como o do Desterro, cultivando a terna convivência que se estabelecia entre os fregueses e as raparigas e os distanciava de qualquer ideia de sujo comércio, sítios propícios ao ócio e à alegria, os castelos baianos em nada se assemelhavam às casas de prostituição do Sul do país, eram doces e pecaminosos ninhos de amor, onde a caftina repetidas vezes praticava rimas, derramando súplicas e lágrimas em sonetos e poemas. Hoje, nos tempos da empresa e do consumo, existem os chamados motéis de alta rotatividade, definição perfeita. Os castelos, ah! eram o oposto da alta rotatividade, tudo neles se fazia descanso e tranquilo prazer, excetuando-se a hora da cama, é claro, hora de calor, força, violência, doçura e requinte. Mas para chegar à cama e ao corpo cálido de desejo, o caminho passava pelo namoro, pelo sentimento, pela poesia. Assim era, assim foi.

Sérgio Porto, o derradeiro carioca, exatamente por ser tão autêntico homem da cidade do Rio de Janeiro, amava a Bahia e aqui vinha repousar de seu inferno quando o cansaço já lhe estrangulava o coração — no Teatro Castro Alves sob alada escultura de Mário Cravo, uma placa relembra o amor de Stanislaw Ponte Preta por nosso burgo e a saudade de seus amigos. Demorava-se horas e horas no prazer da prosa, ouvindo e contando, restaurando as forças consumidas pela loucura da vida múltipla e sacrificada. Foi numa dessas vindas à Bahia que, sabedor das qualidades e virtudes dos antigos castelos, quis revivê-las e preparou um projeto completo para a instalação, em solar belíssimo de propriedade de Mirabeau Sampaio, de um castelo exemplar onde o homem perdido e condenado das grandes cidades pudesse reencontrar o sossego, o prazer e a paz. Mirabeau possui os originais desse longo e minucioso trabalho —

engraçadíssimo — de Sérgio Porto, das últimas páginas que ele escreveu antes que a máquina o triturasse.

Não sei se ainda existe localizado em rua antiga e calma, como apraz acontecer, algum castelo semelhante aos inesquecíveis. Mas o visitante deve procurar obter a informação e, se constatar o milagre de tal sobrevivência, não perca a ocasião de comprovar como era rica de invenção, alegria e ternura a vida na cidade da Bahia em tempos ainda próximos. Quem pode lhe dar semelhante informação? Pois eu lhe digo, chegue o ouvido perto já que os nomes são de senhores muito dignos, um tanto envelhecidos, dos mais respeitáveis da cidade, não posso pronunciá-los em voz alta nem aqui os escrever. São banqueiros, desembargadores, cônegos, poetas, os cabelos brancos quando não pintados — os poetas costumam ser vaidosos. Ai, meu tempo.

CANTO DE AMOR À BAHIA

Se gostas do teu marido,
na minha frente não passes...

canta o marinheiro no cais, próximo ao Mercado, em cuja calçada, como lâminas de aço, brilham os peixes ao sol. Ah! se amas a tua cidade, se tua cidade é Rio, Paris, Londres, ou Leningrado, Veneza de canais ou Praga de velhas torres, Pequim ou Viena, não deves passar por essa cidade da Bahia, porque um novo amor encherá teu coração. Esplêndida cidade, noiva do mar, senhora do mistério e da beleza. Nesse mar habita Iemanjá, a dos cinco nomes, e o misterioso chamado dos atabaques ressoa na noite dos casarões sob a lua, das igrejas de ouro, das ladeiras grávidas de passado. O mistério e a beleza da cidade te envolverão, darás teu coração para jamais; jamais poderás esquecer a Bahia, o óleo de sua beleza densa te banhou, sua mágica realidade te perturbou para sempre.

No alto da montanha, na praça Castro Alves, o poeta vigilante no monumento estende a mão libertária e aponta o mar embaixo, de um traiçoeiro azul subitamente verde, onde as velas dos saveiros se abrem ao vento numa aventura renovada cada manhã. Plantado em meio às águas, o negro forte antigo dorme um sono centenário; há muito que ele se incorporou à paisagem, é paisagem ele mesmo e não praça de guerra. Todas as ladeiras descem para o mar de manhã cedo, mas à noite todas elas se dirigem aos candomblés, atendendo ao insistente bater dos atabaques, aos cantos nagôs saudando os santos. Mas a manhã é a hora do mar no pequeno cais do Mercado iluminado de mangas, abacaxis, abios, cajás, cajaranas, cajus, verdes melancias e das estrelas de sangue das pitangas; no cais da Feira de Água dos Meninos, onde os saveiros depositam bilhas, moringas, pratos desenhados e cavalgadas de barro, bois mansos e cavalos azuis, tudo construído pelas mãos ingênuas e sábias de anônimos artesãos: na praia de Itapuã, de onde partem as jangadas de Caymmi, com Pedro Ferreira e Bento para enfrentar "lá fora os pés de vento". A manhã é a hora do mar quando os búzios dos saveiros despertam Janaína cansada da noite na macumba, nas danças rituais, e ela sai de sua morada no Dique e se espalha sobre o mar, dona das águas.

E uma beleza antiga, sólida e envolvente a dessa cidade. Não nasceu de repente, foi construída lentamente e está amassada no sangue dos escravos. No largo do Pelourinho eles eram castigados, e das janelas dos sobradões imensos as frágeis iaiás espiavam os corpos nus cortados à chibata. Almas penadas habitam os casarões, e ficam vagando pelas escadas sujas. Nos sombrios corredores ouvem-se os ais de dor dos negros injustiçados. Libertam-se pela noite de mistérios e sobem pelas ladeiras clamando vingança. É uma beleza que escorre como óleo do casario e das pedras negras de certas ruas, os nomes como poemas: rua dos Quinze Mistérios, ladeira do Tabuão, rua do Cabeça, largo das Sete Portas, Mirante dos Aflitos, que escorre das igrejas dos santos negros, esculpidos em madeira e ferro, Xangô, Oxóssi, Ogum, Exu amedrontador, a bravia Iansã e o tétrico Omolu, que comanda a varíola. Dessa arte anônima dos santeiros negros, nasceu a moderna escultura baiana, Mário Cravo, Agnaldo, Mirabeau. Em meio à promiscuidade da mais completa pobreza, num velho casarão, surge, inesperada, a incomensurável riqueza de antigos azulejos, os poucos que ainda não foram levados pelos ricos de outras terras. Como uma figura antiga, a baiana de perfeito colo desabrochado nas rendas da bata, sentada em frente ao tabuleiro de acarajé e abará, de moqueca de aratu, de cocada e beijus. Ela é como rainha da cidade, essa pobre negra que ganha duramente a vida. De majestosa beleza, de fala mansa e coração de bondade, riso aberto e claro, suas mãos criam cada dia a arte do vatapá e do caruru, do efó e do xinxim

de galinha. O bordado dos papéis que cobrem os tabuleiros recorda o papel cortado da Polônia ou da China na pureza do desenho.

O homem é imaginoso e cordial nessa terra de pimenta e brisa do mar, de mariscos e água de coco. Ele sabe as palavras sonoras e por vezes difíceis, sua fala é larga, sua voz cantante. Terra do sangue misturado, mestiça com todos os coloridos do moreno, todas as nuanças entre o branco e o negro. Negras como rainhas de tribos desaparecidas, mulatas de cintura de vespa e onduloso andar, brancas desfalecendo ao falar, nasceram todas de Moema, a que de amor morreu no mar quando a cidade apenas começara. Os pintores vêm de longe para descobri-las, para recriar as paisagens, as casas e ruas que o homem construiu. Vêm o pintor Pancetti para a praia, a jangada e o mar; o alemão Hansen, para o Bar São Miguel, de tímidas rameiras inocentes; outro alemão, Udo, para os arredores do Mercado, Rescala para as igrejas e o casario, e Carybé para a cidade inteira, para nunca mais sair. Viraram baianos todos eles, e para todo o sempre. E por mais longe que estejam, levam consigo o mistério e a beleza da Bahia.

Nem tudo é poesia apenas, e o drama explode nas ruas em enxames de crianças famintas, na multiplicação dos mendigos, na fome em terra tão rica. Nem tudo é grande tampouco, e certos homens, aventureiros vindos de todas as partes, tentam reduzir essa beleza negra e pesada, densa como óleo e profunda de mistério, às proporções turísticas, e tudo fica pequeno e triste quando tocado por tais mãos. Existe uma persistente e criminosa tentativa de deformar a beleza da Bahia, sua dramática beleza centenária.

À noite o mistério aumenta. Das encruzilhadas escuras chega o eco da orquestra de atabaques, agogôs, chocalhos, cabaças, chamando os filhos e filhas de santo para a festa da macumba. No céu de estrelas a lua amarela se derrama sobre o mar. Os santos descem nos terreiros, vindos das florestas da África. Os homens vão pedir saúde, dinheiro, longa vida e sobretudo amor, fidelidade de inconstantes corações. O sangue dos galos e dos bodes se derrama sobre Exu, para que ele não venha perturbar a festa dos homens. Nos cantos de rua, feitiços são colocados, afastemos nossos passos desses perigos. Na noite do mar sobe a canção do marinheiro:

Se gostas do teu marido
por que vens na minha frente
tuas ancas rebolar...?

Junto aos tabuleiros das baianas se acomodam os fregueses mais habituais, para saborear mingau de puba, de milho e tapioca, sarapatel, bolo de aipim, o que há de mais gostoso para comer. Dorme a Cidade Baixa, menos o cais: movimenta-se a Cidade Alta. A música domina os homens, o ritmo negro dos batuques vem de recantos perdidos e atravessa as ruas e avenidas, acompanha os ônibus, os automóveis, bate no sangue de cada habitante. À noite o mistério aumenta e a beleza da Bahia se cobre de luar.

Essa é a minha cidade e em todas as muitas cidades que andei, eu a revi num detalhe de beleza. Nenhuma assim, tão densa e oleosa. Nenhuma assim, para viver. Nela quero morrer, quando chegar o dia. Para sentir a brisa que vem do mar, ouvir à noite os atabaques e as canções dos marinheiros. A cidade da Bahia, plantada sobre a montanha, penetrada de mar.

RUAS, BECOS
E ENCRUZILHADAS

O FORTE DO MAR

TARTARUGA IMENSA, ANCORADA NO GOLFO, DE IMPOSSÍVEL BELEZA. Guardou a cidade contra as invasões, as corvetas vindas do mar, lutou contra os colonizadores. Faz parte da história e da paisagem.

Forte de São Marcelo, no dizer dos eruditos; Forte do Mar, na língua do povo. É o umbigo da cidade da Bahia.

VELHOS E NOVOS NOMES DE RUAS

ESSES NOMES COMO POEMAS DAS RUAS DA BAHIA! OS SENHORES ACADÊMICOS, historiadores de meia-pataca, filólogos que pensam estar em Lisboa e se fizeram cães de guarda da língua portuguesa não se contentam com o desejo de impor um nome pernóstico à cidade da Bahia. Desejam também que o povo aprenda os novos nomes das artérias citadinas. Arrancaram os nomes antigos de um sabor e de um pitoresco deliciosos, substituindo-os por nomes desconhecidos de gente que pouco ou nada fez de valioso neste mundo. Não há meio do povo decorar esses nomes, de esquecer os antigos que recordam realidades históricas e não apenas vultos medíocres.

Há uma rua que se chama dos Quinze Mistérios... Quanta coisa a imaginar à base desse nome que logo evoca amores românticos, mistérios maçônicos, conspirações, raptos de donzelas, fugas de negros! Que quinze mistérios seriam esses? Os do rosário? Ah! podem ser todos os mistérios do mundo que todos os mistérios cabem em qualquer rua da Bahia.

No largo dos Aflitos, para o qual conflui também a rua dos Aflitos, há um ponto que domina o mar e de onde se descortina parte da cidade. Chama-se mirante dos Aflitos. Eis que os homens cheios de aflição, aqueles de coração pesado de tristeza, vêm até o alto do morro e daqui olham o vasto mar que é um convite à aventura, a montanha bravia, os telhados da cidade. E sua aflição diminui, e a tristeza não mais habita aqueles corações. Mirante dos Aflitos, nome mais sugestivo, tão poderosamente dramático!

Como chamar de outra maneira a ladeira do Pelourinho onde se elevava o pelourinho nos tempos passados? Ali sofriam os negros como sofrem hoje os pobres que habitam os casarões. No largo estavam os instrumentos de tortura. Deram o nome de José de Alencar à ladeira do Pelourinho. Quem sabe disso? Talvez nem mesmo os prefeitos da cidade o saibam. O glorioso romancista merecia bem uma rua. Mas outra qualquer onde seu nome se fixasse. Aqui ele jamais será lembrado porque a sombra do pelourinho ainda se estende sobre os homens que descem a ladeira ou que sobem as escadas apodrecidas dos sobradões como túmulos.

Portas do Carmo, Guindaste dos Padres... Gosto particularmente de beco do Calafate. Nomes sobre os quais se pode imaginar. Como não imaginar uma história dramática com muito sangue e punhais erguidos, com diálogos ao jeito de Pérez Escrich, ao pronunciar o nome da rua do Cabeça? Vejo esta cabeça solta, decepada, o sangue ainda rolando. Seria a cabeça de um negro escravo, morto para exemplo pelo senhor sem dó nem piedade? Seria a cabeça de um nobre cortada à noite na vingança de um ultraje? Ah! quanta coisa não pode ser, quanta história não pode encerrar esta rua do Cabeça, da cabeça sem corpo, solta, sozinha, sem nenhuma explicação!

Escreverei dez nomes e cada qual é mais sugestivo e mais saboroso: rua da Agonia, ladeira da Água Brusca, rua do Chega Negro, rua da Forca, travessa da Legalidade, Jogo do Lourenço, largo das Sete Portas, travessa do Bângala, rua dos Marchantes, rua Bugari...

Existe a avenida dos Amores e a das Sete Facadas. O beco do Sossego e a rua Mata Maroto. A baixa da Égua e a fonte dos Frades. O Bom Gosto do Canela e a rua da Água do Gasto. A rua Alegria do Paraíso e a travessa de Chico Diabo. Quem foi Chico Diabo? Foi o da Guerra do Paraguai ou foi outro qualquer? Ah! eu não o sei, mas deve ter sido personagem importante, figura de proa por aqueles lados já que seu nome persiste até hoje na memória do povo. A ladeira dos Galés e a avenida das Gardênias. O Alto do Gato e a rua do Gasômetro. A rua das Mercês e a Quinta das Beatas. A avenida Crista de Ouro e a ladeira do Tabuão. A Lapinha e a rua Areia da Cruz do Cosme. A rua Boca da Mata e a rua Cabuçu. Existe o Cais do Ouro e o Porto da Lenha. A Cidade de Palha e a rua da Quebrança.

Bolívar é o nome de uma rua. Mas não ficou só em Bolívar e puseram um sobrenome ao herói americano. Virou Bolívar das Flores e assim permanece até hoje. A travessa Zumbi dos Palmares honra o grande negro libertador. E a rua do Bom Marché? A Estrada da Liberdade é o nome de um bairro operário. A Estrada da Liberdade... Sobre a fome e a pobreza, sobre a miséria nos casebres, a liberdade aponta o futuro. Nome bem posto.

São muitas as ruas, são muitos os nomes assim tão saborosos. Os prefeitos vêm e mudam as placas a conselho dos graves senhores acadêmicos. Ninguém liga. Os nomes antigos continuam, contam coisas da cidade, fazem parte não apenas da sua história como também da sua beleza. Fez bem o prefeito Cleriston de Andrade, um dos melhores administradores da Bahia, mandando restaurar os nomes antigos das velhas ruas, nomes de invenção popular, versos compostos pelo povo na geografia dos becos, avenidas, encruzilhadas de Salvador da Bahia de Todos-os-Santos.

PELOURINHO

O CORAÇÃO DA VIDA POPULAR BAIANA SITUA-SE NA PARTE MAIS VELHA DA CIDADE, a mais poderosa e fascinante. Refiro-me às praças e ruas que vão do Terreiro de Jesus, contendo suas igrejas — são cinco, cada qual mais suntuosa, e entre elas estão a Catedral, a Igreja de São Francisco, e a da Ordem Terceira com sua fachada esculpida — descem pelo Pelourinho, sobem pelo Paço e pelo Carmo, desembocam em Santo Antônio, junto à Cruz do Pascoal, ou nas imediações da Cidade Baixa, ao lado do velho Elevador do Tabuão, até o beco da Carne-Seca.

Toda a riqueza do baiano, em graça e civilização, toda a pobreza infinita, drama e magia nascem e estão presentes nessa antiga parte da cidade.

Largo do Pelourinho, do tronco onde os negros escravos eram castigados. Das sacadas dos grandes sobradões, então residências ricas de senhores de engenho, de nobres do Recôncavo, as sinhazinhas contemplavam os negros no chicote, as costas em sangue, pagando pelos malfeitos, era uma diversão. As pedras do calçamento são negras como os escravos que as assentaram, mas quando o sol do meio-dia brilha mais intensamente, elas possuem reflexos cor de sangue. Muito sangue correu sobre elas, tanto e tanto que nem a distância do tempo pode apagar. Essa praça do Pelourinho é ilustre e grandiosa: sua beleza é feita de pedra e de sofrimento. Por aqui passa a vida inteira da Bahia, sua humanidade, a melhor e a mais sofrida. Duas igrejas são mudas testemunhas desse viver: a do Rosário dos Negros, negra e azul, e a do Paço, com sua escadaria ligando as ruas, somente negra. Mais em cima, o Carmo, as igrejas e o convento. Belo durante o dia, à noite o Pelourinho é um deslumbramento.

"De noite é um cenário dramático, haja lua ou não", escreve Carybé. "As portas dos sobradões, carregadas de sombras, de cheiros, de rumores, parecem bocas do mistério. Passantes cansados, bêbedos dialogando com sua sombra ao passar debaixo dos postes, bandos de Capitães da Areia esquálidos, risos debochados de cabrochas ecoam no fundo das imensas sombras, porque nessas horas o Pelourinho é um poço sem fim..." E Carybé acrescenta com a mesma ternura e a mesma compreensão com que recriou em sua obra de pintor e desenhista toda a cidade da Bahia e sua vida: "Fatigada praça oblíqua, cansada de ver".

Cansada de ver: viu ontem os escravos no tronco, vê hoje as rameiras nas portas e janelas das casas coloniais que ostentam os brasões das ordens religiosas proprietárias desses imóveis. Algumas dessas mulheres-damas são meninas de treze ou quatorze anos: chegaram das plantações do interior onde os hábitos feudais colocam as moças nas camas dos donos da terra, ou vieram da zona do petróleo onde o dinheiro é fácil.

Nos dias de ontem, Chagas, o Cabra, vinha embebedar-se nas tavernas do Pelourinho, nesses becos esconsos, nessas ladeiras. Nos dias de hoje, o alemão Hansen veio ancorar num bar, o Flor de São Miguel, bar de marítimos e de marafonas. Hansen gravou na madeira, para sempre, a face densa e dramática dessa humanidade.

O Pelourinho, para Odorico Tavares, é "o mais belo conjunto arquitetônico brasileiro", "praça de muita grandeza, de muita beleza, de muito sofrimento, de muito amor". Poderia acrescentar: praça de vida inumerável. No Pelourinho e em seus arredores se encontra de um tudo: a escola de capoeira, as gafieiras, o salão de beleza no fundo de uma viela, os passistas, os estudantes, os músicos, os vendedores de ventoinha, a sede do afoxé, a rinha para luta de canários, a quitanda, a massa de pedra do Convento do Carmo, a alfaiataria, as engomadeiras de ternos brancos, os bares mais estranhos, a curandeira rezando o mau-olhado na porta de casa, a vidente, o padre e o operário.

LADEIRA DO TABUÃO

A LADEIRA DO TABUÃO PARA AQUELES QUE A SOBEM DESDE A CIDADE BAIXA, economizando o tostão do elevador, se divide em duas etapas. A primeira vem até o alto do elevador, em meio à ladeira. A segunda parte dali (ou de um pouco antes, onde a ladeira faz um cotovelo) e vem até o sopé da ladeira do Pelourinho. A ladeira do Tabuão, durante as horas do dia, joga gente na baixa dos Sapateiros e dela recebe gente em busca da Cidade Baixa.

São casas altas, cinco e seis andares, sobradões antigos, de fachadas desbotadas, algumas delas quase desmoronando. Escadas escuras de onde chega um bafio de bolor, de coisas velhas e sujas, de urina, de falta de limpeza. Em meio a um formigueiro de gente que sobe e desce, vive um comércio pobre que não cabe nas ruas mais importantes, artesãos, remendões de sapato, reformadores de chapéus, santeiros que fabricam indiferentemente imagens católicas, Nossa Senhora e Jesus Cristo e orixás negros, Iansã e Ogum, Euá e Oxumarê. Os andares superiores abrigam uma variada população de pequenos empregados no comércio, operários, marítimos, pobres de todas as espécies, as prostitutas mais acabadas também. Mulheres de rosto marcado pela sífilis parecem velhas de cem anos, que esgotaram o tempo de vida e perderam a presença humana. Visão trágica para o viandante descuidado que por ali passe à noite. Naqueles quinto-andares infernais vive uma raça de mulheres que ninguém imaginaria existir. Tão doentes, tão desgraçadas, tão espantosas.

Durante o dia a vida regurgita, pobre mas ardente, nesta ladeira suja e velha. Durante a noite, um hospital de alucinação, os ratos atravessam livremente de um lado para outro. Assim é a ladeira do Tabuão.

CORREDOR DA VITÓRIA

O CORREDOR DA VITÓRIA FOI O SUPRASSUMO DO GRÃ-FINISMO, daquele tirado a aristocrático, vindo da monarquia, com títulos de nobreza, a nobreza mulata do Império, com avós adulterinas esquentando leitos reais. Solares maravilhosos, dos quais é exemplo o que abriga o Museu Costa Pinto, em breve certamente o único a se manter de pé, recordando uma época.

Os demais vão sendo comidos pela corrida imobiliária, pela avidez do dinheiro. Uma das mais belas ruas de todo o Brasil, transforma-se em incrível e hostil floresta de arranha-céus, de brutal cimento armado. A visão da cidade para quem chega por mar, antes tão bela, se transforma e empobrece.

AVENIDAS...

PRÓXIMO AOS BAIRROS RICOS, NOS FUNDOS DAS MORADIAS ELEGANTES, existem por vezes numerosos e míseros casebres, arrumados como senzalas antigas, onde vive uma população proletária na maior imundície. Boa fonte de renda para os proprietários que dão a esses correr-de-casas o pomposo nome de avenidas...

Na avenida Diná moram nos espantosos cortiços cerca de oitenta pessoas. Parece que setenta e três, exatamente. Em toda a avenida, para estas dezenas de habitantes, existem apenas três latrinas. Se é que se pode chamar aqueles buracos de latrinas...

Outra dessas avenidas exibe o nome glorioso de Osório. Quarenta pessoas ali habitam. Uma única latrina.

A RAMPA DO MERCADO

UM DOS LUGARES MAIS FASCINANTES DO MUNDO, A RAMPA DO MERCADO no cais da Bahia. Assim chamada por ficar em frente do antigo Mercado Modelo, próximo ao ancoradouro dos navios da Companhia de Navegação Baiana. Ali arribam os saveiros vindos de Itaparica e do Recôncavo, carregados de frutas. Na rampa, os balaios cheios das espécies mais belas e mais olorosas: mangas, bananas, abacaxis, pinhas, pitangas, cajás, cajaranas, melancias, abacates, cajus, sapotis, umbus, condessas, jacas-de-pobre, jacas moles e jacas duras, abios, a fruta-pão, muitas outras. No pequeno porto, os saveiros, as velas coloridas.

Não há muito, houve uma ordem — que ordem! — mandando retirar os saveiros da rampa, proibindo as frutas. Felizmente durou pouco, os saveiros voltaram, novamente o povo ocupou a rampa e a alegria retornou. Há uns poucos lugares inesquecíveis no mundo: a ponte Vecchia, em Florença, a Place des Grands Augustins, em Paris, a Piazza San Marco, em Veneza, certos recantos de Bruges, a praça de Dubrovnik, Monsarás, em Portugal, Samarkand, no Azerbaijão, a rampa do Mercado, na Bahia.

RUA CHILE

A RUA CHILE É PEQUENA. VAI DA PRAÇA MU-
NICIPAL AO LARGO DO TEATRO, enladeirada. No entanto é o coração da cidade, nela se exibe toda a gente. Como a rua do Ouvidor, no
Rio, a rua da Praia, em Porto Alegre, ou a rua Direita, em São Paulo.
Em todas as cidades há uma rua assim. A da Bahia não é pior nem melhor que as das outras capitais. São ruas do fútingue, da conversa, de
negócios também, de namoros, de brilho, de exibição. Ali se estabelece
o comércio mais elegante. As grandes casas de fazendas, sapatos, roupas
de homem e mulher. Ali estão os ricos sem quefazer, os desocupados, os
literatos, os aventureiros, os turistas, gente que sobe e desce a rua, ali as
mulheres mostram seus novos vestidos, exibem as bolsas caras, em passeio diário. Há quem não possa deixar de ir à rua Chile todos os dias. Há
mesmo quem viva em função da hora ou da hora e meia em que passeia
pela rua atravancada.

Pelas cinco horas da tarde a rua está repleta. Comerciantes, advoga-
dos, médicos, políticos, funcionários, quando repartições, escritórios e
bancos fecham as portas, vêm para os passeios onde desfilam as formosas,
ali permanecem na falta do que fazer. Demoram-se em grupos ruidosos,
no comentário das novidades, dos boatos políticos, das últimas notícias,
nas piadas às mulheres — olhares lânguidos, palavras doces. A vida alheia
é passada em revista, a má língua trabalha. Igual ao que acontece em todas
as cidades, numa rua igual, apenas o baiano é mais tranquilo, mais descansado, o tempo é mais lento, não corre com tanta pressa como no Rio ou
em São Paulo. Felizmente.

Passam rapazes e moças estudantes, passam solenes representantes
das classes conservadoras, o governador sai do Palácio Rio Branco, onde despacha, sai o prefeito do belo edifício da Municipalidade — atualmente restaurado em sua antiga beleza que fora deformada e degradada
durante decênios — todos cruzam a rua Chile, coração da cidade. Nessa
pequena rua enladeirada — da praça Castro Alves à praça Municipal —
marca encontro toda a gente importante da cidade. As mulheres mais
belas e os homens mais considerados. Igual ao que acontece em todas as
outras cidades.

Lojas, livrarias, casas de modas, restaurantes, bares, hotéis. Nos andares superiores dos prédios ficam consultórios, escritórios de advocacia,
dentistas, randevus.

O turista deseja encontrar alguém na Bahia e não possui o seu endereço? Deve ir à rua Chile às cinco horas da tarde e com certeza encontrará a pessoa que procura.

A ORLA MARÍTIMA

A CIDADE SE ESTENDE NO SENTIDO DAS PRAIAS, CRESCE NA ORLA MARÍTIMA, hoje plena de restaurantes, boates, clubes, bares, e belas, magníficas residências. Aí estão os bairros grã-finos, dos mais antigos, Barra e Barra Avenida, Jardim Ipiranga, Morro do Gato, até os mais novos, começando pela Pituba e continuando pela orla adiante até Itapuã, e mesmo além. Além de Itapuã, na Pedra do Sal, reside o pintor Carlos Bastos numa casa digna da paisagem maravilhosa.

Os grandes clubes sociais: o Iate, a Associação Atlética, o Baiano de Tênis, o Centro Espanhol, o Clube Português, situam-se nessa área elegante, da Barra Avenida à Pituba. Alguns bairros antigamente pobres, típicos da pequena burguesia, transformam-se hoje, quando a cidade cresce à beira do mar: Ondina, Rio Vermelho, Amaralina. Mas, como sempre acontece na Bahia, tudo aqui se mistura: por detrás das casas elegantes da praia de Amaralina, fervilha a vida intensa e pobre, em vasto território habitado por trabalhadores de todos os tipos, o Nordeste de Amaralina. Nos limites do Rio Vermelho, vivem algumas figuras das mais importantes da cultura baiana: o compositor Dorival Caymmi, na mansão que o povo baiano lhe deu na Pedra da Sereia; o escultor Mário Cravo, em residência e ateliê de extrema beleza e simplicidade, obra do arquiteto Gilberbert Chaves; o pintor Jenner Augusto, em casa não menos bela; o pintor Willys, no alto da ladeira do Papagaio; o escultor Manuel Bonfim, próximo à Mariquita; o escritor Wilson Lins, no alto de uma colina, dominando o bairro: ali cria suas figuras sertanejas, coronéis e jagunços de clavinote em punho. Também no Rio Vermelho habitam os pintores Floriano Teixeira e Jamison Pedra. Carybé mora em Brotas, Mirabeau Sampaio, no Chame-Chame; o arquiteto Mário Mendonça, em Amaralina com sua mulher Zélia Maria, ceramista. Na Pituba, os romancistas João Ubaldo Ribeiro e James Amado, o contista Ariovaldo Matos; em Nazaré, o escritor Guido Guerra; no Morro do Ipiranga, Dmeval Chaves, Odorico Tavares, o reitor Augusto Mascarenhas e o médico, dentista e cantor de óperas — Luciano Fiúza — ótimo tenor e ótima pessoa.

Existem na Barra dois recantos admiráveis. No Porto da Barra, fica o Forte de Santo Antônio, um forte velho, abandonado, o primeiro que se levantou na Bahia. Data de 1536. Um pequeno porto com uma feira aos sábados e, nas manhãs de domingo, os saveiros repousando, tudo isso ao lado da minúscula praia concorridíssima onde os corpos das grã-finas se exibem aos olhos espantados e cobiçosos dos mestres de saveiro. Uma vela azul corta o mar verde, esplêndido! Os grandes navios passam ao longe, vê-se a fumaça que eles lançam. Baianas vendem doces. O forte é belo, entrando pelo mar, sentinela da barra nos tempos antigos.

Mais adiante, a praça onde está situado o Farol da Barra, frente à praia maravilhosa. Há uma pequena elevação e sobre ela, numa ponta que fende o mar, levanta-se o farol majestoso, em outro forte antigo, agora destinado à missão de paz de ensinar o caminho da barra aos transatlânticos e aos cargueiros. As grandes pedras na praia onde as ondas furiosas se rebentam, o vento sempre forte do mar, a perspectiva da avenida Oceânica fazem deste ponto talvez o mais belo de se ver na Bahia. Tem alguma coisa de selvagem, de inconquistado, de poderoso que o mau gosto dos incorporadores de imóveis ainda não conseguiu liquidar. Apesar da tristeza arquitetônica de certas casas pseudomodernas, apesar do abandono do terreno ao redor ao forte, que poderia ser transformado em magnífico parque infantil, ainda assim vale a pena vir até o Farol, passando pelo Porto da Barra, e demorar os olhos na beleza ao redor, o grande mar sem limites de cais, a praia alva, os fortes antigos, o céu azul da Bahia. E o vento zunindo, rebelde, sobre a terra nas tardes de encanto.

PRINCIPADO DE ITAPUÃ

VINICIUS DE MORAES GOSTA DE IR BEBER UM UÍSQUE NA PRAÇA DORIVAL CAYMMI, em Itapuã. Ali perto, em frente à casa fraterna de Elsimar Coutinho, o poeta ergueu sua mansão, onde compôs, com Toquinho, várias das mais novas composições da dupla famosa.

Recordo Itapuã quando ainda não era bairro chique, elegante, de gente famosa e rica. Nos idos de 1939, participei da realização de um documentário sobre a praia então desconhecida, direção e fotografia de Ruy Santos, documentário (aliás premiado) que marca minha única participação no cinema como ator: o pescador que aparece puxando um jumento ou nele montado sou eu, numa época saudosa em que era magro, e Itapuã apenas uma legenda ressoando no canto de Caymmi. Hoje, Itapuã é cenário de superproduções e de grande atividade imobiliária. Ainda assim não perdeu de todo o encanto de povoado do interior, praia de pescadores, se bem aquela doce tranquilidade já não exista.

Moradia de ricos e de artistas. Na praia belíssima da Pedra do Sal, onde fica a casa de repouso do cardeal, começam a surgir residências magníficas. Vários outros loteamentos marcam o fim de um tempo e o começo de uma nova Itapuã.

Segundo Vinicius, Itapuã é um principado onde reina, soberano e único, Calasans Neto, d. Calá i. Único? Não sei pois ali habitam o príncipe Carlos Bastos e o duque Altamir Galimberti. Aliás, todos eles ameaçados em seu poder, desde que um chefe mafioso, o padrinho Sante, também dito Scaldaferri, para ali se mudou. Artistas a granel, importantes, fazem de Itapuã o bairro intelectual por excelência. Sem falar no cientista Elsimar Coutinho, outro príncipe de direito, velho morador. Um pouco mais distante, mas nos limites do principado, fica a casa de Hansen Bahia e de sua esposa Ilse.

Nessa discussão sobre quem é mesmo o soberano de Itapuã, não me envolvo se bem tenha uma ideia precisa sobre o assunto: para mim quem manda mesmo, dá ordens, dirige, administra e reina é a senhora dona Auta Rosa, esposa do citado Calasans Neto. Príncipe ele pode ser mas quem manda é ela, rainha pela bondade e pela gentileza com sua sensacional cozinheira Aíla, a dos empadões de galinha, divinos!

LAGOA DO ABAETÉ, LAGOA ESCURA TODA CERCADA DE AREIA BRANCA

TENDO CHEGADO A ITAPUÃ, VAMOS À LAGOA DO ABAETÉ, LOUVADA pelo nosso poeta e compositor Dorival Caymmi, mestre cantor das graças da Bahia, que se fez músico a pescar e a namorar nos arredores. A praça principal de Itapuã tem o seu nome, na mais justa das homenagens pois quem espalhou aos quatro ventos o nome dessa praia, quem cantou sua beleza? Cantou também a lagoa do Abaeté:

No Abaeté tem uma lagoa escura
arrodeada de areia branca...

Em qualquer hora do dia ou da noite a lagoa é bela e merece ser vista. Durante o dia estão as lavadeiras em sua dura tarefa, batendo roupas nas pedras. Durante a noite estão os namorados, em sua doce tarefa. Ali reside Euá, orixá de águas aparentemente mansas, em verdade perigosas.

De preferência, o viajante deve vir em noite de lua. É um deslumbramento: nas águas escuras da lagoa a prata do luar, na areia os violões soluçando as músicas de Caymmi na voz do seresteiro improvisado e o amor a sobrevoar as dunas. Venha em noite de lua cheia e traga companhia.

BAIXA DOS SAPATEIROS

O NOME VERDADEIRO DESTA RUA É JOSÉ JOAQUIM SEABRA, em honra do político baiano que foi governador do estado, senador, deputado, ministro, governo e oposição, tribuno, professor e jornalista. As placas nas esquinas assim o dizem. E não há como negar a indiscutível popularidade de Seabra em sua terra natal. O seu enterro, em 1942, foi uma apoteose democrática. Seabra morreu quando o Brasil acabara de entrar na guerra e suas últimas palavras foram de repulsa ao fascismo e de confiança na democracia. Milhares de pessoas acompanharam o corpo do ex-governador até o Campo-Santo. A multidão saudava alguém que, com todos os seus erros políticos, representara no país um pensamento democrático e que soubera, no momento da guerra, colocar-se acima de todas as divergências partidárias para pensar exclusivamente na pátria.

O velho Seabra era uma figura amada pelo povo e sua memória é sagrada para os baianos. Pois bem: ainda assim não há quem se refira à rua José Joaquim Seabra. É a baixa dos Sapateiros, a Baixinha como o povo a trata com familiaridade. Rua comprida, se desenvolvendo numa curva, vai da Barroquinha, nas vizinhanças do largo do Teatro, até a ladeira Ramos de Queiroz. Eternamente cheia de gente que salta dos ônibus ou que os espera, de povo que sobe pelo Tabuão, no velho elevador ou a pé, de pessoas que descem as inúmeras ladeiras que ali desembocam. A Baixinha é uma espécie de intermediária entre a Cidade Baixa e a Cidade Alta. As ladeiras vêm do Terreiro ou de Nazaré, do Barbalho ou da rua dos Quinze Mistérios, da Cidade Baixa. Alguém já disse que a baixa dos Sapateiros é como a pequena burguesia que fica entre o proletariado e a grande burguesia. Assim é a Baixinha em relação à montanha e o mar. É a rua de comércio pobre e barato. É verdade que já os operários se misturaram um pouco à gente que faz suas compras na rua do dr. Seabra. O empobrecimento constante da pequena burguesia começa a tornar difícil uma perfeita diferenciação entre os pequenos funcionários públicos, os empregadinhos no comércio, os donos de vendolas e os operários de fábricas ou os artesãos. Não que os operários enriqueçam. São os pequeno-burgueses que empobrecem ainda mais.

Na rua Chile, estendendo-se para São Pedro, ficam as lojas grã-finas, as grandes casas de modas, luxuosas e caras. O povo não compra ali. "Não pode pagar o luxo", explica a dona de casa que toma o ônibus para a baixa dos Sapateiros. Há uma sensível diferença de preço. Lojas e lojas, grande percentagem de árabes, casas de fazendas, sapatarias, bazares onde tudo se mistura, cinemas populares, algumas pastelarias e padarias. De quando em vez casas de moradia. E a multidão. A rua vive cheia, constantemente cheia. Por ali passam todos os ônibus da chamada linha de baixo: Lapinha, Santo Antônio, Barbalho, Estrada da Liberdade, Calçada, vários outros. Ali fica também o Corpo de Bombeiros, pintado de vermelho, num pequeno largo no sopé da ladeira da Praça.

As frentes das lojas exibem uma variedade incrível de produtos. Fachadas de cores berrantes, vitrinas de pouco gosto, liquidações, queimas, preços de ocasião. Gordas senhoras árabes surgem por trás dos balcões servindo a freguesia. Nas confeitarias são espanhóis, galegos imigrantes que aqui se fizeram técnicos no comércio de padarias e bares.

As casas são baixas, em geral de dois andares, um ou outro casarão, algumas casas térreas. Os arranha-céus apenas começaram a se levantar na baixa dos Sapateiros. Nos passeios, as baianas com seus tabuleiros de cocada e frutas.

Escorregadias ladeiras partem da baixa dos Sapateiros. Ela é um dos centros mais importantes da cidade. Nela a pequena burguesia se abastece, se veste e se calça. Nos seus cinemas se diverte assistindo às reprises dos filmes. Ali existiu um cinema célebre: o Olímpia, hoje desaparecido. Dava sessões intermináveis com trinta e cinquenta partes de filmes. Foi substituído pelo Popular que faz concorrência ao Pax, cinema enorme. Lá está também o Jandaia, que nasceu grã-fino mas logo compreendeu que, ficando na baixa dos Sapateiros, jamais poderia ser cinema de primeira linha. Quando se inaugurou era cinema de estreias, de lançamentos, tinha orgulho dos seus aparelhos de som. Hoje repete os filmes dados antes nos cinemas lá de cima. A baixa dos Sapateiros não nasceu para granfa. É a rua popular por excelência, talvez a mais baiana das nossas ruas, não tanto pela arquitetura que aqui nada apresenta de notável, mas pela população que por ela transita.

O viajante encontrará ali o empregado do comércio que volta de oito longas horas de balcão. Encontrará o magro funcionário público que ganha oitocentos mil-réis por mês após muitos anos de serviço. Encontrará o poeta subliteratíssimo que acabou de proclamar um soneto para um conhecido enquanto esperam condução. É uma humanidade carregada de embrulhos, pão para o café, charutos baratos, acotovelando-se no ponto do ônibus. Gente que não subiu o Elevador Lacerda nem o Plano Inclinado para economizar um tostão, pois a passagem no Elevador do Tabuão é mais barata. Vão para os bairros pequeno-burgueses mais típicos da cidade: Lapinha, Santo Antônio, Barbalho, Brotas, bairros operários também: Estrada da Liberdade, Calçada, Cosme de Faria.

Homens e mulheres cansados, de poucos sonhos, de poucas leituras. *A Tarde* embaixo do braço. Em casa os homens envergarão pijama e chinelo. Na baixa dos Sapateiros circula, moureja e se diverte a pequena burguesia tão pobre da Bahia.

PARA EXEMPLO

NA ESQUINA DA RUA CAIO MOURA, ANTIGA RUA DOS CARVÕES, com o beco do Padre Bento, hoje José Bahia, podem-se ver ainda duas pedras das quais pendem pequenas argolas às quais eram amarrados os negros escravos depois de surrados em consequência de ordens do senhor. Ali ficavam expostos ao "escárnio público", para exemplo. As argolas ainda lá estão, estreitas argolas de ferro, de cor estranha, à qual não deve faltar o laivo do encardido sangue sobre elas derramado.

BAIRROS PROLETÁRIOS

ÁSPERA E LONGA, DIFÍCIL CAMINHO DE SA-CRIFÍCIOS, ASSIM É A ESTRADA da Liberdade. Não há bem maior no mundo, direito mais duramente conquistado, amor que exija maior constância do que a liberdade. Vão ficando os lutadores caídos na batalha, mas a liberdade é bandeira que não se abandona, novas mãos a levantam para a caminhada. Dura e difícil conquista.

Estrada da Liberdade chama-se o mais populoso bairro proletário da cidade da Bahia. A população pobre desta cidade estende-se por todo o seu perímetro. Está em bairros distantes como a Cidade de Palha, São Caetano, Itapagipe, Plataforma, Estrada da Liberdade. Mas está igualmente no centro da cidade, de mistura com a gente abastada, no Pelourinho, no Tabuão, nas tristes ladeiras que sobem da Cidade Baixa, nos quartos apertados dos casarões, vizinhos das residências grã-finas na Barra Avenida.

Se quereis uma qualidade destes bairros, destes casarões infames, destas moradias desgraçadas, eu vos direi apenas: resistência. Resistência à fome e à enfermidade, ao trabalho mal remunerado, às mortes dos filhos, ao hospital, à desgraça da vida. Resistência. A resistência do povo é além de todos os limites. Apesar de tudo ele sobrevive. E dá aos seus bairros imundos esses nomes de esperança que são como a bandeira que ele levanta em suas mãos magras, mas ainda assim poderosas: Estrada da Liberdade!

Há qualquer coisa de oriental na miséria das classes pobres da Bahia. Qualquer coisa que recorda Xangai, os camponeses da China antes do poder popular, os manchus quando sob a opressão do militarismo japonês.

A fome, as doenças, a mortalidade infantil, o analfabetismo, eis a realidade fundamental desses bairros. Em espaços mínimos amontoam-se as criaturas humanas, homens, mulheres, meninos. As palavras são frágeis, pobres, incapazes de revelar toda a altura do drama quotidiano dessas ruas e vielas. E os Alagados? A imensa cidade de palafita sobre a lama nada tem de pitoresca. É a miséria em sua maior crueza, espetáculo deprimente e revoltante.

Já vos foi dado ver os enterros de "anjos" — crianças mortas às dezenas cada dia? Não tiveram leite, assistência médica, remédios. Não pesam no pequeno caixão que outras crianças conduzem. Magro acompanhamento de vizinhos, por vezes nenhum acompanhamento. Por vezes nem caixão. Apenas o pai apressado, sem tempo sequer para a dor e a saudade. Sob o braço, uma caixa de papelão ou um embrulho de papel pardo. Ao vê-lo, pode-se pensar que o homem malvestido leva um par de sapatos, um pacote de camisas, de roupa suja talvez. Quem imaginaria o verdadeiro conteúdo do embrulho, da caixa de papelão? O cadáver de uma criança no mais pobre enterro do mundo. Em mil crianças nascidas na cidade da Bahia, 385 morrem antes de completar um ano (a estatística é do Boletim Bioestatístico do Departamento de Saúde do Estado da Bahia). Na cidade de Salvador, o coeficiente de mortandade é de 31,71 por mil habitantes. O coeficiente normal é doze por mil. O que mata tanto assim? A fome. Os enterros de criança são o espetáculo mais comum desses bairros e dos subúrbios da Leste.

Estrada da Liberdade estendida sobre a miséria oriental dos bairros trágicos. Deram-lhe nomes que recordam tragédias do outro lado da terra: Japão, Manchúria, Xangai. Parece que alguém quis ligar num sentido de universalidade a miséria desses bairros baianos aos povos mais terrivelmente desgraçados do Oriente. Falta a Índia com suas massas camponesas. Mas não estará ela presente por acaso nos sertanejos que descem tangidos pela seca e vêm conhecer uma nova miséria sob a luz dos postes elétricos na Estrada da Liberdade?

Nos rostos impaludados dos homens, na trágica face das crianças, na macilenta tristeza das mulheres, sob a realidade da fome, pode-se enxergar a resistência. Apesar de tudo eles subsistem. Porque não é fácil liquidar o povo.

Possui a cidade da Bahia um clima admirável. Está magnificamente situada sobre a montanha, produz de um tudo o Estado de que ela é capital, e no entanto as cifras das estatísticas sobre tuberculose são francamente alarmantes. O dr. César Araújo, especialista em moléstias das vias respiratórias, de renome nacional, ex-diretor de Saúde Pública, diretor do Hospital Santa Teresinha (para tuberculosos), em entrevista a um diário baiano declarou:

Percebe-se que Salvador coloca-se entre as capitais de maior mortalidade por tuberculose.

Mas vale a pena ouvir um pouco mais a voz autorizada do especialista, porque ante tal realidade fala mais alto o técnico que as palavras do escritor. Diz César Araújo:

A tuberculose continua sendo a nossa maior doença. Perduram altas as cifras de mortalidade e de morbidade, ou seja, dos que morrem e dos que adoecem de tuberculose.

O impaludismo campeia nos subúrbios. É dono destes terrenos onde habitam os pobres. Também ele mata fartamente, e com força, sem piedade.

Nas ruas desses bairros, encontrareis pelas manhãs os feitiços, despachos contra os inimigos. Pelas noites gemem violões porque o povo resiste, batem candomblés nas festas que se prolongam pela madrugada porque o povo resiste, saem homens para o trabalho e não são vencidos porque o povo resiste.

É a Cidade de Palha, é a Estrada da Liberdade, é Xangai, a Manchúria, o Japão. São os Alagados, os casarões do Pelourinho e do Tabuão, Plataforma e Itapagipe. Estrada da Liberdade, caminho longo e difícil. Mas nada é impossível ao homem quando ele não está sozinho, quando junto aos demais homens ele é o povo.

Se o turista tiver coragem de ver a miséria, poderá ir a esses bairros. Será instrutiva viagem. Assistirá com certeza pelo menos a três ou quatro enterros de crianças que morrem antes mesmo de perceber o que é a vida. De longe, os que sobraram olharão com justa desconfiança. São os Capitães da Areia, as crianças abandonadas, ratos agressivos do esgoto da cidade rica. Passam os pais que levam os pequenos caixões de defuntos. Não têm tempo para a dor nem para a saudade. O pranto compete às mães, macilentas, figuras de tragédias esculpidas em fome.

PRAIAS

IMPOSSÍVEL PRAIAS MAIS BELAS DO QUE AS DA CIDADE DO SALVADOR. Praias sem igual, vêm do sul do estado, de Ilhéus, e continuam depois para o norte, praias de coqueirais, da mais alva areia, da brisa mais suave. Uma delas, a praia de Itapuã, possui hoje renome internacional depois que Dorival Caymmi, nosso poeta maior, compôs sobre ela músicas imortais.

O colar de praias de mar largo estende-se da Barra até Arembepe — essa praia de Arembepe é um sonho, vila de pescadores e mar de espan-

tos, não pode haver maior formosura. Na praia da Barra, os fortes velhos e o farol, que é o mais clássico cartão-postal da cidade. Seguem-se Rio Vermelho, Ondina, Amaralina, Pituba, Boca do Rio, Jardim de Alah, Piatã, Placaford, Itapuã, Jauá, Portão, Buraquinho, Arembepe. O casario moderno cresce na orla do mar, clubes, residências, casas de veraneio, restaurantes, e as praias onde os pescadores puxam as redes e as banhistas exibem os biquínis audaciosos. Pituba é hoje o bairro residencial mais grã-fino da cidade.

Do outro lado da cidade estão as praias calmas do golfo e dos subúrbios: Plataforma, Itacaranha, Escada, Praia Grande, Peri-Peri, Paripe — a praia maravilhosa de Inema, em São Tomé de Paripe. Toda essa enseada é de beleza espetacular. Mais adiante, Madre Deus. O que sobra na Bahia é boniteza de praia, é mar e sol, areia e azul.

Como se não bastasse, em frente à cidade do Salvador está a ilha de Itaparica, toda ela uma praia deslumbrante — o trecho de Mar Grande é um esplendor. A ilha está ligada à capital por um navio diário, dois *ferryboats*, lanchas e saveiros. A viagem vale a pena, ninguém deve deixar de fazê-la.

OS ALAGADOS

O ANTIGO E O MODERNO COEXISTEM HARMONICAMENTE, A RIQUEZA e a miséria opõem-se com violência. Os pintores da cidade, como Jenner Augusto, inspiram-se na face trágica dos Alagados. A beleza criada pelo grande artista torna ainda mais dramática essa paisagem cruel, essa vida na lama: o quadro de Jenner adquire a dimensão de uma denúncia, de um grito de protesto. Os materiais da construção mais utilizados — jamais o concreto, o ferro, as madeiras nobres, o tijolo, a pedra — são o barro, a terra amassada pelas mãos dos pobres, os restos de tábuas de caixas e caixões recolhidos no lixo. Com o lixo, com a lama e com a necessidade de habitar, com sua capacidade de viver, de se sobrepor à morte, o povo constrói bairros inteiros, ergue suas casas na terra ou no mar.

CENTRO ADMINISTRATIVO

TODAS AS REPARTIÇÕES DO ESTADO, COMEÇANDO PELAS SECRETARIAS, estão sendo concentradas no Centro Administrativo, em área recentemente aberta, na direção em que a cidade está se estendendo. Medida acertada.

Se bem a arquitetura em geral não me apaixone — com algumas exceções: a Igreja, a Assembleia Legislativa — o local é belo e a urbanização correta. De qualquer maneira é indispensável visitar o Centro Administrativo para admirar as obras de arte lá colocadas, algumas de importância fundamental no acervo da cidade.

É preciso admirar os grandes painéis de madeira de Carybé na Secretaria de Finanças e o de cimento armado na fachada da Assembleia. Na mesma Assembleia, na sala de sessões, o painel imenso e imponente de Carlos Bastos, a *Procissão do Bom Jesus dos Navegantes*. Na Secretaria de Planejamento, uma das mais vigorosas esculturas de Mário Cravo, *A tentação de santo Antônio*, três magníficas talhas de Calasans Neto e um grande quadro de Jenner Augusto. Na Secretaria de Agricultura, o mural majestoso, impressionante, de Juarez Paraíso. Na Secretaria de Transportes, o de Floriano Teixeira. Não sei em que secretaria, o painel em madeira de Emanoel Araújo; tampouco sei onde se localiza o tríptico de Mirabeau Sampaio, nem a Iemanjá de Fernando Coelho, nem o painel de Sante Scaldaferri, mas o mural de Hansen Bahia está no pátio do Quartel da Polícia Militar. No jardim da Secretaria de Finanças, bela escultura de Antônio Rebouças. Existem trabalhos de Willys, de Jorge Costa Pinto, de Cardoso e Silva, de Tatti Moreno. Na Secretaria de Justiça, painel de Luiz Jasmin. Esqueço certamente nomes e criações importantes, mas no Centro o visitante encontrará guias que completarão a relação e indicarão os lugares onde estão colocadas as peças dos artistas baianos e os painéis do gaúcho Carlos Scliar.

CAIS

OS SAVEIROS, DE VELAS COLORIDAS, CORTAM A BAÍA DE TODOS-OS-SANTOS, vêm de Mar Grande, de Maragogipe, de Cachoeira e São Félix. No cais Cairu, em frente ao Mercado,

eles descansam. Ali arriam as velas, ficam balouçando tranquilamente sobre as águas. Encontram-se saveiros ainda em Água dos Meninos, em Monte Serrat, no Porto da Lenha, em Santo Antônio da Barra e no Rio Vermelho. O seu cais, porém, é este do Mercado, com a rampa escorregadia, o cheiro de mar e de peixe, o colorido de frutas tropicais.

Ali pertinho está o cais da Companhia de Navegação Baiana, de onde largam os pequenos navios para o Recôncavo e para a ilha de Itaparica. Os que vão levar os passageiros para a Estrada de Ferro de Nazaré, cujos trilhos partem do porto de São Roque, os que fazem a carreira de Cachoeira e os de Santo Amaro. Vale bem a pena ao turista sair, num sábado, num desses pequenos navios, fazer a travessia da barra, e depois entrar pelo rio Paraguaçu adentro, em cinco horas de viagem a mais agradável, para visitar os tesouros de Cachoeira, a cidade histórica da Independência, com suas casas coloniais de tetos pintados, suas igrejas magníficas, sua velha Prefeitura. Para visitar São Félix e Muritiba com suas fábricas de charuto e o seu cheiro doce de fumo que domina o ar e chega a entontecer o viajante. Dali, nos vagarosos trens da Central da Bahia, seguirá o turista para Conceição da Feira e São Gonçalo. Passará o domingo visitando estas cidades e amanhecerá em Feira de Santana na segunda-feira, pronto para admirar a grande feira de gado, para passear extasiado em frente ao Mercado, em meio à multidão que chega do sertão para vender ali tudo o que o Nordeste possui, desde o delicioso requeijão às alpargatas, desde as cestas e mocós até os gatos-do-mato e as raposas. Um automóvel o levará depois à cidade de Santo Amaro, aristocrática nos sobradões e na lembrança do esplendor do açúcar. Uma rodovia asfaltada liga hoje essas cidades do Recôncavo — Feira, Cachoeira, Santo Amaro, Candeias, Mataripe, São Francisco do Conde, toda a zona do petróleo. É passeio da maior beleza e eu o recomendo com entusiasmo.

O cais dos grandes navios estende-se ao largo de dez armazéns de docas e da Estação Marítima. Nas proximidades, a Base Naval. Antes, aqui, era o areal onde os malandros, os boêmios, os Capitães da Areia dormiam a sesta, conversavam sob o solão da tarde, jogavam ronda. Velhos estivadores ainda relembram a saga das grandes greves quando figuras de doqueiros e capoeiristas ficaram lendárias.

O cais continua além das docas, na curva do golfo, prolonga-se até mais além de Água dos Meninos e ainda aparecem saveiros afoitos em Monte Serrat.

Dois quebra-mares, como dois longos braços, impedem que seja bravia a maré por onde penetram os navios. O forte de São Marcelo, ao fundo, compõe a paisagem tão bela, e contra seus largos muros cai a sombra das velas dos barcos que voltam das pescarias. No fim da tarde, quando morre o sol, o mar desse cais se enche de saveiros que regressam ao seu porto. Ah! é de incomparável beleza a visão vespertina do mar prenhe de velas desatadas, o forte velho envolto nos últimos raios de sol, o horizonte em fogo, os mestres de saveiro na rampa do Mercado onde crescem montanhas de frutas e há um perfume denso, doce de azeites e agreste de pitanga e pimenta.

Velas de saveiros brancas e azuis, vermelhas e amarelas, sobre o verde mar baiano. A presença de Iemanjá, a deusa do mar e dos marítimos, se projeta sobre o cais e os saveiristas. Os doqueiros recordam João de Adão, o grevista morto pela polícia. Sua memória permanece viva no cais. Iemanjá acompanha os saveiros na travessia da barra, no rumo do rio Paraguaçu, na aventura do mar alto nos caminhos do Sul. Iemanjá, também chamada de Inaê e Janaína, senhora da vida e da morte, mãe, esposa e amante, sonho de cada um no cais da Bahia.

DOIS SOLARES SOBRE O GOLFO

DO LADO DA CIDADE QUE DÁ SOBRE O GOLFO, DO ALTO DAS LADEIRAS que descem do largo Dois de Julho e do mirante dos Aflitos, a vista sobre o mar, sobre a baía, sobre o Recôncavo é belíssima. Na ladeira da Preguiça, na ladeira Mauá, grandes solares estão sendo restaurados com bom gosto e respeito por novos proprietários. Um desses sobrados foi comprado há anos por Carlos Bastos que o recuperou de forma perfeita, fazendo dele uma das casas mais belas da Bahia, antes de mudar-se para a Pedra do Sal. Outro solar mantido em sua total dignidade é o que pertence a Augusto (Gugu) Viana. Ele, sua mulher Solange e seus filhos deram à grande casa, antes semiabandonada, um calor de vida e humanidade, dentro da tradição precisa e conservada.

DUAS NOVAS AVENIDAS

ACOMPANHANDO AS PRAIAS DESLUMBRAN-
TES, A ORLA MARÍTIMA se desdobra de Amaralina a Itapuã — melhor
dito do Porto da Barra a Arembepe — repleta de hotéis, restaurantes,
boites, bares, motéis de alta rotatividade. As obras recentes duplicaram as
pistas antes congestionadas, abriram novas vias de acesso, embelezaram a
artéria junto ao mar que leva o nome de Otávio Mangabeira.

Duas grandes avenidas foram construídas, uma ligando o aeroporto a
Itapuã, a outra ligando a avenida Paralela à orla. O governador João Durval Carneiro, demonstrando seu apreço pela cultura, designou com o
nome de Dorival Caymmi a avenida que vem do aeroporto e desemboca
em Itapuã, e com meu nome a que sai da Paralela e termina na orla. Dado
que a música de Dorival e minha literatura nascem diretamente das fontes
populares da vida baiana, pode-se dizer que o governador homenageou o
próprio povo baiano. Não faltou a seu gesto coragem política a valorizá-
-lo ainda mais, dando-lhe uma significação maior: estávamos ainda nos
tempos da ditadura, e João Durval não foi buscar o nome de nenhum general para as novas avenidas. Honrou um compositor e um romancista,
paisanos e pobres.

POLÊMICAS EM TORNO
DE MOTÉIS E CASTELOS

DURANTE CERTO TEMPO, CAYMMI, QUE NÃO
É GENTE, VIVIA A SE DIVERTIR à minha custa, tentando humilhar-me
com o número de motéis existentes na avenida que tem seu nome, lares
passageiros de casais apaixonados. Eis que, certa manhã, a cidade ama-
nheceu repleta de cartazes anunciando a inauguração de um luxuoso
motel na avenida designada com meu nome. "Leve sua Gabriela à avenida
Jorge Amado, onde o Motel..." "Flor, leve seus dois maridos à avenida
Jorge Amado, ao Motel..., o melhor da cidade." Diante dos enormes out-
doors, espalhados em toda a orla, convidando os namorados, Caymmi
engoliu sua presunção, babou-se de inveja.

O nome do motel instalado na avenida Jorge Amado? Aqui vai o
comercial: trata-se do Motel Maxim's. Juro que não sou nem proprietá-

rio, tampouco cliente, não tenho comissão nos lucros, ao contrário do que Carybé, língua de trapo, espalha aos quatro ventos. Ele, sim, foi comanditário, nos idos de 40, de castelos onde exerciam francesas, argentinas e mulatas, como é público e notório e Mirabeau Sampaio pode dar testemunho.

SUBÚRBIOS

NUMA CURVA EM TORNO AO MAR FICAM SUBÚRBIOS DA CIDADE DA BAHIA, servidos pelos trens da Viação Férrea Federal do Leste Brasileiro. O primeiro é Lobato, que ainda exibe as antigas torres de petróleo e onde um pequeno monumento marca o lugar da descoberta do ouro negro baiano, e o último é Paripe, com poucas casas. Estes subúrbios eram antigamente fazendas que se foram transformando aos poucos em localidades de veraneio e que perdem cada vez mais esse caráter para adquirirem o de bairros pobres de moradia barata. Depois de Lobato vem Plataforma com sua grande fábrica de tecidos e vasta população operária. Plataforma está ligada a Itapagipe (fica defronte à península) pelas canoas que vão e vêm numa travessia que em dia de sol é delicioso passeio. Vizinhos dos operários da fábrica de tecidos e da estrada de ferro, residem em Plataforma pescadores que estendem ao lado das suas casas, em frente ao mar, as redes enormes e negras dando à localidade um novo colorido a romper a dramática tristeza que nasce da fábrica de envelhecidas operárias subalimentadas. Quem passa de trem na hora da saída dos operários vê o triste quadro de uma população magra e amarela, do impaludismo ali endêmico, que se dirige morro acima para as casas sem conforto. Só mesmo a visão das redes secando ao sol pode romper com o peso que fica sobre cada coração ao ver a fábrica como um cemitério.

Depois é Itacaranha com seu ar moribundo. Casas em ruínas, uma povoação que não vai para diante. Escada, com duas ou três boas casas, é pequenina e silenciosa. Já Praia Grande, residência de gente pobre durante o ano e local de veraneio de "gente boa" nos meses de verão, tem um ar aristocrático. Mantém certa atitude de desprezo para com Peri-Peri com sua população misturada de pequeno-burgueses e operários da estrada. Em Praia Grande há certa vida social, festas, uma animação de moças elegantes, rapazes esportivos, a praia cheia de corpos nus. Botes a motor e à vela cortam o mar.

Peri-Peri é a capital do subúrbio. Os enormes tamarindeiros sombreiam a rua da frente. Algumas boas casas residenciais, como também em Praia Grande. No mais, casas para operários. Houve um tempo em que as casas ali eram baratas, quase sempre fechadas no inverno, abrindo-se no verão para os que fugiam do calor da cidade. Hoje, com a crise de moradia, é tão difícil conseguir uma casa em Peri-Peri quanto no centro da capital. Os que vêm veranear ficam para o ano todo apesar do medo do impaludismo que ainda é um fantasma debruçado sobre todo o subúrbio da Leste. Dois ou três candomblés, uma pequena igreja católica, um cinema que funciona dois dias na semana, a praia, as árvores na rua.

A seguir vem Coutos, poucas casas e uma usina. E, por fim, Paripe que é mais uma fazenda que mesmo uma povoação. Dali, de automóvel, pode-se ir a São Tomé de Paripe, velha povoação com uma praia maravilhosa, a praia de Inema, atualmente ocupada pela Marinha. Também o dr. João Batista Caribé, médico de larga popularidade, possui em São Tomé de Paripe bela casa em meio a um parque de sombras e brisa do mar.

Uma nova avenida vem de ser aberta ligando esses subúrbios à capital. Infelizmente para dar passagem a essa avenida, derrubaram os tamarindeiros centenários de Peri-Peri.

IGREJAS, ANJOS E SANTOS

NO LARGO DA SÉ EXISTIA UMA IGREJA...

A RUA DA MISERICÓRDIA DESEMBOCA NO LARGO DA SÉ. No outro extremo do largo começa o terreiro de Jesus, com suas igrejas e com a antiga Faculdade de Medicina (no mesmo lugar onde ficava o Colégio dos Jesuítas nos tempos coloniais). No largo da Sé misturam-se sobrados antigos com edifícios novos. Lá se encontram o prédio da Circular, o Cinema Excelsior e o Palácio Episcopal. Nesse palácio residia antigamente o arcebispo. Isso tudo do lado esquerdo de quem vem da rua da Misericórdia. O palácio do arcebispado tem certo interesse arquitetônico. Em algum tempo foi pintado cor de barro, hoje de branco, e é um modesto palácio. Nele funciona atualmente a reitoria da Universidade Católica.

O prédio da Circular é sólido, sólido como a própria empresa de que era sede: Companhia Linha Circular de Carros da Bahia, truste canadense de capitais americanos que explorava luz, bondes, elevadores e telefones na cidade, hoje encampado pela Eletrobras. Companhia Circular naturalmente odiada pelo povo que nela enxergava um símbolo palpável do imperialismo. Iluminação má, serviço telefônico péssimo, bondes do tempo do onça e tudo caro. Assim era no tempo da Circular. E hoje, com a Eletrobras e a Tebasa? A luz não melhorou e os preços subiram, elevadores e planos inclinados continuam na mesma, apenas mais caros, os bondes acabaram, substituídos por ônibus. O serviço telefônico, sempre deficiente. O prédio da Circular possui, nos fundos, uma pequena área que dá para a montanha de onde se tem magnífica vista do porto e do mar. Pessoas que se dirigem ou que vêm do Plano Inclinado Gonçalves param nesta área para olhar, com carinho, o mar da Bahia onde se misturam as velas dos saveiros e os cascos dos grandes cargueiros.

Do lado direito do largo existem alguns sobrados antigos. Livrarias, entre as quais uma tradicional, a Progresso, casas de penhores, prostíbulos, alfaiatarias, farmácias e o modesto e antigo Bar Bahia no qual se reuniam, há uns quinze anos passados, os jovens que, ao lado de Pinheiro Viegas, formavam um dos grupos da literatura moderna: Alves Ribeiro, Dias da Costa, Clóvis Amorim, Edison Carneiro, João Cordeiro e eu próprio. Era certo encontrá-los à tarde no Bar Bahia, em torno a um inocente café pequeno, discutindo as ideias mais novas que surgiam na Europa e em São Paulo. João Cordeiro morreu depois de ter escrito o romance da vida pequeno-burguesa da cidade do Salvador, e antes de ter escrito os grandes livros que poderia produzir. Dias da Costa e Edison Carneiro foram embora para o Rio de Janeiro, contista e ensaísta renomados. Clóvis Amorim realizou um romance sob o título de *O alambique*, e como a vida copia a arte — montou um alambique de verdade perto de Feira de Santana e os leitores do seu primeiro romance, publicado em 1934, ainda esperam o segundo. Nas ruas da cidade só ficou Alves Ribeiro, fiel aos amigos distantes, com o mesmo jeito esquivo de tabaréu e a mesma poderosa inteligência.

Antigamente aqui era a Igreja da Sé. Enorme, de pedras colossais, negra, pesada, magnífica. Sem dúvida era o monumento histórico mais importante da cidade. Uma ruazinha dividia, partindo da igreja, o atual largo. Era na esquina desta rua que ficava, nos tempos gloriosos da literatura boêmia, o citado Bar Bahia, hoje apenas uma sala nos fundos de um armazém, fielmente frequentado ainda por Manuel Lima, irmão de Hermes. Ao lado da igreja havia uma espécie de parque que servia para tudo. Para encontros entre casais suspeitos, para bolinagens escandalosas, para descanso dos mendigos após um dia trabalhoso, ponto estratégico onde rameiras baratas faziam o trotoar; para teatros pobres de variedades, para quermesses, festas diversas. Por vezes armavam um ringue no centro do parque para lutas de boxe, onde brilhavam Euclides, o Psicólogo, campeão baiano de todos os pesos. Funcionavam no parque sujos mictórios e seu lamentável odor dominava quase inteiramente o largo.

A Igreja da Sé era um dos orgulhos da cidade. Talvez o maior. Um historiador acadêmico disse, certa vez, que naquele templo até o bolor era histórico. Frase pernóstica porém verdadeira. De quando em vez rolava uma pedra enorme sobre um dos bondes que faziam a curva ao lado da igreja e algumas pessoas morriam ou iam para a Assistência. Era o que a Circular queria. A Circular desejava derrubar a Igreja da Sé. Ali, onde se erguia a sede da Companhia, não era possível existir a igreja tão baiana. A Circular, apoiada em políticos poderosos, oferecia dinheiro ao arcebispo pelo velho templo. O arcebispo, um ancião sem ambições, ouvia as propostas gordas mas ouvia igualmente a grita do povo que gostava da Sé, se orgulhava da igreja bolorenta de história. Afinal por que a Circular não fazia seus bondes trafegar pela rua do Liceu, escoadouro natural do trânsito naquele então?

Na Igreja da Sé falara o padre Antônio Vieira. Essa Igreja da Sé era velha, velha de não se saber a idade, bom assunto para discussão entre historiadores encarquilhados, os altares ricos, recordando fatos heroicos da gente baiana. Dos púlpitos dessa igreja o padre Antônio Vieira pronunciara com sua voz de fogo os sermões mais célebres da sua carreira... Dali imprecara a Deus, jesuíta que a Inquisição olhava com maus olhos, quando os holandeses conquistavam vitórias sobre vitórias no Nordeste e pensavam em acrescentar as terras da Bahia à colônia batava de Pernambuco. Ali, naquela igreja negra, se dera o estalo na cabeça do menino tapado que virou o padre mais inteligente do seu tempo. Quem não conhece essa história? Vieira, segundo narram, era burrinho de fazer medo. Menino lusitano bem atrasado, incapaz de aprender com decência a carta do ABC, a vergonha do colégio que os padres jesuítas mantinham em Salvador. Um dia na Igreja da Sé, deu-se o milagre. No altar da Virgem o menino rezava. Andava melancólico com sua burrice. Rogou à Virgem que lhe desse um pouco mais de luz ao cérebro. E, de repente aconteceu. Um estalo na cabeça do menino Antônio e eis que ele vira padre inteligentíssimo. Começou logo a fazer sermões que ainda hoje são lidos e muito citados nas discussões entre filólogos. Dizem que é ele o autor de um livro célebre e delicioso: *A arte de furtar*. Quem quiser acreditar na história do estalo que acredite, quem não quiser não acredite. Mas, como se vê, já naqueles longínquos tempos a feitiçaria andava solta nas ruas da cidade.

Depois do estalo e do seminário, Vieira começou a fazer sermões. Esse padre ambicioso e político soube se levantar não só em defesa de seu rei e dos domínios portugueses. Levantou-se também em defesa do povo, mais de uma vez. Sua voz se ergueu pelos índios e pelos negros, cuja sorte miserável quase nunca comovia os outros jesuítas, sócios e pontas de lança dos colonizadores lusos. A voz de Vieira era dessas que se fazem ouvir, poderosa e plena de beleza. A Igreja da Sé estava cheia de ecos da voz do padre Vieira e o povo baiano gostava da sua igreja. Era o monumento maior da cidade. Este povo religioso (mais supersticioso que religioso) e anticlerical tinha orgulho daquela igreja onde um padre, que vivia brigando com os outros padres, pronunciara discursos monumentais. Ainda hoje o povo baiano gosta de um bom discurso.

Mas a Circular queria derrubar a Sé. Do parque do lado evolava-se um cheiro terrível de urina. Euclides, o Psicólogo, abatia, com sua esquerda violenta, rivais vindos de longe, no ringue improvisado. Bailarinas e cantoras apareciam de quando em quando — horrorosas. As pernas nuas, a voz fanhosa, fracassadas de todos os teatros do mundo. Contam que, nas noites de espetáculo de variedades no parque, nas janelas laterais do arcebispado abriam-se frestas pelas quais espiavam olhos ávidos dos seminaristas oprimidos. Uma luz de cobiça iluminava então o velho parque malcheiroso. Lá embaixo era o mar imerso na noite.

E o vulto negro da Sé, as pedras caindo sobre bondes e transeuntes, a História cheia de bolor, ninguém mandando conservar a igreja sobre todas preciosa. Vivia a Sé no abandono mais completo, entre as gretas das paredes de pedra cresciam gravetos, ervas e o musgo verde. As pedras mal seguras pelo musgo ameaçavam rolar sobre os bondes e, por vezes, rolavam mesmo. A Circular abria o berreiro, matéria paga nos jornais, os políticos trabalhando, que a gorjeta era grande, o velho arcebispo olhava de seu palácio pobre a igreja de Vieira e deixava gritar. Os literatos sem quefazer saíam em defesa da Sé. Era uma defesa saudosista e quase inócua. Nenhum deles, poetas de longas melenas e ameaçadores sonetos, propôs uma obra séria capaz de conservar a igreja cujas pedras matavam gente. Ainda assim o povo aplaudia os literatos. Os jornais se enchiam de versos. Hermes Fontes escreveu um poema achando que a Sé não devia ser derrubada. Houve até duelos metrificados entre literatos de notoriedade estadual. A Circular gastava dinheiro, dinheiro do mesmo povo que queria conservar seu monumento histórico. Cresciam arbustos pelas paredes, no parque ao lado as prostitutas passeavam, descansavam mendigos.

Um dia o velho arcebispo morreu e veio um novo. Compunha versos parnasianos, entrou em luta com as confrarias religiosas, esbofeteou uma freira nos Perdões, tentou acabar a festa do Nosso Senhor do Bonfim. Trazia a virtude afivelada ao rosto como uma máscara de ferro. Para um povo religioso (leia-se supersticioso) e anticlerical, deram um arcebispo irreligioso e clerical. Um arcebispo inimigo das festas populares e amigo dos ricos. Um arcebispo que logo achou o Palácio Episcopal, baixo e pintado cor de barro, moradia indigna de Sua Reverendíssima e de seus versos parnasianos.

A Circular ganhou a questão. Não adiantou a grita do povo, as toneladas de versos que os poetas rastaqueras escreveram entupindo os mesmos jornais que recebiam matéria paga da companhia americana. Os ecos da voz de Vieira ficaram soltos no largo, se perderam no céu azul. As pedras negras ninguém sabe para onde foram, o altar do estalo está guardado. Falam que muitos e muitos documentos históricos serviram para que sacristães analfabetos e efeminados acendessem os seus fogões. O povo da Bahia perdeu seu monumento, a ruazinha atrás da igreja veio abaixo e os bondes da Circular ficaram com todo o largo. Puseram uns bancos de mármore, plantaram alguns pés de fícus. Onde era o parque construíram certa monstruosidade arquitetônica sob o título de Belvedere, onde funcionou a sede da Superintendência de Turismo. Tudo que se salva é a vista sobre a montanha e o mar.

Havia antes uma sólida beleza, negra e pesada, que era necessário conservar, que pertencia ao povo todo, era um bem da cidade. Agora tudo ficou pequenino apesar do alargamento surgido da derrubada da igreja e da rua. Ficou tudo de um mau gosto irritante. O arcebispo foi morar no Campo Grande, em palácio novo. Dizem as más línguas que dado pela Circular. É o povo baiano usando a língua do padre Vieira, o que escreveu *A arte de furtar*. Houve compensações monetárias para o arcebispo. Luz de graça para o seminário ou coisa parecida. O povo perdeu seu monumento histórico e não ganhou nada. Tampouco os seminaristas que vinham espiar com olhos cúpidos, pelas gretas das janelas, as bailarinas péssimas porém ainda assim excitantes nas noites de teatro pobre no parque malcheiroso. Muitos anos depois, o poeta e ensaísta Fernando da Rocha Perez escreveu um ensaio de primeira ordem sobre a criminosa venda da Sé, *Memória da Sé*.

Dizer que o povo não ganhou nada é exagero. Em 1944, no lugar onde ficava o altar-mor da Igreja da Sé ergueram o busto de d. Fernandes Sardinha, o primeiro bispo do Brasil, que naufragou na viagem e foi comido sem tempero pelos índios caetés, ascendentes do romancista Graciliano Ramos. O bispo Sardinha nada tem que ver com a Sé nem com a Bahia, mas lá está ele, de mitra na cabeça, sobre um pedestal. Em vez da igreja histórica, cheia das sonoridades oratórias de Vieira, um bispo alimentar. Mania de contrariar o povo que é religioso (melhor: supersticioso) mas não gosta de bispos, atualmente nem como alimento.

Um baiano, certo dia de comício no largo, durante a Segunda Guerra Mundial, no intervalo dos oradores antifascistas resumiu toda essa história numa clara explicação:

— Mas, se é claro como água... A Circular tinha medo de outro milagre como o do estalo. Essas coisas por vezes se repetem... Tinha medo que um dia o padre Vieira aparecesse, de repente, e começasse de novo aquele sermão contra os holandeses. Mas trocando holandeses por Linha Circular. Vocês compreendem, ia ser o diabo... Imaginem vocês o padre Vieira abrindo a boca de ouro e berrando... Vieira, hein! imaginem vocês... Um dia surgia no púlpito da Sé, reunia o povo, sapecava um sermão contra a Circular... Imaginem, com esses bondes como estão e com a ameaça de aumento...

E começou, como bom baiano, a imaginar acontecimentos graves e belicosos. Então alguém perguntou:

— E o busto do bispo? Por quê?

— Ora, o bispo Sardinha é o patrono da Circular. O mais remoto símbolo nacional do imperialismo... Que vinha ele fazer aqui senão auxiliar a conquista da terra dos índios pelos portugueses? Que era ele senão um agente do imperialismo lusitano? Vieira era um perigo pra Circular. O bispo não, é um patrono. Os da Circular prestam-lhe uma homenagem contra os índios patriotas que realizaram com ele uma experiência culinária. Como veem, é tudo muito lógico...

Consta que o arcebispo escreveu um soneto parnasiano sobre a derrubada da Sé. Os diretores da Circular, ao que conste, não escreveram soneto algum...

EX-VOTO

NA IGREJINHA DE MONTE SERRAT EXISTE UM EX-VOTO QUE NÃO se pode deixar de ver. É um quadro enorme e conta as peripécias de um lusitano em viagem pelo Brasil lá por volta de 1700. Tudo de ruim lhe aconteceu — serpentes, enfermidades, tocaias. Os paulistas quiseram-no matar, segundo ele conta. Salvo de tantos perigos por Nossa Senhora, mandou pintar o quadro enorme, hoje uma riqueza da capela tão linda.

ALGUMAS IGREJAS, AS MAIS CÉLEBRES

A BAHIA ORGULHA-SE DAS SUAS IGREJAS CATÓLICAS, SUNTUOSAS, monumentos arquitetônicos realmente admiráveis, algumas muito belas, outras muito ricas, várias marcadas por especial devoção popular. Diz a lenda que a cidade do Salvador conta com 365 igrejas, uma para cada dia do ano. Dizem os amigos dos números exatos que entre igrejas e capelas elas somam 76. Pouco importa. Talvez

os que falam em 365 computem igrejas já desaparecidas mas que ainda vivem na memória do povo como a da Sé ou a antiga Igreja da Ajuda, a mais velha da cidade, demolida pela Companhia Circular como o foi também a Sé. Construíram outra; em estilo romaico bizantino, e nela guardaram o púlpito de onde Vieira falava. Mas o povo gostava era da primeira, da velha Igreja da Ajuda que lhe falava dos tempos iniciais do Brasil. Agora a primazia de idade é disputada por duas igrejas: a capela da Graça e a matriz da Vitória, que vivem em renhida competição de datas. A matriz da Vitória, situada ao fim do Corredor da Vitória, foi fundada em 1531, tendo sido reformada por duas vezes, em 1666 e 1809. Dizem que ali se casaram as filhas de Caramuru. A capela da Graça, onde afirmam estar sepultado o governador Tomé de Sousa, é de 1525, fundada, ao que também afirmam, por uma filha de Caramuru, na antiga Vila Velha. Algumas pinturas muito interessantes de autores desconhecidos. Uma delas representa Catarina Álvares, filha de Caramuru, em êxtase ante a Virgem. A capela da Graça foi reedificada em 1770, perdendo então suas mais interessantes características.

A mais célebre igreja da Bahia, de fama mundial, de retratos publicados em toda a parte, obrigação de visita para todo e qualquer turista, vaidade da cidade religiosa, embasbacamento para os olhos com sua ourama pelas paredes, colunas, teto e altares, é a Igreja de São Francisco, pertencente ao convento dos franciscanos.

A Igreja de São Francisco está no Terreiro de Jesus, ao fundo da praça. Em estilo barroco espanhol, sua construção foi iniciada em 1587, ficando concluída em 1596. Inicialmente constava de pequena casa conventual e igreja que, demolidas, deram lugar às atuais, datadas de 1686. A inauguração foi em 1713.

Preciosos azulejos portugueses do século XVII sobram nesta Igreja de São Francisco. Como sobra o ouro bordando todo o templo, um dos monumentos barrocos mais famosos do mundo. Admiráveis trabalhos de escultura em jacarandá. A Igreja de São Francisco é realmente uma das visões mais admiráveis que possui o Brasil. Sua fama é justa e não há como não abrir a boca em "ohs!" de admiração ante a beleza desta igreja em cujo interior uma luz de ouro existe permanentemente lutando contra a triste luz das velas.

Um pequeno imbecil, troncho, de olhos esgazeados e voz pastosa, palavras cortadas, vende folhetos religiosos aos visitantes. Parece fugido de um romance antigo, novo Quasímodo, aleijado, deformado, de cor amarelecida, olhando com avidez os níqueis que recebe. Dentro da maravilha da igreja ele é ainda mais absurdo e mais impressionante.

Ao lado da Igreja de São Francisco levanta-se a fachada magnífica da Igreja da Ordem Terceira. Esta fachada que é a mais bela de todas das igrejas da Bahia esteve durante muitos anos coberta com uma camada de cal, e ninguém sabia da existência de tal preciosidade. Um eletricista que fora ali realizar alguns trabalhos foi quem revelou, casualmente, o segredo que a cal encobria. O eletricista estava bêbado e começou a dar marteladas sobre a parede descobrindo então a verdadeira fachada da igreja. Em estilo plateresco, a Igreja da Ordem Terceira foi fundada em 1701. No claustro, azulejos antigos representam cenas urbanas de Portugal. Telas de Capinam e armários de jacarandá trabalhados a marfim e cobre completam a riqueza artística desta igreja. Existe também um painel de Velasco, acabado por Teófilo de Jesus.

Ainda no Terreiro de Jesus está a Catedral da Bahia. Antigamente elevava-se ali a capela dos jesuítas, admirável em seu estilo barroco. Atualmente a fachada da Catedral é em estilo romano renascentista, sendo a parte nova em estilo grego. O antigo Colégio dos Jesuítas foi fundado por Manuel da Nóbrega. Data de 1558. Há na Catedral um museu ainda em organização, no qual estão algumas das preciosidades da Sé. Defronte ao altar-mor fica o túmulo de Mem de Sá, terceiro governador-geral, e num dos corredores está a cela de Vieira. No museu vê-se a imagem de prata da Virgem ante a qual o padre Vieira sentiu o "estalo" que o tornou genial. No altar-mor existe um histórico quadro onde aparecem manchas de sangue atribuídas a Inácio de Azevedo, um dos quarenta jesuítas que naufragaram na Bahia e são conhecidos pelos "quarenta mártires". Dizem que Inácio de Azevedo foi encontrado morto na praia segurando na mão aquele quadro a óleo que fora presente da rainha da Áustria. Azulejos, altares de prata, tetos pintados, subterrâneos cheios de lenda. Maravilhosa imagem barroca de São Francisco Xavier. Eis a Catedral da Bahia, basílica do Salvador.

A popular Igreja do Bonfim, na qual se realiza um espetáculo fetichista imponente no mês de janeiro, fica na península de Itapagipe sobre uma linda colina. Sua construção foi iniciada em 1756. Em 1923 foi elevada a basílica. A imagem do Senhor do Bonfim, tão venerada pelo povo, foi trazida de Portugal e é semelhante a uma que se encontra em Setúbal. No teto da igreja, pinturas de Velasco. Na sacristia quadros de Teófilo de Jesus. Mas o interesse principal dessa igreja é o museu dos milagres, espantosa sala onde estão reunidos milhares de objetos presenteados ao santo em pagamento de promessas realizadas. Ali são vistas pernas modeladas em cera, abertas em feridas, cabeças monstruosas, fotografias impressionantes, ao lado de trabalhos dos mais curiosos de escultura popular, dedicatórias incríveis que narram histórias as mais dramáticas. Este museu das promessas ou dos milagres, atestado do esforço que Senhor do Bonfim vem despendendo em muitos anos, é dessas coisas que jamais se olvidam. Toda a terrível história da miséria humana, do sofrimento, de crimes e maldades, de estranho misticismo, ali se encontra pendurada do teto, pelas paredes, enchendo armários. Nem com um dia inteiro se pode ter uma visão completa deste museu único, tão doloroso e tão brutal.

A Igreja da Conceição da Praia, dedicada ao culto da Virgem, fica em frente ao Mercado, defronte ao mar. Foi fundada em 1550 e era então uma pequena capela. Reconstruída depois em estilo barroco português, toda em mármore vindo de Portugal, os blocos já em ordem, numerados, sendo necessário apenas colocar. Teto pintado pelo português José Joaquim da Rocha, mestre de Velasco e de Teófilo de Jesus, fundador também da Escola de Pintura da Bahia. As grades da cancela de comunhão são em bronze dourado tendo custado naquela época a considerável soma de cinco contos de réis. Uma escadaria deveria ir até o mar mas jamais foi concluída, nem ela nem o zimbório da igreja, porque o arquiteto morreu antes de terminar sua obra. Esta igreja assim como a do Bonfim é muito ligada ao povo, às suas festas, muito próxima do sincretismo religioso baiano. Não é apenas um templo católico. Pertence também aos orixás.

A Igreja de Santa Luzia, à avenida Jequitibá, antiga Pilar, foi fundada em 1714. Estilo barroco português. Ao lado um cemitério antigo com suas catacumbas laterais e com belas colunas brancas que lhe dão um certo ar pagão de ruína grega. No Cemitério do Pilar, encontra-se um dos três túmulos nos quais repousa, na cidade do Salvador, o corpo do pintor Cardoso e Silva. Poeta perseguido pela Inquisição e pelos nobres, sepultaram-no no Pilar; negociante próspero, foi enterrado com grande acompanhamento, na Igreja de Santa Teresa; no Cemitério das Quintas jaz famoso babalaô — são os três o mesmo pintor Cardoso e Silva que visita frequentemente seus túmulos. Na ilha de Itaparica existe outra tumba sua: alferes-mor da armada portuguesa, abatido na guerra contra os holandeses. Há cinco mil anos, encarnando e desencarnando, Cardoso e Silva possui inúmeros túmulos mundo afora. Três numa única cidade, somente na Bahia, torrão natal de sua predileção.

No largo da Piedade ficam a igreja e o convento que deram o nome ao largo. A nave é dividida em três partes, numa imitação da Igreja de São Pedro, em Roma. Foi fundada em 1679 e reformada em 1809. Possui belas pinturas de Presciliano Silva. Pertence ao convento dos capuchinhos, convento pobre que já teve, ao que dizem, de vender algumas preciosidades da igreja para se sustentar. No entanto na Igreja da Piedade reza-se uma das missas mais grã-finas da Bahia, às onze horas dos domingos.

Em estilo ogival ergue-se à avenida Angélica, ao lado da Faculdade de Filosofia, a Igreja do Coração de Jesus. Em estilo ogival são também a Capela da Providência no antigo beco dos Nagôs (rua do Godinho) e a Igreja das Mercês, ligada ao convento do mesmo nome, da ordem das ursulinas, fundada em 1731, onde funciona um colégio de grã-finas.

A linda Capela de Monte Serrat, na península de Itapagipe, data do século XVII. Situada ante o mar, possui célebre imagem de Nossa Senhora e um quadro curiosíssimo: enorme e belo ex-voto. Além do são Pedro Arrependido, uma das mais famosas entre as imagens esculpidas por frei Agostinho da Piedade.

A Igreja de São Bento, no alto da ladeira do mesmo nome, pertence ao convento de frades beneditinos chegados ao Brasil em 1565. Em 1581 era fundado o convento, elevado a abadia em 1584. O holandês Helmut invadiu a abadia em 1624. Os holandeses ficaram bestificados ante as preciosidades da igreja, o que não impediu que levassem quanto ouro e prata lhes foi possível, usando os chapéus como medidas. Posteriormente a Igreja de São Bento foi remodelada, restando apenas da antiga a fachada principal. O altar-mor foi também substituído por um de mármore de Carrara.

A Igreja da Soledade, na rua Augusto Guimarães, antiga ladeira da Soledade, pertence ao convento do mesmo nome, das ursulinas. O convento foi fundado em 1739. Quando os exércitos libertadores da Independência entraram triunfantes na cidade, as freiras da Soledade fizeram uma coroa de louros que colocaram na bandeira vitoriosa. Essas freiras parece que gostam das revoluções já que em 30, quando da vitória tenentista, repetiram o gesto.

A Igreja do Carmo, ligada ao convento das carmelitas, foi fundada em 1585. Fica na rua do Carmo. Neste convento foi assinada a rendição dos holandeses. A igreja possui a sacristia considerada a mais rica do Brasil.

Uma imagem de Nossa Senhora de autoria de Chagas, o Cabra, um dos maiores escultores do Brasil. E uma tela que dizem ter sido pintada por Eusébio de Matos, irmão de Gregório. Altar de prata, assim como o sacrário. Ali se encontra também a cadeira onde se espalhavam as nádegas gordas de d. João VI para assistir aos ofícios religiosos. Dentro da igreja, na capela de Nossa Senhora da Piedade, estão enterrados o poeta Junqueira Freire e o conde de Bagnuoli, herói da expulsão dos holandeses.

Por fim, falemos de duas igrejas das mais populares da Bahia. A de Nossa Senhora do Rosário dos Negros, no Pelourinho, toda azul, sempre cheia de gente, extremamente ligada aos ritos do candomblé — não há mãe de santo, babalaô, ogã, que não seja membro da confraria do Rosário dos Negros. Foi construída pelos escravos nos tempos coloniais. A outra é a Igreja da Barroquinha, na proximidade da praça Castro Alves, em zona de mulherio e de grande animação: também ligada ao candomblé. Essas duas igrejas são dos pobres, das putas, dos trabalhadores. Nelas a festa católica tem sempre incontida força popular.

IMAGENS DE CHAGAS, O CABRA, E DE FREI AGOSTINHO DA PIEDADE

NINGUÉM DEVE DEIXAR DE VER, NO MUSEU DO CONVENTO DO CARMO, o maravilhoso Cristo na coluna, de autoria de Chagas, o Cabra, o maior escultor baiano dos tempos passados, avô, ou melhor bisavô, de Mirabeau Sampaio, escultor dos tempos recentes, autor de outro Cristo famoso. Na Igreja do Carmo existe do mesmo celebrado Chagas, o Cabra — nome mais sugestivo não pode haver — um Senhor Morto extraordinário.

Frei Agostinho da Piedade, ao que se saiba, não era dado ao trago de cachaça e ao trato das mulheres como acontecia com Chagas, o Cabra, mas tinha igual talento criador e talhou imagens de santos de comovente e dramática beleza. Veja-se o seu são Pedro Arrependido, na capela de Monte Serrat, obra-prima. No ateliê do citado escultor Mirabeau Sampaio existe uma peça belíssima de frei Agostinho da Piedade, uma das raras assinadas pelo frade ilustre. Aliás, também ele avô de Mirabeau, cavalheiro de família duvidosa e complicada, como se vê. Avô, ou tio-avô pois, ao revelar o parentesco, devemos confiar nos votos de castidade do frade cujas imagens podem ser comparadas às do Aleijadinho.

MUSEUS

OS VISITANTES PODERÃO TER UMA VISÃO BASTANTE NÍTIDA DAS VERTENTES da cultura baiana nos seus museus. O Museu de Arte Sacra da Universidade Federal da Bahia, o Museu Costa Pinto, o Museu de Arte Moderna, o Museu do Estado, o Museu da Cidade. Outros museus e algumas coleções particulares completam esse panorama e darão ao visitante um conhecimento da riqueza de arte e de artesanato acumulada na Bahia.

Não podia ser melhor escolhido o quadro em que foi localizado o Museu de Arte Sacra: o convento e a Igreja de Santa Teresa, de beleza sóbria, de particular encanto. Mestre Rescala, um homem e um artista feitos à medida das necessidades da Bahia, encarregou-se de restaurar os interiores onde foram encontrados velhos painéis admiráveis.

O Museu é realmente grandioso: entre as paredes solenes do antigo convento (e antigo seminário no qual os parentes de Tobias Barreto o internaram pensando fazer do rapaz sergipano um digno sacerdote, mas onde ele só durou uma noite pois já na manhã seguinte era expulso: fora para a torre do convento, de violão em punho, cantar modinhas) recolheu-se quantidade impressionante de objetos preciosos: móveis, imagens, relicários, coroas, ouro e prata, madeira e metal, santos de frei Agostinho da Piedade. Esse Museu de Arte Sacra é uma das grandes obras deixadas por Edgard Santos e bastaria para consagrar sua memória.

O Museu de Arte Moderna, realização que se deve sobretudo à obstinada luta do Odorico Tavares, funciona hoje no Solar do Unhão (onde se encontram instalados igualmente o Museu de Arte Popular e a sede da Fundação Cultural do Estado da Bahia). Durante alguns anos dirigido pela arquiteta italiana Lina Bo Bardi, o Museu de Arte Moderna da Bahia, se não é rico em número de peças, pode-se orgulhar de algumas de alta qualidade: o Oxóssi em madeira de Agnaldo, o Antônio Conselheiro, também em madeira, de Mário Cravo, duas peças maiores da escultura brasileira, em qualquer tempo; um dos importantes quadros de Flávio de Carvalho: o retrato de Oswald de Andrade e Julieta Bárbara;

quadros igualmente importantes de Di Cavalcanti, Djanira, Carybé, tapeçaria de Genaro de Carvalho. Vale a pena visitá-lo. É tempo que o interesse do estado e dos particulares volte-se para o Museu de Arte Moderna no sentido de ampliar e enriquecer seu acervo. Para começo de conversa com obras dos artistas modernos da Bahia, pois a coleção baiana do Museu ainda é bastante falha. Coleção que, aliás, necessita sair dos porões do Solar do Unhão para poder ser vista e não acabar destruída pelo salitre que já comeu algumas peças valiosíssimas da fase de madeira de mestre Mário Cravo.

O Museu de Arte Popular ainda não passou de um projeto acalentado por muita gente: Antônio Celestino, Sante Scaldaferri, Renato Ferraz. Uma bela e valiosa coleção chegou a ser estabelecida, sumindo depois — foi de viagem, não voltou. Hoje o Museu de Arte Popular é apenas um título, estranhamente dependente — não se sabe por que — do Museu de Arte Moderna. Com as reestruturações em marcha, talvez esse absurdo casamento, que tanto prejuízo causou aos dois museus, já não exista. Renato Ferraz, diretor durante vários anos do conjunto do Unhão, lutou arduamente para colocar de pé o Museu de Arte Popular, sou testemunha de seu esforço. O desinteresse do poder público, a falta total de recursos, a indiferença da maioria dos intelectuais levaram ao fracasso o trabalho e a vontade de Renato Ferraz e quase o levam ao desespero — muitas vezes adiantou dinheiro de seu bolso para pagar os funcionários.

A visita ao Museu de Arte Moderna vale não só pelas peças expostas como, também, pela visão do extraordinário conjunto arquitetônico do Solar do Unhão, único talvez no Brasil, certamente na Bahia, com a casa-grande, a igreja e a senzala perfeitamente conservadas. A restauração esteve a cargo da arquiteta Lina Bo Bardi que criou uma bela escada ligando os dois pavimentos da casa-grande. O Solar do Unhão, situado à beira do mar, quase que penetrado pelo mar, não pode deixar de ser visto pelo visitante. É uma das visitas obrigatórias.

No largo do Pelourinho encontra-se o Museu da Cidade, reunindo uma coleção desigual na qualidade, mas de inegável interesse. Além dos quadros, das esculturas, dos desenhos e das gravuras de artistas baianos, o museu exibe notável coleção de panos da costa, assim como curiosa coleção de turbantes. Sob a infatigável direção de Eliete Magalhães.

Outro museu a se visitar é o Museu do Estado, instalado no Convento do Carmo que abriga valiosas coleções de imaginária, mobiliário, prataria, ourivesaria, cerâmica e numismática e boa pinacoteca. Na direção do museu se encontra Carlos Eduardo da Rocha, poeta, crítico de arte, flor de pessoa.

O Museu Nina Rodrigues, dirigido por Estácio de Lima, situa-se ao lado da Faculdade de Medicina, e além do horror das cabeças de Lampião, de Maria Bonita, de Corisco e de outros cangaceiros ali conservadas, possui interessante coleção de peças dos cultos afro--baianos e deliciosos desenhos de Carybé. Em tempo: as cabeças dos jagunços foram, felizmente, retiradas e enterradas por ordem de Luís Viana Filho.

O mais novo museu da Bahia e um dos mais belos do Brasil é o Museu Costa Pinto, ou Museu da Prata, no Corredor da Vitória, onde se encontra a maior coleção de prataria do país, criado para "conservar aspectos da antiga residência de Carlos Costa Pinto com os objetos de arte colecionados por ele na primeira metade do século xix", conforme rezam os estatutos.

"Esta coleção", explicam os responsáveis pelo museu, "foi feita em Salvador, sendo proveniente de toda a Bahia a grande maioria dos seus objetos; aqui tiveram seu lar e sua vida, complementando a época em que se ostentaram, dando grandeza e alegria aos ambientes onde brilharam. De esquecidos solares do Recôncavo, onde reinava a jovem nobreza brasileira, de velhas igrejas e conventos, de cuja fama hoje só restam veneráveis ruínas, de tudo se guardou um pouco e aqui ficaram seus restos mais belos. As coleções, cuja qualidade se equilibra com certa harmonia, constam de exemplares de pratas, móveis, porcelanas, joias, cristais, marfins, condecorações, bem como certo número de telas de pintores nacionais, principalmente baianos, como: Presciliano Silva, Alberto Valença, Lopes Rodrigues, pai e filho, Mendonça Filho e outros."

"Todo o acervo é valorizado pelo conjunto, onde se funde a beleza dos séculos xvii ao xix com a homogeneidade da melhor prata existente no Brasil, a delicadeza e a graça das louças chinesa e europeia, o encanto dos leques, a riqueza das joias brasileiras do passado e a elegância dos cristais, notadamente bacará." Dirige o Museu Costa Pinto, com conhecimento, dedicação e amor, a eminente museóloga Mercedes Rosa.

Em vias de instalação, temos ainda o Museu do Negro, indispensável na Bahia, sua fundação deve-se a Pierre Verger, mestre dos estudos sobre África e Bahia, um baiano antigo, com residência na Vila América, presença das mais fecundas na vida cultural da cidade.

O Museu do Recôncavo, ou Museu Wanderley Pinho, está situado no

Solar do Engenho Freguesia, no município de Candeias, a 45 quilômetros de Salvador.

O engenho é um dos mais antigos do Brasil, vindo do século XVI, já referido por frei Vicente do Salvador. O Solar é um prédio belíssimo, com grande capela anexa, e sua construção inicial data do século XVIII, reformado posteriormente pelo proprietário, o conde de Passé, cujo último herdeiro, o historiador Wanderley Pinho, o vendeu ao estado da Bahia. Transformado em museu, foi inaugurado em 1971.

Destinado a ser uma evocação da Independência do Brasil, em parte devida aos homens do Recôncavo Baiano, no museu há as salas Conde de Passé, Barão de Cotegipe e Ferreira Bandeira.

Condução para lá: ônibus, barco e estrada asfaltada. O lugar é maravilhoso: no fundo da baía, com vista para o mar adentro.

COLEÇÕES

A VISÃO DA RIQUEZA ARTÍSTICA DA BAHIA QUE NOS É DADA PELOS MUSEUS se completa com a indispensável visita a determinadas coleções. A extraordinária coleção reunida por Alberto Martins Catarino foi conservada por sua viúva e seu filho, o professor de direito José Catarino. Coleção rica especialmente em joias e prataria.

As coleções de cerâmica mais notáveis são as do sr. Otávio Machado — porcelana da Companhia das Índias — e a do sr. Anísio Massora, de louça chinesa. Os srs. Pedro Ribeiro, Clemente Mariani, Arnold Wildberger, Elísio Lisboa e Matias Bittencourt possuem as melhores coleções de prataria e de ourivesaria. Quanto à imaginária, as coleções mais importantes são as de Odorico Tavares e de Mirabeau Sampaio, ambas selecionadíssimas, com peças de grande valor, sendo a de Odorico sobretudo de santos barrocos e a de Mirabeau de santos primitivos, muitos deles obras de santeiros populares baianos dos primeiros períodos. Outra belíssima coleção de imaginária: a do professor Orlando Castro Lima, especializada em santos de marfim.

E terminemos falando na coleção de óleos, guaches, desenhos e gravuras de propriedade do mesmo poeta Odorico Tavares, já dono de tão numerosa imaginária, de tantas e tantas peças valiosas. Não sei se existe em todo o país uma outra coleção particular que se lhe possa comparar em matéria de pintura brasileira moderna. Só os óleos e desenhos de Portinari valem uma fábula, sem falar nos Pancetti, nos Di Cavalcanti, nos Djanira, nos Manabu Mabe, nos Scliar. Pintura, grande pintura, sobrando das paredes, das arcas, dos baús, enchendo os armários. Possui ainda preciosa coleção de primitivos baianos: Willys, João Alves, Cardoso e Silva, Rafael. Uma grandeza na casa fraternal do morro do Ipiranga, colina que é o lugar mais grã-fino, a moradia mais cara da cidade, um jardim de casas de todo conforto, moderníssimas, vizinhos selecionados a dedo. Dali se descortinam o mar e a cidade, visão que fala aos olhos e conforta a alma. Pois bem: o povo pobre, precisando viver e amando o belo, começou a invadir o morro pela outra encosta e já chegou às vizinhanças dos ricaços. Outro dia uma senhora da Graça, ao contratar uma lavadeira, lhe perguntou: "Onde você mora?".

Olhando-a de cima, com seu ar manso, sua voz dengosa, a mulata respondeu modesta porém superior:

— Moro no Jardim Ipiranga, sou vizinha do doutor Odorico.

PORTINARI E PANCETTI

NA MATRIZ DO BANCO DA BAHIA, NA CIDADE BAIXA — além da série magnífica das esculturas em madeira representando os Orixás, de autoria de Carybé, da qual se trata noutra parte deste livro — o visitante pode admirar uma inestimável coleção de mais de quarenta telas da fase baiana de Pancetti, cada qual mais bela.

Completando os tesouros de arte acumulados no tradicional estabelecimento bancário por Clemente Mariani e Fernando Góes, ali existe monumental painel de Portinari: *A chegada de d. João VI ao Brasil*.

Não sei se estas obras de Portinari e Pancetti estão expostas à visitação pública, mas posso garantir que Geraldo Dannemann e Sílvio Mascarenhas, diretores do banco, gente de primeira, não negarão ao visitante desejoso de vê-las e admirá-las a entrada às salas onde se encontram o painel do mestre paulista e os quadros do inquieto marinheiro que viveu na Bahia os últimos anos de sua vida.

O POVO EM FESTA

FESTA DE SANTA BÁRBARA OU IANSÃ

A FESTA DE SANTA BÁRBARA OU DE IANSÃ TEM SEU CENTRO NO MERCADO do mesmo nome, na baixa dos Sapateiros. Muita cachaça, um grande torneio de capoeira. Inicia-se com uma missa em honra da santa, na Igreja de Nossa Senhora do Rosário dos Negros, no Pelourinho, voltando depois todos os assistentes e mais os adesistas para o mercado, em ruidosa procissão. Em meio à notável imundície desse mercado da Baixinha, venera-se uma imagem de santa Bárbara, em sua honra repicam os violões e batem os pandeiros. O mercado se transforma num único samba, onde dançam todos, os que ali têm barraca, os convidados, os penetras, as baianas. A comida é farta e a cachaça mais farta ainda. Para esta festa são escolhidos padrinhos entre a gente importante da cidade. Realiza-se a 4 de dezembro, precedendo à da Conceição da Praia, que oficialmente inaugura o ciclo das festas populares.

FESTA DA CONCEIÇÃO DA PRAIA

A DATA É 8 DE DEZEMBRO MAS, EM VERDADE, ELA DURA toda a semana, precedida de novenas. Em frente ao Cais Cairu armam-se as barracas clássicas. Na bela Igreja da Conceição da Praia rezam as velhas beatas. No largo em frente, a multidão se diverte. Esta festa é a preferida dos capoeiristas que se espalham, em torno da igreja e do mercado, em demonstrações de qualidade e competência, exercitando-se na vista da multidão, acompanhados pela música dos berimbaus e dos chocalhos. Ali se misturam marítimos, feirantes, barraqueiros, vendedores de frutas com o povo vindo de longe para a folia. Nossa Senhora da Conceição é Iemanjá, no sincretismo afro-brasileiro.

A festa da Conceição da Praia inicia o ciclo das festas populares que se estendem pelo verão, da Conceição da Praia ao Carnaval.

PROCISSÃO DE NOSSO SENHOR BOM JESUS DOS NAVEGANTES

A FESTA DE NOSSO SENHOR DOS NAVEGANTES COMEÇA NA VÉSPERA; pode-se mesmo dizer: começa no ano anterior pois sendo uma festa de 1º de janeiro, dia de ano-novo, se inicia na tarde de 31 de dezembro quando a imagem de Bom Jesus é trazida da sua formosa igreja da Boa Viagem, onde os azulejos contam seus milagres e assombros, salvando náufragos e navios, para a Igreja da Conceição da Praia, na qual a Virgem, sua Mãe, o espera. Um e outra, o Senhor dos Navegantes e a Senhora da Praia, são transposições católicas do mito de Iemanjá, dona das águas. Pelo mar tranquilo do golfo, com acompanhamento de saveiros, de barcas e barcaças, canoas, pequenos navios pejados de gente, ruma o santo para o Cais Cairu, em frente ao Mercado Modelo, para a visita familiar, retorna no dia seguinte. No ciclo das festas populares da Bahia, todas elas nascidas de nossa democracia racial, a procissão do Senhor dos Navegantes é a de maior densidade católica.

Na cidade do Salvador da Bahia de Todos-os-Santos, as cores, as coisas, os sentimentos, os ritos, os deuses são misturados, nossa verdade é a mistura de raças, de culturas, de crenças, de ritmos, de alegrias e dores, de lutas de escravos malês, jejes, nagôs, congos e angolas, para criar a nação brasileira, original e única, civilização e cultura mestiças, a luminosa face de nosso povo. Na galeota do Senhor dos Navegantes viaja também Iemanjá.

A volta do santo para a Boa Viagem, acompanhado até o cais de embarque pela Virgem da Conceição, é a mais bela procissão marítima que se possa imaginar, o mar coalhado de barcos e cantos. Misturam-se o negro e o branco, o barroco e o primitivo, a confraria religiosa e o afoxé dos Filhos de Gandhy, os orixás e os santos das igrejas, Exu e o Cão, e ora predomina um som da África ora uma nuance azul de Portugal. Na procissão do Bom Jesus em sua galeota, o acento é católico, embora por detrás do manto do Senhor esteja o abebê de Janaína.

OS TERNOS DE REIS

ESTA É UMA FESTA ANTIGA, FESTA DE RUA, ÍNTIMA, nascida nos bairros, quase familiar. É o teatro e o balé dos

pobres, a representação dos mistérios de Belém na transposição afro-
-baiana. No dia 5 de janeiro, dia dos Reis Magos, os ternos, os pastoris, os
bumba meu boi desfilam pelas ruas da cidade. Alguns desses ternos são
centenários e à sua frente vêm anciões de sofrida estrada. Sol do Oriente,
Terno da Terra, Terno da Sereia, da Estrela Dalva, do Bacurau iluminando com suas pobres lanternas a noite da Bahia.

Nada mais pobre do que as luzes dessas lanternas de papel, nada mais
ingênuo que o recitativo e o canto dessas pastoras de Deus em busca do
presepe; nada mais dramático do que o curtido rosto desses homens ido-
sos, que o tempo marcou de experiência, na labuta difícil, na longa travessia da vida e do amor. Nada mais poderoso que esse povo da Bahia a quem
a miséria, a fome, a moléstia, as incríveis condições não abatem, não
vencem, não liquidam. Superando toda desgraça, o povo da Bahia sobrevive e constrói seu duro caminho, luta, trabalha, sofre e ri, invencível em
sua força interior, em sua capacidade de viver. Os ternos de reis acendem
as lanternas das pastoras na festa do povo.

LAVAGEM DA IGREJA DO BONFIM

NA MANHÃ DA TERCEIRA QUINTA-FEIRA DE
JANEIRO TODO O POVO DA BAHIA se encaminha para a colina do
Bonfim, onde está a igreja do santo mais popular da cidade, santo que —
no dizer do padre Barbosa, sacerdote e literato, membro da Academia de
Letras — está por cima de todas as divergências religiosas e políticas. Eis
uma verdade: Senhor do Bonfim não é exclusivo de nenhuma religião.
Sua festa, que dura oito dias (sendo que os três últimos parecem um Car-
naval), tem muito de fetichista: mestre Edison Carneiro a considera a
"maior festa fetichista do Brasil". Para os negros o Senhor do Bonfim é
Oxalufã, ou seja Oxalá-velho, Oxalá na sua maior dignidade.

A Igreja do Bonfim possui uma sala cheia de ex-votos. Há muitos
anos que esse santo faz milagres espantosos. Salva náufragos, cura lepro-
sos, tísicos e loucos, fecha ferida de bala e afasta no último instante lâminas de punhais assassinos. Retratos às dezenas, pernas, mãos, braços e
cabeças de cera, lembranças de acontecimentos terríveis, enchem essa
sala enlouquecedora que é o mais estranho museu que se possa imaginar. Oferendas ricas e oferendas pobres, grandes milagres e pequenos

milagres: Nosso Senhor do Bonfim faz chover, contém as enchentes dos rios, protege as plantações e evita as epidemias. Note-se que não é um santo muito popular entre o clero já que o arcebispado faz tudo que é possível para evitar os festejos com que a população celebra a festa do Bonfim. Talvez porque seja ele tão do povo e democrático, tão sem preconceitos religiosos, virando deus negro nas seitas africanas, santo do samba e da capoeira.

As festas do Bonfim duram oito dias, mas seu maior momento é sem dúvida a quinta-feira da lavagem. Apesar do sábado e do domingo com seus ranchos na colina, mistura de festa de reisado e de Carnaval, apesar da segunda-feira da Ribeira com suas comidas, suas festinhas familiares, sua cachaça farta e fácil. Ainda assim o maior espetáculo é a lavagem da igreja com a procissão que a precede.

A procissão da lavagem sai da Igreja da Conceição da Praia. A multidão se aglomera em frente ao Elevador Lacerda e ao Mercado Modelo. Quem nunca viu esta procissão da lavagem do Bonfim não sabe os segredos da poesia. Talvez por um milagre a mais do Senhor do Bonfim, talvez porque não seja mesmo hábito chover no verão baiano, a verdade é que a manhã desta quinta-feira é sempre esplêndida de luz. No cais próximo os pequenos e líricos saveiros bordejam os grandes navios, cargueiros e transatlânticos. Há um ar de festa nas ruas comerciais e os rostos dos homens se abrem em sorrisos. Sim, porque quem não a viu, jamais poderá imaginar a surpreendente beleza desta procissão. Primeiro direi que há uma harmoniosa confusão de músicas e cânticos, onde cantos religiosos em estropiado latim se misturam aos cânticos em iorubá das macumbas. Mas, ah! existem devotos que vivem na boêmia e não sabem nem os cânticos ilustres da Igreja nem as canções em honra de Oxalufã. Ainda assim são devotos do Senhor do Bonfim e desejam cantar para o santo, qualquer música em sua homenagem. E cantam então sambas e marchas, gemem as violas, as cuícas, os cavaquinhos. Mas é tudo em louvor do santo e nesta quinta-feira o pecado não existe nas ruas da cidade da Bahia.

Vêm as filhas de santo dos diversos candomblés, com suas saias engomadas de muita roda, suas anáguas e seus turbantes, carregadas de flores. Sobre as cabeças, num equilíbrio quase milagroso, os cântaros, as bilhas, os potes e os moringues. Filhas de santo de todos os candomblés da cidade, da Gomeia, do Bate-Folha, do Engenho Velho, do Gantois. Vestidas todas de branco, a cor de Oxalá, levam para o santo as coisas mais puras do mundo: a água e as flores, a alegria também. O canto das baianas, onde ressoam atabaques e agogôs, lembra os cantos de guerra dos caçadores negros nos desertos da África. Em fila, carregando galhos sagrados de pitangueiras, seguem-se os baleiros, os vendedores de queimados, doces e chocolates. Conduzem ramos de folhas, formam com as baianas a guarda de honra do Senhor do Bonfim.

E vêm os aguadeiros, em jumentos e carroças. Dizer jumentos e carroças é dar uma triste e falsa ideia do que é esse espetáculo. Os jumentos desaparecem sob papel de seda recortado — coisa tão lírica nunca se viu! — as carroças desaparecem sob as flores, tão variadas e tão numerosas. Não são carroças, são carros florais de primavera, não são jumentos, são animais simbólicos e lendários. Nunca se reuniu no mundo tanto colorido, tanta graça e tanta alegria. O branco predomina nos trajes, em honra ao pai dos orixás, mas encontram-se todas as cores nos papéis pintados, nos desenhos dos tabuleiros, nas flores sobre as bilhas, os moringues, os potes. Ah! a sedução dessas bilhas, destes potes, destes moringues... As frutas da Bahia, mangas, laranjas, sapotis, abacaxis, esplêndidas, saltam dos tabuleiros, são para o santo. Porque Senhor do Bonfim, como os orixás negros, recebe presentes de frutas nos ritos africanos.

Eis um povo irredutível, impondo sua festa! A massa popular, muita gente de pés descalços pagando promessas, serpenteia pelas ruas comerciais da Cidade Baixa, em direção à colina do Bonfim.

Se o visitante tiver sorte ou conhecidos poderá talvez conseguir lugar num dos caminhões que acompanham a procissão. Distante fica esta colina do Bonfim para onde vai a multidão lavar a igreja. Se o fervor religioso não é tão grande quanto a caminhada, então um caminhão, dos vários que acompanham a procissão, poderá servir de transporte. No aperto da condução incômoda, sem dúvida o turista cantará como fazem os demais passageiros, pouco ligando à falta de espaço. Cantam músicas de Dorival Caymmi que falam no mar da Bahia e em Iemanjá. Só existem dois instrumentos: uma gaita que ninguém ouve e um berimbau de capoeira. Mas que importa? O principal é cantar. Uma velha murmura orações numa promessa estranha. Parece o delírio, mas é apenas a festa da lavagem do Bonfim, a procissão em busca da colina. Perderá a voz quem tente acompanhar a cadência do berimbau mas o visitante sairá do caminhão amarrotado e satisfeito, cheio dessa pura alegria do povo. Estará no alto da colina pronto para a lavagem da igreja. Vão correr as águas de Oxalá, na lavagem de sua igreja católica.

À noite a festa será no terreiro de candomblé. Senhor do Bonfim e Oxalá são um único deus do povo baiano.

Uma portaria do arcebispo proíbe indefectivelmente a lavagem no interior da igreja. É sempre uma portaria zangada, sem poesia, sem pitoresco, rígida e sem graça. Ninguém liga. Certa baiana, de admiráveis dentes brancos no rosto negro, disse que o Senhor do Bonfim não aprova as tais portarias proibitivas. E a igreja é lavada toda, desde o altar-mor até as escadarias exteriores. A portaria que se dane, amém!

Antes, porém, falemos do largo no alto da colina. As barracas, de bandeirolas multicores de papel, se enfeitam também com as cores do vatapá amarelo-ouro, do caruru esverdeado, do efó negro, do acarajé, do abará. As baianas servem a comida nos pratos de flandres e barro. Tabuleiros de mangas e umbus, de abacaxis, de laranjas e os refrescos de frutas, uma fartura de comida, a mais gostosa do mundo, uma fartura de cores. O largo cheio de barracas, mais atrás os divertimentos ingênuos: o circo de cavalinhos, a roda-gigante.

Mas a praça se esvazia quando a charanga inicia um samba, anunciando que vai começar a lavagem da igreja. As autoridades ficam ao lado do altar. Um padre estrangeiro e antipático pede respeito, a verdade é que o povo está perfeitamente respeitoso. Só que o padre amargo não sabe distinguir desrespeito de alegria. As filhas de santo chegam para perto do altar. A multidão enche a igreja onde as vassouras se elevam e onde as bilhas e os potes são lindos sobre os turbantes das negras e mulatas. Essa baiana tão branca nasceu na Espanha e veste as roupas populares da Bahia, fugiu talvez de um poema de García Lorca, vai-se ver é dona Amelia Fernández, senhora rica, da alta sociedade (e pintora). De todas as partes chegam bilhas de água enfeitadas com papel de seda, cobertas de flores. Junto ao altar se acumulam os tabuleiros de frutas trazidas para o Senhor do Bonfim. A água é derramada na igreja e as baianas começam a lavar o mármore sagrado.

Começam também os vivas que enchem a nave, vivas aos santos e aos orixás. Senhor do Bonfim está acima das divergências políticas e religiosas. É um santo democrático.

Os torsos das baianas movem-se ritmicamente no trabalho de lavar a igreja. Parece um bailado e logo os cânticos negros se elevam. É uma imensa macumba, festa fetichista na Igreja católica!

Lá fora as barracas têm nomes como versos. A multidão vem comer as comidas gostosas. Dentro da igreja as bilhas, os potes e os moringues derramam a água pura das fontes em honra do santo popular. Assim é a lavagem da Igreja do Bonfim na quinta-feira. Mas a festa dura uma semana inteira e só termina na Ribeira, na noite de segunda, numa festa de largo e em dezenas de festas familiares. É como um Carnaval, mas parece também um reisado. Talvez porque fique antes do Carnaval e depois das festas de Reis.

SEGUNDA-FEIRA DA RIBEIRA

OS FOLIÕES AMANHECEM NA RIBEIRA, NUMA ESPÉCIE DE PEQUENO Carnaval, de alegre anúncio da grande festa, em seu primeiro episódio, após a noite insone no domingo do Bonfim. É a segunda-feira da Ribeira, típica folia de bairro que só terminará no dia seguinte, terça-feira, quando os choferes, ali na península, saúdam seu padroeiro, são Cristóvão. O samba de roda, na festa da Ribeira, já adquire um ritmo carnavalesco, os blocos vão substituindo os grupos de capoeira, mas as barracas permanecem as mesmas. Vêm da festa da Conceição da Praia, em dezembro, estiveram no Bonfim, hoje na Ribeira, amanhã estarão no Rio Vermelho. Também os foliões são os mesmos: o povo da Bahia de mãos dadas na roda de samba, canto poderoso e livre.

FESTA DE IEMANJÁ

NO CALENDÁRIO DAS FESTAS POPULARES DA BAHIA GANHAM RELEVO especial as do ciclo do mar. Erguida numa península, cercada de mar, terra de pescadores, paisagem de barcos a vela, a Bahia tem uma rainha: Iemanjá, a senhora das águas, poderoso orixá de candomblé, sereia de cinco nomes, dona Janaína, Inaê, Iá, rainha de Aioká. Ela reina sobre esse império das águas, do mar, dos lagos e rios, dirige os ventos, desata os temporais. Mãe e esposa dos pescadores, seu amor supremo, seu desejo impossível. "É doce morrer no mar, nas ondas verdes do mar", cantam os mestres de saveiro pensando em dona Janaína de longos cabelos perfumados e olhos de naufrágio. Veio ela da África para a Bahia de Todos-os-Santos na esteira dos navios de escravos, nos gemidos dos negros. Aqui estabeleceu para sempre sua morada. Suas múltiplas moradas pois ela habita em diversos lugares desse mar baiano: nas ruínas do Forte da Gamboa, no Rio Vermelho, na Barra — na velha fonte em meio às pedras da praia — em Monte Serrat ao sopé do forte, em Itapuã, no Dique, na Pituba e em Itaparica. Onde haja pescador ou marítimo ela está com seu amor e sua sedução.

Duas festas marítimas se destacam no ciclo de Iemanjá. A primeira é a procissão de Nosso Senhor Bom Jesus dos Navegantes, no dia 1º de janeiro. Nela predominam as marcas católicas no sincretismo religioso da Bahia.

A segunda é a procissão de Iemanjá, no Rio Vermelho, onde predominam os elementos fetichistas. Os pescadores cantam:

Vou pegar minha jangadinha
vou me embora velejá...

Os poderes de Iemanjá são grandes e seus filhos e filhas — o povo do mar — vivem a lhe trazer presentes, a cumprir obrigações. Nos sábados, dia de Janaína, os sabonetes e pentes, os vidros de perfumes e as cartas com os pedidos são depositados em águas onde ela descansa: flores no Dique, em Monte Serrat, velas acesas nos rochedos, nas praias.

Sua grande festa, porém, a maior de todas, a mais solene e bela, é a de 2 de fevereiro, no Rio Vermelho. É o dia dos presentes dos pescadores à sua rainha. O povo do mar e das casas de santo se reúne no largo de Sant'Ana, onde a igrejinha, tão simples e branca, participa da cerimônia animista. A festa, em realidade, começou uma semana antes, durante a qual, no largo de barracas e luzes, a multidão desfilou, dançou, cantou, bebeu, comeu, amou. No mistério das noites e da distância, roncam os atabaques, ora próximos, ora quase inaudíveis. Essa música de deuses primitivos se incorpora à atmosfera do largo. A cada noite o movimento cresce.

Finalmente, chega o dia 2 de fevereiro, "dia de festa no mar", como diz o trovador: "Eu quero ser o primeiro a salvar Iemanjá". Os atabaques agora roncam ali mesmo, na ponta de terra que penetra pelas águas, rasgando o oceano: ali os pescadores construíram a casa do peso que é também o peji de Iemanjá. De toda parte, desde a madrugada, desembocam as filhas de santo com seus trajes e colares rituais, cada uma traz seu presente. À frente do povo, obás e ogãs: mestre Carybé,

Dorival Caymmi, Flaviano, chefe dos pescadores, Manuel Bonfim, escultor vizinho do peji, o pintor Licídio Lopes e Mário Portugal, exportador de fumo e ogã do candomblé de Mirinha do Portão.

Os presentes são cortes de fazenda, caixas de sabonete e pó de arroz, pentes, metros de fitas, anéis, vidros de perfume, chinelas finas, brincos, tudo quanto toca e corresponde à beleza da mulher, pois Janaína é vaidosa. As esposas dos pescadores, dos mestres de saveiro, dos homens do mar, as que vivem no medo à espera do retorno das jangadas e das canoas, das frágeis embarcações, além dos presentes, trazem cartas: escreveram seus pedidos, rogando pela vida dos seus homens, por um mar de peixes e bonança. Para que Inaê não ponha em seus maridos olhos de desejo e não desate a tempestade. Porque Janaína cada ano escolhe os seus amados, aqueles com os quais partirá para a festa do amor, para núpcias de naufrágio nas terras de Aioká.

Braçadas e braçadas de flores são levadas ao peji: os jardins da cidade, os pobres e os ricos, se despiram para que todas as rosas nesse dia sejam para a Sereia, para a Mãe-d'Água. O canto se eleva ao ritmo dos atabaques:

Viva a Rainha do Mar
Inaê
Princesa de Aioká
Inaê ô
Viva a Rainha do Mar.

No largo, dançam ranchos e cordões animados por pequenas orquestras, dançam foliões, zé-pereiras, zabumbas. É uma festa extremamente alegre, como, aliás, todas as festas do ritual afro-baiano nas quais os deuses vêm confraternizar com os homens, vêm dançar e cantar com os seus filhos. Não há tristeza na religião dos baianos, tristeza é coisa de branco: quanto a nós, povo mestiço, herdamos a alegria do negro.

No peji, um peixe de madeira, enorme, contém o presente nupcial, o da colônia de pescadores. Em grandes cestos vão-se acumulando as outras oferendas, centenas de dádivas, algumas de preço, a maioria formada por lembranças simples e baratas, pois o povo é pobre, imensamente pobre. Rico apenas da alegria, da disposição de viver, rico também de gentileza e graça. As casas da vizinhança se enchem de gente conhecida, vinda de todas as partes da cidade. A casa bela e fraterna de Tibúrcio Barreiros, na ladeira do Papagaio, com admirável vista sobre a festa, recebe, com a fidalguia baiana, amigos e parentes. Durante toda a manhã, estende-se a fila ante a casa do peso: homens e mulheres, cada um com seu presente para depositar nos balaios.

No meio da tarde, os presentes são levados para um saveiro, após ter dado a volta ao largo de Sant'Ana, em meio aos cânticos e ao roncar dos atabaques, ialorixás e babalorixás, babalaôs e ogãs puxam o cortejo, seguidos pelas filhas de Iemanjá, com suas contas transparentes como gotas d'água. Depois os marítimos, os pescadores, a multidão.

A multidão anda para a praia, à frente o peixe de madeira e os balaios com os presentes. O saveiro, onde são depositados, assume o comando das embarcações. Jangadas de todos os tamanhos, saveiros, barcos, lanchas, canoas. Navios da Companhia de Navegação Baiana, iates embandeirados.

Cortam as águas, enfrentam as ondas, mar adentro, até onde Inaê se encontra cercada de peixes, vestida de ostras e algas. Oferecem-lhe os presentes e formam um grande círculo em redor com os saveiros, as jangadas, as canoas.

Homens e mulheres atentos aguardam a decisão de Janaína; também no largo a multidão fez silêncio, na expectativa: Iemanjá aceitará ou não as dádivas de seus filhos? Se as aceitar, se as recolher das ondas e as levar consigo então esse será um ano bom de peixe e de navegação. Mas, se ela as desprezar, se, zangada, partir para as terras de Aioká, então será de fúria e morte, de tempestade e fome o ano dos pescadores e marítimos; de luto e dor para suas mulheres. Eis que um clamor irrompe dos saveiros e as mães de santo comandam o canto de alegria: dona Janaína está recolhendo os presentes em seus cabelos verdes, em seus braços de coral, em seu rabo de escamas, em seus seios de espuma. Da terra respondem em aclamações e a dança recomeça, o baticum, o samba de roda e a roda da capoeira.

O mar coberto de flores e, por entre elas, vai a formosa das formosas, a sedutora mãe dos orixás, esposa dos marítimos. No Rio Vermelho, a festa continua, prolonga-se pela tarde e pela noite, entrará semana adentro até se transformar em festa de Nossa Senhora de Sant'Ana, no domingo seguinte. Orixá de candomblé ou santo de igreja tudo é igual na devoção e na alegria do povo. Quem tiver a sorte de assistir a essa festa de 2 de fevereiro, no largo de Sant'Ana no Rio Vermelho (talvez das sacadas do velho sobradão onde vive o pintor José de Dome), jamais a esquecerá.

A dança — o samba de roda, o maculelê, o assombroso balé da capoeira — domina essas festas baianas, é um bem coletivo e fraterno. Quem não dança nas praças e nas ruas? Dança a moça adolescente, as ancas modeladas pela calça elegante, dança a baiana sorridente com seu torso e seu colar; na roda do samba dançam crianças, jovens e velhos, há lugar para todos. Nos bairros pobres, nos becos e ladeiras, nos terreiros, o povo dança. Na Estrada da Liberdade, em Cosme de Faria, na Cidade da Palha, no Corta-Braço, em São Caetano, nos bairros operários, nas invasões, o povo dança e canta. Diversão alegre e barata. Para acompanhar o samba de roda basta um prato e uma faca (ou garfo), quando muito uma violinha. Se nada disso houver, não importa. As mãos marcarão o ritmo e de mais nada se necessita.

CARNAVAL

O CARNAVAL DA BAHIA É CONSIDERADO HOJE O MELHOR CARNAVAL popular de todo o Brasil e dezenas e dezenas — mais de uma centena — de milhares de turistas deslocam-se de todo o país e até do estrangeiro para curtir a grande festa, que em Salvador é realmente uma festa do povo. O Carnaval encerra o ciclo das festas populares que se inicia em dezembro, com as festas de Santa Bárbara e da Conceição da Praia.

Quais são as coisas que o folião só encontra no Carnaval da Bahia e em nenhum outro? Antes de tudo, os trios elétricos, que arrastam as multidões, que dão caráter realmente popular ao nosso Carnaval. Exclusivos da Bahia, também os afoxés, folia carnavalesca nascida nos candomblés: são os orixás brincando o Carnaval. Alguns afoxés são de extrema beleza. No mais, os cordões, os blocos, as escolas de samba, os caretas, e a imensa animação do povo baiano.

Não quero deixar de me referir ao bloco Os Internacionais, ao qual pertence meu filho João Jorge — se não citasse o bloco que é um dos destaques do Carnaval baiano, ficaria mal com a família. Realmente, a rapaziada possui classe e animação. Para Os Internacionais, Vinicius de Moraes compôs um frevo: "Quem for mulher que me siga...". Mas existem outros blocos igualmente de muita categoria: o Bloco do Jacu, cujo lema é um trocadilho: "Há Jacu no pau"; o Bloco do Barão, tendo à frente a grande, veneranda, extraordinária figura do Barão de Mococof, meu velho amigo; Os Peninsulares e vários outros. Entre as escolas de samba, destacam-se Os Aristocratas de Amaralina, Os Filhos de Tororó — da qual fui enredo há uns poucos anos: "Jorge Amado em quatro tempos" — e Mocidade do Garcia.

Falando-se do Carnaval baiano, faz-se indispensável citar os nomes de Osmar e Dodô, fundadores do primeiro trio elétrico, e o de Caetano Veloso que todos os anos compõe um frevo para a grande festa. Também Batatinha, Riachão e Walmir Lima não faltam com suas marchas e seus sambas.

MÊS DE JUNHO

O SÃO-JOÃO É PARA NÓS, BAIANOS, O QUE É O NATAL PARA OS POVOS europeus. Porém junho não é apenas o mês de são João. É também o de santo Antônio, patrono das moças casadoiras, e o de são Pedro, padroeiro das viúvas ("viúva é o sexo mais perigoso que existe", explicou-me certa vez o perito Carlinhos Mascarenhas).

Junho é o mês do milho. É ele que domina as comemorações dos santos padroeiros. De mistura com as fogueiras e os balões, o milho está presente durante todo o mês. O milho e a laranja, as célebres laranjas da Bahia, sumarentas, os enormes umbigos. Quanto maior o umbigo e mais fina a casca, melhor a laranja, diz o povo. Milho das canjicas, dos mungunzás, dos manuês, dos acaçás, milho assado nas fogueiras, pipocas, milho cozido com café. Pamonhas e bolos. Doces envolvidos na palha crespa do milho. Junho é o seu mês, o tempo em que melhor se come na cidade (excetuando o jejum da Semana Santa, é claro). A finíssima canjica, a deliciosa pamonha, os manuês saborosíssimos. E o licor de jenipapo para acompanhar.

Em junho o céu da Bahia tem milhares de estrelas novas. São os balões que, apesar das renovadas proibições, surgem sobre os telhados e tomam o rumo do mar. Os Capitães da Areia abandonam qualquer outra das suas múltiplas ocupações para catar os balões perdidos que se apagaram no céu e descem sem rumo sobre as casas. É uma caça alegre e cheia de peripécias. Roncam os rojões de foguetes, a meninada ensurdece os ouvidos alheios com bombas, traques e busca-pés. As fogueiras se levantam ante as casas mais devotas. Desapareceram quase completamente do centro da cidade. Mas, ah! se a vossa residência for num bairro distante como o de Peri-Peri e diante dela não se elevar uma fogueira na noite de são João, sereis evidentemente olhado de maneira suspeita pelos habitantes do lugar, vossos vizinhos, operários da Estrada de Ferro ou pequeno-burgueses que a crise de moradia atirou para os subúrbios. Elevam-se as fogueiras sob as árvores, a terra parece envolta numa estranha luz vermelha, cheia de sugestões e mistérios.

Em centenas e centenas de casas rezam-se as trezenas de santo Antônio, do dia 1º ao dia 13. Um altar improvisado na sala de visita, duas velas aos pés do santo, a mulher que puxa a ladainha. Moças pobres, vestidas modestamente, rapazes brechando. Trocam olhares durante a reza. Mas os músicos amigos da casa já se encontram por ali perto esperando que a devoção termine. Depois da reza aparecem o violão e o cavaquinho, a flauta e a harmônica, e diante do altar os pares dançam, os namorados riem. Cálices de licor de jenipapo são servidos.

Junho é o mês das festas íntimas, muitas festas, que se sucedem no correr das ruas, quase que em todas as casas, nos bairros pobres. É o mês mais alegre da cidade.

No dia 13 é a festa de santo Antônio. As rezas são mais longas, a sala mais enfeitada (quase sempre bandeirolas de papel), o baile também dura a noite toda. Corre o jenipapo, come-se a canjica, soltam-se os primeiros fogos. Nos candomblés, festeja-se Ogum.

Depois vêm as novenas de são João e logo a véspera que é o dia da grande festa. Nas fogueiras inúmeras assam-se pedaços de cana, batata, milhos. Os namorados saltam sobre as brasas.

— Vamos ser compadres...

Apertam-se as mãos ternamente, os olhos se encontram. A meninada queima os dedos, os fogos rasgam a noite, diversos e surpreendentes. Moças colocam bacias d'água para à meia-noite nelas espiarem o rosto do futuro noivo. Jogos de prendas, adivinhações, pequenos bailes familiares, muita comida de milho, muito doce, muita laranja, muito licor de jenipapo.

As festas de junho são para velhos, adultos e crianças. Comidas, danças e fogos, devoção e alegria, superstição e poesia.

São Pedro é o santo das viúvas. São elas que fazem rezar suas novenas, são elas que comemoram o dia 29. É a despedida de junho. A canjica, os manuês, os foguetes e a alegria irão ainda até o Dois de Julho, data da independência da Bahia.

O milho domina todas as festas, seu gosto determina o mês de junho, as espigas amontoadas nas cozinhas à antiga, de grandes fogões de barro. Junho é o mês baiano por excelência. Em mil festas pequenas, em centenas de fogueiras, em milhares de balões, se desdobra a cidade que neste mês parece ambiente para contos de fada, para histórias infantis, para cantigas ingênuas. Como as que são cantadas nas novenas e trezenas e também nos bailes improvisados diariamente. Tem gente que dança do dia 1º ao último dia do mês.

E sobre tudo e sobre todos, sobre os balões, as fogueiras, a canjica, sobre as novenas, as trezenas, os festejos, sobre o licor de jenipapo e os jogos de prenda, sobre as rezas ingênuas e os noivos entrevistos na água parada das bacias, sobre os santos de junho, rola a colheita do milho que cresce nos campos próximos. Junho é o mês do milho.

DOIS DE JULHO, FESTA CÍVICA E POPULAR

"FOI UM DOIS DE JULHO", SE DIZ NA BAHIA QUANDO SE FAZ referência a uma coisa notável, grande, barulhenta. porreta. A festa do Dois de Julho tem um caráter cívico e patriótico que não lhe tolda a graça popular. Comemora-se a data da entrada triunfante dos exércitos libertadores na capital em 1823. O dia verdadeiro da Independência do Brasil.

Da Lapinha parte o préstito conduzindo as carretas com o Caboclo e a Cabocla, puxados pelo povo. Bandos representando os batalhões patrióticos que lutaram pela Independência acompanham o préstito. Toda a gente veste roupa branca neste dia e usa braçadeiras verde-amarelas. Nas lapelas e nos obrigatórios chapéus de palha quebrados de lado usam-se folhas de um cróton também verde-amarelas.

O préstito faz o percurso histórico do Exército Libertador. Lapinha, Soledade, São José, Perdões, rua dos Quinze Mistérios, Conceição do Boqueirão, Cruz do Pascoal, Rua do Carmo, Pelourinho, Portas do Carmo, Terreiro, chegando por fim ao largo da Sé onde o Caboclo e a Cabocla permanecem em meio ao povo e aos discursos. Quando vivo, Cosme de Faria, tribuno popular, recordava feitos e figuras em tropos retóricos.

À tarde o cortejo ruma para o Campo Grande, onde no monumento ao Caboclo realiza-se uma cerimônia cívica. É um dia alegre, muito baiano na sua jovialidade e no seu culto à liberdade. Há um verso muito repetido e popular: diz que o sol de 2 de julho brilha mais que o de 1º. A verdade, porém, é que quase sempre chove. O que não diminui a animação.

SÃO COSME E SÃO DAMIÃO

O MÊS DE SETEMBRO PERTENCE AOS IBEJIS, SÃO COSME E SÃO DAMIÃO, santos católicos mas também importantes deuses negros, Dois-Dois no chamar das mães de santo. Santos populares entre a gente baiana, no mês de setembro em todos os recantos da cidade encontram-se velhos, moços e crianças conduzindo quadros ou pequenas imagens que representam Cosme e Damião, angariando dinheiro para missas que devem ser celebradas em honra dos dois "primos". Os festejos são muitos.

Dizem os negros que são Cosme e são Damião são amigos de boa comida baiana e por isso mesmo cozinham-se em honra deles todas as comidas de azeite de dendê, especialmente o efó, o vatapá e o caruru. A grande festa, quando batem todos os candomblés da cidade, é a 27 de setembro.

A tradição do caruru de Cosme e Damião ainda hoje é cultivada por inúmeras famílias. Entre elas, a da finada Maria de São Pedro, que, todos os anos, em seu restaurante no Mercado Modelo, oferece um caruru, com centenas de convidados, aos Ibejis. Quando viva, Norma Sampaio abria as portas de sua casa no Chame-Chame para receber os devotos dos santos. Natália e Mecenas Mascarenhas, Antonieta e Nélson Taboada, Dorothy e Moysés Alves — eis três famosos carurus de Cosme e Damião, de farta, rica e saborosa comida de azeite de dendê. Igualmente famoso o de Toninha e Camafeu de Oxóssi. Com direito a uma célebre batida de maracujá, feita especialmente em São Gonçalo para a ocasião, e a sermão de um padre barroco e ecumênico que leva sob a batina o brevê de piloto da Aeronáutica.

Que dizer então do caruru oferecido por minha comadre e amiga Dety — uma das mais extraordinárias cozinheiras do mundo — na ilha de Itaparica? Não há rega-bofe igual.

CALENDÁRIO DAS FESTAS DE CANDOMBLÉ

CADA CANDOMBLÉ DA BAHIA TEM VIDA PRÓPRIA, INDEPENDENTE DOS DEMAIS. Ligando muitos deles existem laços de amizade, troca de gentilezas dentro do complexo e refinado ritual que preside as relações entre pessoas e entidades na Bahia, os ritos de gentileza e amizade. A ligação é maior entre os terreiros da mesma nação ou seja os que são originários da mesma matriz cultural: jeje-nagô (queto), angola, congo, candomblés de caboclo.

Em tais casos acontecem coincidências no calendário das festas públicas, das cerimônias religiosas abertas ao comparecimento de todos quantos as desejam assistir — só as pessoas ligadas à seita têm acesso a certa parte das obrigações. Tais coincidências de datas são frequentes nas casas de origem queto.

Não existe, porém, volto a repetir, nenhum tipo de interdependência entre os diversos terreiros, apesar da constante e malsã tentativa dos eternos sabidórios que tentam colocar de pé uniões e federações, pretensamente religiosas ou culturais, com o fim de dominar e explorar econômica ou politicamente as casas de santo. Cada candomblé é uma unidade independente, não tendo nenhuma obrigação com os demais, apenas relações de fraterna amizade. Outra coisa: nenhum candomblé da Bahia — e creio que do Brasil — tem ligação ou dependência com os da África.

O viajante conseguirá com facilidade, na seção competente do organismo estadual de turismo ou no Centro Folclórico da Municipalidade, a relação das cerimônias públicas dos principais candomblés e, caso queira consultar mãe ou pai de santo para descobrir qual o seu orixá, resolver dúvidas, problemas, saber do passado e do futuro, mandar fazer algum trabalho — ebó, feitiço, coisa-feita — para ter sucesso na vida e no amor, não é difícil, nas repartições citadas, obter-lhes os endereços: de mãe Menininha do Gantois, de Luiz da Muriçoca, de Olga do Alaketu, de Stela de Oxóssi, de Mirinha do Portão, dos demais babalorixás, babalaôs e ialorixás.

Algumas festas públicas são deslumbrantes: a das quartinhas de Oxóssi, no Gantois; as de Xangô, no Axé Opô Afonjá; a de Exu, no candomblé de Luiz da Muriçoca; a de Tempo, no Bate-Folha; a de Dã, no candomblé do Bogum; a do caboclo Neive Branco, no terreiro do mesmo nome; a festa de Iansã, no Alaketu. Cito apenas algumas, há dezenas de outras.

O MUNDO MÁGICO DO CANDOMBLÉ

TERREIRO DE JOÃOZINHO DA GOMEIA

TOMEMOS O AUTOMÓVEL E VAMOS BUSCAR ALICE, MÃE-PEQUENA da Gomeia. Outros candomblés podem ser mais puros no seu rito, o do Engenho Velho certamente o será. Também o Axé Opô Afonjá, o grande templo da mãe de santo Aninha, uma das mais formosas, nobres e dignas mulheres que conheci. Seu enterro teve um acompanhamento de milhares de pessoas. Porém nenhuma macumba tão espetacular como essa da roça da Gomeia, ora nagô, ora angola, candomblé de caboclo quando das festas de Pedra Preta, um dos patronos da casa. Nos ritos nagôs, os santos do pai de santo da Gomeia são Oxóssi e Iemanjá; do pai de santo Joãozinho da Gomeia ou da Pedra Preta, um maravilhoso bailarino, digno de palcos de grandes teatros. Esse caminho de São Caetano, que leva à estrada difícil da Gomeia, é percorrido por quanto artista, quanto escritor e quanto sábio passa por essa cidade. Sou ogã desse candomblé, levantado por Iansã. Ogã de Oxóssi foi o saudoso professor Roger Bastide, da Faculdade de Filosofia de São Paulo e do Centre de Recherches Scientifiques, da França, que assistiu na Gomeia à iniciação das iaôs e à festa do nome: quando o encantado proclama seu nome em público, pela primeira e única vez. Para ele e para mim abriram uma exceção que jamais agradeceremos suficientemente: foi-nos permitido ver as futuras filhas de santo na pequena casa onde faziam o noviciado. Ali aprendem os cantos e as danças, a língua nagô, que é ritual dos candomblés. Ali, de cabeça raspada, ouvem as prelações do pai de santo sobre as obrigações das iniciadas, longe do contato masculino, numa abstinência sexual absoluta, que dura em média seis meses. Naquelas casas são costuradas as ricas roupas de baiana, as vestimentas dos santos; são sacrificados aos deuses os animais sagrados, o carneiro e o galo, o bode, o cágado.

No quilômetro 3 da estrada de rodagem, o automóvel muda de direção e parece que deseja rebentar-se sobre as pequenas casas em frente. Desce uma rampa quase vertical e toma a estrada da Gomeia, onde os pés dos negros, milhares de pés, se afundam diariamente em busca do seu templo. Pelo caminho encontram-se dois ou três candomblés, que São Caetano é zona de orixás e caboclos. Mas a roça da Gomeia fica mais longe, é maior, mais célebre, mais importante.

Um cruzeiro assinala a entrada do candomblé, roça enorme, com uma série de pequenas construções. Duas são maiores: a casa do pai de santo e o terreiro onde se realiza a festa. Joãozinho da Gomeia, com um rosário de contas de coco sobre o camisu, nos recebe quase em frente à casa de Exu, que está próxima à entrada do candomblé. Deixemos saltar a gorda Alice, muito risonha, muito querida e respeitada no terreiro. Joãozinho da Gomeia é um mulato moço, de olhos langues, corpo flexível de bailarino, agilíssimo. Sua voz é mansa. Filho de santo de Jubiabá, o famoso pai já falecido. Jubiabá o iniciou nos mistérios da macumba e o entregou ao caboclo Pedra Preta cuja casa está quase em frente à de Exu. A festa de Pedra Preta é no Dois de Julho, quando o candomblé todo se enfeita, quando vêm visitas de muito longe, outros pais de santo também que dançam no terreiro de Joãozinho. Nesse dia corre franca a jurema, bebida forte feita com a casca da jurema fermentada em álcool, que pareceu deliciosa ao pintor Manuel Martins e absolutamente terrível ao cinematografista Ruy Santos. Questão de gosto. O caso é que seremos obrigados a bebê-la se não quisermos fazer uma desfeita aos presentes. Talvez agrade mais ao visitante o inofensivo aluá de gengibre ou de casca de abacaxi, um refresco delicioso. Eu aconselho a não recusar a jurema, pois Pedra Preta é um caboclo juremeiro e quem não beber com ele não contará com sua proteção nos amores e nos negócios.

A casa de Exu é pequena e terrível. É um quadrado de paredes grossas. Joãozinho abre a porta com a grande chave antiga. Lá dentro, sobre um pequeno pedestal, está o deus nagô sincretizado com o demônio católico, o temido Exu. Um galo espantado anda por dentro da casa do santo.

— Vai ser sacrificado, Joãozinho?

— É um trabalho que me encomendaram... Um despacho...

O sangue do galo correrá sobre Exu, a imagem já não se percebe bem debaixo da crosta sangrenta que a cobre. Sangue e azeite de dendê derramados no despacho ou padê que inicia todas as cerimônias de candomblé para que Exu parta para longe, não venha perturbar a boa marcha da festa. Sangue dos animais sacrificados nos ebós — os feitiços, as coisas-feitas — trabalhos encomendados por pobres e ricos.

Muitos são os ricos que procuram os pais de santo, a proteção dos orixás, muitos são os grã-finos que vêm aqui encomendar trabalhos. Pode-se ver, semiescondida no barracão, a senhora da sociedade que, alarmada com os amores adulterinos do esposo, veio pedir ao pai de santo uma reza forte que afaste a mulher fatal. Aquela outra deseja um feitiço que prenda à sua beleza fanada o jovem amante enfastiado. Não se deve pensar que o poder dos pais de santo se estende somente sobre os pobres, sobre os mulatos desta cidade. Ricos de pele branca — brancos baianos ou seja: mulatos claros — grã-finos da Barra e da Graça, gente da Vitória e da avenida Oceânica palmilham os caminhos da Gomeia, e os caminhos também difíceis dos outros candomblés, em busca de feitiços, rezas e remédios, em busca de consolo e esperança.

A casa do caboclo Pedra Preta não é uma casa. É uma árvore, uma gameleira sagrada, defendida por uma cerca de bambu, enfeitada de fitas, um altar na floresta. No Dois de Julho, dia da festa do caboclo, dia maior da Gomeia, dúzias de galos, vários carneiros e bodes são ali sacrificados, ao pé da árvore, enquanto as filhas de santo rezam as orações rituais. O pai de santo e a mãe-pequena, encobertos dos demais por uma colcha lindíssima nos seus bordados e nas suas rendas, já em transe, bebem o sangue dos animais sacrificados. Já não são eles, Joãozinho e Alice. São o caboclo Pedra Preta e Iansã que se alimentam com o sangue quente dos galos e carneiros.

As demais casas se levantam em torno à casa do pai de santo. A casa de Iansã, a de Oxóssi que é são Jorge, meu santo. Longe, porém, nos fins da roça, está a árvore mais sagrada do candomblé, morada dos eguns. Não há também festa mais bela e mais dramática que a dedicada aos mortos do terreiro: ogãs, filhos e filhas de santo. Dizem que os eguns, ainda ligados ao seu terreiro, vêm na noite do axexê, dançar em meio aos vivos, cantar seus cantos preferidos, honrar seus deuses. Os eguns, os mortos. O candomblé nesse dia é batido em frente a essa árvore sagrada, uma jaqueira enorme que não dá jacas. Aliás, segundo Joãozinho, nenhuma das árvores da roça da Gomeia produz frutos. Nenhuma criação tampouco pode ser feita ali. Não é uma chácara, é um templo religioso.

Na casa do pai de santo está a camarinha onde as iaôs e as filhas de santo mudam a roupa quando os santos descem para montar seus cavalos. Ali estão guardados os vestidos mais belos que se possa imaginar. O vestido vermelho, espantoso, de palha, com sua máscara também de palha, que é a roupa de Omolu, deus da bexiga, o médico dos pobres. Ali estão as roupas azuis e brancas de Iemanjá, a espada de Oxóssi, os instrumentos de Xangô e de Ogum. Ali estão as roupas alvas — tão belas! — de Oxalá, o maior dos santos.

E noutro quarto, o peji, trancado à chave, cujo batente de porta o crente beija estendido no chão, antes de olhar para dentro, se encontram os fetiches dos santos. Sobre grandes toalhas rendadas, em meio a flores e fitas, vê-se a pedra verde de Iemanjá, a deusa das águas. No chão tapetado de folhas, os pratos de comida oferecidos aos santos: o acarajé, e o abará, o acaçá e o xinxim de galinha. É a comida dos deuses feita com carne dos animais sacrificados.

Nos fundos da casa, enfeitado com bandeirolas de papel, está o terreiro. Numa extremidade levanta-se o altar, onde os deuses caboclos e negros e os santos católicos se misturam. Ao seu lado ruge a orquestra "monótona e estridente" de que nos fala Castro Alves no "Navio negreiro". Atabaque, agogô, cabaça e chocalho, eis os instrumentos. Os atabaques são de três tamanhos. Essa música é monótona, mas nenhuma outra existe tão poderosa, ressoa no estômago e no coração. Abalará os nervos dos presentes, que se sentem sacudidos por uma invencível vontade de bailar, de sair pelo terreiro como uma iaô ou um ogã, bailando em honra dos deuses das florestas da África que os negros trouxeram para o Brasil.

Nos dias de grande festa toda uma multidão variada de negros, mulatos, caboclos, gente de pé descalço e gente bem vestida se desloca da cidade para a roça da Gomeia. Ao crepúsculo, após o despacho de Exu e dos sacrifícios, a festa da macumba começa. A orquestra inicia suas músicas. Existem mestres de toque de atabaque, como existem mestres de berimbau para a dança e luta da capoeira. São negros jovens e fortes, que desde crianças se habituaram a ouvir esses cantos, a aprender esses ritmos. A música parte do candomblé para a cidade e muito longe é ouvida, extensa e profunda, apertando os corações descuidados dentro do mistério mestiço da cidade da Bahia.

A princípio, a dança é simplesmente ritual, quase bem-comportada. Ainda não desceram os deuses, ainda não cavalgaram seus cavalos, que são as filhas de santo. Por vezes eles tardam e então os atabaques, os agogôs e as cabaças tocam o "toque do santo", o terrível chamado que é a música mais poderosa entre quantas esta orquestra executa. E então descem os encantados. Vêm Xangô e Oxóssi, vem o caboclo Pedra Preta cavalgando Joãozinho da Gomeia, vem Oxalá todo-poderoso.

As filhas de santo, caídas em transe, são levadas para a camarinha onde a roupa de baiana é trocada pelos vestidos do santo. Quando voltam, trazem os instrumentos de cada deus. Chegam em fila, estranha fila de negras e negros em transe, os olhos parados, o corpo a tremer, o andar incerto. A assistência bate palmas, joga confetes, grita as saudações nagôs. Sobem os foguetes para o céu e os deuses iniciam suas danças em meio ao povo. A orquestra ganha nova força, as canções são cantadas por todos e agora a dança já não é bem-comportada, é a mais maravilhosa das danças, são bailados espetaculares, executados pelos caboclos e pelos orixás.

Na sala de jantar, a comida do santo está sendo servida, acompanhada de aluá. No terreiro prossegue a dança. Nada além da dança, da música e do canto. Desapareceu tudo mais. Os deuses e os homens dançam em perfeita e completa intimidade. Isso acontece no candomblé da Gomeia, em noites de macumba que duram dias e dias, e também em cerca de novecentos outros candomblés da cidade da Bahia. Cidade negra, branca, cabocla, cidade mulata.

MÃE SENHORA

O ENTERRO DA IALORIXÁ SAIU DA IGREJA DE NOSSA SENHORA do Rosário dos Negros, no largo do Pelourinho, praça ilustre e sofrida, chão de pedras regadas pelo sangue dos escravos ali sujeitos ao tronco e ao pelourinho. O corpo da mãe de santo ficou exposto na tarde de um domingo de sol e de tristeza. A notícia ia sendo propagada de boca em boca, pois a morte sucedera após a saída dos jornais. O impacto retirava gente das praias, das diversões, do descanso dominical. De todas as encruzilhadas surgiam pessoas atônitas e apressadas; no átrio da igreja toda azul se misturavam homens e mulheres das mais diversas condições sociais, no mesmo espanto doloroso.

A notícia ia devorando o domingo da cidade, a calma e a trêfega alegria. Nas ondas do rádio, brutal comunicado substituía a música habitual: "Faleceu dona Maria Bibiana do Espírito Santo, mãe Senhora, mãe de santo do Axé Opô Afonjá, a mais famosa da Bahia". Para muitos parecia impossível acreditar na notícia. Tão forte ainda, aparentemente tão sadia, com sua presença de rainha, sua força de comando, sua intimidade mágica com os orixás, ainda na véspera Senhora cantara para Xangô e dirigira as obrigações do candomblé.

No átrio da igreja, amigos trocam cumprimentos e interjeições de incredulidade. Surgem hipóteses:

— Só se foi um ebó... Feitiço, coisa-feita...

Uma pessoa do Axé, grave e informada, esclarece:

— Foi doença de médico... Xangô já falou e disse...

Lágrimas em muitos olhos, filhas de santo desamparadas, os órfãos de mãe Senhora contam-se às dezenas, sua morte atinge a cidade inteira. Pela ladeira, o tráfego aumenta a cada instante, sobe e desce gente em busca da igreja.

Nessa mesma Igreja do Rosário dos Negros foi velado o corpo da mãe Aninha, fundadora do Axé Opô Afonjá, mãe de santo de Senhora. Senhora fez santo aos nove anos de idade e foi Aninha quem lhe raspou a cabeça e a consagrou a Oxum. Quando Aninha morreu, em 1938, deixara Senhora para sucedê-la na direção do grande candomblé. Mas outras filhas de santo também desejavam o posto e uma guerra de santo se desencadeou durante anos e anos até que a confirmação de Senhora fosse assunto pacífico e que sua personalidade se impusesse numa presença respeitada por todos. Jamais uma ialorixá foi tão poderosa e reinou com poder tão absoluto no mundo complexo e mágico do candomblé da Bahia. Altas honrarias lhe foram concedidas, e seu poder atingia distâncias e alturas de espantar. Na fímbria da cidade da Bahia, ela se levantava sobre a vida e a morte, sobre a alegria e a tristeza, sobre o ódio e o amor.

Sua sucessão trará outra guerra de santo? Quem vai tomar seu posto no trono de mistérios, quem a sucederá na guarda do segredo? Os cochichos começam no átrio da igreja. Lá dentro o corpo da ialorixá recolhe lágrimas e prantos, palavras de saudade e de inconformado desespero. De quando em vez um soluço se eleva. Os altares estão povoados de orixás e as águas das fontes e dos rios de Oxum rolam pela praça, descem as ladeiras, precipitam-se no Pelourinho.

— Quem irá para seu lugar? Quem?

— Quem vai dizer é Xangô, quando o jogo for feito...

Mãe Senhora morreu de manhãzinha, na véspera cumprira obrigações de santo até tarde, noite adentro. A morte a alcançou na hora do primeiro sol e seu corpo ocupou, imenso, a casa de Oxalá. A notícia desceu para a cidade: obás, ogãs, ebômis e iaôs, filhos e filhas de santo dirigiram-se para os caminhos de São Gonçalo, onde se ergue o terreiro. A cidade foi tomada de surpresa e comoção, um impacto violento. Na vida dessa cidade da Bahia, que não se parece com nenhuma outra, a ialorixá Senhora era uma figura das mais importantes, guardiã de tradições e de rituais que resistiram a todas as perseguições, que superaram a desgraça da escravidão, que trouxeram os bens da dança e do canto até os dias de hoje. No complexo cultural baiano (e brasileiro, pois a Bahia é a matriz inicial e fundamental) o povo tem o primeiro lugar, o papel definitivo.

Quem presidiu as obrigações do axexê, das cerimônias fúnebres, foi outra famosa mãe de santo: a ialorixá Menininha do Gantois, irmã de santo da falecida e sua grande amiga. Veio de seu terreiro do Gantois, de onde quase nunca sai, para as pesadas tarefas de tirar o oxo da cabeça da morta, novamente usar a navalha e libertar o santo, deixando apenas o egum. Nenhuma outra mãe de santo poderia fazê-lo, devido à qualidade da falecida e à sua importância. Numa sutil hierarquia que não é imposta por nenhum decreto, Senhora estava praticamente acima das demais, só Menininha era sua igual no conhecimento e na experiência.

Das quatro grandes ialorixás dos últimos tempos, agora resta apenas mãe Menininha do Gantois. A primeira a falecer foi tia Massi, do Engenho Velho, veneranda figura centenária. Cumpria os 103 quando morreu. Dançou para seus orixás até os últimos dias. Também mãe Ruinhó, do candomblé jeje, do Bogum, dançou até à véspera da morte. Agora, numa cerimônia de acesso permitido apenas a alguns iniciados, Menininha cumpre as primeiras obrigações do axexê de Senhora, sua irmã de santo, antes que o corpo seja levado para a igreja católica. Importante mãe de santo, Senhora era igualmente importante membro de confrarias católicas. Mais uma vez se interpenetram cultos de rituais, nessa mistura constante que é a Bahia. Mistura de sangues, de culturas, de religiões, de cores, nossa originalidade

MÃE MENININHA DO GANTOIS

EM FEVEREIRO DE 1972, POR INICIATIVA DE UMA COMISSÃO COMPOSTA por escritores e artistas, Carybé, Pierre Verger, James Amado, Waldeloir Rego, Mário Cravo, Dorival Caymmi e eu, foi colocada uma placa junto à porta de entrada do Candomblé do Gantois com os seguintes dizeres:

Nesta casa de Candomblé da Sociedade São Jorge do Gantois, Ilê Iyá Omin Axé Iyamassê, situada no Largo da Pulchéria, no Alto do Gantois, há 50 anos, Dona Maria Escolástica da Conceição Nazaré,

Mãe-de-santo Menininha do Gantois, zela do alto do seu posto de Ialorixá, com exemplar dedicação e perene bondade, pelos orixás e pelo povo da Bahia. 1922 — fevereiro — 1972.

As festas do cinquentenário de mãe de santo de Menininha do Gantois reuniram em torno à doce e veneranda mãe, símbolo da bondade e da ternura brasileiras, toda a cidade, desde o governador, ex-governadores, o prefeito, deputados, os intelectuais em sua totalidade, o povo inteiro, incluindo banqueiros, industriais, políticos. Dezenas de filhas e filhos de santos, em reverência. Na Bahia, Menininha do Gantois está acima de toda e qualquer divergência de ordem política, econômica ou religiosa. É a ialorixá de todo o povo da Bahia, sua mão se estende protetora sobre a cidade. Não se trata nem de misticismo nem de folclore e sim de uma realidade do mistério baiano.

Por ocasião da grande festa, Dorival Caymmi, intérprete dos sentimentos da Bahia, compôs uma de suas canções mais belas que logo se tornou das mais populares, a "Oração de mãe Menininha". Veio gente de todo o Brasil. O candomblé do Gantois, a praça em frente, as ladeiras vizinhas foram pequenas para conter o amor do povo a essa mulher de oitenta anos, pobre, modesta, tímida, que nasceu no candomblé e nele cresceu, no ofício da compaixão e da bondade, nos ritmos antigos, conservando valores profundos da cultura brasileira. Coube-me a alta honra de receber o ebó do cinquentenário das mãos de Oxalá, levá-lo e depositá-lo no peji, aos pés dos encantados.

Chego de viagem, vou visitar mãe Menininha. Antes de embarcar, ela jogou os búzios e fez o ebó para abrir os caminhos. Venho lhe dizer que a viagem transcorreu tranquila. Sou recebido por Creusa, sua filha, cercada de equedes e iaôs. "Vá entrando que é bem-vindo e Mãe lhe espera." Somos amigos há mais de quarenta anos, quase cinquenta. Ela se recorda do dia em que nos conhecemos, aqui mesmo, nessa casa de Oxóssi, no alto do Gantois.

A bata de rendas, a saia florada, toda em tons amarelos, eis a Oxum da Bahia, o rosto de bondade e a voz da experiência. A mesa coberta com alva toalha, os objetos de prata, rituais, as pedras do mar e dos rios, na mão de Menininha os búzios sagrados. O jogo começa, a mãe de santo conversa com os encantados, rompe o mistério, revela o segredo, afasta os malefícios. Ela sabe do ontem e do amanhã.

EDUARDO DE IJEXÁ

EDUARDO MANGABEIRA, EM CUJAS MÃOS RE-
POUSA A TRADIÇÃO IJEXÁ na Bahia, o último dos grandes babalaôs, zela
pelos orixás em seu terreiro fechado, onde não penetram turistas, nem os
indóceis africanologistas de meia-tigela que pululam atualmente nas ruas
da cidade. Sobretudo com a possibilidade de viagens à África, congressos
e festivais, o número de entendidos em candomblé e em cultura negra
multiplicou-se. Existem mais mestres em religiões negras do que tapeceiros, e olhem que é muito dizer porque a praga dos tapeceiros — cada qual
mais ruim — é infinita.

Longe de tudo isso, no recato e na dignidade de suas funções de guardião dos deuses da nação ijexá, o venerando babalorixá conserva o axé,
guarda o segredo, impede que o mistério seja violado e degradado. Diante de Menininha do Gantois e de Eduardo de Ijexá — dizia-me há poucos
dias Luiz da Muriçoca — nós, os mais moços (moços de cinquenta anos),
não somos nada.

Uma vez, Carybé, Dorival Caymmi e eu fomos visitá-lo em sua casa,
em Brotas. Por acaso falou-se no jogo feito naquela ocasião para escolher
a sucessora de uma mãe de santo. Eduardo de Ijexá não estivera presente
mas sabia tudo que se passara, coisas falsas e sujas. Encheu-se de indignação, começou a clamar em português contra a violação das regras, mas
logo prosseguiu em iorubá como se precisasse da língua de seus avós para
a condenação.

Anda para os noventa anos. Parece uma árvore frondosa, parece um
rei, revestido da maior dignidade. Eduardo de Ijexá, pai de sua nação.

A SOLIDÃO DO POVO JEJE

QUANDO A FILHA E SUCESSORA PENETROU
NO QUARTO COM O PRATO, a mãe terminara de salvar os encantados
e voltava ao leito. Com um gesto e um sorriso recusou a leve refeição
matinal, recostou a cabeça de alva carapinha no travesseiro e cerrou os
olhos. Nicinha ainda estendeu a colher com a papa rala de farinha de
mandioca, mas logo soube que a mãe faltara. Ficou parada, vazia, sozinha;
sozinhos ela e o povo jeje.

A mãe partira antes das festas, na véspera exata do início do calendário, partira com um ano de antecedência em relação aos projetos apenas murmurados das grandes comemorações do centenário. Já os jornais vinham falando demais do reduto do Bogum, imagine-se a violação se a mãe chegasse aos cem anos e a cidade festejasse! Nem mesmo a discrição e o recato tradicionais da nação jeje, dos quais a mãe dava exemplo diário a filhas e filhos, ogãs, equedes, ebômins, iaôs, nem mesmo o círculo fechado de mistério, o fundamento puro, nada poderia impedir a avalancha de festividades a saudar os cem anos de vida de Maria Valentina dos Anjos, mãe Ruinhó, ialorixá do Candomblé do Jeje ou Candomblé do Bogum, Sociedade dos Fiéis de São Bartolomeu, em nagô Oxumarê, o arco-íris a transportar as águas do mar para o palácio de fogo de Xangô, mas em jeje Bessem, a temível Cobra, Dangbé, dito também Bafono e Toquem quando nascido das águas ou ainda Azaunoodor, o príncipe todo de branco. Ah! a dança de Cobra, ventre rastejando no chão do terreiro, inesquecível espetáculo para quem teve o privilégio de vê-lo.

Antes que se começasse a tecer a intriga das festas, com o ruidoso noticiário, os jornais, as rádios, as câmaras de TV, antes que o mundo lá de fora penetrasse porta adentro, violando o obstinado sobreviver da cultura original da nação jeje, com certeza para evitar que assim sucedesse, mãe Ruinhó fechou os olhos e faltou. Menos de vinte dias antes um jornal contara com títulos berrantes que ela agonizava numa enxerga, na miséria e no abandono. Amigos de longa data, acorremos, o pintor Carybé, Waldeloir Rego e eu, a saber notícias. No Axé, indignados, ogãs e filhas comentavam a mentira sensacionalista. Foram avisar a mãe que ali estávamos e ela pediu que esperássemos um instante; logo chegou toda vestida de rainha da nação jeje e entrou no terreiro dançando, jovem de 98 anos, risonha e serena. Iniciaram o assalto aos muros da fortaleza, disse.

Na Bahia, no alto da ladeira do Bogum, no Engenho Velho da Federação, durante pouco menos de um século, mãe Ruinhó sustentou a pureza dos ritos, saudou e festejou seus orixás num calendário próprio, de 28 de dezembro a 15 de fevereiro de cada ano, com as cantigas na língua preservada, os toques antigos, as danças únicas; manteve intactas a beleza e a verdade do povo jeje.

Ei-la ali, logo após recusar a papa rala de farinha de mandioca e de sorrir para a filha e sucessora, estendida na sala do terreiro, o lençol branco, a pequena luz das velas. Ao lado da coluna sob a qual se encontra enterrado o fundamento dessa casa de candomblé, a defendê-lo mesmo estando morta, pois nessa hora em ponto a nação jeje está órfã: mãe Ruinhó faltou e todavia Nicinha não pôde proclamar-se mãe Gamo, nova rainha e serva dos encantados, pois a navalha ainda não voltou a tocar a cabeça da falecida para liberar o santo. Solidão apenas, a solidão de um povo.

Foram chegando, um a um ou em pequenos grupos, e se reuniram na sala e na dor: Amâncio, o sargento Celestino, o motorista Aurélio, o poeta Jehová de Carvalho, o mestre de obra Fausto, os pedreiros Abílio e Filhinho, o servente João, Lídio, as filhas em pranto, a nação jeje.

Depois o enterro ritual, o féretro, as coroas, o cântico e o choro desceram a ladeira e, a pé, atravessaram ruas e avenidas, à frente Iansã abrindo o caminho, com seu grito terrível. Tudo isso aconteceu na cidade da Bahia, no dia 27 de dezembro de 1975; havia sol e ao mesmo tempo caíam ráfagas de chuva, pois de chuva e sol é feito Oxumarê, o arco-íris, são Bartolomeu, em jeje Bessem, Dangbé, a Cobra.

OLGA DO ALAKETU

ELAS SÃO PRINCESAS, SÃO RAINHAS, ESSAS MÃES DE SANTO DA BAHIA. Rainha é Olga do Alaketu, filha de Iroco e de Iansã, dengue, malícia, beleza. É uma sacerdotisa e uma vedete, ao mesmo tempo. No exercício do seu sacerdócio, à frente de um dos candomblés mais sérios e importantes da cidade, o Alaketu, Olga é perfeita nas obrigações, na conservação do ritual, no comando das filhas e dos ogãs, na intimidade dos orixás. Não pode haver beleza maior do que sua dança quando, cavalo de Iansã, se transporta ao mundo mágico onde reina sobre a guerra e os mortos. As festas do Alaketu são magníficas. Olga é a Iansã mais poderosa da Bahia.

Fora dos limites da casa de santo, onde recebe os aflitos e os carentes, joga os búzios, responde a consultas e zela os orixás nos pejis, quando despe o traje de baiana e enverga a última criação de Denner, é uma artista desfilando, uma embaixadora do mistério da Bahia. Personalidade marcante, uma das grandes mães de santo da nova geração que vem ocupar o vazio deixado pelas inesquecíveis Maci, Aninha, Senhora, Ruinhó, Simpliciana. Dessa grande geração, apenas Menininha persiste. Entre as sucessoras, Olga do Alaketu é a primeira.

MÃE STELLA DE OXÓSSI, NO TRONO DO AXÉ OPÔ AFONJÁ

STELLA DE OXÓSSI, MINHA BOA IRMÃ, É A NOVA MÃE DE SANTO do Axé Opô Afonjá, ocupa finalmente o trono onde se sentaram a mãe Aninha, mãe Bada e mãe Senhora, recupera e restaura a grande tradição. O Axé Opô Afonjá retorna aos dias gloriosos quando a fama da beleza e da pureza de seu ritual, da imponência das festas corria mundo. Stella devia ter sido levantada e consagrada oito anos antes.

Senhora faleceu relativamente jovem, andava pelos sessenta e poucos anos. O sofrimento a derrubou antes do tempo. Quando começaram a suceder os dias difíceis e dramáticos, temendo não suportar a carga dos desgostos, apressou o trabalho começado havia anos de preparação da sucessora, daquela destinada a continuar a tradição iniciada por Aninha e que ela, Senhora, elevara tão alto. Aninha deixara a roda de filhas de santo da Casa Branca do Engenho Velho e fundara o Axé Opô Afonjá, apoiada no sábio babalaô Martiniano Eliseu do Bonfim. Senhora dignificou e fortaleceu o Axé, era uma personalidade forte, um comandante. Há longos anos, vinha preparando Stella de Oxóssi para quando chegasse o dia.

Numa terrível madrugada mãe Senhora caiu fulminada. Na véspera já não se sentira bem; fui vê-la levando um médico que lhe receitou apenas repouso. Conversamos longamente e ela comentou: "Repouso! Quem tem uma aflição, um punhal no peito, não consegue repousar. Ademais não posso descuidar das obrigações de Xangô". Apenas morta, antes mesmo que mãe Menininha do Gantois iniciasse as primeiras obrigações do axexê, começou a guerra de santos que iria desembocar um ano depois em confuso e discutível jogo de búzios para a designação da sucessora. Leram nos búzios o nome de Ondina, mãe-pequena da casa, há muito residindo no Rio, onde era ialorixá de um terreiro sério e respeitado. Durante sete anos, ela dirigiu os destinos do Axé Opô Afonjá. Sete anos de perturbação e dificuldades para a grande casa de santo, pois algo de errado acontecera, como esperar grandeza e paz? Ondina era uma mulher sofrida, considerava-se injustiçada, vítima de ameaças e perseguições. Foram difíceis para ela aqueles sete anos. Perdeu o irmão, Orlando, seu braço direito, perdeu parentes e amigos, manteve dura luta. "Estou cercada de ebós", disse-me certa vez, "tenho de me defender a cada instante." Quando tudo parecia finalmente em paz, Ondina faleceu. Anos terríveis para o Axé quando a grande tradição esteve ameaçada de romper-se.

Hoje, com Carybé na presidência do Conselho de Obás, com Stella de Oxóssi, prudente e forte, flexível e intransigente, capaz e firme, sentada no trono que já lhe era devido por destino e por escolha, novamente os dias de grandeza retornam, retomada a grande tradição de Aninha e de Senhora. Na nova casa de Xangô, Stella de Oxóssi, a ialorixá, acende a aurora dos santos, levanta a bandeira dos orixás. Salve mãe Stella de Oxóssi em seu trono no Axé Opô Afonjá!

IÁ

EM IORUBÁ IÁ QUER DIZER MÃE, BABÁ QUER DIZER PAI. OXALÁ é o pai, Iemanjá é a mãe dos orixás, numa das várias versões da mitologia nagô. A mais antiga das Iemanjás conhecidas chama-se simplesmente Iá, senhora das águas da nação dos negros grunci — também chamados negros galinha — que trouxeram seu culto para a Bahia. As tradições dos grunci perderam-se no sincretismo com as demais nações negras e com as nações brancas e indígenas. Uma descendente dessa desaparecida nação, porém, a famosa mãe de santo Aninha, ao fundar o Axé Opô Afonjá levou para a nova casa de santo o culto de Iá, obrigação herdada de seus antepassados. E ali, junto à casa de Oxalá, levantou o peji da mais velha mãe das águas. Segundo os entendidos, somente no Opô Afonjá ainda se mantém vivo o culto de Iá, abandonado inclusive na África.

Quando da inauguração do peji de Iá, em 1936, creio eu, Aninha levou-me a visitá-lo. Pequena construção dividida em duas peças por um muro onde se abre estreita porta sempre coberta por pesada cortina branca. Na primeira saleta, franqueada aos membros da seita, iluminada por uma lamparina, são colocadas flores, presentes, a comida do encantado. Na segunda peça, o mistério, o axé, o orixá. Ali vive Iá.

Aninha afastou a cortina. A equede, obedecendo à ordem da mãe de santo, aproximou a lamparina iluminando o interior da segunda e secreta saleta. Redondo tanque de cimento a ocupa por inteiro, coberto com magnífica toalha rendada: a morada da deusa dos negros grunci. Entramos na estreita peça, a ekede avançou a luz vacilante da lanterna, Aninha suspendeu a toalha e eu vi Iá: fonte de água jorrando no centro do tanque, brotando do chão, puríssima. Iá, uma nascente de água.

BABALORIXÁ LUIZ DA MURIÇOCA

EI-LO A DANÇAR, DANÇA DE GUERRA, DANÇA DE VIDA E MORTE, é Oxóssi do Brasil, todo em couro paramentado, o longo eruquerê igual a um látego de fogo, em luta contra a polícia, a derrotar os capangas de Pedro Gordilho, o delegado que, em década não tão distante assim, declarou sua decisão de erradicar das terras baianas o que ele considerava a erva daninha da cultura negra, a começar pelos deuses desembarcados da África nos navios de escravos. Na cruzada santa de Pedro Gordilho contra os candomblés, violenta, sem quartel, a vítima mais visada foi o pai de santo Procópio que tinha nas costas os lanhos do chicote da polícia. Tive a honra de ser amigo de Procópio; em seu candomblé fui suspenso ogã de Oxóssi; foi ele quem jogou os búzios e declarou meu santo, quem primeiro tocou em minha cabeça.

O babalorixá Luiz da Muriçoca, figura ilustre na hierarquia das seitas afro-brasileiras, pelo saber que é grande, pela seriedade ainda maior, vive a figura de Procópio no filme que Nélson Pereira dos Santos adaptou de meu romance *Tenda dos Milagres*. Uma das coisas mais bonitas que vi, em matéria de dança, foi esse bailado de Oxóssi pondo a correr, terreiro afora, os pistoleiros do delegado racista e o próprio Pedro Gordilho com toda sua fama de valente. Os orixás venceram a guerra, continuam a dançar em sua cidade da Bahia.

Dançam no candomblé do babalorixá Luiz da Muriçoca, no alto da Muriçoca, numa entrada da avenida Vasco da Gama, nas obrigações de indescritível beleza. Ali, naquela casa de santo de tanto respeito, em certas datas, pode-se ver Exu, vestido com os trajes de festa, montando seus cavalos, as formosas filhas de santos, feitas por Luiz, senhor da navalha sagrada e das ervas do mistério.

NEZINHO

MANUEL CERQUEIRA DE AMORIM, NEZINHO, BABALAÔ DE MÃE Senhora e de mãe Menininha, pai de santo com terreiro em Muritiba, recentemente falecido, era homem de muito lastro e de agradável convívio. Gostava de falar sobre os orixás, suas características, seus amores, suas quizilas. Ainda lhe escuto a voz pausada dizendo de Euá, a deusa das fontes, poderosa. Doce e poderosa, como todo o povo das águas.

Jorge, filho de Nezinho, ocupou o quarto do pai no terreiro do Gantois, prepara-se para sucedê-lo. Conversamos sobre o finado, sua lembrança paira em todas as casas de santo da Bahia. Quantos filhos deixou? — pergunto. Que eu conheça, mais de quarenta, outros tantos existem dos quais não tenho notícia, responde-me Jorge sorrindo. Nezinho povoou o mundo e serviu aos seus deuses, conservando e transmitindo a cultura ancestral, o ritmo, a música, a dança.

MIRINHA DO PORTÃO

MIRINHA DO PORTÃO, FILHA DE SANTO DE JOÃO DA GOMEIA, há muito com terreiro próprio, onde cultua orixás e caboclos, na localidade de Portão, situa-se hoje entre as mais comentadas mães de santo no complexo mapa das religiões de origem africana sincretizadas em terras da Bahia com o catolicismo e as tradições indígenas. Candomblé de caboclo, o de Mirinha está entre os mais famosos, e a ialorixá entre aquelas que rapidamente se afirmaram como capaz e correta no exercício de seu sacerdócio, ganhando de logo popularidade e conceito.

Da Gomeia, ela trouxe para seu terreiro, em Portão, o caboclo Pedra Preta, aquele que comandava o brilhante e perturbado destino de Joãozinho. Mirinha, tão carregada de responsabilidades, é pessoa das mais amáveis e simpáticas que eu conheço. Sendo uma rainha da Bahia, é modesta e simples. Mas sabe comandar. Quem não tem o dom do comando não pode ser mãe de santo. Ao lado de Mirinha, seu braço direito, encontra-se o marido, de apelido Garrincha, habilidoso artesão de objetos do culto e de figuras de orixás. Seus Exus são curiosíssimos.

Mirinha reina mais além do aeroporto, sobre as praias maravilhosas e as civilizadas margens do rio Joanes. Quem quiser vê-la e consultá-la é só perguntar como se vai a Portão, não é longe. Lá chegando, todos sabem onde fica o candomblé de mãe Mirinha. Ela receberá o visitante com um sorriso e uma palavra de amizade.

OS TERREIROS DE SANTO

EM 1944, COM O AUXÍLIO DE AMIGOS, EN-TENDIDOS E AUTORIDADES, organizei uma relação de 117 candomblés, naquele ano então funcionando na cidade do Salvador, ainda violentados e perseguidos. Na época, talvez a mais completa que já se levantara mas, sem dúvida, longe estava de expressar o número exato dos terreiros de santo, dos templos fetichistas existentes na cidade. Os negros baianos e seus descendentes — nós todos, com a graça de Deus! — guardaram, numa luta dura e difícil, a fidelidade a seus deuses africanos. Era uma forma, e das mais positivas, de resistir à escravatura, de manter os elementos de sua cultura. Trouxeram, assim, através do tempo até os dias de hoje, os bens da dança e do canto, os rituais formosos, o mistério e a poesia. No ano de 1960, ao atualizar este livro, uma nova pesquisa, com idêntico auxílio de amigos e entendidos, deu-me como resultado uma relação de 611 terreiros de santo, de variadas nações, existentes em Salvador, 611 conhecidos e registrados nas repartições policiais, numa exigência absurda e ilegal. Quantos outros existirão? E se, a esses da capital, somarmos os candomblés do Recôncavo, ultrapassaremos facilmente o milheiro de templos negros em funcionamento. Hoje, quantos são, na Bahia, no Brasil?

E claro que os deuses vindos da África para o Brasil aqui se misturaram e como que se abrasileiraram. Misturaram-se com os santos católicos, era assim que os negros escondiam seus deuses e os conservavam, saudando Oxalá ao saudar Senhor do Bonfim, Oxóssi ao festejar são Jorge, Iemanjá ao louvar Nossa Senhora dos Navegantes. Mas, no fundo, Oxalá era mesmo o maior dos santos, Oxóssi o deus da floresta e Iemanjá a dona do mar. Esse sincretismo religioso acentuou-se com o passar dos tempos, quando os ritos das diversas nações começaram a misturar-se e a eles juntaram-se elementos colhidos entre os índios. Qual o futuro das

religiões negras? Falar de seu desaparecimento à proporção que o progresso e a cultura aumentam parece-me apenas pretensiosa afirmação de dogmáticos sem maior base de realidade. Em mais de cinquenta anos de contato com as seitas afro-brasileiras, só as tenho visto crescer, estender-se sobre massas cada vez mais amplas. Minha pergunta não se refere a isso. Refere-se ao problema mesmo do sincretismo: manter-se-ão as casas consideradas "puras", as mais próximas dos ritos africanos originais, onde a língua oficial é o iorubá (como o latim é a língua oficial do catolicismo) ou o futuro está com os candomblés de caboclo, nos quais ritos jeje-nagô, congo e angola misturam-se com o improvisado ritual dos caboclos? Não sei, não pretendo responder à interrogação. Isso é tarefa dos estudiosos e eles estão voltados para o problema. Aqui não desejo nada além de prestar algumas informações sobre os terreiros de santo de Salvador.

Já sabemos que a estatística oficial de 1956 consignou a existência de mais de seiscentos candomblés na cidade. Com o auxílio de Vivaldo Costa Lima, cheguei a 611. Essas casas de santo estão divididas em quatro grupos principais, no que se refere a suas "nações":

a) Os candomblés jeje-nagô, compreendendo os candomblés de origem queto, jeje e ijexá;
b) os candomblés congo;
c) os candomblés angola;
d) os candomblés de caboclo.

Os candomblés do grupo jeje-nagô, que já resultam, em realidade, de antigo sincretismo entre seitas de nações africanas, são os mais puros — e entre eles encontram-se alguns cuja pureza de ritual é realmente notável — e os mais poderosos e respeitados. Trata-se do grupo culturalmente mais importante. Creio que em números absolutos o grupo dos candomblés de caboclo é o maior. Longe, porém, está de possuir a força e de manter o respeito dos candomblés jeje-nagô. Os pais de santo ou mães de santo de maior saber e competência são aqueles capazes de "mudar de nação" em meio a uma festa e tirar cantiga em nagô, em congo, em angola. As casas de santo jeje-nagô, por assim dizer, comandam o misterioso complexo das religiões negras não só na Bahia mas em todo o Brasil. Respeitadas inclusive pela umbanda.

As principais casas desse grupo, em Salvador, são:

A Sociedade São Jorge do Engenho Velho (Axé Yá Nassô) situada na avenida Vasco da Gama. Trata-se do mais antigo candomblé de Salvador, há quem lhe atribua cerca de 350 anos de existência, vindo mesmo dos princípios da escravidão, tendo funcionado, durante certo tempo, escondido embaixo da terra, num terreiro subterrâneo pelo qual se entrava por um buraco numa árvore. Verdade ou lenda? Não sei, a história é bela, fico com ela sem querer aprofundar sua origem. Isso é trabalho para pesquisador, eu prefiro mesmo acreditar que assim foi. A mãe de santo chama-se Oké e substitui a veneranda tia Massi, falecida aos 103 anos de idade. Seu nome completo era Maximiana Maria da Conceição, filha de Oxaguiã (uma das formas de Oxalá), e com cem anos feitos ela ainda dançava no terreiro em honra de seu santo, nos dias de grande festa. O terreiro do Engenho Velho é de Oxóssi, o padroeiro da casa, são Jorge no sincretismo com o catolicismo (no Rio, são Jorge é Ogum). Dessa grande casa matriz, onde os ritos conservaram-se através do tempo e a pureza da tradição tem sido uma constante, nasceram duas outras grandes casas de santo, que formam com ela o trio mais poderoso e importante dos candomblés baianos: o Axé Opô Afonjá (minha casa, onde sou Otum Obá Arolu) e o Axé Iyamassê, o candomblé do Gantois, onde reina a venerável mãe Menininha. Edison Carneiro foi Ogã do Engenho Velho.

O Centro Cruz Santa do Axé Opô Afonjá fica na estrada de São Gonçalo do Retiro, famoso e importante terreiro de santo, onde mãe Stella de Oxóssi, minha irmã, zela pelos orixás. Nessa casa de Xangô, sou obá confirmado, lá tenho minha cadeira ao lado da mãe de santo e por vezes sou seu porta-voz. Obá confirmado por mãe Senhora.

O Axé Opô Afonjá foi fundado pela célebre mãe de santo Aninha, falecida em 1938, figura extraordinária: seu enterro foi acompanhado por mais de 5 mil pessoas. Sua sucessão deu lugar a uma das maiores "guerras de santo" de que se tem notícia. Mãe Bada ocupou o trono vago, antes que fosse proclamada mãe de santo a não menos famosa Senhora, Maria Bibiana do Espírito Santo, filha de Oxum, poderosa personalidade. Falecida em 1967, Senhora teve como sucessora a antiga mãe-pequena do terreiro, Ondina Pimental, Mãezinha, falecida em 1975. Um ano depois foi levantada ialorixá Stella de Oxóssi, hoje a mãe de santo a comandar o destino do grande candomblé.

Como no Engenho Velho, além do grande terreiro onde é batida a macumba, elevam-se na roça de São Gonçalo várias casas de santo, e existem múltiplas árvores sagradas. Além da casa de Xangô, senhor do terreiro, estão as casas de Oxum, Oxalá, Oxóssi (recentemente reconstruída por Carybé, Camafeu de Oxóssi e por mim, pois somos os três filhos de

Oxóssi), Ogum, Omolu, Exu. Uma curiosidade no Axé Opô Afonjá: ali cultua-se Iá que é a Iemanjá da nação grunci (ou galinha), nação da família da antiga mãe de santo Aninha. Iá tem parte na roça de São Gonçalo e sua casa (a cuja inauguração assisti, juntamente com Edison Carneiro, em 1936) cerca uma nascente de água que é o próprio encantado.

Ao terreiro de Senhora estão hoje ligados, como antes sucedera no tempo de Aninha com Artur Ramos e Edison Carneiro, vários escritores e artistas: Carybé, Genaro de Carvalho, Dorival Caymmi, Antônio Olinto — esses são obás de Xangô. O contista Vasconcelos Maia é otum do Ojuobá Pierre Verger. Zora Seljan tem um título na casa de Xangô e o pintor Rubem Valentim é ogã, ao lado do poeta Ildásio Tavares e do psiquiatra Álvaro Rubim de Pinho. Camafeu de Oxóssi é obá, Miguel Santana é Obá Até, iaquequerê, a boníssima mãe Pinguinho. O presidente da sociedade e do corpo dos obás é o pintor Carybé, que substituiu o médico Jorge Andrade, recentemente falecido. Por muito tempo, a presidência foi exercida por Sinval Costa Lima, industrial, fabricante do célebre licor de jurubeba Leão do Norte.

A Sociedade São Jorge do Gantois (Axé Iyamassê) fica no Alto do Gantois 33, na Federação (fim de linha). Essa é a outra grande casa jeje-nagô, nascida ela também, como o terreiro de São Gonçalo, do Engenho Velho. No alto de sua hierarquia religiosa está Menininha, a mãe de santo, filha de Oxum, cujo nome completo é Maria Escolástica Conceição Nazaré, gorda e sorridente, boníssima pessoa, uma das rainhas da cidade do Salvador. O Gantois é um terreiro de Xangô, mas o padroeiro da casa é Oxóssi. Terreiro dos mais respeitáveis e importantes da Bahia, onde mãe Menininha conta com a assistência de sua filha Creusa, sempre atenta e gentil. As festas do Gantois são famosas.

Outro belo e puro terreiro jeje-nagô de Salvador é a Sociedade São Jerônimo Ilê Maroialaji (Alaketu) na rua Luiz Anselmo, 65, no Matatu de Brotas. Mãe de santo: Olga Francisca Régis, a nacionalmente famosa Olga do Alaketu, figura esplêndida, de grande dignidade e doçura, filha de Iansã. A festa de sua santa é sempre um espetáculo magnífico. O padroeiro do terreiro é Oxóssi, mas a casa é de Oxumarê. Terreiro jege-nagô muito respeitado é o de Oxumarê, o arco-íris, são Bartolomeu, situado na avenida Vasco da Gama, 343. Casa fundada pelo famoso pai de santo Antoninho de Oxumarê, sucedido por Cotinha de Euá, falecida há uns dez anos, depois por Simpliciana de Ogum.

O candomblé de Ilê Ogunjá, do falecido e respeitável pai de santo

Procópio Xavier de Souza, grande figura das seitas negras, desaparecido em 1958, funciona sob a direção de Sinhá Honória, filha de Oxóssi, tendo como mãe-pequena a ossi dagã Iatu de Omolu.

A Sociedade Beneficente São Lázaro, na rua Cosme de Faria (fim de linha) no Bonocô, no local onde existia um velho terreiro de negros africanos. Mãe de santo: Cecília Moreira de Brito, conhecida como Cecília de Omolu. Mãe Cecília tinha antes uma "sessão de olhar" muito frequentada em São Lourenço, na Liberdade. Abandonou o espiritismo pelo candomblé, tendo feito santo com a falecida e famosa mãe de santo Oxalafalaquê.

A Vila Flaviana, na Rua Apolinário Santana, 134, no Engenho Velho da Federação, da falecida mãe de santo Flaviana Maria da Conceição Bianchi. Mãe de santo atual: Maria Eugênia da Boa Morte (Maria de Oxum). Casa séria, não faz, no entanto, festas públicas, somente obrigações privadas. Patrono do terreiro: Xangô.

Outra casa séria, candomblé de respeito, é o de Luiz da Muriçoca, na Muriçoca, recanto pleno de vida na Vasco da Gama. Ali ainda se pode ver, sob o comando do pai de santo sério e conhecedor dos ritos, Exu dançar na roda dos encantados. Em que outro terreiro da Bahia ainda é possível ver em festa pública uma filha de Exu possuída pelo orixá das encruzilhadas? Que eu saiba, em nenhum outro.

O candomblé do Bogum será possivelmente o único terreiro jeje puro da Bahia. A nação jeje domina os rituais afro-brasileiros no estado do Maranhão — são os negros minas, os dos vodus (os mesmos da República do Haiti). Na Bahia, a tradição jeje foi em grande parte absorvida pela nagô, raramente manteve sua independência. Nina Rodrigues chegou a negar a existência aqui de qualquer tradição jeje, contestado por Manuel Quirino que exibiu as provas da permanência de deuses e ritos. Lá estão eles no candomblé do Bogum, sem mistura de queto. Nessa casa de santo de tamanha importância, reinou Emiliana do Bogum e depois a doce velhinha que foi Ruinhó. Hoje a mãe de santo é sua filha Nicinha, levantada e proclamada mãe Gamo, pois nas casas jeje a sucessão se dá de mãe para filha. Existem candomblés jejes no Recôncavo em Cachoeira e em Muritiba.

O único terreiro puro da nação ijexá é a casa do babalorixá Eduardo Antônio Mangabeira, Eduardo de Ijexá, personalidade eminente no candomblé. Fica no Jardim Madalena, no fim da linha de Brotas, onde se realiza uma festa anual, sempre nos começos de outubro, para Logum Edé (santo ijexá, que é metade Oxóssi, metade Oxum).

Os candomblés do grupo congo têm seu templo principal na Casa do finado Bernardino do Bate-Folha, no Beiro, atualmente sob a direção de Bandanguiame. Uma filha de santo de Bernardino, Marieta de Tempo (Tempo é um santo da nação congo), possui uma casa muito bem organizada na fazenda Grande do Retiro. A festa mais importante realiza-se a 7 de setembro. O terreiro de Marieta está sob o patrocínio de Tempo. Existem cerca de cem terreiros da nação congo.

O mais importante terreiro da nação angola, em Salvador, é o de Ciríaco, na Vila Amélia; é um terreiro de Obaluaê. Existem muitas outras casas angola, entre as mais conhecidas, está a de Joana de Xangô.

Inúmeros são os candomblés de caboclo, ricos de improvisação, abrasileiramento completo dos ritos vindos da África. Entre os mais importantes estão: a Aldeia de Zumino-Reanzarro Gangajti, do pai de santo Neive Branco, cujo nome civil é Manuel Rodrigues Soares Filho. Bate também como terreiro angola. Neive Branco iniciou-se como filho de santo da nação angola, com o muito conhecido pai de santo Júlio Branco ou Júlio de Angola, hoje falecido. Posteriormente Neive Branco fez santo do lado de queto, filho de Oxum, com o babalorixá José do Vapor (em Cachoeira). Finalmente recebeu o caboclo Neive Branco que o acompanha, segundo ele, desde os tempos de sua iniciação nos ritos angola. Trata-se de um caso dos mais típicos de sincretismo de nações e de coexistência religiosa e cultural.

Outro conhecido candomblé de caboclo — já foi importantíssimo — é o da Gomeia, sob a égide do caboclo Pedra Preta, do qual foi pai de santo Joãozinho da Gomeia, excelente dançarino. Antes de morrer, Joãozinho mudou-se para o Rio, vindo à Bahia somente para as obrigações de Iemanjá, de quem era filho, e do caboclo Pedra Preta.

Quem herdou o caboclo Pedra Preta foi uma filha de santo de Joãozinho, Mirinha, hoje mãe de santo das mais populares e celebradas da Bahia. O candomblé de Mirinha fica em Portão, nos aforas da cidade. As festas são famosas pela beleza do ritual onde as tradições negras e indígenas se fundem para oferecer espetáculos de grande beleza.

No Rio Vermelho de Baixo, na ladeira da Vila América, fica o candomblé de caboclo de Camilo José Machado, casa séria.

Outras casas de caboclo dignas de serem visitadas: terreiro de Manuel Rufino do Sacramento, Rufino de Oxum, em Beiro. Manuel Rufino é filho de santo do falecido Massanganga do Beiru, que foi um famoso feiticeiro da nação angola. Essa é outra casa típica do grande sincretismo:

angola, queto, caboclo. Terreiro de Ogum, rei de Guiné, do pai de santo Waldemar de Oxum, filho de santo de Rufino. O terreiro fica no Engenho Velho da Federação. Waldemar recebe um caboclo que dá consultas no centro da cidade (rua Franco Velasco, 21). Terreiro que mistura também queto, angola e caboclo.

Os candomblés de caboclo são dezenas e dezenas. A maioria das casas pequenas congo e angola batem para caboclo. Ao mesmo tempo, as grandes procuram aproximar-se da nação ketu e sincretizar-se com ela. Candomblé de caboclo puro não existe. Está sempre misturado com uma nação africana, sobretudo angola. Daí, por vezes, serem os candomblés de caboclo denominados como candomblés angola.

O candomblé mais fechado e inacessível é de Amoreira, em Itaparica, dedicado ao culto dos eguns, ou seja: dos mortos, candomblé de nação queto, único no Brasil. Os servidores dos eguns, em realidade, formam uma sociedade secreta ainda hoje existente na África, nos países de cultura iorubana. Descendentes dessas nações, vindos para o Brasil, fixaram-se na ilha de Itaparica, na Bahia de Todos-os-Santos, onde criaram o terreiro dos eguns. Em dezembro de 1959, morreu, aos 156 anos de idade, o velho pai de santo do terreiro, Eduardo de Paulo, o alagbá da casa. Foi sucedido por seu filho Antônio Daniel de Paulo, de mais de setenta anos de idade.

Para completar, alguns dados sobre a hierarquia religiosa e civil nos candomblés. Hierarquia religiosa: a) mãe ou pai de santo (ialorixá ou babalorixá); b) mãe-pequena (iaquequerê) que substitui a mãe ou o pai de santo, podendo dirigir certas cerimônias; c) as "dagãs", que são duas: a ossi dagã e a otum dagã; d) as oiês (filhas de santo com certas responsabilidades no terreiro, como, por exemplo, a amorô que dança o padê de Exu nas casas da nação queto, ou a iatebexê, que tira as cantigas); e) as ebômis (em jeje diz-se vonduci) que são as filhas de santo que já fizeram obrigações de sete, quatorze ou 21 anos; f) as iaôs, as filhas de santo com menos de sete anos de feitas.

Em todo candomblé existe também uma outra hierarquia religiosa que corresponde à linha de Ifá, ou seja: à parte mágica dos candomblés (que se refere à adivinhação do futuro e aos trabalhos para fazer bem ou mal, o chamado feitiço). É a seguinte a hierarquia na linha de Ifá: a) babalaô (o pai do segredo). Hoje só existem dois verdadeiros babalaôs na Bahia. Os últimos grandes babalaôs foram Martiniano do Bonfim, a quem muito conheci e estimei, e Benzinho Sawzer. Os babalaôs usam o opelê-Ipá (corrente com dezesseis sementes) para fazer o jogo de adivinhação; b) oluô — um grau antes dos babalaôs. Os oluôs jogam com búzios (cauris) o jogo do Dilogum — abreviatura da palavra africana iorubá eredilogun, que quer dizer adivinhar.

Hierarquia civil: o Axé Opô Afonjá é o único, em Salvador, a conservar a dignidade dos obás, existente em certos candomblés de Xangô na África. Os obás são os ministros de Xangô, participam da administração do terreiro, ao lado da mãe de santo. São doze, o posto é vitalício, e se dividem em obás da mão direita (otum obá), com direito a voz e a voto, e obás da mão esquerda (ossi obá), com direito apenas a voz. Meu título, para quem quiser saber, é Otum Obá Arolu, e meu ossi é Dmeval Chaves. Após os obás, vêm os ogãs, dignidade que existe em todos os candomblés. Os ogãs são os sócios da sociedade civil com obrigações religiosas. Alguns têm um grau mais elevado na hierarquia, são encarregados disso e daquilo. Por exemplo: o peji-gã, encarregado da matança de animais; o ogã de alabê, encarregado dos atabaques.

Artistas, escritores, estudiosos de etnologia e sociologia mantêm um contato permanente com as grandes casas de santo. Nos orixás e nas cerimônias das seitas afro-brasileiras muitos artistas têm encontrado temática das mais ricas. A obra do pintor e desenhista Carybé inspirada no candomblé é por si só de uma riqueza incomparável.

TEMPLOS VENERÁVEIS

NÃO SÃO APENAS AS IGREJAS CATÓLICAS QUE SE PODEM ORGULHAR dos muitos anos que tornam ilustres suas torres e seus adros na cidade da Bahia. O candomblé do Engenho Velho tem cerca de 350 anos, segundo dizem. Vem dos tempos da escravidão. Já foi subterrâneo para escapar à perseguição dos senhores de escravos e dos padres. A entrada era pelo oco de uma árvore.

O candomblé de Ciríaco, na estrada do Rio Vermelho, tem 135 anos de existência.

FEDERAÇÕES E UNIÕES

EXISTEM NA CIDADE, COM VIDA MAIS OU MENOS PRECÁRIA, "federações e uniões de cultos africanos" tentando dominar e dirigir os candomblés, sob os mais diversos pretextos, dos políticos aos culturais.

Para começo de conversa: por que cultos africanos? Trata-se de cultos brasileiros com poderosa influência africana e, muitas vezes, com influência indígena. Cada casa de santo tem seu calendário, seu ritual, sua condição religiosa; independem uns dos outros. Assim tem crescido a árvore, hoje de tantos galhos, dos cultos ditos afro-brasileiros. Qualquer tentativa de uniformizá-los, colocar regras em seus rituais, ditar-lhes leis, pondo-os sob a influência de qualquer tipo de autoridade, mesmo aparentemente religiosa, será criar empecilhos ao livre desenvolvimento de tais cultos na riqueza de sua diversidade. Em geral, tais organismos que tentam federalizar desejam somente controlar as casas de santo de origens tão diversas quetos, jejes, angolas, congos, caboclo etc. — quase sempre buscando obter sobre elas domínio político para eleger vereadores, adular figurões, recolher dinheiro, utilizando para fins pouco sérios a massa popular que apenas deseja cultuar seus orixás e seus caboclos.

LEGENDAS PARA OS ORIXÁS DE CARYBÉ

1. BABÁ ABAOLÁ

Babá Abaolá habita com os demais eguns a ilha de Itaparica, em Amoreira, onde existe o único candomblé dedicado inteiramente ao culto dos eguns, em todo o Brasil. Remanescente de uma seita secreta transportada da África para o Brasil, o candomblé de Amoreira é ainda o que há de mais defeso e fechado em matéria de ritos afro-baianos, se bem ultimamente muito de seu segredo tenha sido violado e trazido a público, através inclusive de farto material fotográfico. Ainda não foram os babás entregues ao turismo mas pouco falta, pois os turistas da pseudociência já deles se apoderaram e essa gente apodrece tudo aquilo em que toca. Egum quer dizer alma e os adeptos desse culto se transformam, ao morrer, em eguns num complicado processo de iniciação. Babá significa pai e esse termo precede o nome de todos os eguns: babá Okin, babá Olukotun, babá Orumilá. Diz-se que o babá é de Oxóssi, de Xangô, de Oxalá etc., de acordo com o orixá do finado. Por exemplo: se ele pertenceu a Ifá, o deus da adivinhação, o seu egum é babá de Ifá. Babá Bakabaká é de Omolu, babá Okin é babá de Oxóssi e assim por diante. Quanto a babá Abaloá, dos mais impressionantes, é de Xangô. Come carneiro, veste trajes vistosos e decorativos. A dança dos babás é um dos balés mais belos e extraordinários que alguém pode ver. O culto dos eguns reveste-se de perigos e mistérios.

2. EXU

Exu come tudo que a boca come, bebe cachaça, é um cavalheiro andante e um menino reinador. Gosta de balbúrdia, senhor dos caminhos, mensageiro dos deuses, correio dos orixás, um capeta. Por tudo isso sincretizaram-no com o diabo; em verdade ele é apenas o orixá em movimento, amigo de um bafafá, de uma confusão mas, no fundo, excelente pessoa. De certa maneira é o Não onde só existe o Sim; o Contra em meio do a Favor; o intrépido e o invencível. Toda festa de terreiro começa com o padê de Exu, para que ele não venha causar perturbação. Sua roupa é bela: azul, vermelha e branca e todas as segundas-feiras lhe pertencem. Há várias qualidades de Exu: Exu Tiriri, Exu Aqueçá, Exu Iangui, muitos outros. Exu leva o ogó, sua insígnia, e gosta de sentir o sangue dos bodes e dos galos correndo em seu peji, em sacrifício. Com essa história de confundirem Exu com o Cão, os filhos e filhas do menino rei nador por vezes escondem o dono de sua cabeça: "Sou de Ogum", dizem, vai-se ver e são de Exu. É o que sucede, por exemplo, com o gravador Emanoel Araújo, Exu mais reinador.

3. OGUM

Eis Ogum todo em ferro, deus da guerra, irmão de Exu; seu dia é terça-feira e ele costuma abrir o cortejo dos orixás na entrada dos terreiros. Vadio pelas encruzilhadas e porteiras, com o mano Exu. Há várias qualidades de Ogum: Ogunjá, Ogum Uari, Ogum Omemê, Ogum Xarokê, todos eles bons na luta da espada. A ferramenta de Ogum conta com sete, quatorze, dezesseis ou 21 peças e ele come cachorro, bode, galo, gosta de feijoada, de inhame assado com azeite. No sincretismo afrocatólico é santo Antônio. Contas azul-escuras. Para saudá-lo, a palavra é Ogunhê!

4. OXÓSSI

Oxóssi, rei de Ketu, meu pai e pai de mestre Carybé, de Genaro de Carvalho e de Camafeu de Oxóssi, é são Jorge matando o dragão. Deus da caça, das úmidas florestas, com o ofá (arco e flecha) abate os javalis, as feras, é o invencível caçador. Rei Oxóssi, Senhor de Ketu, rodeado de animais, usa capanga e chapéu de couro. Carne de porco, eis sua comida preferida. Gosta também de bode e galo, mas não tolera feijão-branco. Come ainda axoxô, milho cozido com pedaços de coco.

Dança com o ofá e o eruquerê — feito com rabo de boi ou de cavalo. Sua palavra de saudação é Oquê. Existem várias qualidades de Oxóssi: Otim, Inqué, Ibualama. Nos candomblés jejes há um Oxóssi chamado Aguê, sempre metido na mata virgem. Orixá poderoso, encantado do maior respeito, suas festas são de grande beleza e opulência. Uma delas, a das quartinhas de Oxóssi, no candomblé do Gantois, onde reina a veneranda mãe Menininha, é inesquecível espetáculo. Filha de Oxóssi é Stella, mãe de santo do Axé Opô Afonjá.

5. OMOLU

Omolu, também chamado de Obaluaê, é o mais temido dos orixás, pois comanda as doenças e a saúde, em suas mãos estão a enfermidade e a cura. Ei-lo no terreiro revestido de palha, rosto e corpo escondidos, para não exibir as chagas da lepra e da bexiga negra, coberto de coceiras, de mazelas, torto e aleijado, são Lázaro e são Roque. Atotô, meu pai, dai-nos saúde, livrai-nos do mal! Seu dia é segunda-feira, as contas podem ser vermelhas e pretas ou pretas e brancas. Quando a palha de sua roupa é roxa, Omolu é Xapanã, terrível, amedrontador. Usa filá (capuz), xaxará e colares de búzios. Os xaxarás em geral são belíssimos, alguns de autoria de mestre Didi. Omolu come bode, galo, pipocas e aberém: massa de milho branco frita na folha da bananeira. Distribui as doenças e a saúde. Quando ele passa dançando no terreiro, vai recolhendo as enfermidades de seus filhos, carrega com elas, deixa os corpos limpos e sãos. Um de seus ogãs é o escultor Mário Cravo.

6. NANÃ

Nanã Burucu é mulher de Oxalá, ou melhor, sua amante, pois a verdadeira esposa do maior dos orixás é Iemanjá, como nos ensina Waldeloir Rego que sabe tudo isso e muito mais. Dos amores de Nanã com Oxalá nasceu Omolu. O dia de Nanã é terça-feira. Usa contas brancas, vermelhas e azuis, sua insígnia é o ibiri. Gosta de conquém, de caruru sem azeite, veste azul e branco. Saudação: Salubá! Nanã Buruku é uma das mais velhas deusas das águas.

7. IAMI OXORONGÁ

Quando se pronuncia o nome de Iami Oxorongá quem estiver sentado deve-se levantar, quem estiver de pé fará uma reverência pois se trata de temível orixá, a quem se deve apreço e acatamento. Pássaro africano, Oxorongá emite um som onomatopaico de onde provém seu nome. É o símbolo do orixá Iami, que o conduz em suas mãos. A seus pés, a coruja dos augúrios e presságios. Iami Oxorongá é a dona da barriga e não há quem resista a seus ebós fatais, sobretudo quando ela executa o ojiji, o feitiço mais terrível. Com Iami todo cuidado é pouco, ela exige o máximo respeito. Iami Oxorongá, bruxa e pássaro!

8. IBUALAMA

Ibualama ou Inlê é uma qualidade de Oxóssi, marido de Oxum. Sendo Oxóssi, é caçador, rei de Ketu, usa ofá (arco e flecha) e chapéu de couro. Ao dançar, leva em cada mão uma chibata de couro de três pernas, com ela se flagela. Come tudo que é cana e seu dia é quinta-feira. Oxum, faceira e leviana, pôs-lhes chifres, indo para a cama com Xangô, seu cunhado, irmão de Ibualama.

9. LOGUM EDÉ

Logum Edé, filho de Ibualama e Oxum, veste azul-turquesa e, igual a seu pai, usa ofá, chapéu de couro e o mesmo amparo de três pernas, come caça e seu dia da semana é também quinta-feira. A Oxum de quem nasceu chama-se Ieiê Ipondá, mulher de Inlê ou Ibualama. Logum Edé durante seis meses é caçador, come os animais por ele derrubados na mata, é muito macho. Durante os outros seis meses é mulher, cheia de dengo e requebro que nem sua mãe Oxum, vive nas águas e come peixe. Sua saudação: Logum. No sincretismo com a religião católica é são Expedito.

10. OSSAIM

Ossaim é o deus das ervas. Comanda as folhas, as medicinais, as litúrgicas, é o mestre do mato. Sem ele nenhuma cerimônia é possível, usa pilão, veste verde, sua ferramenta tem sete pontas, numa das quais, ao centro, pousa um pássaro. Bode e galo são suas comidas prediletas. Sua saudação: Euê-ô! Muitas vezes é representado com uma única perna. Trata-se de um dos orixás mais importantes.

11. IROCO

Iroco é uma árvore, orixá do mato. É o pé de Loko ou gameleira. Veste verde como Ossaim e usa lança. Come boi, bode, galo. Suas danças, quando executadas por sua filha Olga do Alaketu, são belíssimas.

12. XANGÔ

Xangô é um dos orixás mais poderosos, deus do raio, do fogo, do trovão. Foi o terceiro rei de Oyó. Seus símbolos são a pedra do raio e o oxê — machado duplo. Cores: vermelho e branco, roupas e contas. Cágado é sua comida preferida, juntamente com amalá (caruru). Toda quarta-feira, seu dia, come amalá. Gosta também de carneiro e galo. Sua dança é poderosa, dança de rei. Sua saudação: Caô cabiessi! Foi marido de três mulheres: Obá, Oxum e Iansã. Governava aconselhado por doze ministros, os doze obás, seis da direita, com voz e voto, seis da esquerda, com voz apenas. No candomblé do Axé Opô Afonjá é conservada a tradição dos obás de Xangô. Entre esses obás estão Carybé, Dorival Caymmi, Genaro de Carvalho, Miguel Santana, Camafeu de Oxóssi e o autor destas linhas. Há doze qualidades de Xangô entre as quais Afonjá, Ogodô, Airá, Aganju, Lubé, Ibaru. Airá veste de branco, Ogodô dança com dois oxês, um em cada mão. Xangô figura entre os orixás mais populares.

13. BAIÂNI

Baiâni é a mãe de Xangô, a verdadeira ou apenas mãe de criação, como querem outros. Fosse verdadeira ou não, com ela Xangô praticou incesto. Veste a mesma roupa que Xangô e usa uma adê (coroa) de búzios, muito grande, pois sua cabeça é enorme. Come conquém, ecuru, amalá. Seu dia da semana é quarta-feira. Na qualidade de mãe de Xangô, é honrada no encerramento do ciclo das festas de Xangô no Axé Opó Afonjá com o ritual da Procissão de Iamassê.

14. OXUMARÊ

Oxumarê é o arco-íris, o orixá Bessém dos jejes, a cobra, cujo símbolo é uma serpente de ferro. No sincretismo afrocatólico é são Bartolomeu. Vestimentas e contas verdes e amarelas. Come porco, galo, boi, feijão com milho, azeite, camarão. Dança conduzindo nas mãos as cobras de ferro. Sua saudação: Arroboboi! Seu dia da semana: terça-feira. Segundo a lenda, foi o encarregado de transportar água do mar para o palácio de fogo de Xangô. É macho e fêmea ao mesmo tempo.

15. OXUM

Oxum é a deusa do dengue, da elegância, do fausto, da riqueza, da formosura, do charme. Charmosa como ela só. Deusa do rio Oxum, foi a segunda mulher de Xangô. Faceira, vaidosa, sabida, enganou Obá, sua rival no leito do marido, levando-a a cortar a própria orelha. Antes de ser mulher de Xangô, foi de Oxóssi. Para não acompanhar Xangô à guerra, entregou-lhe como terceira esposa sua irmã mais moça, Iansã. Vestes e contas amarelo-ouro e azul rei. Usa adê (coroa), abebé (leque) de ouro, obé (espada), ofá (arco e flecha). Seu dia da semana: sábado. Seu símbolo: seixos do rio, o leque e as pulseiras de metal. Gosta de inhame com camarão e cebola, come cabra e conquém, mulucu de feijão-fradinho, adum de fubá de milho, mel de abelhas e azeite de dendê. Saudação: Orá ieiê! Sua dança é sensual, um convite ao amor, uma exibição de mímicas: ora está se penteando, ora veste-se de colares e pulseiras, ora está a se banhar. Sedutora, mulher fatal, Oxum é muito sexy. Existem várias qualidades de Oxum. Entre as mais importantes estão Ijimu, Ieiê Oquê e Apará.

Formosa senhora das águas, corpo de meneio, olhos de dengue. Marta Rocha, Luana, Marta Vasconcelos, rainhas da beleza, são todas de Oxum — beleza, elegância, faceirice.

16. IANSÃ

Iansã é conhecida também por Oiá e quando é Oiá Balé comanda os eguns, dona dos mortos. É o orixá dos ventos e das tempestades. Corajosa guerreira, acompanhou seu marido Xangô na guerra. Foi sua terceira mulher. Divindade do rio Níger, mandona, sensual e inflexível. No sincretismo baiano é santa Bárbara e tem um mercado com seu nome na baixa dos Sapateiros. Contas roxas, roupas vermelhas. Usa espada e eruexim feito com rabo de boi. Come cabra, galo, acarajé, não come abóbora, tem quizila. Saudação: Eparrei! A mais velha das Iansãs chama-se Oiá Ijebé.

17. EUÁ

Orixá das águas, deusa do rio Iewá, na África. Santa guerreira, valente, Euá usa roupas vermelhas, espada e o brajás de búzios feitos com palha da costa. Dos orixás mais belos, suas danças são sensacionais. Gosta de pato, come também pombo, seus animais preferidos. Une a coragem e a decisão à mansa ternura das fontes, pois nelas vive esse encantado; o som da água corrente é sua voz. Entre as filhas de Euá encontra-se minha mulher Zélia, quem fez o jogo e a pergunta foi Nezinho, logo Euá se apresentou, dizendo: valente e meiga, é minha filha. Há quem diga ser Zélia filha de Oxum, não erra de todo, pois por faceira e bela, por amiga de Senhora e Menininha, é protegida da dengosa mulher de Xangô. Mas quem está na frente, a dona da cabeça, quem decide seu destino, é Euá. Oxum só vem depois, se requebrando.

18. IEMANJÁ

Dona das águas, esposa de Oxalá, mãe de todos os orixás. Veste azul. Pedras do mar e conchas são seus símbolos. No sincretismo, é Nossa Senhora da Conceição. Contas transparentes. Usa abebé prateado. Dia da semana: sábado. É também conhecida como dona Janaína, Inaê, Maria, princesa de Aioká. Os negros grunci chamavam-na simplesmente Iá. Em sua homenagem, realizam-se grandes festas de pescadores, saveiristas e marítimos no Dique, em Itaparica, no Rio Vermelho. A festa de 2 de fevereiro, no Rio Vermelho, é belíssima e mereceu canção de Dorival Caymmi. Aliás, boa parte da obra de Caymmi tem Iemanjá como tema. No rastro do grande compositor, outros muitos têm celebrado Iemanjá. Sem a grandeza do mestre, pois Dorival Caymmi nasce um em cem anos. Iemanjá come cabra. Ebô de milho branco com azeite e cebola também é de seu agrado. Sua saudação: Odoiá! Todo o mar da Bahia pertence a Iemanjá.

19. OXALUFÃ

Oxalá, o maior dos orixás divide-se em dois. Velho é Oxalufã. Moço é Oxaguiã. Quando ele desce como Oxalufã vem apoiado no opaxorô, uma espécie de bengala ou bordão de metal, por vezes belíssimo. Usa abebé de prata. É Nosso Senhor do Bonfim e as festas do Bonfim são festas de Oxalá. Seu dia da semana é sexta-feira e usa contas brancas. Veste-se inteiramente de branco. Come cabra e catassol (igbim), o boi de Oxalá. Não come azeite nem sal. Foi rei de Ifon e é o pai de todos os orixás. É o orixá da procriação. Ogã de Oxalufã, levantado no Engenho Velho: o escultor e pintor Mirabeau Sampaio. Também Vinicius de Moraes é filho de Oxalá.

20. ONILÉ

Assim como Iemanjá é dona das águas, Onilé é dono da terra. Vive montado em seu cavalo, nunca o abandona. Come conquém. Num saco, carrega o mundo nas costas.

21. OXAGUIÃ

Oxaguiã é Oxalá moço. Sempre de branco. Usa espada, escudo e mão de pilão. É guerreiro e seu dia da semana é sexta-feira. Come cabra e é dono do inhame. É Oxalá em seu esplendor de homem, enquanto Oxalufã é Oxalá na grandeza de sua velhice.

22. OTIM

Um Oxóssi azul, eis Otim. Usa capanga e lança, com ela caça. Come toda espécie de caça mas gosta muito de búfalo.

23. OBÁ

Deusa do rio Obá. Esposa de Xangô. Guerreira, veste vermelho e branco, usa escudo e lança. Na dança briga com Oxum, que a induziu a cortar uma das orelhas para usá-la na comida de Xangô e com isso manter seu amor. Os resultados da manobra foram desastrosos e Obá foi repudiada por Xangô. Obá come conquém, cabra e pato. Dança tapando com a mão o lado do rosto de onde cortou a orelha.

24. IBEJIS

Os Ibejis, os mabaças, os *gêmeos*, Cosme e Damião, os santos meninos. Donos de grande devoção na Bahia. Os carurus de Cosme e Damião são célebres. Qual a casa verdadeiramente baiana que não oferece seu caruru anual aos ibejis?

25. IFÁ

Ifá ou Orunmilá é o deus da adivinhação. Suas vestes são brancas e ele usa o opelê para responder às perguntas no jogo das adivinhas. Leva sempre consigo um saco contendo cocos de dendê. Seu dia da semana é quinta-feira.

26. ORIXÁ OCÔ

Orixá Ocô é o deus da agricultura. Chibata de couro, cajado de madeira. Toca uma flauta de osso. Veste branco.

27. AXABÓ

Axabó, orixá feminino da família de Xangô, veste vermelho e branco, em estamparia. Usa pano da costa, conduz uma lira. Come cabra.

PERSONAGENS DE ONTEM, DE HOJE, DE SEMPRE

GREGÓRIO E ANTÔNIO, NOSSOS PAIS

GREGÓRIO DE MATOS GUERRA E ANTÔNIO DE CASTRO ALVES, Gregório de Matos e Castro Alves, o rude Gregório, o bravo Antônio, nossos pais. Deles, da poesia que criaram, da imortal lição de suas vidas e de suas obras, nascemos todos nós que, na Bahia, nos dedicamos às tarefas da literatura e da arte. Perdura viva e atuante a consciência libertária que alimentou a poesia de Gregório de Matos e a poesia de Castro Alves.

Tão diferentes e tão iguais. Em ambos a mesma convicção de que a literatura é decisiva arma do povo e amorável flor de paixão, cantaram a liberdade e o amor.

Boca do Inferno, revoltado mulato da cidade da Bahia de Todos-os-Santos, a desancar os colonizadores portugueses, o clero da Inquisição, a subliteratura, todos quantos se beneficiavam à custa do suor dos brasileiros tão recentes ainda e já assim oprimidos e roubados.

Cecéu, rebelde moço do sertão e dos camarotes e palcos dos teatros, o namorado de todas as moças, o amante de todas as atrizes, o mutilado em seu cavalo, pálido príncipe a desfolhar corações, o intrépido campeão dos escravos: no verso, o chicote do fogo; na ação, dando fuga aos negros dos canaviais. Perfeitos, os dois, cada qual à sua maneira, mas um e outro coerentes revolucionários.

Cantor de putas, Gregório. Cantor de donzelas (algumas nem tanto), Antônio. Um viveu vida árdua e perseguida pelas autoridades, subversivo. O outro morreu aos 24 anos, perseguido pela moléstia, em desvario de amor, tendo rompido grilhetas, combatido imperadores, plantado a Abolição e a República, subversivo.

Nossos heróis não são soldados, são dois poetas. Nossa arma é a poesia, por isso jamais somos vencidos. Nossos pais, Gregório e Antônio, nos ensinaram povo e liberdade.

A NUMEROSA PRESENÇA DO SENHOR HECTOR
JULIO PÁRIDE BERNABÓ,
ARTISTA DO LÁPIS, DO PINCEL,
DA GOIVA, NOMEADO CARYBÉ, RENASCIDO
NA BAHIA SOB O NOME VERDADEIRO E
DEFINITIVO DE OBÁ ONÃ XOCUN

I. OBÁ ONÃ XOCUN
E A MEMÓRIA DA BAHIA

O cidadão brasileiro Hector Julio Páride Bernabó nasceu na cidade de Buenos Aires, de pai italiano e mãe brasileira, boa mistura. Menino na Itália, adolescência e juventude no Brasil que o italiano não era de assentar a bunda em lugar nenhum. Aos dezenove anos, lá se vai a família outra vez para Buenos Aires, onde o rapaz que cursara belas-artes no Rio fez-se cantor de tangos (medíocre), *cabaretier*, tocador de pandeiro quando o Bando da Lua e Carmen Miranda por lá apareciam. Como o irmão mais velho era o pintor Bernabó, Hector começa a assinar desenhos, aquarelas, quadros, com o nome de Carybé, hoje famoso. Viaja os Andes, é preso na Bolívia onde iniciara sua carreira, igualmente coroada pelo sucesso, de ladrão de igrejas (agora aposentado, ao que afirma), rapta, vestido a caráter, cavalheiro negro de esporas e poncho vermelho, a mais bela filha de Salta, a moça Nancy, e demonstra sagacidade pois a conserva até hoje graças a ebós variados e constantes, além de lábia de mel e pimenta.

O irrequieto sr. Hector Julio Páride Bernabó retorna ao Brasil, já audacioso desenhista e pintor, para fazer jornal e cinema, no Rio e em São Paulo. Morre jagunço, em combate, em *Os cangaceiros* de Lima Barreto.

De paletó almofadinha, segundo o depoimento insuspeito do pintor Jenner Augusto; ávido de cores morenas, segundo o escultor Mário Cravo, outro ávido; bonito de ver-se, olhar irresistível, na opinião já menos desinteressada do artista Mirabeau Sampaio, desembarca finalmente na Bahia nos idos de 1938, em busca do pai de santo Jubiabá. Transformou-se então seu destino pois foi de novo parido.

Nasceu Obá Onã Xocun, o terceiro homem ou, melhor dito, o terceiro elo dessa espécie de Santíssima Trindade mística, e ao mesmo tempo pagã, um dogma, se quiserem, um mistério baiano, se preferirem.

Obá Onã Xocun resultou do primeiro casamento de Oxum, quando esposa do caçador Oxóssi, rei de Ketu, senhor da floresta e dos javalis. Oxum não é o que se chama um caráter adamantino, sendo tirada a vaidosa e conquistadora, anda nos dengues e nos trinques. Enquanto Oxóssi caçava chifres de búfalos, com eles Oxum ornou-lhe a testa deitando-se na cama do cunhado, Xangô, senhor da guerra. Assim se explica ser Obá Onã Xocun ao mesmo tempo filho de Oxóssi e ministro de Xangô, e até presidente do Axé Opô Afonjá, terreiro onde reinaram Aninha e Senhora, as veneráveis, e agora reina Stella, sua e minha irmã.

Aqui não quero falar dos desenhos — o desenhista Carybé ganhou, *ex aequo* com o desenhista Aldemir Martins, o Grande Prêmio da Bienal de São Paulo — nem da pintura, nem sequer dos painéis espalhados mundo afora pelo artista fabuloso.

Meu interesse é apenas dizer que, quando tudo se faz na Bahia para degradar a grandeza da cidade, roubar-lhe o verde das árvores, a brisa do mar, as velas dos saveiros, poluir o céu e as praias, matar os peixes e reduzir os pescadores à miséria, quando agridem a paisagem a cada momento, com espantosos edifícios rompendo a harmonia dos locais mais belos, fazendo da lagoa do Abaeté e da doçura de Itapuã, cantadas por Caymmi, caminhos do lucro imobiliário sem o menor controle, quando tantas forças se juntam para destruir a cidade da Bahia, "construída no oriente do mundo", onde os sangues se misturaram para criar a nação brasileira, nessa hora de agonia e vileza, Obá Onã Xocun, dito Carybé, nascido Hector Julio Páride Bernabó na primeira encarnação, tomou dos instrumentos, da goiva, do formão, do macete, dos materiais mais nobres, a madeira, o cimento, o barro, e, armado coma força dos orixás, fixou para sempre a face da verdadeira Bahia, a que está sendo assassinada. Quando nada mais restar de autêntico, quando tudo já se fizer apenas representação, mercadoria e transformar-se em dinheiro na sociedade de consumo, a memória perdurará pura, pois o filho de Oxóssi e de Oxum, o obá de Xangô, guardou a verdade íntegra na criação de uma obra sem igual pela autenticidade, pela beleza, feita com as mãos, o talento e o coração.

Em Congonhas do Campo os profetas do Aleijadinho são a memória de um tempo e de um povo. Na cidade de Salvador da Bahia de Todos-os--Santos, os orixás, os jagunços, os beatos, as mães e as filhas de santo, os mestres de saveiro, o rei de Ketu e a Senhora-das-Águas, a criação de Carybé, Obá Onã Xocun, são a memória imortal e mágica, do mistério, do axé da Bahia.

II. MESTRE CARYBÉ

Em 1938, há quase quarenta anos, Carybé (Hector Bernabó) aportou na Bahia, vinha carregado de índios, *sombreros*, tangos. Na opinião de várias senhoras da zona do Maciel, era um janota elegantíssimo, trajava polainas, colete e paletó lascado atrás, moda audaciosa na época. Um inquieto, em busca de sua pátria perdida, do chão de sua sensibilidade, de seu porto de abrigo, de seu lar. Onde a terra verdadeira desse cidadão brasileiro nascido em Buenos Aires, adolescente no Rio, jovem artista na Argentina, aventureiro nos caminhos da Bolívia e do Peru, na selva do Chaco, buscando e buscando-se? Eis que chega à Bahia, a seu sol, a seu mar, a seu azul mágico, à sua mistura. Deslumbrado, descobre o chamego, o dengo, a magia. Nos quarenta anos decorridos a partir do momento solene do encontro do artista com seu chão, com sua pátria, com seu lar, Carybé plantou raízes tão fundas na terra baiana como nenhum cidadão aqui nascido e amamentado. Bebeu avidamente essa verdade e esse mistério, fez da Bahia carne de sua carne, sangue de seu sangue, porque a recriou a cada dia com maior conhecimento e amor incomparável.

Em sua casa de Brotas, existe um quadro antigo pintado por Carybé logo após o desembarque na terra baiana, naqueles idos de 1938. E uma tela de grande beleza — o enterro de uma puta, na zona — onde esplende uma Bahia de súbito revelada mas não possuída em suas entranhas: ei-la misturada de espanholismos, com pedaços de Gardel e cores índias do altiplano, uma Bahia que o artista apenas antevia na hora comovida da descoberta.

Esse mesmo tema da Bahia popular na hora cruel do enterro da moça meretriz, no instante da dor desatada na ladeira, Carybé o retomou recentemente, num grande quadro hoje de propriedade, se não me engano, do Museu da Manchete: límpida Bahia em sua mistura fundamental, completa e perfeita, despida dos acréscimos que o artista e filho pródigo trouxera em sua jovem alma vária e inquieta. Agora são uma única realidade, a terra e o criador, a inspiração e a obra realizada: nesses quarenta anos Carybé se fez não apenas o grande mestre baiano mas o cidadão baiano por excelência.

Sua obra nos engrandeceu, deu-nos maioridade artística. A Bahia, ao mesmo tempo, fez dele o grande mestre do desenho, da pintura, da escultura. Artista principal da Bahia, dela nasce todas as manhãs e todas as manhãs a recria em sua beleza, em seu mistério, em toda sua verdade.

Outro dia, uma jornalista lhe perguntou:

— Onde o senhor nasceu, seu Carybé?

— Nas Sete Portas, minha filha — respondeu.

Nasceu ou renasceu, que importa?

III. O NOVO VILHENA

Quem, senão Carybé, poderia registrar para sempre, no traço e na cor, as visitações de orixás e santos católicos aos lugares públicos e residenciais da Bahia, para namorar mulheres, com elas em xodós e achegos de cama, para salvar doentes em milagres famosos, para sanar injustiças como compete fazer a qualquer santo que se preze. Vêm em geral na calada da noite — assim o faziam também os oficiais do Santo Ofício, nas visitações malditas registradas por aquele outro cronista da vida baiana, Vilhena, ascendente de Carybé, não sei bem por que lado, mas parente próximo no prazer da vida e no amor à cidade. Ao contrário dos encapuzados da Inquisição, santos e orixás não chegam para anunciar desgraça, castigo, tristeza e luto. Descem dos céus, surgem nas encruzilhadas dos caminhos para distribuir alegria. No canto mais pobre da última rua da zona, a riqueza dos orixás se espalha nos panos coloridos, nos perfumes do mato, do rio, da maré alta, nos colares, nos leques de prata e ouro, nas armas e nos emblemas. Eles chegam, encantados do candomblé, santos da Igreja, uns e outros misturados, para assegurar a saúde e fazer a festa.

Carybé vem fixando há mais de um quarto de século, no quadro a óleo, no desenho, na gravura, na aguada, no mural, no painel, na madeira, no concreto, o viver baiano nesse fim de um tempo que não voltará. O que Vilhena fez em relação ao passado em suas cartas célebres, Carybé o faz hoje com o pincel, o lápis, a goiva, com os instrumentos de pintar, de esculpir, de desenhar. Porque para nossa alegria e maior grandeza, um dia esse grande artista mestre da vida, senhor da ternura e da solidariedade humana, aportou na Bahia, para impedir que a nossa verdade mais profunda se perdesse na indiferença, na vigarice, engolida pelas máquinas no passar do tempo, enterrada sob arranha-céus. Fixou para sempre nossa vida de povo e nossa magia. Para sempre, a partir de seus quadros, desenhos e gravuras, os orixás repetirão as visitações, distribuirão justiça, salvarão enfermos, deitar-se-ão na cama das mulheres em dengue.

IV. É INDISPENSÁVEL VISITAR OS ORIXÁS
DE CARYBÉ NA MATRIZ DO BANCO DA BAHIA

Na matriz do Banco da Bahia encontram-se, expostas à visitação pública, 27 esculturas representando os orixás dos candomblés baianos, realizadas com amor e arte — muito amor e arte imortal — por Carybé. Indispensável faz-se visitar esse conjunto de esculturas, obra maior, só comparável no Brasil às criações do Aleijadinho.

Filho bem-amado da cidade do Salvador, pai da Bahia, obá, Carybé está espalhado nas águas da Bahia de Todos-os-Santos, nos limites do Recôncavo e das terras de Aioká, navega no ventre em flor de Iemanjá, é o mestre do mais valente saveiro na madrugada, o primeiro na jangada do xaréu, puxador de rede e de cantiga. Sobrevoa a cidade e habita em suas profundezas, na Igreja do Rosário dos Negros, no Pelourinho, e na Casa Branca do Engenho Velho, no barco de Oxum ancorado no mistério. Está no ar, no perfume, no andar da mulata sestrosa, no dengue, no rebolado, nos quadris e na festa geral, do afoxé à roda de samba. É obá de Xangô, iji-axogum de Omolu, filho primogênito de Oxóssi, rei de Ketu, dança na roda do terreiro, foi o predileto de mãe Senhora e as iaôs ajoelham-se a seus pés e lhe pedem a bênção: "A bênção, meu pai Onã Xocun!". Na Escola de Capoeira, é íntimo de mestre Pastinha, toma do berimbau e canta as cantigas de Besouro. Foi visto no caruru de Cosme e Damião, era a figura mais alegre entre todos os mulatos presentes. Incendiou-se em Água dos Meninos numa barraca de cerâmicas e depois, no Mercado Modelo, na barraca de Camafeu de Oxóssi, o bom irmão. No ateliê de Mário Cravo, compadre e mabaça, no poço sem fundo de Mirabeau, na casa de Jenner, na de James Amado, na de Calasans Neto, reinando, Exu dos caminhos. Na última trincheira em defesa da ameaçada igrejinha de Sant'Ana, no mural e no painel, nas negras e mulatas nascidas do seu desenho, na hora do bori, eis Carybé, sua presença numerosa e única. A cidade está plena da beleza por ele criada, tornou a vida mais ardente e mais densa. Filho da Bahia, pai da Bahia.

Caso o visitante deseje apreender o segredo, o mistério da Bahia, tocado pelas mãos de Carybé, mágicas elas também, capazes de dar vida à madeira e face definitiva aos deuses, deve visitar a sede do Banco da Bahia onde estão os orixás. E a Secretaria de Finanças do Estado, no Centro Administrativo, para admirar os três grandes painéis em madeira — a história e a vida da Bahia recriadas pelo baiano Hector Julio Páride Bernabó Carybé Obá Onã Xocun.

UM EPIGRAMA DE PINHEIRO VIEGAS

PINHEIRO VIEGAS, POETA E PANFLETÁRIO BAIANO, FALECIDO NA DÉCADA DE 30, sob cuja égide nos iniciamos na literatura, Sosígenes Costa, Edison Carneiro, Alves Ribeiro, Dias da Costa, Clóvis Amorim, João Cordeiro e eu próprio nos distantes anos de 1928 e 1929, era um descendente direto de Gregório de Matos, a cultuar em sua poesia o corpo das mulheres e a liquidar nos epigramas os subliteratos e os maus políticos. Foi um novo Boca do Inferno.

Certa feita assumiram a direção de *O Imparcial*, matutino hoje desaparecido, dois desafetos seus: Mário Simões, diretor-gerente, e Mário Monteiro, diretor de redação. Epigrama de Viegas, circulando nas mesas dos bares:

Mário Simões, bis Monteiro
Remontaram *O Imparcial*
São quatro mãos no dinheiro
E quatro pés no jornal.

O MAJOR

FUI VISITAR O MAJOR COSME DE FARIA NO DIA EM QUE COMPLETOU 95 ANOS DE IDADE. Deputado estadual, o mais velho parlamentar do mundo. Em casa, todo vestido de branco, lúcido e altivo, sorria para dona Araci Pitanga, sua derradeira mulher, bonitona nos seus quarenta e tantos anos, e lhe ordenou servir café às visitas que invadiam a casa pobre, numa rua lateral do imenso bairro popular que leva seu nome: Cosme de Faria. As comemorações dos seus 95 anos movimentaram a Bahia.

Recordista de requerimentos de *habeas corpus*, rábula com vários lustros de trabalho no fórum, orador popular, jornalista com banca em todas as redações, boêmio, mulherengo, político, seabrista de quatro costados, líder da Liga Baiana contra o Analfabetismo, não foi apenas uma individualidade marcante, um nome querido pelos pobres, um tipo curioso. Foi muito mais que isso: uma instituição. É um pouco difícil compreender a Bahia sem o major. Quando ele morreu, após a apoteose popular de seu enterro, só então sentimos completamente sua significação, sua importância, a falta de sua figura única, das campanhas, dos discursos, das Linhas Ligeiras, dos pedidos de ajuda, dos requerimentos de *habeas corpus*. Abria-se um jornal pela manhã e lia-se invariavelmente na coluna dedicada aos tribunais:

O MAJOR COSME DE FARIA REQUEREU HABEAS CORPUS PARA FULANO DE TAL, PRESO SEM PROCESSO ETC.

Ou então:

O MAJOR COSME DE FARIA REQUEREU LIVRAMENTO CONDICIONAL PARA O PRESIDIÁRIO FULANO DE TAL ETC.

Esse mulato magro, de colarinho alto, punhos engomados, roupa escura, barba por fazer branqueando o queixo, o hálito misturado de fumo de charuto e cachaça, grandes abraços, palavras roucas, eterno tom oratório, que vos ofertava uma carta do ABC e vos tomava invariavelmente algum dinheiro para escolares ou presidiários, que dava os seus últimos 10 mil réis se lhe pedissem cinco, foi o derradeiro de certa raça de homens que já não podem existir, já não cabem no nosso tempo. Sobrou de outra época e não parecia preocupado com isso, ia em frente, entregue aos seus inúmeros afazeres, à sua estafante advocacia que não lhe rendia dinheiro algum ou que mal rendia o insuficiente para suas despesas, pois seus clientes eram exatamente os que não podem pagar advogado. Tirava gente da cadeia, levava presentes para os presos. Durante decênios sustentou, fundou, manteve escolas primárias, imprimiu cartas de ABC, cuidou dos loucos, escreveu nos jornais diariamente pedindo auxílio para as campanhas sociais e de caridade. E encontrou ainda tempo para beber muita cerveja e muita cachaça no Bar Bahia e em todos os outros botequins da cidade, em companhia de amigos, conversando com o poeta Áureo Contreiras, que usava indefectivelmente uma flor vermelha na lapela e era o mais modesto dos poetas e o mais ativo dos jornalistas.

Em todos os comícios, a voz de Cosme de Faria se elevava em tropos retóricos; muitas palavras se perdiam devido à voz rouca. Mas a multidão aplaudia de qualquer maneira porque o major era adorado. Certa vez lhe perguntei de onde vinha o título. Ele não sabia direito, uma confusão. Mas podeis perguntar a qualquer baiano e ele vos dará vinte explicações: não houve jamais ninguém tão popular na cidade.

Se alguém tentasse segui-lo no seu dia afanoso assistiria a estranhas coisas. Um homem malvestido se aproxima dele numa esquina qualquer e lhe pede alguns cruzeiros. O major não leva no bolso magro senão uns níqueis parcos. Mas isso não é problema. Cosme examina as proximidades. O homem malvestido, que ele jamais enxergou em toda a sua vida, precisa de dinheiro. O importante é lhe dar o auxílio pedido. E Cosme dirige-se ao primeiro conhecido que passa. Toma-lhe os cruzeiros que vão para o homem malvestido. Segue depois para o fórum, vai defender réus sem patrono. Nas épocas de júri, Cosme absolve dezenas de indivíduos que ele nunca viu, que não lhe pagaram nem um centavo, mas cujas esposas ou mães recorreram a ele. Requereu milhares de *habeas corpus*, vários por dia. Um dia sem requerimento de *habeas corpus* era um dia perdido para Cosme de Faria. A cerveja não tinha o mesmo gosto amigo. Vai à Secretaria de Segurança soltar tipos presos por malandragem, por mal--entendidos, ladrões de galinha, bicheiros, prostitutas. Seu escritório de advocacia, uma pequena porta na oficina de um remendão de sapatos, era, sem dúvida, o mais movimentado do Brasil. Ali, ele redigia com a letra grossa, desigual e difícil as razões dos seus clientes gratuitos. Ali atendeu a inumerável multidão diária.

À noite estava nos jornais. Quantas vezes não o vi debruçado sobre a carteira de Edgard Curvelo, carteira que era a perfeita representação do caos, no antigo *O Imparcial*, escrevendo de pé, em prosa ou em verso, pois seus pequenos artigos, invariavelmente assinados, costumavam começar em prosa e terminar em verso. Não havia matéria mais sagrada para os linotipistas e para os paginadores. Podia deixar de sair o telegrama mais sensacional, o tópico mais esclarecedor, o artigo de fundo, porém a matéria do major figurava na página.

Ia às outras redações, suas múltiplas campanhas exigiam apelos seguidos. Vale a pena ler algumas amostras da literatura do major Cosme de Faria. Suas Linhas Ligeiras eram publicadas diariamente e possuíam muitos leitores, já que inúmeros óbolos chegavam para as instituições hospitalares, escolares e de caridade, para os loucos, por seu intermédio. Eis um dos seus artigos, tomado ao acaso no jornal do dia:

LINHAS LIGEIRAS

O dr. Antônio Nero Barbosa, a quem infelizmente não tive ainda a honra de conhecer pessoalmente, foi nomeado prefeito de Mundo Novo.

Disseram-me ontem, que s. s. é um digno e diante disto eu lhe peço, desde já, que desenvolva, ali, nas terras cujos destinos vai dirigir, a campanha do ABC, fundando pequenas e modestas escolas primárias, para a petizada pobre, a principiar pela sede da comuna e a terminar no último dos seus arraiais.

Procure, também, dotar o município de um Patronato para os menores desvalidos e um Abrigo para a velhice desamparada.

Trabalhe, não perca tempo, porque este vale ouro e aquele produz a prosperidade.

"O amor engrandece o coração" e a luz eleva, delicadamente, o espírito.

Aguardo, assim, que s. s. responda-me alguma coisa sem delongas a respeito dêstes pálidos e desalinhados períodos.

COSME DE FARIA

Na véspera ele publicara o seguinte:

LINHAS LIGEIRAS

O dr. Manuel Artur Vilaboim, ilustrado secretário de Saúde Pública deste grande Estado, prestará um grande benefício à educação das crianças da Bahia, mandando comprar duas mil Bandeiras do Brasil, tipo médio, para serem distribuídas, gratuitamente, pelas escolas primárias, públicas e particulares de todo o nosso querido território, onde, infelizmente, em dezenas de localidades o Auriverde Pendão ainda é desconhecido, conforme, por diversas vezes, tenho dito.

Faço, pois, neste sentido, um sincero e forte apelo aos sentimentos cívicos de s. exa e espero que desta feita o meu justíssimo reclamo seja, sem delongas, atendido.

"Uma casa de ensino sem o Pavilhão da Pátria equivale a um bosque sem os passarinhos."

Que tristeza!

Serenata que recorda
Antiga felicidade;
Não vive longe quem vive
No perfume da saudade.

COSME DE FARIA

Recorria muitas vezes aos versos. Sua musa era condoreira e patriótica. Nas grandes datas nacionais ele saía a clamar, em rimas pobres, contra o analfabetismo, que o major jurou exterminar em terras da Bahia. Quixotesco, sem sentido prático, fora da realidade, nem assim faltava-lhe beleza ao gesto, nada diminui a gratuidade da sua campanha, a benemerência da sua intenção. Lançou-se contra o analfabetismo, Davi enfrentando Golias, sem se preocupar com o impossível que seria ele sozinho, com seus apelos, suas Linhas Ligeiras, seus versos, seus discursos, alfabetizar a Bahia e o Brasil. É claro que o major não ia às raízes dos acontecimentos. Desejando podar a árvore, atirava-se à tarefa gigantesca. Distribuindo cartas do ABC que mandava imprimir aos milhares, conseguindo escolas, roupas para crianças pobres, centenas de lápis e canetas. E publicando seus poemas condoreiros. Eis um deles:

ABAIXO O ANALFABETISMO

Pelas glórias da Bahia
E do Brasil, em geral.
Decrete-se o extermínio
Da ignorância fatal!

O torpe Analfabetismo
Tombe às plantas do Civismo
Liquide-se aos pés do Povo...
Senhores, vamos à luta,
Para que a Pátria impoluta,
Desfrute um sorriso novo!
Sigamos por toda a parte,
Brandamente, já se vê,

Mandando os cegos do espírito
Fitarem o sol do A B C!
Façamos desta jornada
Uma esplêndida alvorada,
Uma alvorada feliz...
A fim de que a nossa gente
Seja mais eficiente
E maior nosso País!

Escolas e mais escolas
Procuremos instalar
Quando bate a "hora H"
Todos devem despertar!...

"Oh! Bendito o que semeia
Livros, livros a mão-cheia
E manda o Povo pensar...
O livro caindo n'alma
É germe que faz a palma,
É chuva que faz o mar!"

Os que vegetam nas trevas
Precisam delas sair,
P'ra os labores do Progresso!
P'ra as conquistas do Porvir!
Amigos da Liberdade,
Pela vossa piedade
Humanitárias e sem par,
Amparai êstes pequenos,
Para que saibam, ao menos,
Ler, escrever e contar!...

Eia, pois, batalhadores,
Que desejais batalhar!
Cada qual tome o seu posto,
Clarins bradai: — "Avançar"
Bandeira da grande — Ideia
Formai a linda — Epopeia

Das áureas aspirações!
Guerrilheiros a — Vitória!
Galgai as portas da — História,
Dando Luz às multidões!!!

As escolas, os presidiários, os loucos, os processados sem advogado eram suas preocupações máximas. Visitava a Penitenciária e a Detenção, demorava-se no fórum requerendo, no júri defendendo. Lestes a sua literatura, sua prosa e seu verso. Pena que não possais ouvir discursando, num júri ou num comício, seu altíssimo colarinho duro, a invariável gravata negra, a roupa escura, o gesto largo, a voz trêmula, espetáculo inesquecível.

Pobre, por suas mãos passaram milhares de contos de réis; jamais conseguiu que os bares recebessem dinheiro seu em pagamento. Quando se levantava da mesa onde bebera a cerveja gelada, a boa cachaça, o garçom tinha ordens de não cobrar. Mas o major fazia questão de pagar, metia a mão no bolso, cadê dinheiro? Esse espetáculo repetia-se todas as tardes; por volta do crepúsculo, ou à noite, num botequim qualquer da cidade; a recusa do pagamento, pelo dono do bar, a indignação do major a buscar o dinheiro inexistente. Tudo terminava com mais um gole gratuito de cachaça. O que não podereis imaginar é o número de favores que o proprietário devia ao major...

Figura quase grotesca, o passo arrastado, a voz pegajosa, as mãos sujas de sarro, o chapéu de palhinha, o invariável charuto, o colarinho espantoso, ele atravessava a rua recebendo mais cumprimentos que político no poder, que milionário dono de banco. Porque o povo amava esse major que nunca pertenceu a nenhuma milícia armada mas que, como um Quixote das ruas, se lançava nos tribunais, na polícia, nas prisões, nas escolas, nos jornais, pedindo pelos pobres, sem se preocupar consigo mesmo, indiferente ao dinheiro, às honras, às posições e aos cargos. Certa vez ele me disse, há muitos anos, numa confidência:

— Já defendi 30.982 pessoas... Nunca acusei nenhuma...

No dia dos seus 95 anos, o major deixa-se fotografar, o terno branco, o colarinho alto. O povo aplaude seu herói, invencível, jovem ancião. Ao seu lado, bonitona, dona Araci sorri um sorriso de amor.

Depois, aos 99 anos, num caixão pobre, acompanhado por toda a cidade, o major deixou os presos sem defensor, os analfabetos sem carta de ABC, os infelizes sem o amigo certo. A cidade ficou menor e mais solitária.

OS MESTRES NÃO ENVELHECEM

QUEM PRIMEIRO ME FALOU SOBRE MÁRIO CRAVO PARA LOUVAR SUA OBRA revolucionária de escultor foi Presciliano Silva, o acadêmico por excelência. Logicamente, deveria ser o inimigo feroz, a combater, em batalha sem quartel, a arte moderna. Mas esse grande pintor era um homem de integridade total, generoso e justo. Os jovens iconoclastas que chegavam dispostos a destruir o velho e a criar o novo contaram com o apoio entusiástico de Presciliano. Assim era ele e assim o recordo na saudade de uma longa convivência. Com Godofredo Filho, vou reencontrá-lo de vez em quando na meia-luz do átrio da Igreja de São Francisco.

Os mestres não envelhecem. Vejam a juventude de mestre Ismael de Barros, escultor de talento e ofício poucas vezes igualados. Foi discípulo de Pasquale de Chirico e professor emérito da Escola de Belas-Artes, à qual dedicou boa parte de sua vida.

O tempo passa, Ismael de Barros prossegue trabalhando com o mesmo afinco dos vinte anos: que perfeição a cabeça em bronze de Cordélia, a esposa bem-amada; que beleza o baixo-relevo com o rosto de Zélia! Cito trabalhos que retratam pessoas queridas, pois Ismael de Barros nos ensina que a ternura também não envelhece — jovem coração a comandar as mãos que emprestam vida ao barro e ao bronze.

Não envelheceu o mestre Alberto Valença; por que haveria de envelhecer o enamorado da paisagem da Bahia, o cavalete, a tela e as tintas ao ar livre para captar todas as graduações da cor, todas as nuances de luz do céu, do campo, do casario? Por que falar em escolas quando o artista é um mestre? — o tempo não conta, as pernósticas classificações dos críticos perdem qualquer sentido. Alberto Valença está além do tempo e das classificações.

Que outra coisa dizer de Mendonça Filho, que até a morte se manteve tão jovem quanto o mais jovem aprendiz recém-inaugurado? Antes de pertencer a Pancetti, já era de Mendonça Filho o mar da Bahia — extraordinário marinhista.

Também nele os moços renovadores encontraram compreensão e arrimo: diretor da Escola de Belas-Artes, contratou artistas modernos para o quadro de professores, cumprindo assim um dever baiano, o de admirar.

Não envelheceu tampouco José Guimarães, apesar de a morte tê-lo levado antes do tempo. Tendo sido o primeiro a renovar, o silêncio que cercou sua obra durante anos apenas a fez valorizar-se. Foi Sante Scaldaferri quem mais lutou para nos mostrar a juventude e a audácia de José Guimarães. Para que pudéssemos amar sua pintura bela e corajosa.

Os mestres não envelhecem, permanecem se a morte os leva, prosseguem vencendo o tempo enquanto vivos. Essa é a lição que nos ensina mestre Ismael de Barros, com talento e ofício, com sabedoria e amor.

JOÃO GILBERTO EM NOVA YORK

NÃO DIGAM QUE FUI EMBORA PARA SEMPRE, que fugi para a neve e o frio — nem casaco eu tinha quando vim. O destino me trouxe para que, estando longe, eu me sinta mais perto da Bahia, das barrancas do rio onde o cachorro late para uma lua imensa. Daqui, desse exílio voluntário onde faleço e ressuscito, tomo do violão, cruzo mares e montanhas e chego até aí em suas cordas, para ver cada rosto, tocar as mãos amigas. A de meu pai Caymmi, a de Jorge e a de Zelinha, a de Cravinho e a de Coqueijo, e para abençoar os jovens. Estou presente na música de todos eles, tanto na dos grandes quanto na dos pequenos, seja no teatro, seja no beco esconso. Dizem que dividi o tempo e transformei o ritmo e a cadência; pode ser que sim, mas foi no sertão do São Francisco que aprendi o canto e a poesia. Tenho medo de voltar, de me afogar em tanto amor, de morrer ao avistar o povo e casario; me perdoem, tenho apenas o violão e um pássaro sofrê que me acompanha. Um dia voltarei, não sou daqui, na hora exata irei descansar em terras da Bahia.

Ainda é cedo, porém; tenho uma canção a compor sobre a lua e a solidão.

POETA E CANTOR DAS GRAÇAS DA BAHIA

I. OBÁ ONIKOYI

Poeta, compositor e cantor, Dorival Caymmi é hoje a figura principal da música popular brasileira, pode-se dizer que ele é o próprio povo do Brasil em sua voz mais pura, em sua melodia mais profunda e terna. Diante do baiano inclinam-se respeitosamente os demais mestres de nossa música, de Antonio Carlos Jobim a Vinicius de Moraes, de João Gilberto a Paulinho da Viola, de Caetano Veloso a

Gilberto Gil, os mais velhos e os mais jovens, os da Bossa Nova, os do sambão, todos quantos compõem, gravam e cantam.

Dorival Caymmi ultrapassa os sessenta anos de idade cercado pela admiração dos intelectuais e pelo amor do povo. Trazendo nas veias sangue negro e sangue italiano, nascido à beira do mar da Bahia — a Bahia é a célula máter do Brasil, onde a mestiçagem determinou e determina as linhas mestras da cultura nacional — fez-se o intérprete da vida popular, o bardo cantor das graças, do drama e do mistério da terra e do homem baiano. Ainda adolescente viveu com intensidade, nas ruas, nas ladeiras, nos becos da urbe mágica, a aventura de um povo capaz de sobreviver e ir adiante nas mais duras condições de existência, sobrepondo-se à miséria e à opressão para rir, cantar e bailar, superando a morte para criar a festa. Apoderou-se do drama, da emoção e da magia da cidade sem igual, do povo que liquidou todos os preconceitos e fez da mistura de sangues e raças sua filosofia de vida. Nessa cidade e nesse povo, Caymmi tem plantadas as raízes de sua criação, a precisa realidade, tantas vezes cruel, e a mágica invenção.

Não por acaso ele é um dos doze obás da Bahia, Dorival Caymmi Obá Onikoyi. Obá significa mestre, ministro, chefe, é o mais alto título, o posto civil mais eminente na hierarquia do candomblé, das religiões afro-brasileiras. Obá de Xangô, no Axé Opô Afonjá, consagrado de Oxalá, compôs ultimamente uma "Oração de mãe Menininha", canto de amor à mais famosa e venerável mãe de santo dos terreiros baianos, mãe Menininha do Gantois, que é, sem dúvida, a canção mais cantada no Brasil nos últimos anos. Toda a obra musical de Caymmi nutre-se de um conhecimento total da vida popular, conhecimento vivido, pois o poeta não é senão o povo no momento supremo da criação.

Uma família de músicos. A esposa de Caymmi, minha afilhada Adelaide Tostes Caymmi, é a mesma Stella Maris que cantava blues ao micrô das estações de rádio quando, nos idos da década de 30, conheceu o jovem compositor recém-desembarcado no Rio de Janeiro. Do casamento feliz nasceram uma filha e dois filhos. A filha, Nana, é cantora, herdou a maravilhosa voz do pai. Dori, o filho mais velho, é compositor, orquestrador, regente, músico dos mais sérios e respeitados; Danilo, o mais moço, domina uma doce flauta de sonho e suas composições revelam extraordinário talento, espantosa vocação. Não se contentou Dorival Caymmi com sua própria criação inigualável, ainda nos deu, de parceria com Stella, o poema e o canto dos filhos.

Os orixás da Bahia possuem seus favoritos, para eles reservam o dom da criação e a grandeza. Assim aconteceu com o moço Dorival Caymmi. Os orixás cumularam de talento e dignidade esse filho da grande mistura de raças que nas terras brasileiras se processou e se processa, criando uma cultura e uma civilização mestiças que são nossa contribuição para o tesouro do humanismo. Baiano de picardia e invenção, Dorival Caymmi povoou o Brasil de ritmos e de beleza.

II. BILHETE DE DORIVAL CAYMMI
A SEU IRMÃO, QUANDO ESTE
SE ENCONTRAVA EM LONDRES

Jorge meu irmão, são onze e trinta da manhã e terminei de compor uma linda canção para Iemanjá pois o reflexo do sol desenha seu manto em nosso mar, aqui na Pedra da Sereia. Quantas canções compus para Janaína, nem eu mesmo sei, é minha mãe, dela nasci. Talvez Stella saiba, ela sabe tudo, que mulher, duas iguais não existem, que foi que eu fiz de bom para merecê-la? Ela te manda um beijo, outro para Zélia e eu morro de saudade de vocês. Quando vierem, me tragam um pano africano para eu fazer uma túnica e ficar irresistível. Ontem saí com Carybé, fomos buscar Camafeu na rampa do Mercado, andamos por aí trocando pernas, sentindo os cheiros, tantos, um perfume de vida ao sol, vendo as cores, só de azuis contamos mais de quinze e havia um ocre na parede de uma casa, nem te digo. Então ao voltar, pintei um quadro, tão bonito, irmão, de causar inveja a Graciano. De inveja, Carybé quase morreu e Jenner, imagine!, se fartou de elogiar, te juro. Um quadro simples: uma baiana, o tabuleiro com abarás e acarajés e gente em volta. Se eu tivesse tempo, ia ser pintor, ganhava uma fortuna. O que me falta é tempo para pintar, compor vou compondo devagar e sempre, tu sabes como é, música com pressa é aquela droga que tem às pampas sobrando por aí. O tempo que tenho mal chega para viver: visitar dona Menininha, saudar Xangô, conversar com Mirabeau, me aconselhar com Celestino sobre como investir o dinheiro que não tenho e nunca terei, graças a Deus, ouvir Carybé mentir, andar nas ruas, olhar o mar, não fazer nada e tantas outras obrigações que me ocupam o dia inteiro. Cadê tempo pra pintar? Quero te dizer uma coisa que já te disse uma vez, há mais de vinte anos quando te deu de viver na Europa e nunca mais voltavas: a Bahia está viva, ainda lá, cada dia mais bonita, o firmamento azul, esse mar tão verde e o povaréu. Por falar nisso, Stella de Oxóssi é a nova ialorixá do Axé e, na festa da consagração, ikedes e iaôs, todos na roça perguntavam onde anda Obá Arolu que não veio ver sua irmã subir ao trono de rainha? Pois ontem, às quatro da tarde, um pouco mais ou menos, saí com Carybé e Camafeu a te procurar e não te encontrando, indagamos: que faz ele que não está aqui se aqui é seu lugar? A lua de Londres, já dizia um poeta lusitano que li numa antologia de meu tempo de menino, é merencória. A daqui é aquela lua. Por que foi ele para a Inglaterra? Não é inglês, nem nada, que faz em Londres? Um bom filho da puta é o que ele é, nosso irmãozinho. Sabes que vendi a casa da Pedra da Sereia? Pois vendi. Fizeram um edifício medonho bem em cima dela e anunciaram nos jornais: venha ser vizinho de Dorival Caymmi. Então fiquei retado e vendi a casa, comprei um apartamento na Pituba, vou ser vizinho de James e de João Ubaldo, daquelas duas línguas viperinas, veja que irresponsabilidade a minha. Mas hoje, antes de me mudar, fiz essa canção para Iemanjá que fala em peixe e em vento, em saveiro e no mestre do saveiro, no mar da Bahia. Nunca soube falar de outras coisas. Dessas e de mulher. Dora, Marina, Adalgisa, Anália, Rosa morena, como vais morena Rosa, quantas outras e todas, como sabes, são a minha Stella com quem um dia me casei te tendo de padrinho. A bênção, meu padrinho, Oxóssi te proteja nessas inglaterras, um beijo para Zélia, não esqueçam de trazer meu pano africano, volte logo, tua casa é aqui e eu sou teu irmão Caymmi.

III. O MOÇO CAYMMI

"Cantor das graças da Bahia", escrevi eu mesmo a seu respeito em certa ocasião. Creio, porém, que nada define melhor Dorival Caymmi e sua música que uma frase de Pablo Neruda. Durante uma das visitas do poeta chileno a São Paulo, Caymmi foi seu companheiro de todos os momentos. Juntos andaram as ruas afanosas da capital, juntos estiveram na tarde memorável do Pacaembu, juntos nos restaurantes do Brás com as macarronadas e os vinhos italianos, juntos nos dias da fazenda de Flávio de Carvalho. Era São Paulo em torno, mas o moço Caymmi com seu violão conduz é a Bahia e foi a Bahia que ele revelou ao poeta naqueles dias paulistas. Finalmente Neruda não resistiu, tomou um avião e veio ver como era mesmo aquela terra de mistérios e igrejas. E quando o povo baiano, tão sensível à inteligência e à beleza, o festejou num grande ato público, no seu discurso de agradecimento, o genial poeta das Américas falou sobre Caymmi, dizendo aos baianos do "vosso grande cantor Dorival Caymmi, que, com sua voz doce e profunda, leva sua saudade da Bahia por todo o céu do Brasil". Saudade da

Bahia, sem dúvida, ressoando nas cordas do violão do moço perdido nas ruas do Rio ou de São Paulo, do moço festejado, cheio de fãs, com suas músicas em filmes norte-americanos, seu nome aos quatro ventos da popularidade nas ondas do rádio, mas levando no coração e na inteligência aquela sedução sem fim da terra escorrendo mistério e densa beleza. Dessa saudade é feita a obra do compositor Dorival Caymmi, a quem o povo ama chamar de "moço Caymmi", numa espécie de definição não só da sua pessoa amável e boa mas de sua música de melancolia e dramas, no entanto também cheia de esperanças.

Essa saudade da Bahia construiu, em grande parte, a obra de Castro Alves. O poeta dos negros e do amor levou, ele também, sua saudade da Bahia pelos céus do Brasil. Em Recife, no Rio ou em São Paulo, nos braços das mais belas mulheres, entre os aplausos da multidão delirante, nos teatros, nas faculdades, nas tertúlias literárias, estava a saudade da Bahia saltando em cada verso, inspirando cada estrofe. Amo ligar esses dois nomes, o do poeta esplêndido e o do compositor popular. De certa maneira e em certo sentido Caymmi realiza hoje, em relação à sua terra natal, aquilo que o moço poeta fez há um século. Até essa palavra "moço" é uma palavra baiana, cheia de ternura, definidora e meiga. "O moço poeta", dizem na Bahia as velhas avós sobre Antônio de Castro Alves. "O moço Caymmi", dizem do compositor. Bem diversas as suas obras mas, numa e noutra, determinadas notas são constantes e fundamentais. Castro Alves escreveu um dia que "seu canto era irmão do pobre...". E que dizer do canto doce e nostálgico de Caymmi? Irmão do pobre, ele também, com o pobre solidário, voz de pescadores e negros nas noites de tempestades e macumbas. A terra cheia de dengue, sedução e mistério produz assim os seus moços que são suas vozes ressoando no correr dos tempos pelos céus do Brasil. O poeta Neruda é que entendeu bem.

A Bahia está inteira, no que tem de mais característico e definidor, na obra de Caymmi. Ouvindo as suas músicas sente-se a presença de uma terra com suas fronteiras delimitadas, de um povo com seus hábitos, suas tradições, seus costumes, seus dramas, suas alegrias, suas desgraças. Caymmi tomou, por exemplo, do manancial riquíssimo da música negra e sobre ele trabalhou grande parte de sua criação musical. Não como muitos desses compositores populares que vão em busca de melodias negras para amassar sobre elas um sucesso quase certo. Uma diferença enorme distancia a música de Caymmi da vigarice desses exploradores de sonoridade de certas palavras baianas e do encanto de certos ritmos de macumba. Sente-se, em seguida, toda a fragilidade dessas músicas feitas para o sucesso imediato dos lançamentos das rádios e dos discos. Na música de Caymmi existe algo de perdurável que só o conhecimento dado pelo amor e pela experiência vivida conseguem transmitir. Qualquer um pode fazer seu samba ou sua canção sobre palavras bem sonantes da língua nagô, baseada em melodias de candomblé. Mas só ele faz a canção e o samba baianos, só suas melodias são baianas, são elas também alma e corpo do povo negro e mestiço das macumbas, do cais, dos saveiros da Bahia. Essa, a diferença.

Porque não são apenas as palavras sonoras, a melodia do batuque dos atabaques. Muito mais que isso, dando caráter e conteúdo a essas palavras e a essas melodias, ali está a vida do povo baiano, dos seus negros e dos seus pescadores. Porque mesmo no descritivo de certas cenas de vida pobre da cidade da Bahia há um profundo sentido dramático. Basta lembrar "A preta do acarajé" e "Festa de rua", para não falar nos poemas de conteúdo social que são as letras de "O mar", "Promessa de pescador" e "História de pescadores".

Na sua obra está o pitoresco da Bahia, sua linguagem graciosa, suas comidas de todo o sabor, em versos maliciosos como o picante dessa culinária, em músicas que convidam ao requebro e ao cafuné, estão as ruas, as praias, as lutas de capoeira, os santos negros, especialmente Iemanjá que é a santa de Caymmi, os pais de santo, as iaôs, os ogãs, os velórios com cachaça, o cais, a lenda. Tudo isso serviu de inspiração para sua música plena desse colorido dos vatapás e acaçás, das velas dos saveiros no mar de Todos-os-Santos e nos rios do Recôncavo, das saias das baianas, das anáguas, dos torsos, dos balangandãs. Toda uma parte da sua obra musical é dedicada ao pitoresco da Bahia, mas mesclado com o drama porque nunca usou ele o pitoresco simplesmente. Sua verdade é o sentimento do povo. Talvez seja essa a parte de sucesso mais imediato de sua obra. São os sambas de rápida e permanente popularidade, certas toadas também. "O que é que a baiana tem?", "Balaio grande", "Vatapá", o "Samba da minha terra", "Acaçá", "Você já foi à Bahia?", "365 igrejas", "Requebre que eu dou um doce", "O dengo" etc. Elas fizeram seu nome popular e repetido, suas melodias espalhadas pelo mundo. Porque nada seduz tanto o brasileiro quanto o pitoresco da Bahia.

Mas Dorival Caymmi foi além do pitoresco. Aquela força colossal do negro baiano, aquele seu instinto de liberdade tão arraigado porque nasceu no cativeiro, a reação contra o preconceito de cor, a imaginação solta, a coragem e o amor à aventura, características do povo baiano, estão também presentes a cada instante em sua música e nas letras de seus sambas e canções. Ainda há poucos dias eu ouvia uma de suas criações: "João Valentão", retrato de um negro baiano. Retrato de corpo inteiro. Enquanto Caymmi cantava, eu via não o negro João Valentão, mas muitos outros negros baianos que conheci na beira do cais, na Feira de Água dos Meninos, no largo das Sete Portas, no Mercado do Ouro. Recordei-me — perdoai-me a vaidade! — do negro Antônio Balduíno que criei nas páginas do *Jubiabá*.

A música religiosa do negro baiano, com suas promessas a dona Janaína, com suas superstições e sua intimidade com os deuses, ele a recuperou para nós do abandono em que estava desaparecendo, abandono que não se explica como tanta coisa não se explica no Brasil. Muitas de suas canções são dedicadas a Iemanjá, deusa das águas da Bahia, músicas de pescadores, da praia e do mar que formam a parte mais poderosa e permanente de sua obra, a maior de toda a música popular brasileira. Mas não é possível estabelecer-se fronteiras rígidas entre negros e pescadores, drama e pitoresco, orações e sambas em se falando da Bahia. A unidade baiana nasce de todos esses elementos — e muito mais — e deles nasce também a unidade da obra de Caymmi.

Enternecido poeta dos pescadores. Não creio na arte pela arte e eis que esse compositor tampouco o crê. Não que seja interessadamente social ou político. Mas o social — e mesmo o político — se impõe sobrando da dor em torno, da miséria em derredor. A vida difícil dos pescadores lhe fornece suas melhores composições. Pungentes de dor, recriando a tragédia de homens e mulheres amarrados ao mar com grilhetas, o amor ao mar sobrepujando tudo:

> *O mar*
> *quando quebra na praia*
> *é bonito... é bonito...*

Essa nota de amor e admiração pelo mar se repete sempre. Mas ele não esquece que esse mar, bonito é o senhor implacável daqueles destinos:

> *O mar...*
> *Pescador quando sai*
> *Nunca sabe se volta*
> *Nem sabe se fica...*

Toda a tragédia dos homens dos saveiros e das jangadas foi imortaliza-
da por ele com a força do seu talento ímpar de grande músico e poeta.

Compôs com sua obra um quadro magistral da vida baiana nos dias
de hoje. À base do seu folclore musical, valorizando seus sambas de roda, suas cantigas de ninar, seus afoxés, suas canções praieiras, suas cantigas, suas músicas de capoeira. Reproduziu e eternizou, numa obra de
criação que só encontra comparação na que Noel Rosa realizou em relação ao Rio de Janeiro, a Bahia em que nasceu, onde viveu, amou e se
fez homem. É o cantor da Bahia e do seu povo. As melodias que povoam
sua cabeça são aquelas que nascem da recordação das macumbas, das
lutas de capoeira na festa da Conceição da Praia, dos afoxés na festa de
Iansã no Mercado da Baixinha. Caymmi continua com a imaginação
povoada de negros e marítimos, de acarajés e vatapás, de torsos de baianas e de saveiros. Pouco importa onde ele anda ou o que faça. A Bahia
está sempre com ele.

Quanto a mim sinto a obra de Caymmi como irmã da minha. Elas se
completam e de certa maneira fazem um todo. Descrevemos os mesmos
cenários e os mesmos sentimentos. Se eu fosse músico faria a música que
ele faz, como certamente ele escreveria — melhor, sem dúvida, do que o
faço — os romances que escrevo. Por isso mesmo falo desse moço compositor com liberdade. É como falar da Bahia. Eu a reencontro inteira,
todas as vezes que ouço Caymmi.

Muitas e muitas vezes, em meio século de fraterna amizade, tenho
assistido Dorival Caymmi compor. Ainda não faz duas semanas ele estava
aqui nesse silêncio agreste compondo coisas de Ilhéus e do cacau. É como
se eu assistisse a Bahia nascendo e se formando nas mãos mágicas do moço ao violão. O casario, as ladeiras, o povo mestiço, os negros gordos e
risonhos, os velhos de histórias derramadas, os marítimos de cor bronzea-
da, as baianas de beleza tão única, e aquela força de resistência ante a miséria, aquela crença inabalável na liberdade.

Escrevi umas quantas páginas e creio que nada expliquei. A explicação
de Caymmi e de sua obra musical está na letra de um samba seu:

Acontece que eu sou baiano...

Em verdade, acontece que ele é a Bahia.

IV. OS DOUTORES DA BAHIA

"Três rapazes da Bahia, três obás da Bahia, três doutores da Bahia", assim disse Dorival Caymmi em seu discurso ao tomar posse do título de doutor *honoris causa* da UFBA, que lhe foi entregue, em solene cerimônia, pelo reitor Germano Tabacof. Referia-se a ele próprio e a dois outros baianos que haviam recebido o mesmo título: o pintor Carybé e eu. Três estranhos doutores, portadores de um saber bebido no povo, formados pela Universidade do Pelourinho, na escola da vida.

Com Dorival Caymmi o povo da Bahia completou sua presença nos quadros da Universidade, a presença já sensível com os títulos concedidos a Carybé e a mim. Foi por fim derrotado, de uma vez para sempre, o elitismo reacionário e idiota, proclamou-se a maioridade intelectual da música dita popular para distingui-la daquela denominada erudita — como se houvesse duas músicas, uma superior, outra inferior, bestice desmedida. As raízes e a inspiração da obra universal de Dorival Caymmi, de sua canção sem igual, são a vida do povo e a cultura popular da Bahia. Com ele, tomaram assento no quadro de doutores *honoris causa* da Universidade os pescadores de Itapuã, João Valentão, Dora, Anália, Marina, mãe Menininha do Gantois e Iemanjá, a rainha do mar.

AGNALDO

AGNALDO MORREU AOS 36 ANOS, DE DOENÇA DE CHAGAS, nas mãos de um charlatão. Era um artista único, primeiro sem segundo, não se parecia com ninguém, por brasileiro e baiano. Possuía uma fagulha de gênio que transmitiu à sua obra uma força, um impacto definitivos.

Caieiro na ilha de Itaparica, trabalhador braçal, veio cortar madeira e carregar toros no ateliê de mestre Mário Cravo, escultor e orixá. Não demorou e Mário deu-se conta de que o negro forte e risonho não só debastava e carregava os toros — começava a cortá-los, imitando o talho do mestre. Mário, descobridor de talentos, olhou os ensaios brutos do operário e lhe disse: Você de hoje em diante não trabalha mais aqui; vai para casa e vem todo fim de semana buscar seu salário; você nasceu escultor, a escultura é seu destino mas se você continuar aqui não passará de um imitador de Mário Cravo; vá ser Agnaldo. Assim aconteceu e o queimador de cal de Itaparica, em trabalho duro, quotidiano e responsável, fez-se um dos maiores artistas já nascidos no Brasil.

Sua Madona tem a face negra, o corpo de baiana. Seu Oxóssi é cangaceiro e vaqueiro, orixá nordestino. No Festival de Arte Negra de Dakar, sua obra foi contemplada com o Grande Prêmio Internacional de Escultura. Não houvesse morrido, certamente atravessaria as limitadas fronteiras da arte brasileira para tornar-se nome universal.

Era a mais doce das criaturas: negro alto, bonito, forte. Nos últimos meses, tomado pela doença, custava-lhe imenso esforço talhar a nobre madeira, o jacarandá, o pau-brasil. Morreu trabalhando, criando um mundo imortal. Não se pareceu com ninguém, vai ser difícil surgir outro igual.

SOSÍGENES COSTA

TODO FEITO DE SÓBRIO RECATO, DISTANTE DE QUALQUER rumor publicitário, de tudo quanto é exterior à literatura: as fofocas, a ruidosa notícia, as promoções, os grupos, a eterna e tola corrida pelo sucesso, assim era Sosígenes Costa.

Nunca buscou o êxito fácil, nem a notoriedade: manteve-se inédito em livro até depois de completar cinquenta anos. Fez-se necessário que os amigos, quase à sua revelia, reunissem e publicassem parte de seus poemas num volume de *Obra poética* que teve profunda repercussão e logo conquistou dois prêmios nacionais, situando o nome de Sosígenes Costa entre os dos grandes poetas brasileiros.

Faleceu solitário em seu apartamento do Rio, onde as obras de arte misturavam-se aos pássaros canoros. Distante de toda agitação literária, dela despreocupado, partiu quase em segredo, envolto em poesia, em estado de poesia como sempre esteve em cada momento de sua vida. Sua criação se engrandeceu sem que o poeta fizesse a menor concessão, mantendo seu canto longe de qualquer maneirismo, limpo de qualquer compromisso. Um canto cuja unidade nasce sobretudo de sua ligação com o mar e a terra baianos, com o *substratum* poético do povo de Belmonte e de Ilhéus, poeta do cacau e do seu universo. Grande poeta do mar.

Quando Sosígenes Costa publicou sua *Obra poética*, os poetas concretistas, aparentemente tão distantes, acolheram o livro com alta estima, afirmaram que a poesia de Sosígenes "era antiga como o tempo" ou seja: era de sempre, definitiva.

José Paulo Paes, ensaísta dos mais argutos, me diz: Num dia próximo, Sosígenes e sua poesia serão redescobertos e ele será proclamado poeta único e invulgar.

A previsão de José Paulo começa a acontecer. Poeta maior, Sosígenes Costa.

O ÚLTIMO SANTEIRO

I. ENCONTRO DE MIRABEAU SAMPAIO COM A CONDESSA PAPALINA

Não me esnobeis, condessa, guardai brasão e pergaminho, o título dourado, os chifres papalinos do barão, guardai! Vosso brasão não o posso desenhar nem esculpir, são outros os meus modelos: descarnados moleques, seus ossos, sua pele, sua fome e o mais belo santo antigo da Bahia. Mas desenharei também a frágil perfeição de vosso seio, colocarei na tela vosso mel e vossa neve, cavarei na madeira vossa flor noturna.

Minha nobreza é outra: é a da pedra e a da madeira, um velho pesadelo azul, um sonho perseguido, irredutível coração e essa mão cansada.

II. DADOS BIOGRÁFICOS

O pintor Carybé jura pela alma de sua (dele) falecida mãe que, tendo compulsado velhos alfarrábios guardados no Convento do Carmo, ficou sabendo que Mirabeau Sampaio é descendente direto de Chagas, o Cabra, de quem herdou a vocação de santeiro e os hábitos de boemia, a fazê-los, aos dois escultores, jogadores e mulherengos. Ficou sabendo mais, que uma das bisavós de Mirabeau foi a mais bela mulata da Bahia, famosa pelas nádegas opulentas e pelos namorados. Dela veio o sobrenome Mirabeau — dos amores da mulata com um certo nobre gaulês, primo do outro, o da Revolução Francesa. Carybé sabe das coisas.

III. PASTOR DE SANTAS

Mirabeau pastoreia as santas pelas ruas e ladeiras da Bahia, pelo céu e pelo mar — leva-as em visitação.

Vestidas com as cores da madrugada e do crepúsculo, envoltas em mantos de ouro, salpicadas de estrelas, banhadas de luar, rostos de porcelana, rainhas celestiais, as santas sobrevoam as praias e as colinas, vão visitar os prediletos de Deus.

Zequito Mirabeau, com seu cajado de memórias e de amores, as conduz num passo de dança à casa de Carybé. Para saudar as santas, o pintor se exibe num tango *arrabalero*. Depois oferece a mão à Nancy e se incorporam ao cortejo.

As santas invadem o ateliê de Mário Cravo, osculam as cinco faces do escultor — Antônio Conselheiro, são Miguel Arcanjo, Exu, o Aleijadinho e a Pombajira. Cinco vezes Mário Cravo no cortejo com Lúcia e o poderoso clã.

As santas em algazarra batem palmas na porta da casa de Jenner Augusto. Mas o pintor partiu numa asa-delta para o Rio de Janeiro levando os Alagados, Luísa e a cidade sergipana de Lagarto. Mirabeau convoca os coroinhas abandonados no jardim e os arrebanha na farândola das santas.

Na rua Ilhéus as santas adotam um índio nu, pagão e astucioso; cada uma o toma em seu regaço. O índio foge, espia pela fresta da janela e afirma ser o pintor de pássaros Floriano Teixeira. Santa Alice confirma: é verdade.

Na borda da piscina, James Amado e Antônio Celestino, dois retados, deletreiam sobre arte: trocam teorias estruturais e construtivas, pronunciam conceitos definitivos. As santas recolhem os dois compadres em seus capuchos: são dois anjos barrocos.

Os pescadores de Itapuã saem das canções de Dorival Caymmi e aderem ao cortejo, colocam Iemanjá em meio às santas. Mestre Calasans Neto as recebe em seu reino unido com um sorriso, uma baleia, uma anedota e sua Rosa. Distribui o casario entre as santas e com elas embarca no saveiro. Ao leme Mirabeau, pastor infatigável — navegam as santas pelo mar afora.

Lá vão as santas pelas ruas da Bahia seguindo seu pastor, eterno namorado.

Ai, Mirabeau Sampaio! Quanta beleza antiga, quanta formosura e fantasia brotam de teus pincéis nesse ateliê onde as santas renascem do barro, da pedra e da madeira, no milagre da tua criação!

O CASAL 20

"BOIAM PEIXES NO AQUÁRIO DE TEUS DIAS, SOLIDÃO DE CARPAS nos rios do tempo": ouço os versos de Myriam Fraga na voz de Zélia no silêncio noturno da casa do Rio Vermelho neste raro momento em que estamos sós. Os rios do tempo rolam por entre as árvores do jardim.

Os cronistas sociais inventam palavras, gírias, expressões, uma língua própria, uma escrita inimitável. "Casal 20", dizem eles para designar marido e mulher donos de todas as qualidades desejáveis na sociedade, um casal perfeito. Roubo a definição à famosa coluna de minha amiga July, para aplicá-la a Carlos e Myriam Fraga, casal realmente perfeito no aquário dos dias, nos rios do tempo. Ele, professor universitário, eminente advogado; ela, poderosa, e doce voz da poesia brasileira; um jovem mestre, uma jovem acadêmica, amadurecendo ambos na azáfama quotidiana e no momento maior da criação do poema, que é também a vida construída na compreensão e no amor. Nascidos de pais ilustres, de Albérico Fraga, de Orlando Castro Lima — salve queridos amigos, felizes pais de filhos assim tão admiráveis!

— Myriam foi eleita para a Academia de Letras da Bahia...

— Um dia será para a Brasileira.

— Assim há de ser. Com meu voto.

"Era uma vez um pássaro, era uma vez mais que um pássaro, um sonho, de cor e luz e audácia e transparência."

Os rios do tempo deslizam na transparência da noite, nascem do canto de Myriam, prolongam-se na voz de Zélia, e o sonho prossegue nesta hora de perfeita harmonia.

NORMA

NO CHAME-CHAME, NO LUGAR ONDE EXISTIA, ATÉ HÁ UNS POUCOS ANOS, mísera invasão, favela das mais pobres da cidade, novas ruas foram abertas para construções modernas, residências chiques, edifícios. A uma dessas ruas, o então prefeito Clériston Andrade deu o nome de Norma Guimarães Sampaio, a pedido de todos os moradores do bairro e de inúmeros amigos e admiradores daquela que foi a divina providência dos infelizes habitantes da antiga invasão — médica, enfermeira, advogada, protetora e cálida amiga, honrando assim a memória de uma criatura absolutamente extraordinária pela capacidade de devotar-se, de ser solidária e prestante, de amar seus semelhantes e de amar a vida. Somente outra pessoa conheci com idêntica alegria de viver: Giovanni Guimarães, por sinal vizinhos, ele e Norma, durante muitos anos.

Não se reduziu aos limites do bairro do Chame-Chame a ação complexa e militante de Norma, a amparar necessitados, a resolver problemas os mais diversos, a arranjar empregos, pistolões, vagas em hospitais, em asilos, campas em cemitério — era muito chegada a sentinela e a enterro, velório sem a presença de Norma não era velório digno desse nome — para milhares de indivíduos os mais diversos na escala social, não existindo para ela diferença de classe, de credo, de cultura na hora da necessidade. Socorria imensa quantidade de gente para o que tranquilamente usava e abusava da multidão de amigos que a adoravam e nada lhe negavam quando vinha pedir por um dos seus inúmeros "camaradinhos" e "camaradinhas". Neta e filha de políticos — seu avô foi o célebre e truculento senador Wenceslau Guimarães, seu pai chama-se Hamilton Guimarães, mais conhecido por Chimbo, igualmente célebre e igualmente truculento, ótima pessoa, um sujeito porreta, para tudo dizer — Norminha, como era tratada com afeto e devoção, possuía tal popularidade que facilmente seria eleita vereador ou deputado se quisesse seguir as pegadas do avô e do pai. Preferia cuidar do marido, o artista Mirabeau Sampaio, e dos filhos, Artur e Maria, na casa da rua Ary Barroso onde está uma das mais belas coleções de imaginária da cidade e que é um templo da amizade.

A tristeza que por vezes marca fundo as páginas de meu romance *Tenda dos Milagres* deve-se ao fato de que, quando escrevi este livro, Norma estava morrendo, em duro sofrimento, mas, mantendo alta a moral, ainda conseguia rir quando Carybé, nas visitas constantes, ficava a inventar loucuras para esconder a dor que o varava — a ele e a nós todos, amigos de Norma. Para mim e para Zélia, minha mulher, ela era irmã bem-amada.

Todos aqueles que entendem do trabalho da criação literária sabem que para o romancista construir um personagem necessita somar caracteres de várias figuras da vida real. Pois bem, em *Dona Flor e seus dois maridos*, baseei em Norma Guimarães Sampaio a figura de dona Norma que é o anjo bom da vida de dona Flor, nela somente e em mais ninguém, e ainda sobraram qualidades e enredos para fazer ao menos outro personagem, tão rica e cálida era a humanidade dessa moça baiana que foi uma das criaturas mais generosas e dignas que já existiram. Temi que a cidade ficasse mais pobre e triste depois da morte de Norma; assim não aconteceu, felizmente. Tão poderosa era que nem a morte conseguiu reduzir sua presença, limitar sua ação — sei de várias pessoas que praticam o bem e se fazem solidárias com as necessidades alheias, pensando em Norma, para honrar sua memória.

Um doqueiro de apelido Caminhão, beneficiário da devotada bondade de Norma, quando passava bêbado pela rua Ary Barroso, costumava proclamar que ali habitava um dos "raros homens da Bahia, um homem retado, dona Norma". Ela o tirara da cadeia, a ele e a muitos. Não, o elogio é falso, apesar de ter sido ditado pela gratidão. Norma era apenas uma frágil mulher, sem nenhum mandato, sem títulos, sem riquezas materiais, sem dragonas, mas com uma obstinada flama, um clarão de amor a iluminar-lhe o peito, dotada de inflexível vontade, de caráter puro, irmã de todos os necessitados, militante da fraternidade e do humanismo.

MIGUEL SANTANA OBÁ ARÉ

ENCONTRO NO PEJI DE XANGÔ O VELHO MIGUEL SANTANA, o mais velho, o mais antigo dos obás da Bahia, o derradeiro dos obás consagrados por mãe Aninha, vestido no maior apuro como se fosse para uma festa de casamento. Assim se veste sempre, mantendo aos 85 anos contagiosa alegria de jovem. Quem não o viu dançar e cantar numa festa de candomblé não sabe o que perdeu.

Quantos filhos você semeou no mundo, Miguel? O sorriso modesto, a voz tranquila: 51, meu amigo, entre homens e mulheres, um deles nasceu de uma sueca, outro de uma índia. Descemos juntos a ladeira do Cabula, a voz de Miguel Santana Obá Aré recorda distantes acontecimentos. Sabe mais sobre a Bahia do que os doutores, os eruditos do instituto, os historiadores e os membros da academia. Sabe por ter vivido. Foi rico e é pobre, teve mando de barcos, hoje possui apenas o respeito do povo — a bênção, Obá Aré! Deus lhe salve, seu Miguel Santana. Com a voz grave e mansa conta histórias de assombrar, seus olhos viram o bonito e o feio, suas mãos tocaram o bom e o ruim, nada lhe é estranho e indiferente.

RECEITA DE JENNER AUGUSTO PARA FAZER UM QUADRO

PARA FAZER UM QUADRO ASSIM TÃO BELO
A receita, senhoras e senhores, vos ensino:

Alvas areias altas dunas casario antigo
O pássaro sofrê os retorcidos santos
A humanidade o orgulho a dura consciência
O mistério das flores do caule da corola
O boi o porco a cabra o vira-lata o galo a madrugada
O mar dos alagados a fome milenar
Nordestina universal a rútila esperança
A meninice a tia a noite sergipana
A brisa da Bahia o patriarca a puta
Fraternal suave doce triste alegre maternal
A música do cego o violão as cores desse céu
Dessa montanha dessa pedra desse chão
Desse mundo e dos olhos de Luísa
O riso dos meninos
A ausência do menino
O órfão indispensável recolhido sofrimento
Em riso rebentado em infância oferecida
Também é necessário, senhoras e senhores, ter talento
Coração sangrando, ser solidário poço de bondade
Uns olhos fundos apertados um choro não chorado
Ser cangaceiro e santo ter sofrido e amado
Como vedes, senhores e senhoras, é muito simples
Pintar um quadro assim tão belo. Só é preciso
Ter vivido.

ADONIAS FILHO

MUITO ANDARAM FALANDO, EM CERTO MO-
MENTO, NO NOME DO escritor Adonias Filho para o cargo de governador da Bahia. James Amado, íntimo de Adonias, rejubilou-se

mas não deixou de comentar com aquela língua de anjo que herdou de Gregório de Matos e não do coronel João Amado de Faria, nosso pai:

— Vai-nos dar um trabalhão apresentar Adonias aos baianos da capital!

Referia-se ao fato de ser o romancista cidadão grapiúna, menino, como eu e James, das ruas de Ilhéus. Fiel às suas origens, toma o carro no Rio, direto para Ilhéus, vai ao latifúndio em Itajuípe recolher a safra do cacau, embarca de volta para Copacabana, nem pensa em Salvador. Salvador ele a conhece dos tempos de estudante, fomos colegas no Ginásio Ipiranga (em cujo prédio morreu Castro Alves). Como eu disse, ao recebê-lo na Academia Brasileira de Letras, somos amigos desde o berço, pois amigos já eram nossos pais.

Pois muito bem: se assim é, se esse escritor da região cacaueira, a cuja humanidade dedicou o fundamental de sua grande obra de criador, pouco vem à capital do estado, por que é personagem neste livro da cidade? Grandes escritores e ficcionistas da região cacaueira são igualmente Hélio Pólvora e Jorge Medauar; grande escritor e romancista da zona diamantina é Herberto Sales e a nenhum dos três foi aqui concedido o título de cidadão soteropolitano — sim, soteropolitano, com esse palavrão horrível se designa quem nasceu em Salvador.

É que Adonias Filho, ao contrário dos outros, em certo instante, afastando-se de sua temática habitual, plantou a vida no abandonado Forte do Mar, num romance denso e belo. Fez da capital cenário de inesquecível história de amor. Desde que ele escreveu e publicou *O forte*, as paredes da velha e deserta fortaleza de São Marcelo encheram-se de vozes, ressoaram passos nos corredores onde antes havia apenas solidão; a vida renasceu. Adonias Filho aumentou a população da cidade da Bahia. Por isso aqui figura, personagem ilustre, mestre romancista, homem de sorte: escapou de ser governador.

AQUI INSCREVO SEU NOME DE BAIANO

SEU NOME RESSOOU, PELA PRIMEIRA VEZ, NO BRILHO DA INTELIGÊNCIA invulgar e na graça de moleque nascido nas ruas da Bahia, quando, estudante de engenharia, redigiu em versos uma prova de matemática. Comentou-se na cidade a inspiração e a verve do acadêmico. Talento e informalidade marcaram para sempre seu perfil belo e másculo, sua face pura.

Líder estudantil, ainda adolescente foi tomado preso, cumpriu dez anos de prisão; entre grades passou a juventude. Não se abateu, não perdeu o ânimo nem o riso, não se fez amargo. Sabia rir como pouca gente no mundo soube fazê-lo, riso franco, sadio, confiante.

Fraterno amigo, desde os dias de primeira juventude, na Bahia; depois, num longo quotidiano de esperança e desespero, no comício, no jornal, debruçado sobre os livros e sobre a vida, em meio ao povo ou nas bancadas da Câmara dos Deputados. Na chata solenidade legislativa, repontava no deputado ativo e responsável o espírito do moleque baiano, do estudante da Escola Politécnica. Subia à tribuna, punha em pânico os parlamentares. Juntos escrevemos vários discursos, lidos por outros. Num deles, enorme, passamos em revista todos os problemas do país. Pronunciado com extrema dignidade por Claudino José da Silva, único deputado negro na Assembleia Constituinte de 1946, durou quatro horas. As palavras eram pedras e raios; o tempo passava, o discurso prosseguia, eterno. Mesmo os mais reacionários ouviram em silêncio, não tiveram coragem de abandonar a sala.

Dentro dele, a ternura e a ira. Conhecia de perto a miséria e a opressão mas conhecia também a força e a capacidade de resistência do povo. De quando em vez releio seus poemas, sabiam que ele foi poeta? Ternura e ira em seus poemas simples, claros, brasileiros. Sendo homem de ação mais que um teórico, a poesia marcou cada instante de sua vida. Tudo nele era sincero, digno e puro. Se errou, o fez na busca de acertar. Em certa tribuna ilegal eu o vi chorar, como um menino órfão, quando o ídolo ruiu, rotos os pés de barro. Eu estava vazio por dentro pois soubera antes e lhe contara; não acreditou. Ao ter a prova, ficou siderado, durante certo tempo perdeu a graça e o riso; no meio do povo os recuperou. Manteve até o fim o bom humor e a pureza; amadureceu sem deixar de ser o estudante adolescente: mestiço de sangue negro e sangue italiano, como Dorival Caymmi, mistura de primeira.

Morreu numa emboscada. Deixou mulher, irmãos e filho, deixou inúmeros amigos, um povo a quem amou desesperadamente e a todos legou uma lição de invencível juventude, de inabalável confiança na vida e no humanismo.

Retiro da maldição e do silêncio e aqui inscrevo seu nome de baiano: Carlos Marighella.

ALVES RIBEIRO, ÍMPAR

PINHEIRO VIEGAS, AGRESSIVO, APOIADO NA BENGALA E NO MONÓCULO, o ar de espadachim espanhol — como o caracterizou Agripino Grieco em sensacional artigo da época — gastando a virulência de panfletário com modestíssimos adversários, destilando o veneno letal dos epigramas sobre pobres-diabos, velho lutador de queixo duro e fibra indomável, foi o patrono da Academia dos Rebeldes que um grupo de jovens mordidos pelo micróbio da literatura fundou na Bahia nos idos de 1927. Juntamo-nos em torno do velho literato famoso, cujos "Poemas da carne" haviam merecido o unânime aplauso da crítica das então únicas metrópoles brasileiras: Rio e São Paulo. Belos sonetos baudelairianos nos quais as mulheres eram "droláticas e macabras" e o mundo um estranho paradoxo. Sob a bandeira de Viegas, no Café das Meninas, a nossa rebeldia adolescente organizou-se para melhor enfrentar os bons camaradas do *Arco & Flexa*, comandados por Carlos Chiacchio, ou os simpáticos rapazes do *Samba*, Bráulio de Abreu, Clodoaldo Milton, Elpídio Bastos e outras excelentes pessoas — malditos adversários, implacáveis inimigos. Maravilhosos dias da juventude, num mundo em paz, numa cidade ainda provinciana e deslumbrante.

O velho poeta foi o patrono mas, para dizer toda a verdade, o comandante, o teórico, o que marcou, definiu, traçou a rota, foi um jovem de nossa idade, Alves Ribeiro, aparentemente acanhado e tímido, em realidade intrépido e arrojado, um moço que juntava à vocação e ao talento, que mais ou menos cada um de nós possuía, uma cultura, um conhecimento da matéria literária e da condição nacional, um sentido de humanismo, incríveis para os seus vinte anos incompletos. Com o dom divinatório dos poetas e a exatidão crítica dos teóricos, definiu nos idos de 1928 as bases em que se assentaria para sempre o trabalho criador de todos nós — uma literatura brasileira de sentido universal. Situando assim tão claramente a missão do escritor, ele determinou a obra de Edison Carneiro, os contos de Dias da Costa, a poesia de Sosígenes Costa, o romance de João Cordeiro, o de Clóvis Amorim e aqueles que eu escrevi.

Alves Ribeiro — o hoje ilustre juiz do Tribunal do Trabalho dr. José Alves Ribeiro — no primeiro número da revista *Meridiano*, órgão dos Rebeldes, em editorial não assinado mas de sua exclusiva autoria — traçou os rumos de uma literatura de sentido universal porque plantada na realidade da vida brasileira, na tradição e no caráter brasileiros, na cultura original resultante de nossa formação. Teorizando sobre criação literária no Brasil, o ensaísta adolescente opunha aos modismos europeus que dirigiam os movimentos ditos modernistas (em contraposição a eles, nós, os Rebeldes, nos afirmávamos modernos e não modernistas) uma literatura de problemas, temas, forma e sentimento brasileiros, resultando desse conteúdo nacional sua expressão universal. O conhecimento, a seriedade, a justa visão de Alves Ribeiro marcaram a obra de todos nós, fomos ou somos todos seus devedores.

Teórico da criação literária, articulista bravio, epigramista à altura de Viegas, antes de tudo e mais que tudo um grande poeta. Inimigo sem compaixão, amigo de lealdade levada ao absurdo. Por tudo isso e pela constância e firmeza de pensamento, pelo horror à literatice, pela repulsa total à chamada vida literária com sua coorte de fatuidades, Alves Ribeiro é figura ímpar, inconfundível nas letras baianas.

Quando os demais ainda navegavam no barco da Semana de Arte Moderna, envoltos em alegres bandeirolas copiadas dos diversos ismos franceses e italianos — futurismo de Marinetti, dadaísmo de Éluard e Tzara, surrealismo de Breton e Aragon — Alves Ribeiro nos conduzia para a descoberta de portos por ele antevistos: aquilo que posteriormente se designaria "literatura de 30" (note-se que o tão badalado, tão tardiamente desenterrado "regionalismo nordestino" de Gilberto Freyre, se por acaso, como dizem uns e negam outros, repercutiu em Pernambuco, jamais chegou às plagas da Bahia). Na Bahia, quem enxergou adiante foi Alves Ribeiro. De Pinheiro Viegas recebemos o prestígio do grande nome, a verve, a graça, a flama indomável, a finura. Alves Ribeiro completou e ampliou essas dádivas do velho poeta aos moços mordidos pela literatura: abriu o caminho, definiu nossa condição de escritores brasileiros.

Depois, quando a vida arrastou cada um de nós para destinos diferentes, dissolvendo a Academia dos Rebeldes, Alves Ribeiro pareceu afastar-se da literatura como se a força da amizade fosse tamanha nele, a ponto de ausência dos amigos levá-lo ao desinteresse pela crítica, pelo ensaio e pela poesia, seu dom maior. Vejo, no entanto, que ele decidiu por fim reunir em livro, infelizmente em edições fora do mercado, seus sonetos — "Sonetos do maldizer", "Sonetos do bendizer", que figuram entre os mais belos que aqui já se escreveram. Eis uma notícia realmente auspiciosa, quando tão rara e anêmica anda a poesia no Brasil em tempos de amargura. Alves Ribeiro, lúcido e claro no ensaio, faz-se solidão e sombra na poesia, envolto em densa atmosfera de mistério e sonho.

MEU VIZINHO JAMISON PEDRA

CONSIDERADO COM RAZÃO UM DOS MELHO-RES ARQUITETOS BAIANOS, meu vizinho Jamison Pedra é, ao meu ver, um dos mais sérios artistas do Brasil, a exigir com urgência a atenção dos críticos, o aplauso dos eruditos e daqueles que, sem serem eruditos, amam o desenho, a pintura, a escultura, a fotografia — é o meu caso.

Uma única restrição eu lhe faria: trabalha pouco ou pelo menos mostra pouco o seu trabalho — já se vão alguns anos de uma exposição de desenhos onde foi possível medir a qualidade ímpar das realizações do artista. Seja por dedicar a maior parte do tempo às tarefas de arquiteto e professor, ou por ser, como é, de natureza reservada, avesso à publicidade, Jamison se mantém distante das galerias, dos comentários, em sua casa da rua Alagoinhas. De meu portão, por vezes namoro-lhe a entrada do jardim, imaginando pendurados nas paredes, colocados sobre os móveis das salas, os quadros que ele esconde do público, as esculturas, as fotografias, os móbiles — Jamison experimenta e trabalha materiais diversos, e o faz sempre com resultados dignos de interesse, se bem eu ame acima de tudo seu desenho.

No território da arte baiana, Jamison Pedra é personalidade à parte, sem mestre nem influências visíveis. Seus mestres parecem-me ser a ânsia e a solidão. Um dia atravessarei a rua, baterei palmas na porta do jardim e lhe perguntarei se tenho razão ou não. Quem sabe a verdade de meu vizinho é outra, diferente? O que sei, de um saber sem dúvidas, é da beleza que ele concebe e realiza na tranquila casa da rua Alagoinhas onde se escuta o riso de crianças.

GIOCONDO, DITO NENÉM

ONDE ANDARÁ, NÃO SEI. QUAL O CAMI-NHO QUE O LEVA ADIANTE, que rua atravessa com passo firme, em que cidade vive e trabalha, em que país de seu obscuro universo subterrâneo? Não sei se está magro ou gordo, se o cabelo loiro tornou-se grisalho, se o sorriso fez-se ainda mais tímido, se as cicatrizes das balas e das punhaladas ainda o incomodam, mas imagino como deve se sentir sozinho desde que Lurdes morreu longe da pátria. Não sei sequer o nome pelo qual atende, sempre cortês e paciente, capaz de ouvir e aprender quem tanto tem a dizer e a ensinar. De seus nomes, um, quem sabe o primeiro, lhe foi dado pela mãe e é usado pelos mais próximos, seus irmãos, seus filhos, alguns poucos amigos de data antiga e maior intimidade — Neném lhe dizemos com acento de admiração e profundo afeto, em voz de amor.

Durante um tempo, vai longe, quando se decidiam os destinos do mundo e da humanidade, cruzamos juntos, num vai e vem constante, as ruas da cidade da Bahia e realizamos uma saga inesquecível. Nossa luta era a da liberdade contra a escravidão nazista, nosso sonho o mundo farto, justo e belo em lugar da miséria, da fome e da injustiça, nossa bandeira a da fraternidade, ou seja, da anistia. Num de meus romances, Tenda dos Milagres, *eu o coloquei numa tribuna de comício durante a guerra, falando em nome dos trabalhadores — em muitas tribunas ergueu a voz, na praça, no sindicato, na Câmara de Deputados, nas reuniões abertas e fechadas, mas ergue a voz apenas o necessário para argumentar e convencer, jamais para impor e violentar a opinião alheia. Nasceu para a convivência e por isso mesmo em nenhum momento suportou o dogma nem se curvou aos ídolos. Manteve-se íntegro, nem mesmo o mando o corrompeu, por jamais ter desejado o poder, querendo apenas servir. Tão decente quanto ele certamente existem outros; mais decente e leal, impossível.*

Baiano com as virtudes todas; o riso fácil, a discrição inata e a capacidade de sonhar com a aurora. Nunca será amargo quem luta por seu país e seu povo com a ambição única de concorrer na medida de suas forças para o bem comum. De quando em vez leio nos jornais que o procuram, com ódio mortal, policiais e inimigos da paz e da liberdade. Onde andará Giocondo Dias, dito Neném por sua mãe? Não sei, mas vos afirmo que esteja onde estiver estará trabalhando para que o amanhã dos brasileiros seja mais belo. Baiano com régua e compasso e uma luz no coração.

JOÃO CORDEIRO

A ACADEMIA DOS REBELDES NÃO TEVE JAMAIS DIRETORIA ELEITA: Pinheiro Viegas, velho poeta e panfletário, era o patrono; Alves Ribeiro, moço erudito, de cultura singular, traçava as normas que definiam o pensamento dos rebeldes literatos. Das agitadas sessões não se redigiam atas, tornando inútil a designação de secretários; tampouco existia tesoureiro, por não existir dinheiro algum — os sócios não pagavam mensalidade, nem recebiam jetom, e a única sede que possuímos foi a de uma tenda espírita no Pelourinho, conseguida pelas boas graças do prof. Sousa Carneiro, pai de Edison e líder esotérico, da qual fomos expulsos após a primeira reunião, pois nossa linguagem livre e desabusada maculara a pureza do ambiente religioso. Passamos a nos reunir nas mesas dos botequins, do Brunswick, do Bar Bahia, do Café das Meninas (ah!, o Café das Meninas!). Mas, sem ter sido eleito nem proclamado, João Cordeiro fazia as vezes de presidente da Academia quando tínhamos de tratar com estranhos — proprietários de oficinas gráficas, anunciantes da revista, gente de outro meio. Talvez por ser o mais velho do grupo (à exceção de Viegas, é claro) e por ter emprego fixo e mais ou menos bem remunerado — trabalhava na Mesa de Rendas do Estado —, esposa e casa montada, um jovem senhor respeitável metido com um bando de estudantes relapsos, focas de jornal, vagabundos soltos na cidade. Na mesa do bar era nosso igual no riso, na piada, no poema pretensamente moderno, no aprendizado da ficção.

Magro, nervoso, de exaltação fácil, mas incapaz de guardar resquício de rancor, era o mais terno e solícito dos amigos, atento aos problemas de todos nós. Todos pobres, nenhum mais pobre do que Edison Carneiro — o velho Sousa Carneiro sustentava a enorme família com o magro salário de professor da Escola Politécnica —, sempre em busca de dinheiro para comprar livros e, se possível, para uma visita às casas de raparigas. Para essa última e tão necessária atividade jamais juntava o capital exigido, pois o dinheiro que lhe caía nas mãos, Edison ia correndo deixá-lo nos sebos do largo da Sé. De quando em vez, João Cordeiro, zelando pelo equilíbrio emocional do amigo, fornecia-lhe os 5 mil-réis com que pagar mulher na zona. Não ficava aí, porém, sua solicitude: acompanhava Edison até ao castelo, até à porta do quarto da escolhida — "para evitar que esse filho da puta vá trepar um livro com os 5 mil-réis que lhe dei".

João Cordeiro escreveu e publicou um romance (Calvino Filho Editor, Rio de Janeiro, 1932), ao qual dera o título de *Boca suja*. O editor exigiu a mudança do título (excelente) para *Corja*, uma idiotice. Cordeiro, desejoso de ver seu livro publicado, aceitou a condição e os 500 mil-réis de direitos autorais pela primeira e única edição. Romance da vida da pequena burguesia da capital baiana nos anos 30, cheio de graça e bom humor, possuindo as virtudes e os defeitos da época, a vocação inegável do autor, e os modismos da circunstância literária, o livro de Cordeiro está a exigir uma reedição que lhe restitua o nome verdadeiro, *Boca suja*, e o faça conhecido das novas gerações. Não se pode escrever uma história da ficção baiana sem citar João Cordeiro e seu romance vivo e divertido.

Ainda hoje recordo a tarde paulista, úmida de garoa, cinzenta e triste, no ano de 1938, quando recebi o telegrama de Aydano do Couto Ferraz, anunciando-me a morte de Cordeiro: a tuberculose, alimentada pela boemia literária, levara o presidente dos Rebeldes. Foi o primeiro a partir, a nos deixar. Cada vez que atravesso o largo dos Aflitos, também denominado praça Padre Aspicuelta, lanço um olhar à casa onde viveu João Cordeiro em companhia da esposa e vejo-o, magro e apressado, atravessando a porta, um sorriso nos lábios, o amigo mais dileto, o mais atento, desmedido coração.

TAPECEIRO, PINTOR, POETA

NA SALA ÍNTIMA, DE ONDE AS SOMBRAS SE DEBRUÇAM NA VARANDA, Genaro de Carvalho fala de sua arte com humildade e paixão. Há um sortilégio de cores rompendo a sombra e a voz do mestre tapeceiro recorda fatos e homens, de sua narrativa elevam-se figuras, compõem-se ambientes. Por vezes personagens tão diversos no espaço de suas criações (se bem ligadas pelo mesmo humanismo) como Lurçat e Peregrino Júnior. Porque um e outro, o grande da França e o contista da Amazônia, influíram no destino desse homem ainda moço, com a face densa de consciência e fervorosa de ímpeto, a falar de seu trabalho.

Moço ainda, Genaro de Carvalho, no entanto, já não é um rapaz no que isso significa de açodamento, de impulso descontrolado, de fácil contentar-se. Estamos diante de um artista em plena maturidade criadora, ou seja, no instante de completo domínio de seu ofício, quando tudo se torna mais difícil, mais duramente conquistado, quando a obra se realiza numa complexidade de buscas e de soluções. Igual a quatro ou cinco outros artistas modernos da Bahia, Genaro atingiu o começo da maturidade, de sua plena inteireza, de seu mergulho mais profundo no conhecimento, do voo mais alto de sua invenção. Momento vital quando artista e artesão se fundem, quando a liberdade, a imaginação e o ofício se amalgamam para que do mundo conquistado na experiência vivida surja a beleza maior, pão tão necessário ao homem quanto o pão de trigo amassado nas padarias. Hoje pode-se e deve-se falar de Genaro de Carvalho em termos de grande arte, válida por si, sem necessitar de nenhuma espécie de limite ou consideração para afirmar-se.

Sua face é densa mas não tranquila, a maturidade esplêndida não lhe trouxe o conformismo, a satisfação fácil, o abandono da pesquisa ou o medo do novo. Nunca pesquisou tanto e com resultados tão concretos, conhecendo e dominando cada vez mais as verdadeiras conquistas da arte de nosso tempo. Distante, por outro lado, de qualquer modismo tolo, tão ao gosto de certos plásticos de força criadora reduzida ou inexistente, para os quais o truque é a solução e o engraçado substitui o verdadeiro. Genaro trabalha, pesquisa, luta com as cores, os temas, os materiais, rompe o peito, o coração, em seu trabalho nada é êxito fácil, e, sim, apaixonada e consciente vitória. No ateliê as últimas tapeçarias apontam os caminhos da busca e os acertos que iluminam a face do pesquisador. Orgulho e humildade, consciência e imaginação, eis esse homem ainda moço que é negação do aventureiro e do arrivista.

Sua tapeçaria nasce da pintura, uma pintura que é a luz da Bahia e sua sabedoria popular. Sendo tão civilizado, não deixou Genaro de Carvalho de ser em cada instante de sua criação um artista não só brasileiro — um artista baiano. Sem dúvida é essa condição de filho de sua gente e de sua terra a maior responsável pela universalidade de sua obra, pelo interesse que seu trabalho desperta mais além das fronteiras do Brasil. Porque só valemos artisticamente enquanto somos recriadores de nosso chão e de nosso povo. A tapeçaria e a pintura de Genaro, com sua sensualidade tropical e seu romântico contexto de alegoria, tão densamente sensual, tão densamente romântico, só poderiam ser da Bahia, de nenhuma outra terra. Logo nos sentimos tomados de emoção e envoltos em ternura ante o tapete e o quadro, o desenho, a moça nua na varanda, as mariposas, o grande girassol, o peixe e o pássaro desatados, a floresta, o casario, Iemanjá, a liberdade e a poesia, porque somos nós — terra e gente da Bahia — o tema e o personagem da criação e do amor desse homem sábio e sensível, tão sábio e sensível quanto o povo, por isso mesmo o oposto do primário e do fácil.

A poesia nasce aqui, em qualquer parte desse ateliê, salta do desenho, nos envolve e se alastra pela rua e pelo céu, canta sua canção livre e cálida, o poema construído por Genaro no quadro, no desenho, no tapete. Existem uns olhos de amêndoas, flama alta e macerada, uma presença de musa, antiga e irredutível inspiração, Nair de Carvalho. Toma do braço do poeta, do pintor, do tapeceiro, lá se vão os dois para seu mundo mágico e real, amassado no trabalho, no talento, na paixão.

NAIR DE CARVALHO

A PINTURA DE NAIR DE CARVALHO EXPOSTA EM SALVADOR, no Museu de Arte Moderna, em 1975, foi para muita gente uma surpresa. Acostumadas, sem dúvida, ao talento, à versatilidade, à imaginação de Nair, sabendo-a aplicada ao estudo e ao trabalho, essas pessoas não previam, no entanto, a graça, a riqueza de sensibilidade, a aura de encantamento, a postura infantil ante o mundo, que dariam a seus quadros condição imediata de sucesso e à pintora lugar próprio na arte da Bahia. Para mim e para Zélia não existiu tal surpresa. Creio sermos dos mais antigos conhecedores da real vocação de Nair, possuindo inclusive, de há muito, uma tela sua, pequena igreja das colinas baianas.

Durante anos e anos, Nair foi a companheira, a esposa, a musa de Genaro de Carvalho, o grande e inesquecível artista, vivo na magnífica obra realizada e vivo na saudade de quantos conheceram e trataram com a bondade, a doçura de caráter, a gentileza extrema de um ser privilegiado. Podemos nos dar conta hoje de como Nair se dedicou a Genaro por completo, pois da saudade sem par, da solidão em que se viu de súbito sufocada, renasceu com a pintura onde reencontrou o equilíbrio e a presença do mestre da tapeçaria.

Uma artista que toma das cores como se antes de tudo pensasse nas crianças, imaginação solta, florido campo, a paz por fim conquistada, um mundo de homens e não de feras.

OS MATOS

POR VOLTA DOS ANOS 40, O VELHO ARTUR MATOS ERA O DONO da noite da Bahia. Íntimo de Vadinho, de Giovanni Guimarães, de Mirabeau Sampaio, de Mirandão, de Waldomiro Lins, de Edgard Curvelo. Generoso e alegre, a família grande, a casa acolhedora que frequentei nos anos da guerra. Educou os filhos no amor à liberdade e na solidariedade ao ser humano.

De dois desses filhos quero falar aqui, se bem todos mereçam lembrança e citação. Almir Matos, amigo querido, deveria ter sido um grande da crítica e do ensaio literário se não houvesse tomado na juventude os caminhos generosos da luta política, da militância diária. Escreve admiravelmente bem. Quem iria realizar-se na literatura seria o irmão mais moço, Ariovaldo, um dos mais lidos e admirados ficcionistas da Bahia atual. A política também o tentou e violentou, mas não a ponto de abandonar o trabalho literário. Contista, romancista, teatrólogo, jornalista, nada que escreve é medíocre, o talento consegue sempre superar a pressa por vezes manifesta ou o circunstancial resultante da conotação política. Entre as páginas mais belas que li nos últimos tempos estão os capítulos iniciais de um romance seu, ainda inédito.

Sinto-me um tanto quanto responsável por sua literatura. Ariovaldo Matos era ainda um adolescente quando foi namorar num Festival da Juventude, em Berlim. Na ocasião, dei-lhe de presente uma máquina de escrever. Nunca mais parou de batucar os tipos.

ALTAMIR GALIMBERTI
E OS MISTÉRIOS DO MAR

O MAR FORNECE OS BÚZIOS, AS CONCHAS, AS ONDAS E A ESPUMA com que o moço Altamir Galimberti compõe as rutilantes peças onde os espelhos ou as máscaras se destacam, multiplicando o fascínio das águas e da luz.

Para quem esse espelho tão decorativo e majestoso e, ao mesmo tempo, simples como o mar em manhã de calmaria? Quem merece usá-lo, além de Iemanjá? No silêncio da Pedra do Sal, Altamir trabalha espelhos para os pejis dos orixás. Terminarão com certeza em paredes de ricas casas modernas. Mas quando, afoito marujo, ele toma do búzio e da concha, pratica um ato ritual, homenageia Janaína, saúda Oxumarê.

Sua criação tem a fragilidade de tudo que é precioso, a leveza da espuma, o encanto de uma tessitura de areia e caramujo. Arte para a admiração de quem seja sensível à invenção e à descoberta, pois tenho para mim que as peças de Altamir Galimberti vão-se revelando aos poucos, contêm o marulho das ondas e uma secreta adivinha cuja chave apenas o artista possui.

Prestativo como ele só, atencioso, afável, parece criatura simples, sem complicações. Mas seu sorriso enigmático lembra-me o de Sosígenes Costa. Os poetas e os artistas de mar escondem, na singeleza dos modos, mistérios de almas complexas, capazes da brisa e da tempestade.

NA MODÉSTIA E NA DISCRIÇÃO

JUNTO NA MESMA PÁGINA OS NOMES DO PROFESSOR DE DIREITO José Martins Catarino e do filósofo Manuel Joaquim de Carvalho Neto, porque um e outro, situando-se entre as mais expressivas figuras intelectuais da Bahia, escondem-se na modéstia e na discrição, trabalham e realizam silenciosamente, distantes de qualquer ruído publicitário.

É bem verdade que Zezé Catarino, quando jovem, foi desportista de nome nos jornais: *center-half* do Vitória, campeão de tênis, jogador de basquete — no basquete brilhou, ainda mais do que ele, seu irmão Betinho, o bom Alberto Catarino, meu compadre. Mas a obra de peso do jurista, do homem de saber dedicado à luta pela democracia, do mestre de cátedra exemplar, José Catarino a executa no retraimento, como se temesse deturpá-la ou poluí-la se dela fizesse praça.

Essa modéstia projetou-se sobre sua mulher, Regi, impedindo-a de aventurar-se nos caminhos da literatura, que a atraem e tentam. Publica apenas algumas crônicas nos jornais, suficientes para que se constate sua vocação.

Certa vez, em Paris, passava com meus filhos diante da livraria da Presses Universitaires, no Boulevard Saint-Michel; João e Paloma eram ainda ginasianos. Apontei-lhes na vitrina ilustre um grosso tomo de filosofia, cujas virtudes afirmativo cartaz recomendava, celebrando o autor renomado. Expliquei aos meninos que esse filósofo, lido e admirado em francês, era baiano: Manuel Joaquim de Carvalho Neto, habitante da Barra, importante na França, praticamente desconhecido no Brasil.

Um exagerado da modéstia, Manuel Joaquim. Ainda mais enrustido do que Zezé Catarino. Está na hora de aplaudi-los, de proclamar a importância desses baianos, o que tento fazer aqui, violentando o silêncio em que se escondem.

CAMAFEU DE OXÓSSI EM DOIS TEMPOS

I. NO VELHO MERCADO MODELO

No velho Mercado Modelo, Camafeu de Oxóssi, obá de Xangô, solista de berimbau de capoeira e proprietário da Barraca São Jorge, aberto em riso, cercado de objetos rituais, de obis e orobôs, ensina mistérios da Bahia às loiras turistas de São Paulo ou de Nova York. A cortesia é grande, o saber maior, o preço barato. Se lhe pedirem, ele tomará do berimbau e tocará.

Nas portas do Mercado joga-se dominó, gamão e dama, por vezes aparece um baralho, faz-se então necessário olho vivo e muita competência. Lá dentro vende-se de um tudo: peixe e carne, arraias e polvos, siris e caranguejos, farinha e fruta, objetos de prata e cobre, figas, madeiras esculpidas, trabalhos em jacarandá, bonecas negras, colares, pulseiras, Exus de ferro e opaxorôs, bolsas de palha, cestas, e tudo quanto se utiliza nas obrigações de candomblé. Em sua barraca de ervas rituais, Iaiá Filomena dá consultas, resolve problemas sentimentais e econômicos. Ciganas leem a sina, contam do passado e do futuro.

Mestre solista de berimbau, Camafeu de Oxóssi gravou dois elepês com os cantos de capoeira mais belos, alguns velhos do tempo da escravidão ou da Guerra do Paraguai:

Volta do mundo, ê!
volta do mundo, ah!
Eu estava lá em casa
sem pensá, sem maginá
e viero me buscá
para ajudar a vencê
a guerra do Paraguá
camarado ê
camaradinho
camarado...

Esses cantos estão cheios de lembranças da vida dos escravos: "No tempo em que eu tinha dinheiro, camarado ê, comia na mesa com ioiô, deitava na cama com iaiá... Depois que dinheiro acabou, mulher que chega pra lá, camarado, camaradinho ê...". Contam da guerra, da escravidão, das lutas dos negros. Dos negros que souberam conservar para nós tanta riqueza, tantos bens de cultura, tanta beleza. Outros são improvisados no repente da brincadeira e, repetidos, permanecem e se tornam clássicos:

Bahia, minha Bahia,
Bahia do Salvador,
Quem não conhece capoeira
Não lhe pode dar valor.
Todos podem aprender
General e até doutor.

No Mercado, em meio a seus orixás, aos colares e às figas, queimando o incenso purificador, rindo sua gargalhada, saudando são Jorge. Oxóssi, rei de Ketu, o grande caçador. Camafeu comanda a música, o canto e a dança. Um baiano dos mais autênticos, um dos guardiães da cultura popular. Homem que possui o saber do povo, um desses que preservam o passado e constroem o futuro.

II. NO NOVO MERCADO MODELO

Atravesso o novo Mercado Modelo em companhia de Camafeu de Oxóssi. Com talento e paixão, talento de arquiteto e paixão de baiano, Valdomiro Cunha instalou o mercado em quadro magnífico, no velho edifício da antiga Alfândega, na orla do mar, entre saveiros e pequenos navios do Recôncavo, quase à sombra do Forte de São Marcelo, num cenário único de beleza. Abraço amigos, população ruidosa e cordial. Camafeu ri para uns e outros, ele é a própria alma do Mercado.

Compositor, mestre solista de berimbau, obá de Xangô, Ossi Obá Aresá, filho de Oxóssi, preferido de Senhora, amigo de Menininha e de Olga do Alaketu, o riso cortando o rosto, dono da amizade. Em sua barraca, em prosa sem compromisso, numa conversa largada como só na Bahia ainda existe, sem horário e sem obrigações temáticas, podem ser vistos o pescador, a filha de santo, o pintor Carybé, o passista de afoxé, o governador do estado, o compositor Caymmi, a turista loira e esnobe, a mulata mais sestrosa e Pierre Verger, carregado de saber e de mistério. A barraca de Camafeu é ponto de reunião, é mesa de debates, é conservatório de música. Na cidade do Salvador a cultura nasce, se forma e se afirma em bem estranhos lugares, como por exemplo, uma barraca do mercado. Também nas mesas dos restaurantes populares onde as moquecas, os xinxins, o vatapá, o caruru, o efó são criações inigualáveis de arte. Na arte da culinária baiana todas as artes se reuniram. Camafeu de Oxóssi está agora, com seu berimbau e sua picardia, seu riso largo e sua voz molhada, em meio à riqueza e à cor da comida baiana, servindo vatapá e alegria num dos dois restaurantes do novo Mercado. Ao lado da esposa Toninha, de fala mansa, de face terna e firme vontade, lá se vai Camafeu pelos caminhos da Bahia, invencível com seu santo guerreiro. Vir à Bahia e não ver Camafeu é perder o melhor da viagem. Ele é um obá, um chefe, um mestre.

O REI DE ITAPUÃ

I. CALÁ E A MADEIRA

Com sua luz em preto e branco, explodindo vez por outra no vermelho, com sua luz cavada no mistério da madeira, retirada de seu cerne, mestre Calasans Neto, que amamos todos chamar simplesmente Calá, o bom Calá, ilumina nossa beleza baiana e a engrandece.

Sem dúvida, nasceu artista e gravador, entalhador, e sua missão ele a cumpriria de qualquer maneira, de qualquer jeito, fosse como fosse. Para cumpri-la, porém, assim com tanta consciência, força e sensibilidade, com essa grandeza, foi-lhe necessário somar ao talento e à vocação os dotes de um caráter sem concessões, de um coração de homem generoso e alegre. Ah! a alegria de viver de mestre Calá é uma lição de vida e esse homem de pequena estatura se mede por sua coragem, sua fibra, seu sentimento vital, seu amor aos seres e às coisas; e que grande homem!

Beleza de madeira, beleza da paisagem baiana, da cidade, do mar e do rio: as praias quase abstratas de tão impossíveis, as rochas como tartarugas, o grande sol e a doce lua, os saveiros, os navios no rumo do Recôncavo, as pequenas cidades sonolentas, as igrejas de ouro ou de pedra e o casario, as cabras e as baleias, eis as gravuras e as talhas de Calasans Neto, filho e pai da Bahia, nascido de seu ventre e parindo sua beleza. Ele nos acrescentou, nos deu algo de real, nos fez mais ricos. Tomou de nosso mistério e o recriou, tomou de nossa condição baiana e lhe deu termos de arte, perenidade e universo.

Gosto de vê-lo sorrir enternecido com um detalhe qualquer, o salto de um gato, olhar do pequinês, gosto de vê-lo diante da madeira a socavar, a retirar do vegetal a pedra e o cimento das casas, a luz e o sol, a cabra e a baleia, e o nosso mar verde-azul de Iemanjá. Sua Iemanjá é Auta Rosa, esposa e flor, nesga de aurora, e lá vai mestre Calá com sua bem-amada pela mão. Riem os dois, contentes e dispostos. Mas mestre Calá vê a beleza e também o drama: sua Bahia é poética e dolorosa, mágica e pobre. Porque Calasans Neto sabe toda a verdade da Bahia, é de sua terra e de seu tempo, nele artista e homem são um ser único, indissolúvel.

II. BILHETE DE TEREZA BATISTA
A CALASANS NETO

Seu Calá, quero lhe dizer que se eu não gostasse tanto de dona Auta Rosa, minha madrinha de crisma, pelo caráter minha irmã de santo, ia me amancebar com vosmicê e acho que dava certo, pois tenho olho para conhecer quando homem bom de bico é bom de cama — e vosmicê, ah! com certeza!

E não venham os invejosos com a conversa que não pode haver nada entre nós dois por ser vosmicê meu criador, meu pai a meias, de parceria com o outro, o que me concebeu primeiro. Com esse, sim, seria incesto pois ele me pariu. Mas com vosmicê, não tinha nada disso, pai de criação não tem impedimento e ainda fica o gostinho do proibido, a fazer mais picante a brincadeira. Para sua mão de goiva eu fui menina e vosmicê me fez mulher completa, me vestiu e desnudou, deu medida a meu busto, modelou-me os seios, traçou a curva de meus quadris, e quando me viu formosa, em dengue e picardia, toda enfeitada, me levou mundo afora a passear. Me exibiu em Londres, em Paris, Lisboa, em Washington, em Roma, nos quatro cantos do Brasil, e existe uma Tereza Batista de Calá. Quando passo na rua, assim me reconhecem, criatura sua, feita de madeira e sonho. Feita de desejo? Me diga vosmicê, fale a verdade, não suspire apenas.

Se não me desejou, por que então pôs uma flor em meu xibiu? Foram três a colocá-la? Meu pai, o verdadeiro, vosmicê e ainda o moço Dorival Caymmi que compôs uma canção em meu louvor? Talvez seja verdade, mas quem modelou minha flor de ouro, quem transformou a brasa em labareda quando com a mão de fogo me tocou? Quem me deu a cor da aurora?

Não fosse eu estimar tanto minha madrinha Auta Rosa, com vosmicê me amigava, ia ser rainha em Itapuã. Mas sendo direita, não atraiçoo a amizade. Com dona Rosa, vosmicê está bem servido, até demais, ela é esposa, amante, irmã e mãe como para mim foi doutor Emiliano: amásio, amante, irmã e pai.

Receba um beijo que lhe envio. Se pudesse lhe daria em pessoa mas sou

prudente e lhe digo, seu Calá, como lhe disse aquele homem em Paris: é perigo-
so! Vosmicê é perigoso, sabe coisas, tem voz macia, cabelo fino, bom de se passar
a mão em cima, é sonso como quê, é um caboclo mamador. Até mais ver, meu
segundo pai, sou sua filha e namorada (diga a minha madrinha que namoro de
caboclo é casto afeto, amor platônico como classificaria tio James, moço de le-
tras), sempre às ordens Tereza Batista de Calasans Amado.

III. SOBRESCRITO NUM
ENVELOPE LEVADO EM MÃOS

Exmo. sr. José Júlio Geiger de Calasans Neto
Mestre da talha e da gravura Calasans Neto
Dito mestre Calá na intimidade dos amigos mais chegados
Membro do Conselho de Cultura do Estado da Bahia
Conselheiro do bom aconselhar
Presidente, vice-presidente, diretor artístico, gráfico, paginador
e bedel das Edições Macunaíma
Ilustrador de poesia e prosa
Artista de cinema, galã é claro
Emérito contador de anedotas
Concertista de jazz
Cidadão de Nova Orleans, Bruges, Berna e Copenhague
Parceiro de Vinicius de Moraes
Neto de mulato e de alemão
Pastor de cabras e baleias
Sócio do Victoria Sporting Club, da capital inglesa
Noveleiro
Nome de rua em Chico City
Colaborador assíduo de várias colunas sociais
Cenógrafo dos filmes de Glauber Rocha, o que não é pouca besteira
Com o mesmo Glauber, Paulo Gil e Sante Scaldaferri, fundador
da revista *Mapa* em priscas eras
Globe-trotter
Playboy ao volante de carro de corrida
Calá I, rei de Itapuã
Em menino, moleque reinador

Antigamente rapaz namorador, bolina célebre
Hoje fiel esposo da ilustre senhora professora Auta Rosa
Condição primeira e principal desse glorioso filho da Bahia
Orgulho de seus amigos e concidadãos
Morador na rua da Amoreira, a quem é subscritado este envelope
Levado em mãos por Aurélio Sodré, motorista competente.

IV. CALÁ CONSTRÓI MONUMENTOS

Calasans Neto não dorme sobre os louros. O sucesso, os elogios da crítica, o reconhecimento nacional e internacional de sua obra de gravador e de pintor não o fazem acomodado, a viver da glória conquistada. Inquieta flama criadora está sempre a iluminar novos caminhos para a arte deste baiano cuja competência tem a mesma medida do talento incomum.

Assim é: ajuntar-se às gravuras, às talhas, às águas-fortes, pintura, vemos agora na cidade do Salvador monumentos elevados por Calasans Neto, revelação de escultor. Dois belos monumentos, um nas proximidades da rua Amoreira, em Itapuã, onde vivem o artista e sua senhora e musa, o outro na avenida que leva o nome de um amigo de Calasans, ali colocado por ele em prova de bem-querer. Sobre esse monumento não falarei, pois o amigo homenageado sou eu próprio, e a escultura, fusão de letras e máquinas de escrever, alta de 16 metros, ergue-se no início da avenida que tem meu nome. Mas quero dizer do impacto de quem chega ao fim da Orla Marítima, em Itapuã, e se depara com a poderosa e bela visão de outra escultura — feita de ferro e latão — que ali se eleva, Marco do progresso, símbolo do futuro.

Com seus monumentos, Calasans Neto enriquece a cidade, dignifica e amplia sua beleza, benemérito cidadão.

GLAUBER ROCHA

SÃO JORGE DE LANÇA ERGUIDA CONTRA O DRAGÃO DA MALDADE, barroco, transbordante, irrequieto, jamais inteiramente satisfeito, buscando novos horizontes, traçando caminhos. Em verdade seu horizonte é a Bahia, seus caminhos são os do Brasil.

Nunca será cidadão de outro burgo, jamais armará sua tenda em outra areia. Vai mundo afora, conduzindo o espanto, o grito e o clarão. Mas os pés marcham impreterivelmente para a praça do Pelourinho, onde está plantado seu coração.

Parido na Bahia, do conúbio da cidade com o sertão, do povo com a terra, do antigo com o moderno, do passado com o futuro. Surge na encruzilhada, está na frente dos demais, sabe o segredo inteiro e vai de peito aberto. Glauber Rocha, outra força da natureza, mar-oceano, cachoeira, um incêndio.

DADÁ, VIÚVA DE CORISCO

NO BARBALHO, VIVE MINHA AMIGA DADÁ, VIÚVA DE CORISCO, o célebre lugar-tenente de Lampião. Amparada em muletas — perdeu uma perna nos combates do bando — trabalha como uma desesperada para sustentar a família enorme, quantidade de netos; todos dependem dela, acumulados nas duas peças da acanhada residência. Nem assim vencida, tampouco triste. Mesmo quando conta de suas dificuldades — muitas e grandes — não se deixa abater. Como deixar-se abater quem correu o sertão, armada com o clavinote, lutando contra os macacos fardados, vencendo-os quase sempre, ao lado de seu homem, de seu bravo, corajoso homem, sob as ordens do inesquecível capitão Virgulino Ferreira Lampião? Com orgulho ela relembra a saga indômita, a legendária travessia de emboscadas, de combates, através da árida caatinga. Foi a irmã de Maria Bonita, na coragem, no denodo, as duas musas do cangaço.

Era menina quando Corisco a levou na garupa do cavalo. Hoje envelhece sobre a máquina de costura, será que envelhece? Eu a vejo moça ainda, tão forte e decidida. Faz as mais belas bolsas do mundo: os embornais que costurava para os cangaceiros, idênticos. Muitas dessas bolsas tenho levado para a Europa, de presente para amigas, fazem o maior sucesso. Se o visitante quiser possuir ou oferecer uma lembrança da Bahia, trabalho artesanal realmente belo, vá ao Barbalho, pergunte na ladeira dos Perdões onde vive Dadá, a viúva de Corisco, e compre um embornal. Um, dois ou três, caso encontre tantos. Aproveite pois sendo tarefa por demais trabalhosa, poucas são feitas cada mês.

Naquela casa mais parecida com um buraco, na pobreza mais completa, vive uma das figuras mais dignas da cidade, uma heroína verdadeira, um patrimônio da Bahia.

TRÊS MOMENTOS DE CARLOS BASTOS

I – D. CARLOS BASTOS, PRÍNCIPE DA BAHIA

Há em torno dele certa atmosfera que faz recordar a Renascença, como se Carlos Bastos, em sua casa sobre o mar, tão bela e tão sua, fosse uma espécie de governador das belezas da cidade da Bahia, de mandatário das ruas e ladeiras, das praias e das águas negras da lagoa do Abaeté. Sobretudo como se fosse ele, d. Carlos da Bahia, o capitão dos anjos e dos santos de todas as igrejas da cidade, inclusive daqueles que já emigraram dos templos para as coleções, como se ainda os fosse resgatar das mãos de Odorico Tavares, de Mirabeau Sampaio ou do poeta Carlos Eduardo. Em torno do pintor Carlos Bastos, há um resplendor, uma aura quase angelical. Vem de sua capacidade de receber a vida e aceitá-la gratuitamente, com um prazer de viver e de criar que faz de toda sua obra um ato de amor. Não creio ser possível a Carlos Bastos trabalhar senão sobre aqueles temas que são sua carne e seu sangue. Por exemplo, a cidade da Bahia, aquela que circunda sua casa e está a seus pés, dele enamorada. Outros se enamoram da Bahia, a ela se entregam, fazem-na sua terra e sua mãe amantíssima. Carybé assim o fez, mestre Carybé, o baiano por excelência. Com Carlos é diferente: é a cidade a enamorada desse último anjo, escravizada ao príncipe derradeiro. Ele e a cidade são como dois inseparáveis amantes, falar de Carlos é falar da Bahia — e como conhecer a Bahia sem conhecer a obra do pintor e desenhista que todas as manhãs a retrata, e todas as tardes em sua obra outra vez a constrói na montanha e no mar?

D. Carlos Bastos, príncipe fugido da Renascença para as ruas da Bahia.

II. O MONSTRUOSO SECTARISMO

O sectarismo é uma desgraça, conduz sempre à maldade, ao erro, à violência. Sectarismo de qualquer espécie que seja, de qualquer lado. Os sectários são responsáveis pelas inquisições, pelos campos de concentração, pelos assassinatos em massa, pelas limitações à cultura. O sectarismo degrada qualquer ideologia religiosa ou política, corrompe o ideal mais nobre.

Há alguns anos, no Rio de Janeiro, Carlos Bastos foi vítima de violenta agressão de um grupo de sectários. Carlos é hoje o mais importante muralista brasileiro e se dispôs a realizar dois grandes murais na capela do parque da Cidade com a aprovação dos responsáveis pelo templo. Feitos os estudos, Carlos iniciou os painéis. Acontece que neles apareciam algumas figuras nacionalmente conhecidas e da admiração do pintor, ao lado dos santos e do Cristo que centralizava um dos murais. Lá estavam Di Cavalcanti, Djanira, Dorival Caymmi, Pelé, Caetano Veloso, Gal Costa, Ibrahim Sued, Adolfo Bloch, Maria Bethânia, Vinicius de Moraes e eu — como se vê, figuras as mais variadas. Pois bem: alguns padres, desses que a gente pensa não mais encontrar nas fileiras da Igreja, e alguns pretensos intelectuais levantaram-se contra os murais, achando que nas paredes de uma igreja católica não podiam figurar ateus, árabes e judeus, que jogador de futebol não pode ser anjo, quanto mais o romancista baiano que escreve estas linhas.

Travou-se a batalha e apesar do apoio de figuras ilustres e importantes da vida religiosa, cultural e política, Carlos não pôde continuar seu mural. Há males que vêm para bem, diz o povo, com razão. Desgostoso, Carlos Bastos, que estava residindo no Rio, voltou para a Bahia de onde nunca devia ter saído. Aqui, num edifício em plena rua Chile, há um painel de sua autoria no qual Genaro de Carvalho, Zezé Catarino, Mário Cravo, Sante Scaldaferri e eu somos bispos; Nilda Spencer e Régis Catarino são santas, e santos são Luiz Jasmin e Carybé. Na Bahia, Carlos Bastos não é amigo do rei: filho do rei, é o Príncipe Herdeiro.

III. A PROCISSÃO DE BOM JESUS DOS NAVEGANTES, OBRA MAIOR

Voltou Carlos Bastos para a Bahia, aceitando o convite de Antonio Carlos Magalhães para realizar aquele que é o maior painel do Brasil: a recriação, no novo edifício da Assembleia Legislativa do Estado, da Procissão de Bom Jesus dos Navegantes que a cada Primeiro de Janeiro corta as águas da Bahia de Todos-os-Santos numa devoção dos pescadores a dona Janaína, rainha do mar. Diante do espaço imenso da parede principal do plenário da Assembleia, Carlos sentiu-se feliz e pôs mãos à obra. O resultado é uma das criações plásticas mais importantes da Bahia e do Brasil, obra monumental e definitiva.

Nos barcos da procissão, numa festa de cores, ele retratou as figuras mais marcantes da vida cultural baiana em todos os setores, a começar por Edgard Santos: na literatura, nas artes plásticas, na música, somando a esses mestres da cultura as expressões mais eminentes, da vida popular, de mãe Menininha do Gantois a Cosme de Faria e Camafeu de Oxóssi. O fato de que houve uma corrida de penetras políticos e subintelectuais todos querendo figurar na procissão — e alguns conseguiram, quem pode com essa gente! — não diminuiu em nada a qualidade e a importância do grande painel. Importância plástica e também histórica. Carlos Bastos fixou um tempo de nossa cultura, um tempo importante.

Em sua casa na Pedra do Sal, o príncipe Carlos Bastos reina sobre a cidade da Bahia. É ele quem comanda o mar e as ruas que renascem cada dia em sua palheta mágica.

O BAIANO DE PARIS

LUÍS VIANA FILHO, HISTORIADOR DE INDISCUTÍVEL PROJEÇÃO, consagrado pela crítica como autor de biografias modelares, membro da Academia Brasileira de Letras, exerceu o governo do estado — pois além de escritor é político militante — em momento particularmente difícil e o fez com extrema dignidade, honrando sua condição de escritor. Para se ter ideia dos problemas que enfrentou, basta dizer que o acusaram por haver colaborado para a monumental edição das *Obras completas* de Gregório de Matos, da Editora Janaína. Certamente, a desconfiança a cercá-lo provinha de se tratar do biógrafo de Rui Barbosa, Joaquim Nabuco, Rio Branco, Machado de Assis, indivíduos suspeitos, todos eles. De quê? De democracia, de liberalismo. Dou testemunho, de seu comportamento exatamente por sermos adversários na conjuntura atual. No entanto, quando da ditadura do Estado Novo, para derrubá-la conspiramos juntos, por ocasião da guerra contra o nazismo.

Luís Viana Filho, escritor e político, resulta da matriz baiana de Rui Barbosa, liberal, atenta aos direitos humanos. Faz parte de uma geração brilhantíssima, de presença marcante na vida da cidade. Intelectuais de elite, com o cordão umbilical ligado a mestre Rui, uns mais à direita, outros mais à esquerda, mas, unânimes, ao guardar fidelidade a certos princípios fundamentais. Homens da importância de Anísio Teixeira, Aliomar Baleeiro, Hermes Lima, Nestor Duarte, Jaime Junqueira Aires.

Mistura de duas grandes civilizações: a baiana e a francesa, feliz mistura, Luís Viana Filho nasceu em Paris e foi registrado na cidade do Salvador, na Misericória. Eu o vi, governador, beijar a mão da rainha da Inglaterra e a mão da ialorixá Menininha de Gantois, quando o povo festejou os cinquenta anos de mãe de santo de uma filha de escravos, rainha da Bahia.

ANÍSIO TEIXEIRA E SEUS
COMPANHEIROS DA GERAÇÃO DE OURO

PARA MIM, O NOME DE ANÍSIO TEIXEIRA É SAGRADO. ANÍSIO foi dos primeiros a me dar a mão quando comecei a escrever. O único emprego público que exerci em minha vida foi o de seu auxiliar de gabinete quando ele era secretário de Educação do antigo Distrito Federal, no governo de Pedro Ernesto. Exerci o cargo exatamente durante uma semana; em seguida Anísio Teixeira teve de fugir e eu fui para a cadeia, pois desencadeava-se a reação em consequência do levante de novembro de 1935.

Grande homem, dos raros a merecer realmente esse título, foi sempre olhado com desconfiança pelos donos do poder, pois, tendo reformulado por completo a pedagogia brasileira, modernizando os métodos educacionais, buscando dar instrução e cultura a todo o povo, os obtusos governantes enxergavam nele terrível bolchevique. Existiram exceções, é claro: Otávio Mangabeira, eleito governador da Bahia, fez de Anísio seu secretário de Educação.

Inteligência invulgar, trabalhador infatigável, nasceu para servir e serviu, como bem poucos o fizeram, ao progresso do Brasil. Não conheceu descanso, deu-se por inteiro, era um ser maravilhoso.

Principal de uma geração brilhantíssima, geração de ouro, como disseram na Bahia desse grupo que incluía Aliomar Baleeiro, homem de extraordinária integridade moral, parlamentar e jurista, cuja atuação serve de exemplo. Político, pode ter por vezes se enganado no julgamento de males e de remédios. Mas quando assim acontecia não hesitava em autocriticar-se, como o fez antes de morrer. Tinha a devoção da liberdade. De Luís Viana Filho, também expoente do grupo, falo noutra página deste livro. Quanto a Nestor Duarte, talvez o mais vibrante e inquieto, permaneceu jovem até o último dia de sua vida. Escreveu dois romances, era sobretudo magnífico personagem, companheiro para qualquer idade. Hermes Lima ocupou todos os cargos, de primeiro-ministro a ministro do Supremo, serviu ao Brasil na cátedra e na cadeia. Escritor de primeira água, seu livro de memórias, *Travessia*, é um depoimento insubstituível na história moderna do Brasil. Jaime Junqueira Aires, homem de talento e de decência inata, completa a lista esplêndida dos companheiros de Anísio.

WALTINHO

EM OUTRA PARTE DESTE LIVRO JÁ ME REFERI A ACIDENTADO FESTIVAL de música baiana, realizado no Teatro Castro Alves, invenção de Carlos Coqueijo, de cujo júri participei ao lado de Caymmi, Cyva, Oscar Castro Neves, Manuel Veiga e do finado Walter da Silveira. O público, garotada contestatária e radical, estava indócil, exigindo a vitória de seus preferidos entre aplausos e vaias, mais vaias do que aplausos.

Em meio a esses preferidos encontrava-se um rapazola, Walter Queirós Júnior. Teve meu voto porque sua composição, de gostoso ritmo brasileiro, falava em povo, na época palavra subversiva. Anos depois escrevi algumas linhas para a contracapa de seu primeiro elepê e tentei resumir a verdade do moço compositor, afirmando ser ele um filho do povo. Penso ter acertado.

Waltinho busca na vida popular inspiração para a melodia e o poema. Sente com a massa, participa das tristezas e das alegrias, fala dos problemas da luta e da esperança, e seu canto de amor é dos mais belos.

Quando Marcel Camus escolheu os compositores para o filme que realizou, baseado em *Os pastores da noite*, recomendei-lhe os nomes de Antonio Carlos e Jocafi, e o de Walter Queirós Júnior. O que os três realizaram em matéria de música para o filme todos sabem. Se há algo de perfeito na película da Orfée Arts é a trilha musical, completada pela voz singular de Maria Creuza.

Vale a pena ver Waltinho eufórico no Carnaval, à frente do Bloco do Jacu, apresentando sempre uma nova marcha, um novo sucesso. Vale ainda mais ver a alegria explodindo no rosto de Luz da Serra, mãe orgulhosa, feliz com o êxito do filho para o qual muito concorreu. Luz da Serra é uma parada, com ela ninguém pode. Mãe amantíssima, boa amiga.

O CONTISTA NO MIRANTE

DO MIRANTE DOS AFLITOS, O CONTISTA DIAS DA COSTA CIRCUNDOU o olhar sobre a vida popular da cidade, viu tudo quanto se passava de alegre e triste. A pobreza, a miséria, o conflito, a solidão. O canto, a roda de samba, o Carnaval, a festa, a luta, a esperança e o amor. Nada lhe escapou. Com essa matéria rica de luz e sombra, de choro e riso, construiu sua obra, sua canção do beco, suas histórias de aflições. Contista da cidade da Bahia: distante de suas ruas, nunca pôde tocar outra temática. Manteve-se no alto do mirante, a perscrutar.

Meu compadre, meu irmão na adolescência solta, nos cafés de subliteratos, nas casas familiares de mulheres da vida, nas madrugadas. Ele apareceu no Bar Brunswick, onde nos reuníamos, trazidos pelo dono de uma revista de cavação para que julgássemos se Oswaldo Dias da Costa tinha capacidade para arranjar algumas páginas de anúncio numa prefeitura do interior — onde estava uma namorada a quem Oswaldo queria visitar. Ficou a tarde inteira, na prosa. Quando saiu, Pinheiro Viegas disse:

— Para arranjar anúncio não presta, para literato é ótimo.

Não foi visitar a namorada no interior, permaneceu no bar, tomou da vida e a recriou. A cidade da Bahia dos anos 30 está inteira nos seus contos de becos e aflitos.

O CONTISTA NO SAVEIRO

QUANDO VIAJO PELO ESTRANGEIRO E ACONTECE-ME VER EXPOSTA nos balcões das livrarias uma coletânea de contos brasileiros, eu compro um exemplar, sem sequer espiar-lhe o índice, para levá-lo de presente a Vasconcelos Maia, pois com certeza, entre as histórias selecionadas para a antologia, encontra-se uma de autoria do ficcionista dos *Contos da Bahia*, do *Leque de Oxum*, do *Cavalo e a rosa*, das *Histórias da gente baiana*. Anda em muitas línguas, traduzido, promovendo a Bahia pelo mundo afora.

Não é apenas um contista da cidade (um realista lírico, mesmo seus contos mais fortes de sexo possuem uma áurea romântica), é um cidadão de Salvador, sabe tudo das ruas, becos, festas, tradições. Foi ele quem primeiro considerou a Bahia em termos de turismo, criando a base mínima que possibilitou o notável desenvolvimento posterior.

Homem ligado ao mar, ao pensar nele, recordo Xavier Marques, há entre os dois um parentesco de ilhas e praias. Vasconcelos Maia prolonga a cidade nas águas do golfo, tem saveiro, veleja pela Bahia de Todos-os-Santos. Intelectual vinculado à vida popular, é ossi de Pierre Verger no Opô Afonjá, amigo dos capoeiristas — seus filhos, magníficos rapazes, são bons de estudo e de capoeira — freguês do restaurante de Maria de São Pedro. Um vitorioso, sob todos os aspectos. Por que então, Carlito, esse resquício de amargor?

De seu escritório, na Companhia de Navegação Baiana, comanda o mar, governa as ilhas, dirige os ventos, namora a cidade.

WILSON LINS, CHEFE DE JAGUNÇOS

CHEFE DE JAGUNÇOS, PARA NÃO FUGIR À TRADIÇÃO DA FAMÍLIA. Mas, ao contrário de seus ancestrais, os jagunços, às ordens de Wilson Lins, se bem vivam intensamente, só o fazem nas páginas dos romances sobre a região do rio São Francisco. Em quatro (até o momento em que escrevo) fortes livros sertanejos, de sucesso aqui e em Portugal, narrou a saga das lutas em que seu pai, o coronel Franklin Lins, grande figura cuja memória recordo com afeto e saudade, se viu envolvido.

Conheci Wilson quando ele andava pelos 15 anos de idade, já mordido pelo vírus da literatura e somos amigos fraternais desde então, não conheço pessoa melhor. Nasceu para fazer literatura, para nenhuma outra coisa, e desde menino escreve e publica: romances, crônicas, panfletos, terrível polemista, artigos, epigramas. Wilson maneja com graça e malícia essa ferina arma tão baiana. Com Lafayette Spínola e

Clóvis Amorim, formava o derradeiro trio dos epigramistas da cidade. Clóvis e Lafayette já se foram, resta apenas Wilson a manejar o fino e mortal florete do epigrama. Seu único erro foi querer fazer outras coisas além de escrever. Fez política, foi deputado, secretário de Estado, presidente de Assembleia. Homem direito, enojou-se, como é natural. Quis ser empresário; homem honesto, viu-se enrolado. Tem mania de ser arquiteto, já destruiu várias casas belíssimas. Para suas tentativas fora da literatura, abro exceção somente para a carreira do jogador de pôquer, digna de elogios. Parceiro da melhor qualidade. Mesa de pôquer com ele, Yves Palermo, João Batista de Lima e Silva (um dos homens mais inteligentes da Bahia, jornalista excepcional), David Araújo e Mirabeau Sampaio é um perigo. Eu e Odorico Tavares cansamos de perder e, por que não dizer a verdade?, de ver nosso ralo dinheiro ser surripiado na base do blefe. Wilson adora ir ao jogo com um par de oito. E ganha! Católico, atribui seus lucros no pôquer à proteção divina, não se refere às trapaças. Fora disso, é o mais leal dos amigos.

SAMUEL QUERIDO DE DEUS

JÁ COMEÇAM OS FIOS DE CABELO BRANCO NA CARAPINHA DE Samuel Querido de Deus. Sua cor é indefinida. Mulato, com certeza. Mas mulato claro ou mulato escuro, bronzeado pelo sangue indígena ou com traços de italiano no rosto anguloso? Quem sabe? Os ventos do mar nas pescarias deram ao rosto do Querido de Deus essa cor que não é igual a nenhuma cor conhecida, nova para todos os pintores. Ele parte com seu barco para os mares do sul do estado onde o peixe é farto. Quantos anos terá? É impossível saber nesse cais da Bahia, pois de há muitos anos que o saveiro de Samuel atravessa o quebra-mar para voltar, dias depois, com peixe para a banca do Mercado Modelo. Mas os velhos canoeiros poderão informar que mais de sessenta invernos já se passaram desde que Samuel nasceu. Pois sua cabeça já não tem fios brancos na carapinha que parece eternamente molhada de água do mar?

Mais de sessenta anos. Com certeza. Porém, ainda assim, não há melhor jogador de capoeira, pelas festas de Nossa Senhora da Conceição da Praia, na primeira semana de dezembro, do que Querido de Deus. Que venha Juvenal, jovem de vinte anos, que venha o mais célebre de todos, o mais ágil, o mais técnico, que venha qualquer um e Samuel Querido de Deus mostra que ainda é o rei da capoeira na Bahia de Todos-os-Santos. Os demais são seus discípulos e ainda olham espantados quando ele se atira no rabo de arraia porque elegância assim nunca se viu...

Existem muitas histórias a respeito de Samuel Querido de Deus. Muitas histórias que são contadas no Mercado e no cais. Americanos do Norte já vieram para vê-lo lutar. E pagaram muito caro por uma exibição do velho lutador. Uma loira de Chicago se apaixonou por ele, quis levá-lo embora.

Certa vez fui procurá-lo. Dois cinematografistas queriam filmar uma luta de capoeira. Samuel chegara da pescaria, dez dias no mar e trazia ainda nos olhos um resto de azul e no rosto um resto de vento sul. Prontificou-se. Fomos em busca de Juvenal. E, com as máquinas de som e de filmagem, dirigimo-nos todos para a Feira de Água dos Meninos. A luta começou e foi soberba. Os cinematografistas rodavam suas máquinas. Quando tudo terminou, Juvenal estendido na areia, Samuel sorrindo, o mais velho dos operadores perguntou quanto era. Samuel disse uma soma absurda na sua língua atrapalhada. Fora quanto os americanos haviam pago para vê-lo lutar. Tratei de explicar então que aqueles eram cinematografistas brasileiros, gente pobre. Samuel Querido de Deus abriu os dentes num sorriso compreensivo. Disse que não era nada e convidou todo mundo para comer sarapatel no botequim em frente.

Podeis vê-lo de quando em quando no cais. De volta de uma pescaria com seu saveiro. Mas com certeza o vereis na festa da Conceição da Feira derrotando os capoeiristas, pois ele é o maior de todos. Seu nome é Samuel Querido de Deus.

DAVID SALLES ELEVA UM
MONUMENTO A XAVIER MARQUES

ACOMPANHO O TRABALHO DE DAVID SALLES DESDE A PUBLICAÇÃO, há uns vinte anos, de um livro, prefaciado por Eduardo Portella, reunindo contos de quatro jovens baianos. David Salles era um dos quatro. Durante certo tempo, a ficção ocupou o lugar primordial em sua escrita. De repente, porém, bifurcou-se o caminho, David fez-se professor universitário, crítico e ensaísta.

Sua tese de mestrado teve como tema nosso mestre romancista Xavier Marques e foi recentemente publicada em volume por Ênio Silveira. É um estudo magnífico — monumento, o primeiro grande monumento erguido em memória do autor de *Jana e Joel*.

Merece sem dúvida todos os louvores. Contudo, eu ainda espero a volta do contista, do romancista, do criador de vida. Sei que a ficção não está abandonada para sempre. Quem possui a vocação e as qualidades de David Salles não pode reduzir-se a estudar a criação dos outros, tem a sua própria a realizar.

A PODEROSA FAMÍLIA CRAVO

I. O FERREIRO DE EXU
VULGO MÁRIO CRAVO

Ferreiro saído dos infernos, coberto de fogo e aço, comido de goiva e ácido, os bigodes arrogantes, devassos, quase agressivos, os olhos de insônia, a boca em gargalhada, eis o guerreiro Mário Cravo em luta com o ferro bruto, a madeira pesada e ilustre, a pedra morta, para sempre morta mas, de repente, viva em sua mão, em seu talho, em sua forja, em seu destino deslumbrado e louco, em seu criar sem descanso. O ferro já não é mineral bruto, é o orixá mais poderoso, a fonte cristalina, a mão de onde brota a água e se derrama na boca dos sedentos. Da madeira adusta nasce o mistério de Iemanjá, senhora do mar da Bahia, nasce o cangaceiro do bando de Lampião e do latifúndio feudal, nasce Antônio Conselheiro, capitão da guerra dos pobres, boca de praga, braço de acusação. A pedra se transforma em flor, a flor mais suave e delicada, a mais terna flor, a flor da bem-amada. A madeira, a pedra, o ferro, na forja dos infernos, nas mãos do derradeiro Exu da Bahia são a flor, a água, a poesia, a vida mais vivida e mais profunda. Uma força da natureza por um capricho dos deuses desencadeou-se na Bahia: Mário Cravo, o escultor.

II. CRAVO NETO PARA
OS ÍNTIMOS MARIOZINHO

Dura condição a do artista filho de artista famoso. Além da batalha de cada um para ir adiante em seu ofício, tem de lutar contra a sombra paterna poderosa. E quando essa sombra é a de um mestre do porte de Mário Cravo, aí então o combate torna-se desigual. Pois bem: esse jovem Mariozinho, que assina seus trabalhos com o nome de Cravo Neto (seu pai é, em verdade, Mário Cravo Filho, pois há o velho Mário Cravo sobre quem logo falarei), não se afligiu com as dificuldades, bem do seu estava, bem do seu ficou, a trabalhar. Apenas mostrou na I Bienal da Bahia suas primeiras peças de escultura e já arrebatou o prêmio mais cobiçado. Não o dirigia no entanto a ambição de prêmios e sim a do trabalho persistente, sério, consciente, humilde e orgulhoso. Tocou para diante, viajou, aprendeu, quebrou a cabeça, rompeu o peito.

Transa artes diversas e tudo ele faz bem. Fotógrafo da melhor qualidade, suas exposições aí estão e os filmes que iluminou e fotografou, para que outras provas? Desenhista de primeira ordem e escultor de indiscutível força, de vitoriosa afirmação. Sem dúvida muito aprendeu com o pai, mas se nas veias dos dois artistas corre o mesmo sangue, cada um tem sua presença, sua marca, não é possível confundi-los.

III. JORGE CRAVO, O TAPECEIRO

Jorge Aminthas Cravo, Cravinho, irmão e tio dos antes citados, um inquieto durante longo tempo; não sei se sobre ele pesava a glória do irmão. Andou rondando as fronteiras da literatura, suas crônicas tinham um parentesco próximo com as de Sérgio Porto, refletiam um homem pleno de doçura e de sutileza, espantado ante o horror do mundo, jogado para trás, buscando uma solução jamais alcançada. Andou se batendo até que um dia apareceu empunhando uma quantidade de tapeçarias; acertara, descobrira seu caminho.

Genaro de Carvalho criou a tapeçaria baiana e a elevou alto com talento e sensibilidade incomuns. Depois de seu sucesso — e sobretudo depois de sua morte — começaram a surgir aos borbotões tapeceiros de todos os tipos, aventureiros vindos das plagas mais diversas, cada qual pior. Raros os que, como Renot, se salvam da maré montante dos medíocres fazedores de tapetes e não de tapeçarias. Felizmente surgiu Jorge Cravo para nos lavar a alma com a beleza de sua criação e a seriedade de seu trabalho.

Rapidamente fez-se senhor do ofício difícil, a arte ele a trazia dentro de si. A tapeçaria de Jorge Cravo retrata sua posição diante da vida, sua clara e doce esperança, a ternura, uma luz matinal acesa para iluminar os homens.

IV. AS RAÍZES, A MUSA E ALGUNS RAMOS DA ÁRVORE

Quando digo raízes quero referir-me ao velho Mário Cravo, pioneiro, bravo, duro, infatigável, rico e pobre, ganhando e pondo fora, fazendo esses filhos ilustres e dando-lhes total apoio, agora milionário de netos. Outro dia ele publicou um livro ingênuo e comovente contando suas lutas. Não é um testamento e sim um testemunho, mesmo porque ele continua na trincheira.

A musa não pode ser outra senão minha comadre Lúcia Cravo, a sustentar nas frágeis, nas erguidas mãos as loucuras da família inteira. Por mais poderosa seja a família Cravo, não o é mais do que Lúcia, esposa, mãe, avó. Vai ao leme do barco, no culto baiano é Janaína.

Ramos se espalharam, muitos e diversos. Artistas que Mário lançou, alguns definitivos, outros menos, que importa? Irmão pelo sangue e pelo bem-querer, o museólogo Renato Ferraz, de obstinada convicção. Uns tempos genro, sempre filho, o cineasta André Luiz, explosivo talento educado no ateliê de Exu.

DOIS NETOS DO BOCA DO INFERNO

DOIS COMPADRES, SÓCIOS EM TRANSAÇÕES, DOIS ROMANCISTAS, dois risos soltos, risos que são ao mesmo tempo ranger de dentes, duas criaturas caras ao meu coração: James Amado e João Ubaldo Ribeiro, o do *Chamado do mar* e o do *Sargento Getúlio*.

Netos de Gregório de Matos, bocas do inferno, ei-los na praça da cidade, em prosa desatada, um comendo o basto bigode, o outro coçando a gaforinha, duas línguas de prata, incapazes de falar mal de quem quer que seja. Porque, segundo eles, não criticam a vida alheia, apenas proclamam verdades. Ambos de fácil irritação, explosivos, cometem injustiças, sem dúvida, mas, em verdade, eu vos digo que são ternos corações, amam a cidade da Bahia e sua gente, gostariam que o mundo fosse puro e decente. João me deu de afilhada uma criança linda. James me deu uma valente, leal e doce irmã, Luíza, sua mulher, deu-me as sobrinhas mais encantadoras, fez-me parente de Graciliano e Heloísa.

Um nasceu em Ilhéus, terra cuja civilização foi assentada sobre o mel do cacau e o sangue dos homens. O outro nasceu em Itaparica, em plena luta pela Independência, está brigando até hoje. Depois de ter recriado o povo grapiúna, James voltou-se para Gregório de Matos, atração de parentesco intelectual, reeditou-lhe a obra e estudou o poeta e sua poesia, traçou por fim o perfil daquele que nos pariu a todos, restituindo-lhe a face verdadeira.

Tendo acompanhado o pai, um jurista que não despreza o clavinote, a Sergipe, João Ubaldo fez do chão e do povo do estado vizinho território e herói de uma saga desmedida, sem igual na literatura contemporânea do Brasil.

Gregório de Matos os pariu, ao que dizem. Pela qualidade da literatura que escrevem e pela língua que usam, sangue dos homens nos romances, veneno destilado na praça da cidade, bocas do inferno, alguma verdade existe na adivinha. Mirabeau Sampaio, homem experiente e sábio, personagem predileto dos dois compadres, me afirma que são anjos de bondade. Quem sabe, tem razão.

O BENEMÉRITO RESCALA

ESSE PINTOR RESCALA, FILHO DE LEVANTINOS, HERDEIRO DA CULTURA do Mediterrâneo, amoroso das igrejas e das baianas de torso e bata, é um benemérito da cidade do Salvador que um dia o acolheu e a ele se entregou, pois entre os seus preferidos a Bahia coloca os árabes, jamais soube resistir ao Oriente.

Não só porque a pintou mil vezes em seus quadros — praias, barcos, velames, igrejas, mulatas, casario — sempre com a mesma emoção e o mesmo amor profundo, mas porque salvou tesouros de arte num trabalho silencioso não porém menos importante. Eis Rescala no Museu de Arte Sacra, eis Rescala na Casa dos Sete Candeeiros, eis o mestre restaurando, descobrindo, revelando, enriquecendo a cidade. Mestre Rescala, merecedor de todos os títulos, de todos os prêmios, de toda a gratidão. Mestre na Escola de Belas-Artes, no Salão, no Patrimônio Artístico e Histórico, mestre nas ruas da cidade, tímido e impetuoso, longe de toda a vaidade, trabalhando, construindo, com saber, talento e amor.

O TROVADOR RODOLFO COELHO CAVALCANTI, REI DO CORDEL

CREIO QUE RODOLFO COELHO CAVALCANTI É HOJE O MAIS IMPORTANTE e conhecido trovador popular do Brasil, poeta famoso na literatura de cordel e líder de sua classe. Anda de um lado para outro, Brasil afora, participa de congressos, reúne colegas, discute, luta, tudo faz para elevar e dignificar a poesia popular da qual é arauto de primeira grandeza.

Reside no bairro da Liberdade, na cidade de Salvador, onde tem pequena gráfica para composição e impressão dos folhetos que merca e vende nas ruas da cidade, de preferência no Terreiro de Jesus, coração popular da Bahia. Os autores de literatura de cordel são ao mesmo tempo autores, impressores, editores e vendedores de suas obras, e muitos cortam na madeira as admiráveis gravuras das capas.

A qualidade das trovas, da poesia de Rodolfo Coelho Cavalcanti, é das mais altas, ele é o rei do cordel. Vale a pena lembrar que em concurso do *Correio da Manhã*, há uns quinze anos, quando o *Correio da Manhã* era o grande jornal do Rio de Janeiro, para saber qual o Príncipe dos Poetas Brasileiros, a ocupar o trono vago com a morte de Olegário Mariano (que por sua vez substituíra Olavo Bilac), o conhecido romancista Paulo Dantas deu seu voto a Rodolfo, homenageando a poesia popular e seu famoso intérprete.

Seus folhetos têm enorme circulação, imenso público. Poucos escritores podem se orgulhar de tiragens semelhantes às de Rodolfo Coelho Cavalcanti. Trovas simples e ternas, aí vai a mostra:

A rede do nordestino
Quer na alegria ou no pranto
Faz velho ficar menino
No vai e vem do acalanto.

CAETANO DE MATOS
CASTRO ALVES VELOSO

DE QUANDO EM VEZ, NO CORRER DO TEMPO, QUANDO SE FAZ NECESSÁRIO, Gregório de Matos e Castro Alves, os nossos pais, se levantam da imortalidade, elevam as vozes de tempestade e música. Ora um só, ora os dois juntos, quando a conjuntura exige. Por exemplo, nos anos atuais: voltaram os dois ao mesmo tempo e o protesto, a criação, a recusa à mentira, à tristeza, à miséria, à opressão, explodem — Castro Alves na praça do povo, restaurando sua soberania; Gregório de Matos, varrendo o lixo, soltando a gargalhada livre, corrosiva, amarga — na obra do compositor e poeta, grande compositor, grande poeta, Caetano Veloso, o filho de dona Canô e de seu José, o irmão de Bethânia, nascido em Santo Amaro da Purificação. Devia assinar-se Caetano de Matos Castro Alves Veloso.

GIL NO AFOXÉ

HÁ EM SUA MÚSICA ALTIVEZ DE REI NEGRO, SUOR DE TRABALHADOR das docas e das fazendas, marca funda de terra plantada e de caatinga seca, perfume agreste. Pungente melodia — mesmo a mais alegre e festiva, a mais popular e maliciosa, entre suas composições, possui a cicatriz do tempo passado a bordo do navio negreiro e no mercado de escravos. Cidadão livre, cidadão em permanente luta para que a dignidade e a liberdade sejam reais e não apenas esperança. Na frente do afoxé, Gilberto Gil comanda o baile e a batalha, com ele vêm os combatentes de Zumbi, no quilombo de Palmares. Ao mesmo tempo, seu riso é um riso de criança, puro, um riso de amor.

O POETA FLORISVALDO MATTOS

BELO ESPETÁCULO, O DE UM POETA EM PLENA MATURIDADE CRIADORA, ainda estuante de força e já senhor do verso experiente. Momento único e de duração mínima em que se somam no ato da criação o fogo da juventude e o conhecimento do ofício. Hora solar na carreira do poeta, quando, ao vê-lo entregue à livre inspiração e de posse do saber aprendido, todos compreendem que ele assumiu o lugar devido e sua voz é coletiva.

Exatamente o que se passa nessa década de 70 com o poeta Florisvaldo Mattos. Poesia madura, ardente e sumarenta, invenção e experiência. Seu livro mais recente, *Fábula civil*, enche as medidas daqueles que buscam e amam a grandeza da criação poética. Situado entre os poetas vindos do modernismo — mestre Godofredo Filho, Alves Ribeiro, Carvalho Filho, Hélio Simões, para citar apenas os vivos — e os mais jovens que se afirmam — Fernando da Rocha Perez, Myriam Fraga, Cid Seixas, Carlos Cunha, Ruy Espinheira Filho, tantos outros — Florisvaldo Mattos vive a poesia em plenitude.

Itabunense, grapiúna, homem de jornal, cidadão de extrema dignidade, grande poeta. O adjetivo é esse: grande, não há outro. Uma poesia do homem para o homem.

DETY, A DAS MÃOS DE FADA

HONRA-SE A ILHA DE ITAPARICA DE SER O TORRÃO NATAL DE DOIS dos mais fulgurantes talentos da Bahia: João Ubaldo Ribeiro, romancista, e Gildete Maria de Jesus França, de apelido Dety, de profissão cozinheira.

Se o visitante for a Itaparica — e deve ir — não deixe de aparecer na hora do almoço ou do jantar, na rua Virgílio Damásio, número 3. Comerá como jamais comeu tão bem em toda a sua vida, pois minha boa comadre Dety tem mãos de fada, é mestra de forno e fogão — pode haver igual em Paris, em Pequim, na cidade do México, na Bahia, melhor não há, com certeza.

A culinária baiana adquire no trato de Dety o mais fino sabor. Certa vez levei meu irmão Joelson e minha cunhada Fany para o almoço em casa de comadre Dety. Regalaram-se. Fany, que é de pouco comer, saiu do sério nesse dia, pensei que ela ia estourar de tal maneira lhe souberam os quitutes de Dety.

Quanto a mim, gosto de tudo quanto ela tempera, mas confesso minha preferência pelos cuscuzes: de puba, de milho, de tapioca, de arroz. E os mingaus?

Mulher valente, boa demais, coração de ouro, como se não bastassem as mãos de fada. Casada, não tem filhos: adotou, alimenta, veste, sustenta, fornece escola e livros a todos os meninos que vivem no cortiço onde fica escondido um dos melhores restaurantes do mundo, a casa de Dety. Não tem nome, sequer, esse restaurante e possui apenas duas mesas, mas a comida! ah! a comida, louvados sejam Deus e minha comadre Dety!

Vale a pena visitar Itaparica por muitos motivos históricos e turísticos: para banhar-se nas praias maravilhosas; admirar a casa onde nasceu João Ubaldo, na qual, em breve, inauguraremos placa comemorativa; para comer as delícias feitas por Dety e sobretudo para conhecê-la. Dety é uma das criaturas mais fabulosas do mundo baiano.

TRÊS MEMBROS DA ACADEMIA DOS REBELDES

I. CLÓVIS AMORIM

Dos jovens que em 1927, sob a inspiração do poeta Pinheiro Viegas, constituíram na cidade da Bahia a Academia dos Rebeldes, sediada no Terreiro de Jesus, na sala de um Centro Espírita obtida por empréstimo devido a empenho do professor Souza Carneiro, pai de Edison Carneiro, continuamos vivos apenas Alves Ribeiro, Dias da Costa, Aydano do Couto Ferraz e eu.

O primeiro a morrer foi João Cordeiro, autor de curioso romance de costumes citadinos, publicado em 1933, sob o título de *Corja*, por exigência do editor Calvino Filho, que implicou com o título original excelente: *Boca suja*. Ainda hoje sinto um aperto no coração ao recordar a triste e brumosa tarde paulista de 1938 quando recebi o telegrama de Aydano anunciando a morte de Cordeiro.

Foram-se depois, um a um, Dias Gomes (irmão do teatrólogo), médico de profissão e autor, nos tempos de estudante e literato, de contos e poemas, Da Costa Andrade, Sosígenes Costa, Edison Carneiro, Walter da Silveira e Clóvis Amorim — sem falar no mestre e patrono, Viegas, já homem maior de setenta anos quando da fundação da Academia, que faleceu cego porém lúcido e sempre cáustico, em 1932, se não me falha a memória. É o Pedro Ticiano de meu primeiro romance, *O país do Carnaval*; mandava a neta ler os trechos em que, inexperiente aprendiz de romancista, tentei traçar-lhe o perfil.

Na Academia dos Rebeldes, Clóvis Amorim era o companheiro mais alegre, mais arrebatado, o de vida mais largada. O mais responsável sem dúvida pela medida de expulsão decretada contra nós pelo responsável do Centro Espírita que cometera a loucura de dar abrigo a instituição tão rebelde não só às leis vigentes da literatura como às próprias leis de Deus, aos códigos da moral burguesa. Pois os palavrões pronunciados, as heresias proclamadas na reunião inicial fizeram descer na sessão do Centro que se seguiu à instalação da Academia uma coorte de espíritos da mais baixa categoria, todos péssimos, condenados aos círculos mais atrasados do astral; certamente à frente de todos, nosso pai Gregório de Matos com sua boca de inferno. Boca de todos os infernos, a de Clóvis Amorim, além de tudo armada de fétido charuto de tostão.

Ginasiano de irregular frequência às aulas, como todos nós, aliás, cedo abandonou os estudos para dedicar-se a negócios variados, de alambique de cachaça à fazenda de gado, de empreitadas oficiais ao jogo de ronda — penso que não tinha vocação para nenhum desses ofícios, nem sequer para o jogo de ronda. De ronda e de pôquer, proclamava-se mestre finório de manhas e truques, deixando-se no entanto roubar em Feira de Santana, na ronda, por profissionais de baralhos marcados, e perdendo em mesa honesta de pôquer (uso o adjetivo com as naturais reservas) em casa de Wilson Lins, onde Mirabeau Sampaio, David Araújo, Yves Palermo e o dono da casa tomavam facilmente o dinheiro de Clóvis.

Para nenhum daqueles ofícios, tinha vocação, nem para a política que chegou a tentar, candidato a deputado pelo Partido Socialista. Poderia ter vindo a ser, isso sim, um grande romancista, para tanto sobrava-lhe talento. Dono de um estilo original, cheio de invenção e graça, com dois traços punha de pé, inteiro e vivo, um personagem. Em 1934, publicou *O alambique*, romance sobre a região açucareira do Recôncavo, anunciando para logo depois novo livro: *Massapê*. Estreia aplaudida pela crítica da época, promessa de um ficcionista com ampla perspectiva, só 25 anos depois veio ele a escrever o prometido e esperado *Massapê*, ainda hoje inédito. Em verdade, Amorim amava mesmo era viver romances e não escrevê-los. Grande romance foi sua vida: as trapalhadas, os negócios confusos, as noitadas, o jogo, os epigramas corrosivos, o riso generoso. Seu maior personagem foi ele próprio, exagerado, ruidoso, escondendo sob a rusticidade dos modos o coração amorável.

Rapazolas, palmilhamos juntos, inseparáveis, as ruas da Bahia, comemos — quando havia dinheiro — nos restaurantes mais vagabundos, habitamos nos cubículos dos casarões do Pelourinho, amamos as mulheres mais pobres, de romântico e puro amor em míseros castelos, lindas meninas em cujo seio fatigado derramávamos nossa agreste poesia de subliteratos adolescentes.

Assim o recordo, o charuto nos dentes, jovem quase imberbe, alto, irônico, brigão, ameaçando nossos desafetos com os epigramas e a grossa bengala afanada ao pai, coronel do Recôncavo. Quando chegávamos à total falta de dinheiro — o que acontecia com frequência — íamos filar a boia em casa de seu irmão Alfredo, causídico de renome, homem de posses, bom sujeito.

Wilson Lins, católico sertanejo ou seja devoto apenas do Senhor Bom Jesus da Lapa, em sua gruta no rio São Francisco, arrastava Clóvis em peregrinações ao santuário milagroso, mas não conseguiu jamais convertê-lo em romeiro decente. Lá chegando, Amorim partia para perder dinheiro nas roletas clandestinas, rogando ajuda ao santo. Nem assim ganhava.

Eu estava viajando no estrangeiro quando ele morreu. Só muito depois soube do acontecido. Foi como se houvesse perdido um pedaço de mim mesmo.

II. EDISON CARNEIRO

Encontrava-me no Rio em 1973 quando faleceu Edison Carneiro, meu amigo de toda a vida, meu irmão. Fui vê-lo na capela do São João Batista, lá encontrei Madalena, sua mulher, Nélson, seu irmão de sangue, e Dias da Costa, irmão na fraternidade nascida na juventude livre e solta nas ruas da Bahia, nos fins da década de 20. Juntos, choramos os quatro.

Não recordo se foi Alves Ribeiro ou Clóvis Amorim quem denominou de Brasil a vasta casa, nos Barris, onde residia a família do professor Souza Carneiro, catedrático da Escola Politécnica, ensaísta, romancista, matemático, chefe espírita, vidente, político, homem boníssimo, uma das criaturas mais extraordinárias que conheci. Dizíamos Brasil para designar a mansão por ser ela enorme, anárquica e abandonada à própria sorte.

Família numerosa, muitos filhos, em tudo era pródigo o professor.

Um dos rapazolas de então — envolvido em lutas estudantis — é hoje o eminente senador Nelson de Souza Carneiro, a batalhar pelo divórcio e pela liberdade. Pergunto-me o que foi feito de Philon, um dos mais moços, ao tempo barulhenta motocicleta, correndo a casa toda em alta velocidade, a imitar os ruídos mais estridentes da máquina em que se incorporava. Todos talentosos os vários irmãos; amavam as letras e a ciência no exemplo do pai, mas Edison, ah! Édison tinha uma estrela acesa no peito, o amor ao povo que dirigiu seus passos e comandou a construção de sua obra monumental.

Com ele e Dias da Costa, meu compadre Oswaldo, vivi profunda e intensamente a vida popular da Bahia, na saga de nossa adolescência maravilhosa: atravessávamos os dias e as noites nos cafés de literatos mas sobretudo nas feiras, nos mercados, nas festinhas juninas, nas pensões de raparigas, nos saveiros, nas moquecas na rampa do Mercado, no sarapatel nas Sete Portas, nas casas de santo, nos pejis dos orixás e na luta antifascista, irredutível. Edison passava as férias de fim de ano em casa de meus pais em Ilhéus, minha mãe o queria como se ele fosse seu filho.

Juntos, Edison, Dias e eu escrevemos para *O Jornal*, órgão da Aliança Liberal, na Bahia, em 1929, o folhetim "El Rey", publicado em livro, sob o título de *Lenita*, em 1930, por um editor do Rio de Janeiro, A. Coelho Branco Filho. Até hoje não entendi que razão ou loucura levou o citado editor a aceitar e a publicar por sua conta e risco os magros originais assinados por inéditos subliteratos provincianos, novela tão ruim que para escrevê-la foi necessário reunir três audazes jovens ávidos de glória: um apenas não conseguiria.

Mestre emérito dos estudos sobre o negro brasileiro, sobre nossa formação cultural, o folclore, a cidade da Bahia, a História do Brasil, autor de ensaios literários de rara acuidade crítica — seu livro sobre Castro Alves é admirável interpretação do poeta e de seu canto libertário — poucos escritores brasileiros realizaram em nosso tempo obra tão vasta e tão notável, poucos elevaram tão alto a dignidade do ofício das letras, poucos se conservaram tão fiéis ao povo brasileiro e à condição primordial de baiano.

Edison foi amado e respeitado desde muito moço pela gente da Bahia. Quando do golpe do Estado Novo, procurado pela polícia, buscou refúgio no Axé Opô Afonjá, onde mãe Aninha o escondeu no peji de Oxum, entregando-o aos cuidados daquela que seria a futura mãe Senhora. Hoje é nome de rua, no bairro pobre, de intensa vida popular, dos Pernambuês, nome de escola pública, de prêmio literário do estado da Bahia, mas sua memória persiste viva sobretudo na saudade do povo, para o qual o nome de Edison Carneiro é sinônimo de luta pelo futuro. De luta por dias melhores, quando o canto que ele recolheu, a música que registrou, a dança que estudou, ao contato com as mães de santo e os babalaôs, em cuja sabedoria buscou a verdade de nossa condição brasileira, quando tudo isso se transformar em festa num mundo de justiça e de fartura, quando a aurora raiar sobre a realidade e a magia. Edison ergueu as bandeiras e as desfraldou ao vento, era um sábio e um soldado.

III. WALTER DA SILVEIRA
Todas as vezes que encontrava Walter da Silveira, eu lhe perguntava:

— Walter, você está de bem ou de mal comigo?

Zangava-se facilmente, sensível, exigente na amizade.

Quantas vezes sentiu-se ofendido por mim? Por qualquer de seus amigos, os mais queridos?

Jamais dei importância aos calundus, jamais levei a sério as zangas de Walter. Amigos desde a adolescência, continuamos fraternos até sua morte. De quando em quando, James Amado, também seu íntimo, me avisava: Walter está danado com você. Meu Deus, que teria eu feito de errado? Ligava o telefone para ele:

— Como vai, Walter, o que é que há? Estamos de mal ou de bem, me diga.

Do outro lado do fio, a voz magoada, a queixa sentida:

— Mandei um recado para você avisando que no domingo o cineclube ia exibir um filme tchecoslovaco, *Um dia, um gato*, uma película formidável, e você não apareceu.

Desculpava-me, dizia de meu tempo curto e de minha preguiça longa, ademais conhecia o filme, realmente ótimo, lastimava apenas ter perdido as infalíveis palavras introdutórias pronunciadas por Walter, informadas e elucidativas, elogiava o cineclube, uma de suas múltiplas realizações em benefício do cinema na Bahia. Ele abrandava, ria, voltava às boas, alegre, feliz, passado o amuo.

Homem de bem, exato, de escrúpulos até exagerados. Brigou com muita gente, nunca quis mal a ninguém. Escritor admirável, dono de uma prosa límpida, soube de cinema como nenhum outro no Brasil. Infelizmente, da obra projetada sobre o tema de sua predileção publicou apenas um volume de ensaios e o estudo sobre Chaplin. Estava escrevendo o livro que seria a grande história do cinema brasileiro — li os primeiros oito excepcionais capítulos — não teve tempo de terminá-lo. O nome de Walter da Silveira, seus artigos e ensaios, a presença fecunda, o incansável esforço estão na base do Cinema Novo — que o diga Glauber Rocha.

Concorri para uma das últimas alegrias de sua vida. Já muito doente, desenganado, sabendo-me de viagem para a Europa, fez-me portador de um exemplar do ensaio sobre Charlie Chaplin para que eu o entregasse ao gênio de *Luzes da ribalta*. Ao entregar, disse da importância de Walter e de seu precário estado de saúde. Comoveu-se Chaplin e lhe escreveu uma carta de agradecimento e estima, sei que Walter a recebeu e se sentiu feliz.

Advogado de operários, trabalhou como um forçado, foi pobre a vida inteira. Mas teve a riqueza da esposa admirável, Ivani, da irmã boníssima, dos filhos e filhas que ele adorava, dos amigos fiéis, que até hoje choram sua morte. Todas as vezes que eu encontro Francisco Pithon, dono de cinemas, a primeira palavra que pronunciamos, um e outro, é o nome de Walter da Silveira, e assim revemos, junto a nós, risonho ou amuado, o amigo inolvidável.

MIRANDÃO

NÃO VOS CUSTARÁ CARO. A NÃO SER QUE O JOGO VOS SEJA AGRADÁVEL porque então Mirandão dividirá os lucros e não participará do prejuízo. Mas, fora disso, poderá ser apenas uma ceia gostosa, com cerveja, precedida de uma cachaça forte, num restaurante qualquer sórdido e de admirável cozinha, nas ruas de mulheres perdidas. Ele não vos contará apenas uma história. Serão muitas e cada qual mais emocionante. Nunca, jamais ninguém narrou tão bem. E notai que ele é modesto pois quase sempre sai perdendo nessas histórias espantosas. É uma espécie de Quixote amoral. Quixote da boêmia em decadência. Contra ele dizem muita coisa. Porém ele não se preocupa com o que dizem.

— Sou um amante medíocre... — informa, e é começo de uma história de amores contrariados com uma senhora casada que por ele se apaixonou.

Mirandão anteviu todo um futuro grandioso. Dinheiro a rodo, já que o marido era rico, boas roupas, bons charutos, fichas para o jogo, bons sapatos, perfumes, além do resto. Fez projetos e nesse dia comprou um queijo para levar para casa onde os filhos o esperavam, pois é excelente pai de família. Já que perspectivas tão risonhas se abriam em sua frente poderia gastar um queijo, por conta. A provável amante marcara um encontro para o outro dia.

— Sou um amante medíocre... — informa e detalha seu fracasso.

Pode ser que tudo seja mentira. Para que discutir, no entanto, se os detalhes são tão bem escolhidos, se a história é tão perfeita, se Mirandão paga tão admiravelmente a ceia que lhe estais oferecendo numa imunda baiuca na qual se cozinha o melhor vatapá da Bahia?

Sua profissão é, há dez anos, a de estudante de agronomia. Está no segundo ano e de seis em seis meses ele coleta dinheiro entre os amigos e admiradores para ir ao interior (onde fica a Faculdade de Agronomia) realizar provas parciais. Não vai, adia os exames para o ano próximo. Mas os que contribuíram já sabiam que ele não iria. Mirandão precisa manter sua profissão. Se ele deixasse de ser estudante perderia parte de sua imensa dignidade. Podereis encontrá-lo todas as tardes em frente ao Palace-Hotel, irrepreensível em sua roupa bem passada, o colarinho duro, a gravata-borboleta, o rosto largo sorrindo através dos dentes pequenos e podres. À noite estará em qualquer parte onde haja jogo e possibilidade de ceia. Tem um faro para descobrir quem vai cear, que é digno de melhor estudo por parte dos cientistas. Ides pela rua, ainda não decidistes se chegou a hora de cear, e Mirandão se aproxima, balançando a grande cabeça sorridente. Seu olho se abre simpático e inicia a conversa. Ele sabe onde se pode nesta noite comer um efó maravilhoso. Podeis ir, sem susto.

Todos o conhecem e geralmente o estimam. Sua voz é ligeiramente oratória e ele ama certos termos difíceis que mistura à gíria malandra em que é mestre. Parece um deputado e o seria com certeza se ainda houvesse eleições decentes e fosse dado direito de voto aos malandros, aos jogadores, aos boêmios, às prostitutas.

É impossível contar uma das suas histórias com o mesmo sabor com que ele a narra, o garfo suspenso, a voz pausada e solene, um gesto preciso, por vezes apenas o silêncio e o olhar que tudo explica. Mas, tão somente para melhor defini-lo, vos contarei um caso com que ele pagou ceia memorável onde cerca de oito pratos caracteristicamente baianos foram vencidos por quatro jornalistas e o estudante de agronomia Mirandão:

— Estávamos numa festa no Rio Vermelho. Festa de Largo, com quermesse e moças passeando em torno do jardim. Eu estava com Mário, Mário Gonçalves, um que bebe muito, pode perguntar a ele se não foi verdade. Chegaram mais duas pessoas, dois senhores que conhecíamos pouco. Um era comerciante e o outro eu só sabia que remava para o Itapagipe. Pensei que Mário os conhecesse melhor, só depois vi que não. Estávamos todos conversando e bebendo uma cachaça com ervas que igual não se faz mais, quando atravessou o Largo certa moça, vestida de vermelho. Ia de braço com um rapaz que era um cavalo de forte. Mário, que não se aguentava de bêbado, comentou apontando a moça de vermelho:

— Aquela não é mais moça... Só não sei qual o castelo que ela frequenta...

Olhei a moça e logo reconheci. Informei:

— Rua São Miguel, 16, Castelo de Mãezinha...

Então o moço que remava para o Itapagipe perguntou:

— Qual?

— Aquela de vermelho — indicou Mário que quase caiu quando estendeu o braço. Estava bêbado demais.

— Aquela mesma... — disse eu. — Vinte mil-réis e não vale.

— Aquela de vermelho? — O casal passava exatamente em nossa frente.

— Aquela sim — reafirmamos eu e Mário.

Então o moço que remava para o Itapagipe chamou o casal. Vieram o rapaz e a moça. Quando chegaram junto da gente, o que remava disse, como quem apresenta:

— Essa é minha irmã e esse é o noivo dela.

E perguntou a Mário:

— O que foi que você disse que ela fazia?

Mário, mais bêbado que uma égua, respondeu:

— Frequenta castelo. Putíssima!

E voltou-se para mim:

— Não é, Mirandão?

— Rua São Miguel, número 16. Castelo de Mãezinha...

Mirandão suspende a narração, olha tristemente como a perguntar o que podia ele fazer senão apoiar o amigo. E conclui:

— Perdi três dentes com o soco. Mas Mário teve que ir para a Assistência.

Assim são as suas histórias. Com vários palavrões e inúmeros gestos. A ceia ficará barata. Nunca mais o esquecereis.

O COMENDADOR TAVARES

LEIO NA GAZETA DE JORGE CALMON QUE O POETA E JORNALISTA Odorico Tavares vem de receber a Ordem do Mérito da Bahia; a partir de agora é comendador. Não sei se o título solene lhe irá bem, a solenidade não é o forte de mestre Tavares, mas o mérito e a Bahia lhe vão muito bem. Quem mais do que ele merece essa honraria, quem mais merece colocar sobre o peito colar e medalha de ouro baiano, confundir-se com a Bahia, ser não só baiano mas Bahia? Quem merece mais do que esse pernambucano que aqui desembarcou há uns 35 anos para ficar para sempre? Aqui despiu-se do orgulho do Capiberibe, da inflexível condição sertaneja, para fazer-se cordial e aprender o sorriso. Sobre a cidade que o acolheu e guardou, escreveu as mais belas páginas nascidas de um conhecimento adquirido dia a dia, apaixonadamente. Terminou avô baiano, babado. Quem diria!

MARIA DE SÃO PEDRO

MARIA DE SÃO PEDRO ERA UMA RAINHA FEITA DE ALEGRIA, bondade e arte. Mestra da maior das artes, a da culinária, preservou e engrandeceu a tradição da inexcedível comida baiana, sua cor, seu perfume, seu sabor divinos. Seu antigo restaurante era uma festa em frente à rampa do Mercado Modelo, que o fogo devorou. Creio que Odorico Tavares, Wilson Lins e eu muito concorremos para que Maria de São Pedro e seu restaurante se fizessem célebres em todo o país. Seus fregueses durante trinta anos, seus amigos de todos os dias, celebramos em prosa e verso sua fama. Inesquecível Maria de São Pedro, rainha do vatapá e do efó, do caruru e do abará, das moquecas e dos xinxins, do dendê e da pimenta, rainha da delicadeza e da cordialidade! Sua morte abalou a cidade.

Antigamente a entrada do restaurante de Maria de São Pedro ficava em frente à rampa do primeiro Mercado Modelo, e a porta servia ao mesmo tempo a uma barbearia e a uma banca de jogo de bicho. Assim o freguês resolvia de uma vez uma série de problemas: fazia a barba, arriscava um palpite no bicho e almoçava excelentemente. Nessa época o restaurante servia a uma freguesia modesta de gente do cais, empregados no comércio, barraqueiros do mercado, marítimos e uns poucos amantes da boa cozinha — escritores e artistas — amigos de Maria. Aos poucos a fama do restaurante propagou-se e a freguesia foi acrescida dos turistas.

Hoje, no novo Mercado instalado no prédio tão belo da antiga Alfândega, na mesma moldura da rampa, envolto na brisa do mar, prossegue o restaurante de Maria de São Pedro sua obra de civilização. Sob a direção do bom Luiz Domingos, titular da casa de Xangô e cantor de música popular, filho de Maria de São Pedro, o restaurante continua a ser uma festa onde as filhas e as netas de Maria, herdeiras de sua arte e de sua beleza, criam diariamente a mais pura e a mais saborosa comida baiana.

HÉLIO SIMÕES, PAI DE ISA

TÍTULO LIMITADO, POIS ALÉM DE SER O PAI DE ISA, Hélio Simões é o poeta ilustre, o médico, o professor, o fomentador de estudos literários, o homem da Universidade, do intercâmbio cultural luso-brasileiro, com tantos e tamanhos serviços prestados à Bahia, ao Brasil, à cultura. Mas eu sei quanto lhe agradará esse título no rápido e certamente incompleto perfil que aqui tento traçar de um homem feito de delicadeza, de interesse humano, de amizade, um poeta não só nos versos com que assinalou original presença na poesia brasileira, mas também na maneira de ser e de viver, na maneira de dar-se aos interesses vitais da comunidade e da cultura, um trabalhador intelectual aparentemente limitado aos gabinetes de estudo, de fato ligado à vida popular, à rua. Eu o vi no enterro de mãe Senhora — ao lado de outro baiano tão autêntico, Thales de Azevedo — e percebi que a mão mística da ialorixá estava posta sobre a cabeça do poeta, assim como sobre a do ensaísta. Hélio e Thales não são frequentadores habituais dos terreiros, mas, como baianos, eram filhos da mãe de santo e ali estavam, no cemitério das Quintas, no enterro nagô, comovidos.

Pois bem, além de tudo isso e muito mais, Hélio é pai de Isa, moça da Bahia, que defendeu tese de mestrado na África e prepara a de doutorado nos Estados Unidos, o que a ajuda a perceber a unidade de nossa face. Isa, em Lagos e em State College, suspende uma ponta do véu a encobrir o mistério baiano. O pai possui a chave da adivinha e a filha segue-lhe os passos na trilha da cultura e do amor à terra, a esse nosso chão sofrido. De onde esteve estudando e de onde se encontra, recebi e recebo notícias: a moça se atira com avidez e coragem ao trabalho. Aprendeu em casa, com o pai, o poeta Hélio Simões, que nos deve, com urgência, uma reedição dos antigos poemas acrescidos dos novos que certamente há-de ter escrito para Isa, filha bem-amada, minha sobrinha.

WILLYS ENVOLTO NAS CORES DA BAHIA

NA MANHÃ DOMINGUEIRA O PINTOR WILLYS DESCE A LADEIRA do Papagaio envolto nas cores da Bahia, vai distribuí-las em seu caminho, valerão para a semana toda.

Na mão direita leva azuis, rosas, vermelhos, verdes e amarelos para as fachadas das casas pobres que são as mais lindas de ver-se. As ruas tornam--se quadros à passagem do pintor Willys com seu ramalhete de cores: cada casa sua cor, o roxo fica para a casa da viúva que ainda hoje chora a morte do marido. Casas de esperança verde, românticas cor-de-rosa, azuis-celestes corações, violentos azuis-marinhos de noivos em ânsia, o amarelo do ciúme e o vermelho da paixão, de todas as paixões. Quem sabe das cores da cidade, de cada uma e de seu lugar exato, é o pintor Willys e mais ninguém.

Na mão esquerda leva as cores do mar, todas as nuances do verde e do azul, o mistério das cores de Iemanjá, dos peixes, dos caranguejos, dos temporais e dos náufragos. O azul é esverdeado, é azulado o verde, e há fulgurações de crepúsculo, ouro da barra da manhã, peixes de cristal e um negro de óleo denso para a hora do naufrágio. Num saveiro de brancas velas enfunadas vai o pintor Willys distribuindo as cores do mar da Bahia de Todos-os-Santos. Quem sabe das cores do mar, cada uma em sua hora exata, é o pintor Willys e mais ninguém.

Tira da palheta encantada as cores do céu, transparências de nuvens, a chuva pequena de vidro, a chuva pesada para lavar a cidade e os corações, cores de veludo, cores do sonho, diáfanas, leves, doce céu da Bahia. Quem sabe das cores do céu, cada uma seu horizonte, é o pintor Willys e mais ninguém.

Terminada a tarefa diária de iluminar a cidade, o céu e o mar, o pintor Willys entrega a palheta à Lita, sua mulher e senhora, e vai, feliz da vida, para o Cabeça, onde em velha tenda de santeiro o amigo Alfredo o espera. Juntos saem os dois, cabelos brancos, riso tímido, faces alegres, vão tomar sua cervejinha gelada no restaurante de Moreira, um português dos bons. Willys saca do bolso um azul puríssimo para dona Maria, dedicada esposa de Moreira. Todo o Cabeça se ilumina de azul, a festa começou. Viva o pintor Willys da Bahia e o santeiro Alfredo, velhinhos porretas, iguais a eles já não se faz, perderam-se a medida e o barro.

TIO E SOBRINHO

O TIO É PAULO TAVARES, HOMEM QUE SABE MUITO MAIS sobre o que eu escrevi, os personagens que criei, os ambientes e paisagens de meus livros, do que eu próprio. É autor de um volume intitulado *Criaturas de Jorge Amado*, que eu consulto de quando em vez, quando quero qualquer informação a respeito da humanidade que vive nos meus livros.

Eis aí um humanista na mais pura acepção da palavra, esse escritor que nem a cadeira de rodas limitou, transbordante de acuidade e de entusiasmo, de uma alegria de viver extraordinária, enfiado nos livros, dono de um riso alegre e comunicativo. Figura de primeira ordem.

O sobrinho é Luís Henrique, novelista e cronista de límpida escrita, de solidária ternura, com vários livros publicados, prêmios literários, membro da Academia Baiana de Letras, incorrigível amoroso da vida. Quando usa o nome completo e pomposo, Luís Henrique Dias Tavares, é historiador de alto mérito a estudar a Revolução dos Alfaiates, autor de uma *História da Bahia*, erudito, jamais solene. No bem-querer dos amigos, tio e sobrinho navegam nas páginas da literatura.

AS IGREJAS DE CARDOSO E SILVA OU O NEGÓCIO DE SUA VIDA

QUE IGREJA MAIS BELA, ANTIGA E DOIRADA, NEGRA DO TEMPO e cavada na pedra, a fachada sem igual, a torre de música, a atmosfera de santos, anjos e baianas de bata rendada e seios aromáticos! Ai quem me dera essa igreja, quanto daria para tê-la minha e de mais ninguém!

Pois é fácil e até barato, amigo. Mais belo ainda que a igreja propriamente dita é o quadro onde o mágico Cardoso e Silva a recriou; não perca a ocasião única, compre a igrejinha de Cardoso, fará o melhor negócio de sua vida inteira.

Em Londres, em casa de colecionador famoso, o jornalista Yuda, vi uma igrejinha de Cardoso e Silva — a igreja do Pilar — pendurada ao lado de um quadro de Picasso, e o colecionador me disse: "é como se eu houvesse trazido comigo a Bahia inteira, suas igrejas e a luz maravilhosa".

Amigo, aproveite e faça o negócio de sua vida: leve uma igreja da Bahia para sua casa, um quadro do pintor Cardoso e Silva.

TRÊS MULHERES

I. MOEMA

Caramuru atirou. Naquele tempo ele se chamava Diogo Álvares Correia. Os companheiros de naufrágio haviam sido almoçados pelos tupinambás, guerreiros que moravam na cidade da Bahia que ainda não tinha esse nome porque tampouco existia. O pássaro caiu ferido com o tiro e os índios desistiram de comer Diogo Álvares Correia com o seu instrumento de morte que vomitava fogo. Em compensação deram-lhe o nome de Caramuru e a filha de Itaparica, o chefe dos tupinambás, em casamento. Moça bonita, de nome Paraguaçu, que por amor ao esposo aderiu ao catolicismo e foi batizada como Catarina.

Moema era mais bonita, mais ardente, era a irmã mais moça. Desejou ela também o amor do português recém-chegado. Deu-lhe seu coração e, se bem as histórias silenciem o fato, todos nós desconfiamos que, no fundo, houve alguma coisa entre eles. É muito possível que o lusitano colonizador, de natural polígamo, tenha constituído duas famílias índias, uma sob a bênção da Santa Madre Igreja, outra apenas com os laços do amor.

Um dia Diogo Álvares Correia embarcou com sua senhora esposa de volta à Europa. A abandonada Moema espiou a partida do navio. Seus olhos langues estavam cheios de lágrimas, seu coração dorido cheio de amor pelo ingrato que a deixava. Quando a caravela, aproveitando o vento, rumou para o mar ela se atirou na água e nadou. Gritava o nome de Caramuru, queria, na sua apaixonada loucura, alcançar o barco que partia. Nadava, nadava, nadava, os peixes em torno de si, as águas se abrindo para ela passar, gritava pelo amado, queria tê-lo junto ao seu corpo. Moema nadava. O navio desapareceu. Moema continuou nadando e o amor povoou para sempre a Bahia de Todos-os-Santos.

II. MARIA QUITÉRIA

O príncipe d. Pedro, no caminho de São Paulo, deu o grito da Independência. Depois foi dormir com a marquesa de Santos. Os baianos então expulsaram os portugueses que ainda desejavam conservar a colônia. As tropas de Madeira foram batidas no Recôncavo, em Pirajá, em Itaparica. Um avô de Castro Alves, major das forças da Independência, comandava um batalhão. Foi o batalhão mais valente de toda a campanha. Puseram-lhe o nome de "Batalhão dos Periquitos" por causa de farda verde. Os "Periquitos" ficaram célebres tais foram as suas façanhas na guerra da libertação. Entraram triunfantes na Bahia pelo caminho da Lapinha. Depois mataram num motim o general que queria afastar o major Silva Castro para outro comando.

Certa moça baiana, de nome Maria Quitéria, de família pobre, não quis assistir de braços cruzados à libertação da sua pátria. Vestiu uma roupa de soldado, apresentou-se ao avô de Castro Alves, mostrou que sabia atirar e fez toda a campanha. Foi um soldado disciplinado, corajoso, capaz, consciente. Honrou o batalhão dos "Periquitos" e sua tradição é orgulho da mulher baiana.

No entanto a fama ficou para Joana Angélica, uma freira que defendeu a porta do seu convento. Não a moveu o patriotismo e sim, apenas, a defesa da clausura do tenebroso convento das "arrependidas". Mas a heroína da Independência é a outra, a mulher que rompeu com os preconceitos terríveis da época, alistou-se como soldado, tomou do fuzil, matou inimigos, lutou de armas na mão, Maria Quitéria. Por isso mesmo injustiçada e esquecida.

III. JÚLIA FEITAL

Ah! era inconstante o coração de Júlia Feital. Moça bonita, nos princípios de 1800, namorava do balcão da sua casa. Estudantes, alferes, nobres, literatos. A todos Júlia Feital namorava. Um professor, doido de amor, noivou com ela, pediu-lhe a mão em casamento. Júlia Feital não nascera para noiva nem para esposa. Nascera para amante, para beijos furtados, para encontros clandestinos. O professor era ciumento e ela namoradeira. Um dia o estudante, no outro o oficial, no sábado o poeta. Ria como uma doida, o professor estrangulado de ciúmes.

No silêncio do seu quarto o professor fundiu uma bala de ouro. Foi ver Júlia Feital. Sua noiva sorria na janela, na rua passeavam o nobre, o literato, o alferes e o estudante. Um padre jovem também. O professor ergueu a arma, a bala de ouro alojou-se no inconstante coração de Júlia Feital.

REQUERIMENTO DIRIGIDO À EGRÉGIA CÂMARA DE VEREADORES DA CIDADE DO SALVADOR A PROPÓSITO DE ANTÔNIO CELESTINO

SENHOR PRESIDENTE,
SENHORES VEREADORES:

Escritores, artistas, jornalistas, intelectuais da cidade do Salvador, das mais diversas tendências políticas, estéticas, religiosas, reunimo-nos cordialmente neste documento para solicitar aos senhores vereadores, responsáveis como nós pela vida e pela cultura da cidade, seja concedido quanto antes com entusiasmo e alegria, em solenidade festiva — o título de cidadão baiano ao sr. Antônio Simões Celestino.

Somos, senhores vereadores, daqueles que almejam ver o título de cidadão baiano distribuído de maneira a mais econômica, evitando-se um esbanjamento cujo resultado fatal seria baratear e diminuir um galardão para nós o mais honroso e grato. Deve a Egrégia Câmara fazer-se realmente difícil na concessão de tão alta honraria, reservando-a aos mais dignos e merecedores.

Antônio Celestino é um desses raros realmente dignos e merecedores. Pela contribuição trazida ao engrandecimento de nossa cidade, à preservação de seu espírito, de seu caráter, de sua fisionomia, de sua mágica poesia. Em realidade, no conceito dos homens de cultura e do povo, já é ele cidadão baiano e o título será apenas uma ratificação. Tanto contribuiu para a cidade, tanto a ela se entregou com amor e devotamento, tão baiano se fez nesses trinta anos de residência e trabalho em Salvador.

Nascido em Portugal, vindo adolescente para o Brasil, na Bahia Antônio Celestino realizou-se por completo, dando à cidade o melhor de sua energia e de sua capacidade. Seja em suas funções quotidianas na direção de estabelecimentos bancários, que soube despir de todo mercantilismo e transformar em fator de desenvolvimento do estado; seja exercendo uma ampla e variada atividade social, na direção de instituições diversas, do Museu de Arte Moderna da Bahia ao Hospital Português, do Instituto Brasileiro de Oftalmologia ao Gabinete Português de Leitura, do Clube Português ao Instituto de Cegos da Bahia.

Tem sido, porém, sobretudo como homem de cultura — crítico de arte de renome nacional, incentivador de artistas, dirigente de museus, responsável em grande parte pela criação do mercado baiano de arte, colecionador importante — que sua atuação ganhou destaque definitivo, fazendo de Antônio Celestino presença das mais significativas no desenvolvimento atual da vida artística da cidade do Salvador e do estado da Bahia.

No exercício da crítica de arte, reuniu em *Gente da terra*, livro de ampla repercussão em todo o país, uma série de ensaios sobre os artistas baianos, redigidos com conhecimento e amor. Livro que traça completo panorama de nossa arte contemporânea, *Gente da terra* é mais um serviço que esse baiano exemplar, nascido em Póvoa do Lanhoso, presta à terra de adoção da qual se fez filho ilustre.

Casado com baiana de família tradicional, ligado por laços de profunda amizade aos mais diferentes setores da gente baiana, Antônio Celestino tornou-se de tal maneira um dos nossos, a ponto da grande maioria pensá-lo de há muito na posse do título que hoje para ele reclamamos; por tê-lo merecido e, em verdade, exercido como baiano antigo e intransigente, dos mais dignos, dos melhores.

É necessário, senhores vereadores, formalizar uma realidade clara e indiscutida, qual seja a da cidadania baiana de Antônio Celestino, entregando-lhe o título que ele já obteve por decisão unânime da população. E para que o alto e honroso ato da Egrégia Câmara de Vereadores seja igualmente homenagem de admiração e amizade dos homens de cultura da cidade do Salvador a Antônio Celestino, cidadão decente, generoso e bom, nosso companheiro fraternal, assinamos este documento e o trazemos à vossa consideração.

HÉLIO BASTO NO SILÊNCIO AZUL

HÁ UM RETRATO DE NAIR DE CARVALHO QUE É OBRA-PRIMA da pintura baiana, o autor do quadro chama-se Hélio Basto, um retratista como poucos. Sua fama fez-se tamanha que ele levou alguns anos sentado numa galeria do Hotel da Bahia colocando nas telas senhoras da alta sociedade de São Paulo, do Rio, da Bahia, de Pernambuco, do mundo inteiro. Todas queriam possuir um retrato pintado por Hélio Basto. Apesar de ser a galeria dirigida pela figura jovial e poderosa de Luz da Serra Queiroz, Hélio Basto cansou de tanto pintar mulher bonita — aliás nem todas assim tão bonitas — e novamente trancou-se em sua atmosfera silenciosa e tímida, mergulhou num silêncio azul de anjo escapado da colunata de uma Igreja e perdido na rua. Ainda há poucos dias vi alguns quadros seus: anjos e virgens, são Jorge na lua e um casario de poesia. Seu mundo é poético, quase irreal, mundo de criança desabrochada em espanto diante da vida. No silêncio translúcido, Hélio Basto traz uma flor na mão, sobrevoa um velho quarteirão da cidade.

DOIS MONGES

D. TIMÓTEO ANASTÁCIO, ABADE DO MOSTEIRO DOS BENEDITINOS, é um poeta, sacerdote colocado a serviço de seu ideal religioso, mas acreditando que a melhor maneira de servir a Deus é servir aos homens, lutando contra tudo que diminui, limita, desagrega e entristece a vida. Assim considera imorais e anticristãs a guerra, a miséria, a fome, a opressão de qualquer tipo e qualquer tipo de discriminação do ser humano. É um humanista voltado de face para a vida, dono de uma alegria mansa e permanente, um verdadeiro pastor, ou seja, alguém que em vez de ser solene conselheiro é amigo de mão estendida e coração aberto. Sua presença na Bahia tem sido extremamente fecunda, todos os dias ele nos ensina uma lição de poesia.

No mesmo mosteiro habita outro monge que recorda aqueles sacerdotes do início da Igreja, quando o cristianismo era religião dos pobres, dos escravos, dos sofredores e os padres se levantavam contra os poderosos, contra as injustiças, contra as leis falsas e cruéis. Chama-se d. Jerônimo de Sá Cavalcanti e suas posições em defesa da liberdade do homem, do seu direito a ser feliz, têm feito crescer a polêmica em torno à sua figura. Um homem frágil, pálido, magro mas que coragem intelectual, que força moral! Quando ele fala, faz-se silêncio em torno para ouvi-lo.

Dois monges que são hoje um patrimônio da cidade, respeitados e amados pelo povo. O povo que jamais erra em seu julgamento.

THALES SABE TUDO DA BAHIA

THALES DE AZEVEDO ENVIA-ME UM DELICIOSO PEQUENO LIVRO sobre o namoro de antigamente, saboroso como um cálice de licor. Deve ter sido moço namorador o professor emérito, o ex-diretor da Escola de Filosofia; quando jovem há-de ter andado no esconso de portas e portões, sob o claro da lua e o escuro da noite, pois sabe muito de como se namorava nos tempos rígidos de então.

Desconfio que mestre Thales, respeitável e erudito, conhece assim profundamente as regras e os códigos limitadores por ter o moço Thales, janota e pirata, violado todas essas regras mesquinhas, todos esses códigos feudais, ampliando os limites do namoro acanhado para alegria das formosas que lhe mereceram olhares, galanteios e ousadias.

Sabe de tudo da Bahia, esse homem tão discreto e fino, a esconder modestamente tanto conhecimento adquirido nos livros e nas ruas da cidade, conhecimento transformado em ensaios que compõem hoje extensa obra de qualidade científica e literária de primeiríssima. Tem abordado temas diversos e todos eles, de evidente interesse; muito nos tem ensinado sobre nós mesmos, sobre a Bahia; ele sabe de dentro e de fora.

Sou seu velho leitor, admirador antigo — agora delicio-me com esse inesperado e tão agradável opúsculo sobre o namoro do nosso tempo de jovens. Os moços de hoje encontram cama fácil, com lençol posto pelos pais da namorada. Nos tempos de antes era bem mais difícil. Mais gostoso, quem sabe, não é mesmo, mestre Thales de Azevedo?

SANTE SCALDAFERRI

PARTINDO DE UMA TEMÁTICA VITAL DO POVO DA BAHIA, Sante Scaldaferri mantém-se igualmente distante de qualquer primitivismo como do vanguardismo fácil, nascendo sua pintura dessa sabedoria que decorre ao mesmo tempo do conhecimento adquirido e do conhecimento vivido, que resulta dos livros, da pesquisa, e daquele que é transmitido pelo povo.

Sante Scaldaferri realizou no tempo devido as pesquisas formais, em fase abstrata, obtendo uma liberdade de expressão que hoje enriquece os temas brasileiros com tanta força e lucidez recriados na pintura atual do artista: cangaceiros, beatos, procissões, ex-votos, cerâmica popular, pejis, orixás, o mundo do sertão e o mundo do candomblé. Esse mundo popular e baiano, Sante o conhece através de experiência vital.

Pertencendo à geração que surgiu imediatamente após a dos iniciadores do movimento de arte moderna na Bahia, figura entre os seus artistas mais importantes, ao lado de José de Dome, Riolan Coutinho, Juarez Paraíso, José Maria e Antônio Rebouças. Como seus companheiros de geração, teve Sante Scaldaferri de lutar em busca da afirmação de sua originalidade: ainda ligado aos mestres que abriram o caminho inicial, mas já deles liberto em sua procura e em seu objetivo. Sante é o pintor de um grupo que deu um cineasta da importância de Glauber Rocha (em cujos grandes filmes Sante colaborou) e onde brilham o poeta Paulo Gil e o mestre gravador Calasans Neto. São eles responsáveis por um marcante movimento intelectual, formaram o grupo da revista *Mapa*, afirmaram-se em hora de graves decisões, conscientes e engajados. Partindo desse começo e numa persistente labuta, com lucidez e modéstia, chegou Sante Scaldaferri à sua pintura de hoje, tão baiana e tão universal, tão sentida e ao mesmo tempo tão conquistada. Muito ainda há-de fazer, largo é o seu caminho. O que fez, porém, assegura seu lugar indiscutível, sua permanência definitiva.

AYDANO

RECORDO AYDANO DO COUTO FERRAZ RAPAZOLA na península de Itapagipe, na cidade da Bahia, escrevendo poemas sobre o mar, recrutado para a Academia dos Rebeldes não sei se por Edison Carneiro ou Alves Ribeiro. Não sei tampouco se foi ele ou Walter da Silveira o último a ingressar no reduzido e combatido grupo de literatos insubmissos e irreverentes, por volta de 1927 ou 28.

Ao lado de Artur Ramos e Edison Carneiro, interessou-se pelos estudos dos problemas da contribuição africana à cultura brasileira, frequentou os candomblés, as rodas de capoeira, os mercados e feiras. Desde moço possuiu senso de responsabilidade e assumiu os postos difíceis. Foi um dos responsáveis pelo ii Congresso Afro-Brasileiro, realizado na Bahia, em 1938. Desse Congresso participaram, além dos estudiosos desses problemas, a famosa mãe de santo Aninha e o não menos famoso babalaô Martiniano Eliseu do Bonfim. Hoje pululam os "africanologistas", cada qual mais entendido em candomblé, todos buscando tirar proveito, brilhar em festivais. Nos tempos de Ramos, Edison e Aydano, a coisa era diferente, significava lutar pela sobrevivência dos bens da cultura africana, pela liberdade de cultos e pela liberdade em geral. O que Aydano cumpriu, de forma exemplar.

O POETA E A CÂMARA

— JÁ É TEMPO DE VOCÊ MODIFICAR A FRASE QUE USA, a meu respeito, no capítulo sobre literatura — diz-me Paulo Gil Soares quando lhe conto da nova edição em preparo deste *Bahia de Todos-os-Santos*. — Afinal há muito deixei de ser o "jovem poeta" ali nomeado.

Não sei se devo realmente modificar a expressão. Não sendo mais o menino de ontem que dirigia com Glauber, Calá, Florisvaldo Mattos e Sante a revista *Mapa*, tendo amadurecido e conquistado sucesso, estando carregado de prêmios, ainda assim permanece jovem e entusiasta, e a poesia é um dom perene, qualidade intrínseca desse baiano indomável.

Um dia o jovem poeta tomou da câmera e partiu para realizar uma série de documentários de uma condição brasileira e combatida, realista e poética, mágica e contundente como ainda não se fizera entre nós. Sua escrita nordestina, os personagens de seu teatro e de seu cinema, a realidade de um Brasil massacrado adquiriram nova dimensão. Poesia, teatro e cinema feitos com conhecimento da verdade recriada, com amor pela vida refletida, entre lágrimas e ranger de dentes. Hoje, maduro e consciente, responsável e lúcido, continua a ser, ao mesmo tempo, o jovem poeta, o indomável baiano. A verdade no olho da câmera, a solidariedade na mão que empunha a câmera, no verso do poeta Paulo Gil Soares.

DE COMO ESCREVI DOIS BILHETES A ANTONIO CARLOS MAGALHÃES

VELHO AMIGO DE ANTONIO CARLOS MAGA-LHÃES (E DE SEU IRMÃO ZEZITO), meu companheiro na busca de onde comer bem, quando rareavam os restaurantes na Bahia, *habitués* do maravilhoso trivial de dona Maria, na rua de São Francisco, onde tínhamos mesa reservada com Odorico Tavares, Carlinhos Mascarenhas e Raimundo Reis, eu o sabia político audacioso e hábil, parlamentar atuante e polêmico, mas não lhe conhecia qualidades de administrador. Assim, quando o designaram prefeito da cidade, acolhi a notícia sem entusiasmo.

Na ocasião viajei para demorada estadia na Europa. Ao voltar assombrou-me a transformação de Salvador: a execução de um plano urbanístico audacioso, rasgando avenidas, criando bairros, dando nova dimensão à cidade. É o inédito respeito à riqueza arquitetônica, histórica e artística que vinha sendo liquidada no correr do tempo. O político revelara-se administrador invulgar. Escrevi-lhe, então, um bilhete de felicitações: "Sou seu adversário político, mas não sou cego". Há uma cidade de Salvador de antes da administração de Antonio Carlos, outra de depois.

Governador do estado, com Clériston Andrade continuando sua obra na Prefeitura, já não me surpreendi com sua trajetória de administrador, realmente capaz, de visão ampla e execução imediata. Quando seu mandato chegava ao fim, novamente embarquei para a Europa e novamente lhe enviei um bilhete. Porque ao conceber e pôr de pé o Centro Administrativo, obra maior, reservou verba para que os artistas da Bahia dessem uma qualidade única, uma grandeza, ao conjunto por ele idealizado e erguido. Assim, em cada um dos prédios, os mestres baianos criaram painéis, murais, esculturas, talhas, tapeçarias, penduraram óleos, gravuras, desenhos. Carybé realizou na madeira, na Secretaria de Finanças, uma das obras mais importantes da arte brasileira. *A tentação de santo Antônio*, escultura de Mário Cravo, é outra peça fundamental. Que dizer do grande painel de Carlos Bastos na

Assembleia Legislativa? Do mural de Juarez Paraíso na Secretaria de Agricultura? Os demais prédios foram iluminados pela arte de Jenner Augusto, Calasans Neto, Mirabeau Sampaio, Hansen Bahia, Antônio Rebouças, Floriano Teixeira, Sante Scaldaferri, Willys, Emanoel Araújo, Fernando Coelho, Cravo Neto, todos os demais. O Centro Administrativo adquiriu assim uma conotação grandiosa: é imensa galeria de arte baiana.

O administrador que dotou a Bahia de esgotos estendeu os limites da cidade e a modernizou, soube respeitar e preservar o patrimônio herdado dos antepassados e o ampliou somando-lhe a criação dos artistas contemporâneos. Não contente, fez de Dorival Caymmi comendador do povo. Eis por que escrevi dois bilhetes de felicitações a Antonio Carlos Magalhães, apesar de ser seu adversário político mas sendo seu velho companheiro no amor à cidade de Salvador da Bahia de Todos-os-Santos.

ROBATTO

ALEXANDRE ROBATTO FILHO OU O VELHO ROBATTO. Veterano das lides da cultura baiana, pioneiro do cinema, da fotografia, do disco, da pesquisa folclórica, sei lá de quantas coisas mais! Nos tempos difíceis, quando ninguém ligava a mais mínima para essas coisas, foi um dos poucos que não desistiram, que acreditaram na necessidade, urgência e viabilidade da criação cultural no estado da Bahia e a ela se dedicaram. Profissional de renome e sucesso em sua especialidade, a odontologia clínica e cirúrgica, o dinheiro que lhe foi dado a ganhar na profissão, ele o despendeu em realizações culturais as mais diversas, obstinadas, audazes e, evidentemente, deficitárias. Durante toda a vida.

Honramo-nos da tradição baiana do jovem cinema brasileiro onde brilha estrela maior, Glauber Rocha. Essa tradição nasce de Robatto. Hoje os músicos, baianos ou forasteiros, pesquisam as raízes de nossa música popular. Quem primeiro recolheu em disco, produzido por sua conta e risco, cantos de candomblé e capoeira? Disco precioso, pioneiro — o pioneirismo foi condição quotidiana da árdua tarefa de Alexandre Robatto Filho.

Da fotografia à literatura (recentemente publicou um romance com temática do Recôncavo Baiano), da música ao cinema, na cátedra da

Universidade, no debate público, a cultura é a sua paixão. Não a única, porém. Existe outra, chama-se Stella.

FERNANDO DA ROCHA PEREZ

PARECE UM FIDALGO ESPANHOL E, SENDO MOÇO E EM TUDO DIFERENTE, lembra-me um velho, esquecido e magnífico poeta e panfletário do passado: Pinheiro Viegas. Viegas era um invencível d. Quixote, de lança em punho. Em Fernando da Rocha Perez existe a mesma aparente dureza. Uma decisão interior, uma certeza que por vezes parece suficiência quando é apenas afirmação. As mulheres acham-no bonito, os homens, por isso mesmo, dizem-no antipático. Ele vai em frente, com sua exata pronúncia e a linguagem dos que herdaram as nobres qualidades.

Poeta dos melhores da Bahia, gosta de ver seus versos em edições raras; necessita levá-los a uma audiência mais vasta e, quando o fizer, irá surpreender-se com a aceitação que encontrarão num público popular. Autor de um livro de primeira ordem, *Memória da Sé*, sobre o nosso patrimônio artístico tão abandonado e vilipendiado, professor universitário, administrador da cultura, dirige sempre com consciência da responsabilidade e ânimo forte. Férreo no combate.

Apaixonado pela criação literária em todas as suas formas. Sendo homem do livro, do gabinete, do estudo, não volta as costas à vida. Seu poeta é Paul Éluard e isso o explica. Um dia será Magnífico Reitor da Universidade. O mais magnífico de todos os reitores.

MESTRE PASTINHA

MESTRE PASTINHA, MESTRE DA CAPOEIRA DE ANGOLA E DA CORDIALIDADE baiana, ser de alta civilização, homem do povo com toda sua picardia, é um dos grandes da Bahia, um dos seus ilustres, um de seus obás, de seus chefes. É o primeiro em sua arte; guarda a grande tradição e a transmite; senhor da agilidade e da coragem, da lealdade e da convivência fraternal. Em sua escola, no Pelourinho, mestre Pastinha construiu cultura brasileira, da mais real e da melhor. Toda vez que eu assisto a esse homem de 85 anos, cego e hemiplégico, jogar capoeira, dançar samba, exibir sua arte com o elã de um adolescente, sinto toda a invencível força do povo da Bahia, sobrevivendo e construindo apesar da penúria infinita, da miséria, do abandono. Em si mesmo o povo encontra forças e produz sua grandeza. Símbolo e face desse povo é mestre Pastinha.

O CLÃ DOS COUTINHOS

FAMÍLIA ILUSTRE NA CULTURA BAIANA, ESSES COUTINHOS DE ITAPUÃ. O pai é um varão magnífico; certa vez atravessei terras suas em Mata de São João, tudo no maior cuidado, à altura da beleza da paisagem. Professor de Medicina, clínico de fama, aposentado voltou ao amanho da terra, à criação de gado, com renovado vigor. Nos campos de Mata de São João, vive esse patriarca cujos filhos honram a Bahia.

A grande estrela do clã é o cientista Elsimar, o famoso descobridor da pílula masculina de controle da natalidade. Se o ruído e a notoriedade maior lhe vieram do tema polêmico e de certa maneira sensacional, a autoridade mundial de que se vê revestido o jovem cientista provém do árduo e profícuo trabalho de pesquisa por ele realizado com sua equipe durante muitos e muitos anos, tornando-o uma das primeiras figuras da especialidade a que vem dedicando o talento e a seriedade — seus altos valores. Além da imaginação, pois o rigor científico em Elsimar Coutinho não impede a força da imaginação livre de poeta, dando grandeza ainda maior a sua obra. Eis aí um homem destinado a nos dar muitas alegrias, a trazer para nossa terra prêmios, galardões, renome. Ainda tão jovem e já célebre, sua estrada é ampla, tem muito caminho a trilhar. Sem falar que Elsimar Coutinho é um dos melhores conversadores que conheço. Um sábio, um poeta.

Não só ele é bom de papo; também Alaor, outro irmão ilustre, dono da maior simpatia, secretário de Educação do estado num dos governos passados, a obra realizada marcou a figura de um moço administrador, apaixonado pelos problemas que foram colocados diante de sua vontade de realizar.

Riolan é o artista. Artista e catedrático da Escola de Belas-Artes, a cujos alunos dedica boa parte de seu tempo. Professor celebrado, mais importante ainda é o criador, o pintor, o desenhista. Quem primeiro chamou minha atenção para o trabalho de Riolan, há muitos anos, foi Genaro de Carvalho: "Riolan é um dos maiores desenhistas brasileiros", dizia mestre Genaro, bom julgador. Realmente, o desenho de Riolan é excepcionalmente puro, de inconfundível beleza. Também a sua pintura, pessoal, com marca própria. Esse artista não se parece com nenhum outro da Bahia. Avesso à publicidade, à chamada vida artística, Riolan se afirma como um dos maiores valores das artes plásticas baianas.

Clã poderoso, esse dos Coutinhos, senhores de Itapuã.

O PAPAGAIO DEVASSO

PAPAGAIO DEVASSO, FOI COMO APELIDARAM O ESCRITOR GUIDO GUERRA há tempos, quando ele se levantou violento e zombeteiro contra erros, absurdos e preconceitos, nas colunas dos jornais. Moralista às avessas, a chalaça, por vezes grossa, é o sal de sua crônica. Eu o recordo muito moço ainda, quando entrou para o *Diário de Notícias* e escreveu sua primeira coluna. O espanto de Odorico Tavares foi imenso: "Esse sujeito quer fechar o meu jornal". Mas Odorico sabe julgar as pessoas, o talento e o caráter, manteve Guido e o prestigiou.

Faz tempo que a imagem do Papagaio Devasso se desvaneceu diante da seriedade do escritor construindo seu caminho na ficção com o talento que Deus lhe deu e a disciplina que ele próprio se impôs. Já se projetou Brasil afora com as *Aparições do doutor Salu*, irá muito longe. Leal e decente, de extrema correção, erguido contra os males do mundo, tem de cavaleiro andante e de poeta. Flor de pessoa.

JUAREZ PARAÍSO, CRIADOR E PROMOTOR DE CULTURA

ACOMPANHO, HÁ BEM MAIS DE DEZ ANOS, COM PERMANENTE interesse e admiração sempre maior, o trabalho realizado na Bahia pelo artista Juarez Paraíso, criador e professor. Sou testemunha do realizado e por isso mesmo capaz de avalizar em relação à obra e à ação futuras. Ainda agora foi-me dado ter em mãos o arquivo de recortes de mestre Juarez e tudo quanto pudera ver e prever, ao largo do tempo, aqui se confirma, nessas inúmeras linhas impressas, nas reproduções, no que os demais disseram e escreveram, sobretudo no que ele disse, escreveu e realizou. Eis Juarez Paraíso em plena maturidade criadora, um grande artista, um grande promotor de cultura.

No levantamento da personalidade de tal artista, não se enquadram os adjetivos gastos e tradicionais da simples admiração nem tampouco a badalação exotérica e quase sempre grupista tão ao gosto de nossa vida artística e literária. Carne dura, linha reta, magreza de asceta, espinhaço indobrável — para Juarez Paraíso encontro dois adjetivos opostos mas não contraditórios: solidário e solitário.

Solidário com a vida, com a luta do homem, com o tempo e o chão presentes, com as vocações violentadas, com os jovens, armado em guerra contra a injustiça, a miséria, as limitações, contra tudo quanto lhe parece feio e mau. Armadura de Quixote, mas de um Quixote da era atômica. Pode enganar-se, por vezes certamente se engana, rompe lanças sem sentido. Mas quase sempre abre caminhos, é o primeiro a traçar a rota para muitos. Generoso professor de arte, a educar não imitadores nem discípulos presos à sua grilheta, e, sim, jovens artistas donos da liberdade de criar, enriquecidos de entusiasmo, na posse de uma lição profunda, não só de arte mas também de vida.

Na atual etapa da arte na Bahia, muitos têm contribuído para a formação de novas gerações, para que não aconteça a estagnação fatal, para que o esforço anterior não se transforme em muralha; seja, ao contrário, sempre ponto de partida para o novo (não para a novidade, recurso dos medíocres, de falsos artistas), para a continuidade da experiência sem a qual a arte não vive. Não vou citar nomes, fatalmente esqueceria um e outro, talvez dos mais importantes. Entre esses mais importantes, fundamentais, está Juarez Paraíso, na sua cátedra na Escola de Belas-Artes, e fora dela, onde quer que se encontre, na galeria, na exposição, no bate-papo, no espaço livre da rua ou entre as grades da cadeia, nas colunas do jornal, promovendo cultura, atuando no sentido de que a arte seja parte da vida do povo e tratando de que as novas fornadas de artistas encontrem o território de criação adubado pelas ideias das quais nascem as transformações. Nesse particular, o papel de Juarez Paraíso, no desenvolvimento atual da cultura baiana, tem sido extraordinário.

Faz-se necessário dizer, contudo, que dessa participação tão funda de Juarez Paraíso no desenvolvimento da cultura artística na Bahia, participação de jovem mestre de cabeça erguida e peito aberto a todos os ventos de renovação e de transformação das estruturas básicas, a maior de todas, indiscutivelmente, é a sua própria obra criadora.

Como classificá-la? Não penso fazê-lo. Escolhi para ele dois adjetivos: solidário e solitário. Venho de falar do homem solidário com seu tempo, sua terra, seu povo, seus artistas; generoso, militante, solidário promotor de cultura. O outro adjetivo eu o guardo para a obra desse criador vário e inquieto, múltiplo, que não se parece com nenhum outro, solitário em sua criação. Quem anda pelas ruas da cidade da Bahia, entra nos cinemas, olha fachadas de prédios, pode logo dar-se conta da importância da obra de Juarez Paraíso, através dos murais impressionantes. Quem viu as exposições de desenho e gravura conheceu um mestre, mestre verdadeiro, nessas duas tão difíceis — difíceis em todos os sentidos — manifestações das artes visuais. Um dos maiores desenhistas do Brasil, um gravador de raça incomum. E o fotógrafo? Badalei pela Europa inteira uma foto sua, fazendo admiração de gregos e troianos. Pintor, decorador — decorando a cidade para o Carnaval, festa do povo — contador de histórias em quadrinhos, tudo isso fazendo com talento e ofício.

No panorama da arte baiana contemporânea, a obra de Juarez Paraíso cresce a cada dia em importância e significação. Nasceu ele para a experiência e para a descoberta. Daí a aparência, para o observador desavisado, de realizar obra dispersa em gêneros e números variados. Impressão falsa: a unidade mais profunda do novo e do vital marca as diversas facetas da criação desse artista e lhe impõe uma grandeza incomum. Ele mesmo escreveu, num depoimento antigo (1966), ainda hoje válido: "Se a vida individual é transitória e, por isso mesmo, infinita e irrecorrivelmente trágica quando não alcançamos 'consciência coletiva', unidade a depender do contínuo, não menos será a obra do artista, quando destituída de impulso, autêntico e intuitivamente capaz de ser parcela da humanidade que somos nós".

Um homem solidário, um artista solitário? Não, pois o homem e o artista são um só, um decorre do outro e o completa. Daí a obra solitária de Juarez Paraíso ser a obra mais solidária com a vida e com o ser humano.

O AUTOR ENSINA O CAMINHO DA
CASA DE LICÍDIO LOPES À REDATORA
DE UMA REVISTA DO SUL DO PAÍS

SUBA A LADEIRA DO PAPAGAIO, AQUI MESMO NO RIO VERMELHO, universo do pintor, território todo ele de sua exclusiva propriedade, pois cada residência, cada sobradão, cada pedra das ruas, os barcos, a igreja — a pequena, a igrejinha da Senhora Sant'Ana, não a nova, monstruosa aberração arquitetônica — o peji de Iemanjá, os pescadores com mestre Flaviano à frente, a festa única do Dois de Fevereiro, sem igual no mundo, tudo pertence de direito ao pintor Licídio Lopes.

Pertencem-lhe igualmente as nuances de cor do amanhecer e do crepúsculo e o sol do meio-dia, a lua cheia e o mar imenso, verde-azul, e também as quitandas de frutas, o mercado de peixes e o largo da Mariquita, a areia branca, os espanhóis das padarias, a gringa que se estabeleceu no quinto andar e vive debruçada sobre a paisagem, as baianas em frente aos tabuleiros de acarajé, abará, cocada branca, cocada puxa, bolinho de estudante cujo nome verdadeiro é punheta, cuscuz de milho, puba e tapioca, as gostosuras todas. Tudo isso e muito mais nos caminhos do Rio Vermelho, tudo pertence ao pintor Licídio Lopes.

Todas as mulheres graciosas e bonitas que passam nessas ruas são suas namoradas. Você as encontrará nos quadros de Licídio, assim como o casario, os pescadores, o céu e o mar. Antes ele pintou as paredes das casas, depois riscou milagres, agora coloca as cores do Rio Vermelho nas telas; aqui se inspira, vive e cria.

No alto da ladeira do Papagaio você encontrará pequena casa com portão azul, um pé de graxa ao lado, e no pátio gatos gordos — essa é a casa de Willys, outro pintor e que pintor! Ele lhe ensinará onde fica a casa de Licídio, logo adiante, numa vila. Vá depressa porque vão derrubar a vila para construir um viaduto e se você não chegar a tempo terá de procurar Licídio no nordeste de Amaralina. Em verdade, mesmo que destruam casas e ruas, ele jamais sairá do Rio Vermelho. Aqui nasceu, cresceu, fez-se homem e artista. Licídio Lopes, cidadão emérito, presidente da República Livre do Rio Vermelho, onde Jenner Augusto é duque e Mário Cravo é o principal.

NOITE DOS GATOS
DE EMANOEL ARAÚJO

UMA CONFRARIA DE GATOS PRECIPITA-SE CONTRA O CREPÚSCULO nos últimos telhados, nos desvãos dos becos, nas sombras da cidade. A noite dos gatos vai começar, longa e lancinante, na crueldade e no dengue do amor. Uma máfia de gatos — a beleza explode nas sarjetas, o felino corta o espaço vazio como um bólide, igual ao mais impossível bailarino. Na noite recém-chegada com seu negrume e sua fome de amor, se eleva o miado da gata em cio. Não há no mundo clamor de tanto desespero, convite de tamanha violência, mais cariciosa voz, pedido mais dolente, apelo mais terrível. Toda ela, a pequena gata tímida, é agora apenas uma desabrochada flor de sexo rota em desejo, aberta em raiva e em carícia. Tudo nela já desapareceu: o pelo lustroso e belo, a preguiça da raça, a elegância, a gentileza, o orgulho. Sobraram apenas o desejo e o sexo rutilante — um raio de luz, uma faísca de incêndio.

No rumo desse incêndio se desenvolve a cruzada de gatos, vestidos todos com suas armaduras, suas roupas medievais, seus arneses de guerra. Surgem inesperados, num salto, numa aparição, num ai de agonia, e se entreolham maldosos, sábios, ferozes, machos, cheios de sutilezas e de força vital. A batalha está prestes a começar: a pequena gata expõe a flor do sexo queimando numa fogueira de punhais, roja pelo chão num convite manso e faz do seu miado a música mais doce e terna. Vêm os gatos, os invencíveis campeões. Mas deve restar apenas um.

Não pode haver no mundo batalha mais violenta, disputa mais terrível, mais feroz encontro, sangue mais generoso derramado em honra do desejo, do que essa batalha travada pelos gatos das primeiras às últimas goteiras da noite, na fímbria dos telhados, no mistério das sarjetas. Tudo se torna cor de sangue e cada miado de comando é respondido por um grito de aflição. Depois, sem orelhas, quase cego, cortado de unhas e de dentes, o vencedor vem receber seu prêmio. Lá se vão pelos telhados, os dois noivos, a festa mais magnífica vai começar, o amor deslumbrante, sem censura nem limites, um amor de gatos em cio, nada de mais sensual e denso, de mais tremendo e doce. Nas dobras da noite, nas esquinas de Exu, uma confraria de gatos na batalha e no amor.

Eis os gatos de Emanoel Araújo em seu mistério de madeira ou de metal, em sua ânsia, em seu desejo, em sua presença quase humana — criação de beleza e de mistério, a beleza e o mistério da Bahia.

ROBERTO SANTOS E
SUA MULHER MARIA AMÉLIA

NÃO QUERO SABER SE ROBERTO SANTOS É POLÍTICO CAPAZ ou se lhe falta malícia para o jogo de habilidades que a profissão exige: não sou de seu partido nem de seu governo. Estimo, porém, o cidadão de formação democrática, cuja honradez ninguém discute, corajoso na defesa de seus pontos de vista.

Tais qualidades ele as revelou de sobra quando reitor da Universidade Federal da Bahia em momento ruim: violenta, a reação se abatia sobre os estudantes. Roberto Santos defendeu seus estudantes o quanto pôde, evitando que a perseguição vinda do alto, comandada de cima, completasse as devassas da nova inquisição. Manteve em hora tão difícil a dignidade do cargo, anônimo aliado dos jovens mesmo se os rapazes atacavam o reitor. Foi digno do pai, o insuperável Edgard Santos, que mandava pagar as contas de oficina da revista *Mapa* para que ela não deixasse de circular divulgando o pensamento dos moços contestatários mesmo se investiam contra o reitor, pois reitor é para ser combatido.

Talvez falte a Roberto Santos a mesma flexibilidade para as lides políticas; será no caso um defeito ou uma qualidade? Não lhe falta, porém, a coragem de afirmar-se.

Coragem de afirmação que é dele e de sua mulher, Maria Amélia. Valorosa e obstinada, enfrenta as dificuldades disposta a vencê-las ou a cair na trincheira. Render-se, nunca.

Inteligência ágil, sensibilidade vibrante, está destinada a escrever um livro sobre o cangaço, partindo de história que a seduz e comove, a saga de amor de sua amiga Dadá e de Corisco. Para isso possui todos os elementos e a necessária paixão.

Maria Amélia e Roberto se completam e se bastam. Cada um com sua valentia. E com a simpatia que não se inventa, que é dele e dela, no palácio, na reitoria, no trato com o povo.

LEW, O MÚLTIPLO

HOMEM MÚLTIPLO, SEMPRE CAPAZ E BRILHANTE EM TODA e qualquer de suas várias atividades, Lew

Smarchewsky chega finalmente ao porto de sua verdade maior, de sua realidade mais profunda, de sua definitiva vocação: a pintura, as cores, as tintas, os espaços e as massas e sua fome de beleza, sua violência de criar.

Arquiteto de fundamental importância no desenvolvimento da arquitetura moderna na Bahia, vindo dos escritórios de Oscar Niemeyer e de Sérgio Bernardes; industrial criando riqueza e seguindo adiante, pois não nasceu para escravizar-se à riqueza e, sim, para realizá-la; decorador, criador de móveis; esportista, correndo sobre a terra e sobre o mar, no ronco do motor e no assovio do vento; boa prosa, terno amigo, coração enorme; sendo tanta coisa, dando tanto de si e tomando da vida com ânsia e alegria, ainda no entanto lhe faltava a definição exata, a medida mais alta. Aí está ela, essa sua completa face de homem, sua medida e seu peso mais além do metro e do quilo, sua estrutura: nas telas tomadas, por assim dizer, de assalto — essa pintura conquistada, essa Bahia de Lew sem parecença com a de nenhum outro, só dele e nossa, a Bahia pura e luminosa. Lá estão os navios e os barcos, o incêndio da feira e de seu coração, a madrugada elevando-se, a vida quase transparente. Há uma certa timidez em toda essa explosão de um temperamento de fogo, há uma certa nostalgia nessa água fluida e matinal. Como se uma distante solidão de estepes cortasse seu mar baiano e solidário.

Chegou às telas e ao óleo maduro de vida e experiência, maduro de muito desenhar, pintor mais além da vocação e da esperança. No entanto, vale a pena vê-lo humilde ante sua arte, sem nenhuma arrogância, possuído pela pintura, pela primeira vez dominado e não a dominar. Lew Smarchewsky conquistou muitos e diversos títulos, mas eu penso que, de agora em diante, ele é Lew, o pintor.

GIOVANNI GUIMARÃES

COUBE-ME VÊ-LO MORRER. NOS BRAÇOS E NA CORAGEM DE JACY, fora transportado pela madrugada da fazenda — como se divertia ao referir-se à sua recente condição de fazendeiro! — onde o mal o acometera, para uma clínica de urgência na capital. Era manhãzinha quando ali chegamos, eu e Mirabeau Sampaio. Apenas penetramos no quarto e miramos sua face, logo a respiração se lhe tornou mais difícil e ele partiu, deixando-nos órfãos daquela imensa alegria de viver, da gargalhada irresistível. Tenho para mim que ele nos esperou chegar para morrer, porque na hora final nós lhe trazíamos a vida inteira, a partir da infância no colégio dos jesuítas, nos Coqueiros da Piedade, até a conversa brincalhona, debochativa, de dois dias antes, pois estávamos em frente à casa de Mirabeau quando ele, vizinho do escultor, embarcou no automóvel, com mulher e filhos, e nós o acusamos de latifundiário. Eu o vi morrer, a respiração arfante, mas a imagem que guardo dele é a do momento alegre, do riso, da alegria transbordante.

Todos aqueles que trataram com Giovanni Guimarães hão de ter guardado certamente essa mesma imagem de um homem para quem a vida era para ser vivida intensamente, plenamente, com coragem e avidez. Incomensurável alegria de viver, sorvia cada momento em tragos largos — só uma outra pessoa eu conheci com tanta capacidade de amar a vida: Norma Sampaio. Sorria com o rosto todo, sorria com o coração, bom como um pedaço de pão, ainda não se concebeu ninguém melhor.

Amando tanto a vida, por isso mesmo era extremamente sensível às injustiças e a sociedade parecia-lhe requerer urgentes reformas de estrutura. Colocou-se ao lado dos oprimidos ainda muito jovem e permaneceu leal aos combates de sua juventude de estudante e boêmio. Médico, não quis clinicar, o sofrimento não era o clima onde mover-se. Conheceu como poucos a cidade da Bahia, a vida e o povo, de um conhecimento aprendido no quotidiano — de quem não era amigo, amigo íntimo? Do mais rico e do mais pobre, do milionário e do vagabundo, do industrial e do bicheiro, do portuário e do senador, do chofer e do poeta. A noite foi seu hábitat preferido durante anos e anos, a noite da música, dos tablados, das fichas, da aventura inconsequente.

Quantas vezes atravessamos as noites a conversar, perambulando pela cidade, varando ladeiras e becos, parando junto às comadres vendedoras de mingau pela madrugada; nada havia que Giovanni mais amasse do que uma boa prosa, conversador fascinante. Durante a guerra, nos anos de 43 e 44, combatentes das Nações Unidas contra o fascismo cruzamos diariamente Europa, África e Ásia com os exércitos aliados. Comandante igual a Giovanni não existiu jamais, ganhava todas as batalhas, tático sagaz, estrategista incomparável. Muito antes que os soviéticos ocupassem Berlim, Giovanni por várias vezes já a cercara, dominara e rendera à frente do pequeno exército de meia dúzia de jornalistas, poetas e boêmios. Comemorávamos as vitórias com sensacionais moquecas, sarapatéis, frigideiras e cerveja em esconsos refúgios cuja milagrosa descoberta devia-se quase sempre a Mirandão, lugar-tenente digno do comandante. Na cidade às escuras, na escuridão da guerra, levávamos conosco o riso e a vitória, a confiança no ser humano. Jornalista por excelência, foi de uma única redação, a de *A Tarde*. Desde quase menino, apenas saído do internato, militou em suas colunas, merecendo, ao que me consta, estima especial de Simões Filho, admirador sem dúvida tanto de sua força de vida quanto de suas qualidades de redator. Durante anos e anos suas iniciais, G. G., firmaram coluna das mais lidas e sua crônica tinha a graça terna do comentário baiano, riso sem maldade, compreensão perene do mistério da vida. Pouco antes de morrer pensou selecionar as crônicas, reuni-las em volume, não teve tempo de fazê-lo, uma pena.

Personagem em um de meus romances, *Dona Flor e seus dois maridos*, penso não lhe ter falseado a humanidade magnífica. Em vários outros livros meus, ele aparece. Num é nome de rua, noutro é nome de escola, noutro é busto em praça pública. Coisas que a cidade, o povo, os intelectuais devemos a esse cidadão exemplar, cuja importância na vida da Bahia durante algumas décadas foi enorme. Quando pagaremos a dívida contraída com esse senhor do jornalismo e da alegria, riso solto e livre?

GILBERBERT CHAVES, MÁRIO MENDONÇA E ILUSTRE COMPANHIA

EM 1961 RECEBI UM DINHEIRINHO MAIOR PELA VENDA DOS DIREITOS de adaptação cinematográfica de *Gabriela, cravo e canela* à Metro Goldwyn Mayer, que até hoje não realizou o filme, felizmente. Imediatamente me toquei para Salvador, comprei um terreno no Rio Vermelho e tratei de pôr de pé o projeto de minha vida: ter uma casa na Bahia. Pedi informações sobre arquitetos jovens, pois desejava fosse um jovem quem projetasse a casa. Mário Cravo e Jenner Augusto, consultados, ambos me recomendaram o nome de Gilberbert Chaves, um moço que lhes parecia altamente capaz e dotado. Levaram-me a ver em Ondina uma casa projetada por ele, realmente bela. Assim conheci Gilberbert Chaves, hoje meu compadre e querido amigo, dono de minha casa, pois ele a projetou e construiu, tendo adaptado depois, numa trabalhosa reforma, à primeira casa uma segunda, vizinha. Tudo com enorme talento, bom gosto, sensibilidade extraordinária, um perfeito sentido do que deve ser uma casa: lugar onde viver. Ademais, demonstrando conhecimento profundo de materiais e soluções baianas. Assim é Gilberbert Chaves, um mestre da arquitetura brasileira. Professor da Universidade Federal, creio que as casas e edifícios por ele projetados e erguidos em Salvador ainda ensinam mais do que suas aulas, são o exemplo magnífico de uma arquitetura bela e humana. Projetou depois a casa de meu filho João Jorge e um estúdio onde eu imaginava poder isolar-me para trabalhar. Perfeito o estúdio, impossível o isolamento, culpa dos demais e culpa minha, sobretudo.

Projetada a casa de meu filho, veio construí-la Mário Mendonça, outro arquiteto da geração de Gilberbert, de igual qualidade e competência. Eu diria que os dois se completam admiravelmente bem: enquanto Gilberbert deixa que a imaginação se solte e dispare, Mário tem os pés na terra, a realidade é seu instrumento de trabalho. Admirável Mário Mendonça! Onde ele passa, deixa o traço marcante de sua presença de realizador. Nasceu para construir: casas ou o que quer que seja. Diretor da Faculdade de Arquitetura, ali realizou em pouco tempo obra definitiva. Depois de um curso de especialização em arquitetura de restauração em Florença, assumiu a direção da Fundação do Patrimônio Artístico e Cultural do estado — mais conhecida como a Fundação do Pelourinho — ali aplica seus vastos conhecimentos e sua imensa capacidade de trabalho.

Gilberbert Chaves e Mário Mendonça fazem parte de uma geração de arquitetos que sucedeu àqueles pioneiros que em árdua luta situaram a arquitetura moderna na paisagem da Bahia. Três nomes ilustres devem ser citados entre esses primeiros e bravos lutadores: Diógenes Rebouças, responsável inicial, cujas obras notáveis estão em toda parte na cidade, Bina Fonyat, autor do projeto do Teatro Castro Alves, entre outros de igual importância, e Lew Smarchewsky, que projetou a primeira residência moderna na Bahia.

Nomes a guardar, de companheiros de geração de Gilberbert e Mário: o de Jamison Pedra, que além de reputado arquiteto é desenhista e pintor extremamente original, de alta qualidade; o de Francisco Assis Reis, cujos projetos de residência localizam um criador poderoso: o de Sílvio Robato, autor do projeto da casa de Vinicius de Moraes; o de Valdomiro Cunha, a quem a cidade muito deve; sem esquecer o de Antônio Rebouças, irmão de Diógenes, cujo renome de escultor encobre a figura do arquiteto.

Numa geração mais nova, entre vários e vitoriosos jovens, brilha a estrela de Jader Tavares, que trouxe para a arquitetura a força e a poesia de seu pai Odorico.

FLORIANO TEIXEIRA, O ÍNDIO

NASCEU NO MARANHÃO, VIVEU NO CEARÁ, ONDE PLANTOU raízes fundas, terminou na Bahia e aqui se transformou finalmente num artista profissional, hoje nacionalmente conhecido e proclamado. Sendo um dos maiores desenhistas brasileiros de todos os tempos, na Bahia conquistou a pintura com paciência, enorme talento e rara consciência artística. Sua obra é de comovente beleza.

Tem a sutileza do índio, o sangue indígena nas veias e na face, no sorriso entre tímido e irônico, no humor fino e agudo, na inteligência voltada para a natureza e os bichos, nos pés andejos. Não pode passar um mês parado, quer sair pelas estradas, ver gente e coisas, pleno de interesse e de ternura.

Enriqueceu a humanidade baiana, engrandeceu nossa arte, deu-lhe a dimensão, o gosto do detalhe — certos quadros seus são trabalhos de um miniaturista. Esse índio do Maranhão, esse baiano do Rio Vermelho, é um ser extremamente civilizado, veio da floresta, mas por vezes dá a impressão de ter chegado da Renascença.

Patriarca, cercado de filhos, para onde vai carrega a família, a esposa Alice e a meninada, índio não larga a prole. Não lhe bastando os filhos, inicia a fase dos netos. Modesto, sem o menor laivo de vaidade, mas com um duro orgulho de caboclo, de quem sabe o valor da arte e de quanto custa criá-la. Esse é Floriano Teixeira — pode ser visto no Rio Vermelho, nos fins das tardes, com James Amado e Jenner Augusto, em prosa e riso, Deus que os perdoe!

JOSÉ DE DOME

NASCEU EM ESTÂNCIA, FORMOSA CIDADE SERGIPANA, NO ENCONTRO dos rios Piauí e Piauitinga, terra de antiga civilização, de moças álacres, de inesquecível luminosidade, de frutas e peixes, terra inspiradora. De lá, moço pobre e marcado pela arte, veio José de Dome para a Bahia onde os mestres Carybé, Genaro, Mário Cravo, Carlos Bastos, Mirabeau Sampaio e Jenner Augusto rompiam cânones e abriam novos caminhos. Lutou, sofreu, amargou fome e decepções, mas não se deixou abater, foi em frente. Vida dura e difícil, mas o rapaz de Estância não abandonou seu sonho de arte.

Um dia, já pintor conhecido Brasil afora, resolveu conquistar outros mundos. Partiu para o Rio de Janeiro levando dentro de si a luz, a cor, a força criadora da Bahia. Ergueu casa em Cabo Frio, saiu pela Europa, expôs em Londres, fez novos amigos, acrescentou maior experiência à sua criação. Continuou, porém, tão da Bahia, tão ligado a Salvador, que Antônio Celestino, no seu recente e importante livro sobre os artistas baianos (*Gente da terra*, editora Martins, São Paulo, 1972), consagra todo um capítulo a José de Dome, como se ele ainda continuasse em seu velho ateliê no Rio Vermelho, ao lado da Igreja de Sant'Ana e do peji de Iemanjá. Também eu recordo José de Dome no segundo andar do sobradão, com seu sorriso enigmático, sua inigualável gentileza, oferecendo aos amigos café com canela, especialidade de Estância. Odorico Tavares certa vez me disse considerar José de Dome o homem mais civilizado da Bahia: "É um inglês de Oxford", bradava o poeta Tavares num entusiasmo. "E que grande pintor!" Que grande pintor! repito eu.

O BOM XARÁ

QUANDO ALGUÉM CITA O NOME DE MEU BOM XARÁ JORGE CALMON e louva sua atividade, quase sempre o faz ligando-o a *A Tarde*, de tal maneira é grande a dedicação do jornalista à gazeta que dirige há muitos anos, desde a morte de Ranulfo de Oliveira. Agindo assim, comete séria injustiça, pois esquece as qualidades do jurista, do professor universitário, do administrador por mais de uma vez investido em altos cargos públicos, do culto beletrista a escrever com elegância e graça.

Creio, no entanto, que Jorge não se zanga pois entre os vários setores do mundo cultural baiano que lhe absorvem o tempo, *A Tarde* é aquele de sua preferência, uma parte de sua vida, continuador da obra de Simões Filho e de Ranulfo.

Rebento de família ilustre, irmão caçula do admirável Pedrinho Calmon, não se contentou em reafirmar qualidades herdadas; construiu sua presença na vida intelectual baiana, demonstrando merecimento próprio. Conheço-o desde menino, do colégio dos jesuítas. Desde então somos amigos, já se vão para mais de cinquenta anos. Tanto tempo? Como é possível, se Jorge Calmon aparenta, se muito, 45? Quanto a Pedrinho, seu irmão mais velho, quem lhe dá mais de 55?

DIDI & JUANITA

PODE UM SIMPLES RAPAZ DE SALVADOR, NASCIDO NA POBREZA, menino vadio, criado em meio às alvarengas, boa prosa no Mercado, acontecer um dia nas ruas de Londres, elegante como um lorde inglês? Pode crescer em artista consagrado, premiado em bienais, expondo sob o patrocínio da Unesco em capitais da Europa, quem era tímido artesão a trabalhar a palha e o ferro na feitura dos emblemas dos orixás para as festas rituais nas casas de santo da Bahia?

Posso afirmar que sim. Na elegância sóbria de um lorde inglês, vi mestre Didi, nascido Deoscóredes M. dos Santos, atravessar as ruas de Londres, ao lado de Juanita. Suas peças baianas — de origem africana, mas transfiguradas na Bahia na forja do sincretismo — eu as admirei expostas em Paris e sei do sucesso obtido em várias outras capitais, onde o assobá de Omulu foi convidado a exibi-las. O moço do Opô Afonjá e da Amoreira, guardião da casa de Ossaim e familiar dos eguns, conquistou passo a passo, em árdua caminhada, seu lugar entre os artistas brasileiros — as peças que ele cria possuem uma beleza sagrada, mistura de África e Brasil, de orixás e de babalaôs.

Filho de Senhora, aprendeu com ela e com os mais sábios e veneráveis, trabalhou com Miguel Santana Obá Aré. Numa curiosa experiência literária, reescreveu histórias afro-brasileiras. Depois, Juanita o tomou pelo braço e o conduziu pelos caminhos do mundo e da fama.

Juana Elbein, hoje Santos, chegou à Bahia para uma estada de limitada duração, não saiu nunca mais. Escreveu um livro sobre os eguns, tese de doutorado apresentada na Sorbonne, sobre o qual Roger Bastide falava maravilhas e que merece o elogio difícil de Pierre Verger. Incorporou-se à vida baiana, projeta, realiza, está presente em tudo quanto se refere aos problemas da cultura negra, matriz fundamental da cultura brasileira.

Estimo vê-los sóbrios e elegantes nas ruas de Londres, o lorde e sua lady, o artista e a pesquisadora, a ensaísta. Ou bem conduzindo o xaxará de Omulu no candomblé, vestidos com trajes rituais, o assobá e a reverente filha de santo, Didi e Juanita, um casal baiano prosseguindo a mistura de sangues e culturas, afirmando o poder da mestiçagem nascida do amor.

ALGUMAS MOÇAS E SUAS VERDADES

I. EDISOLEDA

Edisoleda, forte ou frágil, pisando no chão ou estendida nos céus, nas nuvens, levada pelo vento? Moça desenhista, é da estirpe dos mestres, para termo de comparação faz-se necessário buscar os maiores, falar em Carybé, em Juarez Paraíso, em Floriano Teixeira. De súbito, explode em cores, numa invenção onírica que participa do desenho animado, da ficção, de uma verdade que transpõe os limites do habitual para romper-se em luz marítima e misteriosa onde nascem sereias em ato de amor.

II. ANA LÚCIA

Possuo o primeiro quadro a óleo de Ana Lúcia, duas casas simples da Bahia nas cores ingênuas e sábias com que os pobres pintam suas moradias, azul, vermelho, abóbora, cor-de-rosa, verde. Por acaso o vi exposto numa galeria de jovens, senti de logo a personalidade da pintora e chamei a atenção para a mocinha tímida e estranha.

Ana Lúcia pertence ao bairro de Santo Antônio Além do Carmo. Apareceu discreta e mansa, certamente fugida do oratório mágico da Cruz do Pascoal, em madrugada de Oxumarê, quando o arco-íris, após a chuva, irrompe no pacto de paz e de alegria. Entrou por um lado do arco-íris, saiu pelo outro com tinta e pincel. Pinta seu bairro, o oratório, as ladeiras, as ruas, o povo na cidade, as moças namoradas. Tem de Oxumarê as duas faces, a água e o sol, o rosa e o vermelho, o pedido e o mando, a reserva discreta e a presença forte, é metade medo e metade afirmação. Na doçura de seus quadros, um grito estranguiado.

III. SÔNIA CASTRO

Trágica face das crianças, órfãs de pai e de mãe. Pior quando ainda têm ao lado a mãe em desespero, máter dolorosa.

Sombras cinzentas acentuando o drama, a pobreza, a injustiça, os famintos rostos de meninos e mulheres, na pintura de Sônia Castro. Mais forte ainda, de militança mais densa, sua gravura de protesto e acusação, a denúncia do mundo cão, onde alguns tudo possuem e a maioria nada tem, além dos olhos imensos, da boca sedenta, do coração apunhalado. De todos os artistas baianos, talvez seja Sônia Castro aquele em cuja obra a denúncia da sociedade capitalista se faça de forma mais direta: certas gravuras são como um soco no estômago. Gravadora das mais poderosas do Brasil, um mestre. Pintora de muito ofício, nas telas a mesma inspiração de revolta, goiva e pincel são armas de luta.

Um dia, partiu para o Sul como tantos outros, buscando não sei bem o quê. Como todos os demais voltou a seu território baiano, ao seu chão de beleza e miséria. Desembrulhou os quadros, as gravuras, novamente na praça o grito de protesto. Sônia Castro, combatente.

IV. LYGIA MILTON

Vários os pintores que recriam o casario baiano — nobre e densa matéria plástica — e alguns o fazem com soberba mestria, são a memória de ladeiras, ruas e becos, recantos, palácios solares, sobradões desaparecidos. Para reencontrar a beleza antiga das encostas do Dique restam-nos somente os quadros de Willys; para admirar igrejas e capelas que a voracidade do lucro imobiliário consumiu, ficaram as telas de Cardoso e Silva; para saber de alguns dos mais pitorescos detalhes do Rio Vermelho, antes dos grandes hotéis e da derrubada de ruas inteiras, deve-se procurar e ver os quadros de Licídio Lopes.

Também Lygia Milton, pintora cujo ofício vem-se apurando e depurando a cada dia, é parte importante da memória da cidade, suas telas conservam o caráter, a dramaticidade e a poesia das casas, dos sobrados baianos. Ao falar dessa pintora, é necessário e exato dizer-se que ela não se conformou com o sucesso inicial, ao talento instintivo buscou somar a pesquisa de novas tendências, dando dimensão mais ampla ao traço e à cor com que resguarda a nossa fisionomia, a lembrança das casas e da vida.

MESTRE DE CAPOEIRA E DE MUITAS ARTES

WALDELOIR REGO, MOÇO BAIANO DEBRU-ÇADO SOBRE OS LIVROS e sobre a vida, é comumente apresentado às pessoas de fora com a seguinte frase: "Esse rapaz é quem mais entende de candomblé, no Brasil". Entende, realmente, muitíssimo; as religiões afro--brasileiras, o sincretismo baiano são para ele fonte constante de observação e estudo. O material que durante anos reuniu, possui e está elaborando vai-nos dar, com certeza, os livros definitivos que há muito esperamos sobre tão apaixonante assunto. Em suas pesquisas não há nada de amado-rístico nem ele exerce a extensa vigarice por vezes apenas tola, por vezes criminosa que tão habitualmente acompanha o contato e o tratamento de tais matérias. Nele tudo é seriedade e honradez intelectual, não leva pressa, não sofre do afã de aparecer. Em seu gabinete, quase uma cela monástica, Waldeloir acumula, separa, cataloga e absorve o imenso acervo que vai buscar na intimidade mais profunda da vida popular baiana. Dessa vida popular ele não é apenas observador, é parte integrante.

No Axé Opô Afonjá, Waldeloir detém um elevado posto, dignidade que lhe outorgou a finada Mãe Senhora — em alta conta o tinha a famosa ialorixá. Em alta conta o têm Menininha do Gantois, Olga do Alaketu, Stella de Oxóssi, Luiz da Muriçoca, mães e pais de santo; para Waldeloir não existe porta fechada nesse antigo mistério, as chaves dos segredos ele as possui, todas.

Os estudos sobre candomblé levaram-no aos demais territórios da vida popular baiana, a todos os detalhes de sua cultura, de sua formação, de sua "nação". Enquanto mastiga, digere e elabora os ensaios sobre o assunto central, trabalha os materiais desse amplo continente de temas que é Bahia, sua cultura, sua civilização.

Publicou um livro definitivo sobre capoeira, *Capoeira angola*, que esgota o assunto de uma vez por todas e sob todos os ângulos. Um estudo que evidencia a qualidade e a extrema seriedade da nova geração brasileira de ensaístas e pesquisadores.

Tudo quanto se refere ao jogo de capoeira está nesse livro: de suas discutidas origens às mudanças socioetnográficas ocorridas ao passar do tempo; dos instrumentos ao canto; das "academias" à indumentária. Não há detalhe que escape à análise exaustiva de Waldeloir Rego. Este seu primeiro livro nos dá uma justa medida da obra cuja realização ora ele inicia e que, espero eu, valerá por uma revisão dos valores culturais do povo baiano, de nossa imensa contribuição à cultura nacional brasileira.

Para completar a informação sobre obra e autor, quero acrescentar apenas que esse Waldeloir Rego é o mesmo que ganhou o prêmio de Artes Decorativas na Bienal da Bahia e a medalha de ouro no Salão de Campinas com suas joias, com temática de candomblé, pulseiras e colares de Iansã, de Xangô, de Iemanjá, de Oxóssi e Oxalá. Porque, como eu disse antes, se bem curvado sobre os livros, devorando bibliotecas, Waldeloir é a negação do livresco e da cultura de gabinete. Seu conhecimento mais profundo vem do povo, da vida popular baiana que é sua vida, seu rico quotidiano, sua carne e seu sangue.

DO FERRO E DA MADEIRA

AS MADONAS DE ANTÔNIO REBOUÇAS SÃO IEMANJÁS. Artista pouco voltado para o rumor da publicidade, trabalhando em silêncio, está realizando obra realmente séria e valiosa. Por mais se admire seu recato, faz-se necessário que Antônio Rebouças traga ao público o resultado de seu trabalho.

O mesmo pode-se dizer de outro escultor cuja matéria predileta é o ferro: Mercedes Kruchewski, também trancada em seu ateliê, pouco chegada a exposições. A importância da escultura de Mercedes transcende no entanto os limites de sua modéstia, impõe-se apesar do silêncio em que a artista se envolve.

As esculturas de Tatti Moreno reclamam a praça pública pelo que têm de monumental e hoje pode-se ver, em vários pontos de Salvador, a criação desse escultor cujo ímpeto o fez popular em prazo curto. Não se creia, porém, que só nas peças grandes ele se realiza. Ao contrário, talvez seja nas pequenas onde explode com maior violência seu talento. Possuo uma Iemanjá de Tatti, realmente preciosa.

Os santos em madeira da grapiúna Madalena Rocha estão crescendo em profetas monumentais. Artista de larga experiência, de competente ofício, suas peças começam a exigir os grandes espaços. No correr do tempo, Madalena Rocha vem afirmando, na continuidade e na probidade de seu trabalho, uma presença poderosa.

No ateliê de Mirabeau Sampaio, vejo Wanda do Nada trabalhando o ouro das iluminuras. Ninguém diria que essa moça frágil talha a madeira com estupendo vigor, criando peças enormes, de inegável força. Ninguém a poderá deter em seu caminho.

No Mercado, nas galerias, em seu ateliê na cidade de Cachoeira, encontram-se as ceias e os Cristos de Louco, o excelente Boaventura que de louco nada tem, mas em troca tem um talento e uma vocação sem limites. Entre os escultores primitivos da Bahia, o primeiro: realmente impressionante.

UDO, O DOS AZULEJOS

UM ALEMÃO, ALTO, FORTE, TRANQUILO, UM BAIANO SUAVE, com fornos, barro, desenhos. Não só implantou a arte moderna do azulejo na Bahia, cozinhando formas nascidas de desenhos seus, de Carybé, de vários outros artistas, como se dedicou apaixonadamente ao estudo dos velhos azulejos existentes nas igrejas e casas baianas, tendo escrito um trabalho monumental sobre o assunto, à espera de ajuda oficial para edição. Um trabalho único, absolutamente necessário e definitivo, obra de uma vida.

Ceramista de qualidade, de quando em vez expõe jarros, garrafas, pratos, o barro amassado por suas mãos poderosas, cozinhados nos fornos que ele ergueu em Brotas com o objetivo de concorrer para o embelezamento da cidade onde fincou os pés para sempre. Seu nome completo é Udo Knoff.

CARTA A RAIMUNDO DE OLIVEIRA
AO SABER DE SUA MORTE

NA BARRA DA MANHÃ, RAIMUNDO, OS PÁSSAROS VÊM EM BANDOS revoar em torno ao viveiro, visitar os companheiros cativos: o canto livre mistura-se ao canto escravo, os pássaros-

-sofrê rompem os peitos coloridos nos ais de amor, saudando o sol. Uma atmosfera azul nasce do mar, nas mãos de Iemanjá, uma atmosfera de crianças, tua atmosfera, Raimundo. Se chegasses da rua penetrarias de vez nessa manhã e sua luz vibraria em teu último quadro. Em qual deles, Raimundo? A ceia, com as frutas do Brasil, o peixe desse mar de saveiros, e o vinho pobre do povo mais pobre, a cachaça destilada da cana--de-açúcar nos alambiques de Santo Amaro? Ou a entrada de Jesus em Jerusalém com palmas e vivas, na véspera da coroa de espinhos e da flagelação? Ou a volta do filho pródigo, o anjo revel Mundinho de Feira de Santana, de retorno à casa paterna de onde fugira nos desvios da noite solitária? Onde colocarias a luz dessa manhã Raimundo de Oliveira, jogral do Senhor, cordeiro de Deus, anjo de asas rotas, todo feito de amor, ainda de amor, sempre de amor, crucificado nas sombras da maldade num crepúsculo de ânsias irredutíveis? Em que tela colocarás essa manhã da Bahia com os pássaros lancinantes, as mangas olorosas, os divinos cajus? Senta-te aqui ao meu lado, Raimundo, e vou te contar dos acontecidos depois que puseste as asas da morte e partiste para teu céu de pureza e de paz.

Ah! cresce teu nome, Raimundo, pelo mundo afora, pele costa do Brasil e seu sertão, pelos caminhos do estrangeiro. Os teus quadros vêm--se desdobrando em cores e em figuras, em emoções; de cada estrela que pintaste nasce uma constelação, de cada flor nasce um jardim, de cada profeta um povo inteiro. Nascem de teus quadros a alegria e a beleza. Pelo mundo afora, por esse vasto mundo tão pequeno, teus quadros vão comovendo e melhorando os homens.

Me disseram outro dia que um quadro teu, exposto em Norte-América, na cidade de Nova York, enlouqueceu de felicidade um rei de qualquer-coisa, de petróleo ou de alfinetes, de aço ou de espartilhos. Ao ver tua pintura se lhe abriram os olhos de repente, compreendeu que o dinheiro não é tudo na vida nem muito menos; teve um pulsar de coração, um sentimento, um instante de poesia: viu a luz do dia mais além do brilho das moedas.

Sacou então dos bolsos, das carteiras, do talão de cheque uma quantidade enorme de dólares e pagou por teu quadro uma fortuna, tanto dinheiro como jamais viste nem reuniste em toda a tua vida, como nem sequer esbanjaste, pobre e perdulário. Os jornais falaram do caso, os marchands subiram ainda mais o preço de tuas telas. Sabes quanto andam cobrando por um quadro teu? Nem te digo porque, mesmo no reino da glória, estremecerias de comoção. Mas a beleza de tuas telas continua imutável; apenas, com o passar do tempo, adquire uma densidade maior como se agora todos se banhassem em sua luz.

Eras o sal do mundo e sua livre poesia. Deixa que eu te conte um acontecido antes que a vida cresça na manhã azul: o poeta Odorico Tavares chegou de Londres e me trouxe de presente um álbum magnífico sobre *Latin American painters and painting in the 1960's: The emergent decade*, e sabes quem abre o livro, numa sucessão de páginas e páginas de fotografias magníficas e de reproduções a cores? Outro não é senão Raimundo de Oliveira e seu mundo bíblico e brasileiro. Também outro dia trouxeram um quadro teu, antigo, vieram vendê-lo. Estávamos na varanda, eu e Zélia, e era como se chegasses, dizendo: "Perdão, peço perdão!". Quadro tão bonito, um Raimundo de pura timidez de azuis. Aqui e ali, nós te encontramos a cada instante, em cada rosa, em cada pássaro.

Eras um homem e um anjo em conflito, o cativeiro e a liberdade, o numeroso e o solitário; eras, Raimundo, a santidade e o pecado, tuas correntes te pesavam demais e as arrancaste no quarto do hotel, retiraste da mala de viagem tuas asas de anjo e foste sentar na mão de Deus, de teu Deus particular e exclusivo.

Aqui ficou, tua Bahia, Raimundo, tua luz, teus pássaros, as flores voltadas para o sol, tua gente, o tardo jumento, os vaqueiros e os jagunços de chapéu de couro, o retrato de tua mãe. Escuto teu riso na fímbria da manhã; percebo teu pranto de criança, ouço tua palavra fraterna, irmão de todos os homens, Raimundo de Oliveira!

ZITELMANN DE OLIVA

GUARDO NA MEMÓRIA A EXATA IMAGEM DO JOVEM Zitelmann de Oliva empapado de suor, ranheta, generoso, discutidor, entusiasta, cabeçudo, terno, disposto e alegre em frente a todas as dificuldades, ganhando seu sustento, pagando seus estudos, vida apertada, difícil. Em torno era a ditadura do Estado Novo e a morte desatada por Hitler. Foi um tempo dramático, ardente e belo, e na batalha a amizade floresceu, árvore de raízes poderosas e doce sombra.

Trinta anos depois, o estudante de então a difundir livros e ideias, a lutar com os punhos e o coração, sem desfalecimento, sem descanso, abrasado de ternura humana, de confiança no futuro, trinta anos depois é cidadão ilustre, intelectual exemplar, realizador de marcante atuação na vida do Estado.

Ilustre homem público, patriarca desabrochando em netos, mas eu vejo o mesmo rapaz dos anos de 1943, de discussão fácil e de lágrima quente; a mesma paixão pela vida, pela humanidade, pelo amanhã. No fundamental ele não mudou: cresceu, amadureceu, sua experiência intelectual e humana é imensamente maior mas não o fez cético, não abalou sua confiança no ser humano. Nem mesmo diante de um mundo aparentemente sem sentido e sem saída, violento e desesperado, por vezes difícil de ser compreendido e aceito. Verdades consideradas eternas ruíram no passar dos anos, os jovens elevam novas bandeiras, enfrentam o fim de um tempo, o nascer, em parto terrível, de uma nova era. O humanismo parece soçobrar, a paz está longe de ser conquistada, a morte se levanta em estandarte, matam-se os irmãos, o amanhã persiste distante. Mas o rapaz de ontem continua na trincheira em defesa do homem, soldado. Soldado, sim, porém fardado com a túnica do humanismo, a lutar pela justiça, pela fartura, pela alegria, pela liberdade e pela paz. Marchando para o futuro numa caminhada sem desvios, fiel, de fidelidade ilimitada, aos sentimentos que dirigiram seus passos na primeira mocidade.

O ESCULTOR MANUEL BONFIM, OGÃ

MANUEL BONFIM É UM FILHO DO POVO DA BAHIA, CUJA ARTE INGÊNUA, porém verdadeira, nasce diretamente das fontes da cultura popular e se mantém fiel às origens em sua criação despida de artificialismos, de modismos, integrada nas tradições e na vida.

O caminho do artista Bonfim foi traçado por ele próprio, com seus próprios meios, com obstinação. Aprendeu com o povo, nas rodas de samba, nos candomblés, nas escolas de capoeira, nos carurus de Cosme e Damião, na rampa do Mercado, ao lado dos pescadores, com mestre Flaviano, junto dos barraqueiros, da gente pobre, aprendeu com os orixás. Os orixás bafejaram-no com o sopro divino e Bonfim passou a recriar na madeira os encantados da Bahia, seus deuses primitivos e poderosos. Escultor, tapeceiro, pintor, artista de cinema, ogã de Nanã Burucu.

Como delimitar na obra de Bonfim o artista e o artesão, o homem que estudou com Mário Cravo, frequentou o ateliê de Mirabeau, aprendeu a grande arte, e aquele que é ogã de candomblé, que rasga a madeira com os mais precários instrumentos para criar a imagem de seus deuses, a face bondosa ou colérica de seus orixás, de Oxóssi ou Iansã, de Omolu ou Nanã, de Xangô ou Iemanjá? Onde começa o erudito e onde termina o homem da seita? Nem eu mesmo sei, são os mistérios da Bahia, sua cultura tem contraste de sombra e luz, convivência de povo e refinamentos estéticos. Quando Manuel Bonfim se lança à conquista da madeira para transformá-la e engrandecê-la, ao mesmo tempo ele está cumprindo uma obrigação de santo, por força de um compromisso de iniciado. Essa é nossa maneira de viver e de criar.

A escultura de Bonfim, tão verdadeira e carente de qualquer truque, do menor subterfúgio, é uma face de nossa realidade, resulta de uma de nossas matrizes, a mais poderosa e atuante das três, a matriz africana. Nosso umbigo é a África, repito, e Manuel Bonfim, artista e homem da Bahia, cria seus orixás e suas figuras dramáticas pela necessidade de construir seus deuses, de conservar pelo tempo afora a beleza que os negros souberam preservar e guardar para nós em meio à desgraça da escravidão. Bonfim continua a dura tarefa de construir e preservar, de levar adiante um bem do povo inteiro. De suas mãos de ogã nascem os deuses e a flor do sangue vinda dos navios negreiros: a flor da liberdade.

Sua gargalhada é alegre e solta, vence as dificuldades, desconhece o desespero. Gosto de vê-lo no ateliê junto ao grande Kangô liberto no jacarandá pelas mãos do ogã Manuel Bonfim. Gosto de vê-lo na praça do Rio Vermelho, ao lado da Iemanjá que ele esculpiu para os pescadores, mãe Janaína. Um baiano fiel à vida, à cidade, ao povo, um artista da gente trabalhadora e sofrida.

MESTRE GODOFREDO FILHO

FERNANDO DA ROCHA PEREZ, POESIA E MEMÓRIAS DA SÉ, comunica-me ao telefone:

— Festa no país da cultura, meu Jorge. Mestre Godofredo Filho completará setenta anos na próxima semana.

Setenta anos? Godofredo Filho? Grande festa, sem dúvida para todos aqueles que amam a cultura, a beleza, mas restam dúvidas no ar, sinto-me envolvido por elas, uma atmosfera obscura, um tanto misteriosa, própria de poetas.

Outro poeta, Odorico Tavares, familiar de Godofredo desde os idos de 40, quando o citado Odorico desembarcou em nossa cidade vindo do Recife em busca de santos antigos e de arte moderna (e como trabalhou bem numa e noutra especialidade!), afirma com convicção e conhecimento de causa terem sido comemorados há alguns anos, em ignota intimidade de carurus, vatapás, moquecas e vinho francês, os verdadeiros setenta anos de Godofredo Filho, poeta principal da Bahia. Festa íntima, mas que festa!

Com quem a verdade, com qual dos poetas? Com Odorico, com Fernando? Decido esclarecer-me no meio do povo, pois, sendo um requintado do verso, um erudito de alfarrábios e vinhos, mestre Godô bebeu também na sabedoria popular, nas fontes mais puras onde beber se possa o sentimento vital da alegria. No olor do azeite e da pimenta, ouço o elogio do poeta de lábios populares e competentes:

— Setenta anos? Mentira dele, tem isso tudo o quê... Pouco mais que cinquenta, sessenta talvez, é um moço de brio, língua de mel.

Do mel da poesia que é licor capitoso para nossa leve embriaguez quando provamos os sete sonetos do vinho do porto, do moscatel, do jerez, do madeira, do tokay, do málaga, do constantia, quando com ele entramos Galícia adentro no falar mais doce, na lua mais terna. Ou nos becos da cidade da Bahia, no mistério noturno de sombras morenas e na secreta fonte da vida de onde nascem a balada, a ode, o canto de amor, onde mais alto se eleva a poesia de Godofredo Filho.

Mestre poeta sem idade, moço de brio, senhor da sabedoria dos livros e da sabedoria do povo, na cátedra, na intransigente defesa do patrimônio artístico, na mesa requintada, deslumbrante natureza morta de quitutes escolhidos, no calor da amizade, nas obscuras encruzilhadas e no largo caminho da criação, Godofredo Filho enriquecendo-nos.

Longa vida, mestre Godô, para que a poesia continue a desabrochar cada manhã nas novas avenidas de largas pistas, luzes inúmeras, e no mais distante e pobre beco de Salvador da Bahia.

GERMANO TABACOF E
SUA MULHER ANNA MARIA

NA UNIVERSIDADE FEDERAL DA BAHIA EXISTE UMA TRADIÇÃO de reitores que realmente honraram e honram o adjetivo "magnífico" que precede o título: mestre Edgard Santos, o primeiro e o maior de todos, Albérico Fraga, Miguel Calmon, Roberto Santos, Macedo Costa e agora Germano Tabacof.

Dinâmico, decidido, conhecedor dos problemas da educação e da Universidade brasileiras, persistente, devotado, jamais vencido, sucedendo a tantas personalidades, Germano Tabacof impôs-se como um realizador determinado, atento a cada detalhe, sabendo que os limites da reitoria vão muito além das fronteiras do campus universitário. Sob seu comando, a UFBA supera as inúmeras dificuldades, a pobreza das verbas, as limitações ainda provenientes dos anos de arbítrio e autoritarismo, sua ação se estende sobre a cidade, serve a toda a população.

Não consigo separar a figura de Germano Tabacof da de Anna Maria, sua esposa, pois eles se completam na luta para levar a bom termo os problemas mais difíceis, para afirmar a cultura como o valor mais alto da Bahia. Assim eu os vejo, juntos na defesa das boas causas, generosos e entusiastas.

ARLETE SOARES É O CÃO

ARLETE SOARES É O CÃO. QUANDO EU A CONHECI — VAI-SE TEMPO! — ela substituía Carlos Coqueijo Costa na direção do Teatro Castro Alves, comandava a classe teatral da Bahia em luta contra a ditadura. Meu filho João Jorge, que naquele então pertencia à classe teatral e era funcionário do Teatro Castro Alves, até hoje a trata por patrão ou chefe, recordando a atuação e a mansa autoridade da jovem professora universitária.

Fui reencontrá-la em Paris, bolsista da UFBA a preparar uma tese sobre a comunidade de pescadores baianos da praia de Jauá. Preparava a tese mas sobretudo comandava os bolsistas brasileiros da Cité Universitaire na denúncia dos crimes da ditadura militar instalada em Brasília. Com sua mansa autoridade. Mansa? Pelo menos na aparência, mas sob aquela risonha mansidão se escondia uma energia que transformava o corpo frágil em chama ardente.

Não comandava apenas os jovens brasileiros: com seu poder de mando, com sua sedução, envolvia padres alemães, moças portuguesas, estudantes africanos e estudantes eslavos, a todos ela se impunha, a moça baiana. Em seu pequeno alojamento acampavam estudantes vindos das mais diversas partes do mundo — era Arletê quem ditava a lei na Cité Universitaire.

Na Bahia dirigiu empresas, vendeu artesanato hindu, editou revistas, pintou e bordou, levou avante uma proposta cultural progressista e popular. Fundou e dirige a editora Corrupio, que, entre outras realizações dignas de todo elogio, salvou a obra imensa de Pierre Verger, do magistral fotógrafo e mestre das relações entre Brasil e África. Já publicou toda uma valiosa série de livros de Verger: *Retratos da Bahia* é uma obra-prima. No momento em que escrevo, está preparando a edição brasileira do grande livro do mestre sobre o tráfico de escravos, *Flux et reflux*, um dos livros mais importantes sobre a escravidão no Brasil e a formação de nossa nacionalidade. A obra realizada pela Corrupio tem sido extraordinária.

Devorada sempre pelo fogo da paixão, Arlete Soares é hoje um dos promotores de cultura mais importantes do Brasil. Faz e acontece, realiza, tira coisas do nada. De quando em vez dá-lhe o bicho-carpinteiro, e quando se procura por Arlete, ela está na Índia, no Nepal, no Tibete, no fim do mundo. Quanto a Paris, é sua outra casa, vai e volta, comanda aqui e lá. Arlete é o Cão.

DEMÊ

COMERCIANTE MAIS QUE PRÓSPERO, COM EXTENSA REDE DE LIVRARIAS EM SALVADOR, Feira de Santana, Recife;

editor, proprietário da editora Itapuã, responsável por uma série inestimável de livros de autores e de temas baianos;

patriarca familiar, pai de oito filhos — quatro rapazes dispostos no estudo e no namoro, quatro moças lindas, todos nascidos de Inas, esposa e padroeira (ele jura que além desses oito legítimos não existem outros);

mentiroso por necessidade e gosto;

gourmet e gourmand; *em sua bela casa do Jardim Ipiranga (bairro onde habitam os mais ricos da cidade) come-se admiravelmente bem; ele continua a tradição herdada da mãe, artista do fogão e santa;*

gordo, mas ágil, quando jovem e solteiro foi campeão de swing *e namorou todas as moças do bairro da Saúde, chefiou moleques, levou tiros de ciumentos e atrasados maridos; torcedor do Esporte Clube Bahia, ainda hoje disputa babas monumentais, famoso ponta de lança no futebol de praia;*

dono de apreciável coleção de óleos, aquarelas, esculturas, talhas, gravuras, desenhos, todos recebidos em doação, considera-se protetor das artes e queixa-se de sistemáticos roubos perpetrados nas seções de livros de arte de suas livrarias por Carybé, Floriano Teixeira, Calasans Neto e Sante Scaldaferri;

proprietário de aprazível casa de campo, em terreno doado pela comuna, dela desfrutei, lá escrevendo parte de um livro e causando, com a indébita ocupação, grave prejuízo à vida sexual dos rapazes, filhos de Demê, que costumavam mostrar aquele idílico, bucólico e platônico ambiente rural a curiosas e castas senhoras;

filho de Oxalá, obá de Xangô, meu ossi no Axé Opô Afonjá, levantado por mãe Senhora que o adorava e fazia constantes ebós para aumentar-lhe a fortuna, ebós até hoje válidos, produzindo resultados evidentes;

homem trabalhador, competente, corajoso, começou aos dez anos, varrendo o piso da Livraria Civilização, na Cidade Baixa, subiu a balconista, a primeiro empregado, a gerente, terminou dono — e eu sei o que isso lhe custou em esforço, em luta, em suor, em preocupações, em capacidade — merece o que possui e muito mais;

esposo e pai feliz, parente generoso, homem de bem;

amigo adorável, dedicado, perfeito, terno, de riso e choro fáceis, de lealdade absoluta;

esse é meu compadre Dmeval Chaves, mais conhecido por Demê, um baiano com compasso e régua de desmedido coração.

FERNANDO COELHO

UM JOVEM PINTOR VENCE SUAS PERPLEXIDADES, AS INFLUÊNCIAS, o sucesso avassalador e se encontra a si mesmo, numa busca que lhe custou certamente suor e sangue, lágrimas contidas e um esforço consciente e duro: Fernando Coelho. Quando apareceu, há alguns anos, no cenário da plástica baiana, foi como um terremoto. Os admiradores eram multidão, o rapaz vendia tudo quanto pintava, suas exposições conheciam sucessos consecutivos.

Uma pintura bonita, agradável de ver-se, imaginosa, de muita habilidade: logo encontrou-se o artista projetado, repleto de elogios e encomendas. Fernando Coelho soube compreender e sentir, no entanto, que sua pintura precisava amadurecer, encontrar personalidade própria, originalidade, sobrepujando influências certamente benéficas e mais que compreensíveis num jovem artista, mas que limitavam a verdade do pintor. Viu o perigo do sucesso tão estrondoso, soube enfrentar o trabalho com humildade, buscando-se até sentir-se livre, com tintas e pincéis seus, sua inspiração. Assim o fez, corajosamente. Não se deixou ir na correnteza do fácil êxito, exigiu de si mesmo e saiu vitorioso.

Cresceu e se encontrou. Sua pintura despiu-se da pressa, da ânsia, da ambição do aplauso imediatista, já tendo incorporado e diluído o aprendizado anterior. Creio que a beleza expressa na arte de Fernando Coelho, arrancada de dentro de sua luta anterior, de sua fome de criação, nasce da Bahia cujo mistério o artista capta sutilmente, numa linha de emoção quase religiosa.

ZU CAMPOS GUERREIRO

GUERREIRO ZU CAMPOS, GUERREIRO NO BOM SENTIDO, significando homem decidido, artista que se fez sozinho, lutando para superar-se a cada dia, para dar à criação da arte a dimensão de sua cidade e de seu povo. Como são Jorge na lua, com Oxóssi de arco e flecha na floresta. Indo buscar no fundo da madeira a luz mais rara da Bahia, a do interior de certos templos, tomando da cor por vezes violenta das fachadas das casas. Madeira e cor, eis o artista baiano Zu Campos, homem de sua terra, de sua cidade de ladeiras e ebós, de sua gente mestiça c mágica.

Não sei de artista mais baiano nem sei de cidadão mais representativo das qualidades do povo dessa terra de mar e montanha. Nunca o vejo sozinho. Seu ateliê em Santa Teresa em face do mosteiro, da igreja sem igual, do Museu de Arte Sacra, não é a torre onde um artista se tranca para o mistério da criação. Ali ele cria beleza, mas nunca escondido nem isolado: jovens aprendem sua lição, buscam o caminho da arte no exemplo e na experiência do guerreiro Zu Campos. Solidário cidadão, aprendendo e ensinando.

A obra de Zu Campos se afirmou num esforço consciente, num trabalho árduo e quotidiano, recriando a mitologia da cidade e de sua gente. Artista sério de extrema independência criadora e de total cordialidade no trato e no debate da arte que ele exerce como um bem de todos. Não tem alunos, tem amigos; mas quem tem sido melhor professor após ter palmilhado os caminhos da realização, em aprendizado fecundo? Admirável Zu Campos com as talhas, as matrizes, a velha madeira transformada em arte pelas mãos sábias manejando os instrumentos obedientes.

Alguns obtêm sucesso fácil, quase sem esforço. Outros devem entregar-se de corpo e alma ao trabalho, romper o coração, sangrar sobre a obra construída. Os primeiros vão com o passar do vento, só os últimos permanecem. Zu Campos é um deles. Nas cores de seus santos e de seus anjos há sangue dos homens, derramado.

Não será ele próprio um anjo barroco, escuro anjo baiano fugido de uma igreja grávida de ouro para ir dançar num terreiro de candomblé em honra dos orixás? Mágico, guerreiro, professor, amigo, um artista da Bahia, Zu Campos.

HENRIQUE OSWALD

DE REPENTE HENRIQUE OSWALD NÃO ESTAVA MAIS entre nós e todos nos demos conta de um vazio, de uma modificação da paisagem, como se fosse menor o calor do sol, como se o dia fosse menos alegre. Henrique Oswald era uma alegria serena, uma seriedade sem tristeza nem dogmas, uma consciência criadora, uma presença cordial e fecunda. Alguns artistas importantes que se instalaram na Bahia vieram nos enriquecer: Pancetti, Carybé, Rescala, Hansen, Floriano Teixeira. Entre os que mais nos enriqueceram, entre os que se tornaram inteiramente baianos, devotados de corpo e alma à Bahia, se situa a nobre figura de Henrique Oswald. "Sou um artista baiano", declarou a um jornal do Rio pouco antes de morrer, e talvez nem ele próprio se desse conta da inteira verdade dessa frase e de seu profundo conteúdo.

Houve um Henrique Oswald antes da integração na paisagem física e humana da Bahia e ainda há poucos dias tive ocasião de admirar trabalhos seus dessa fase de certa maneira tão distante — menos no tempo do que no espaço da criação, vital. Belos trabalhos, a alma inquieta de um artista que se buscava com avidez. Mas foi aqui, diante desses sobrados, dessas igrejas, dessa humanidade cordial que ele se encontrou. Aqui, de vez e para sempre, ficou, dando-nos de si quanto lhe era possível ou seja muitíssimo, pois Oswald não sabia dar-se pela metade, era feito de uma peça só, íntegro e inteiro. Deu-se à cidade, fez-se povo, cidadão, seu enamorado e seu pintor, um baiano loiro e tímido, de riso discreto e alma boníssima. Muitas vezes ao cruzar uma rua, ao entrar numa galeria de pintura, ao atravessar o pátio da Escola de Belas-Artes, ao descortinar a paisagem sem igual do alto de uma ladeira, sinto a ausência de Henrique Oswald como uma injustiça, um crime contra a Bahia, contra sua arte e sua gente. Por que partir tão moço ainda, quando apenas chegara?

Henrique Oswald viera de amadurecer sua experiência artística, fizera-se senhor de todo o seu ofício, um mestre; sua obra atingira aquela etapa de esplendor que marca a definitiva posse de *métier* pelo criador, quando a beleza faz-se sua companheira. Assim construiu sua fase baiana: desenhos, gravuras e óleos da mais alta qualidade. Casarios, monjas, madonas, igrejas, a Bahia com sua poesia e seus mistérios nos óleos cuja matéria possui uma luz mágica como se Oswald tivesse penetrado o segredo mais profundo dessa vida, onde realidade e magia se confundem. De súbito, o marinheiro Oswald de largos oceanos e de múltiplos horizontes ancorou no porto e plantou sua bandeira. Aqui, sem conflito, se fez poesia numa pintura de grandeza incomum. Nos desenhos e nas gravuras explode o drama do nosso tempo, protesto contra a opressão, a guerra, a tristeza, o avassalamento do homem. Nos óleos triunfa a Bahia, o mistério e a luz de igrejas e casarões.

ALGUNS SERGIPANOS
E OUTROS COLONIZADORES

OS SERGIPANOS COLONIZARAM O SUL DO ESTADO DA BAHIA, a região cacaueira, e nos legaram a valentia, o talento e o gosto de viver. Na capital ocupam amplo espaço em todas as profissões, sobretudo nas intelectuais. Por mais de uma vez foram citados nestas páginas os nomes do escritor José Calazans, dos pintores Jenner Augusto e José de Dome, dos jornalistas João Baptista e Junot Silveira. Junot, quando diretor da Imprensa Oficial, iniciou a publicação de uma série de álbuns de artistas baianos que está a exigir continuação. Homem de iniciativa, com larga experiência na administração pública.

Mas não fica reduzida a esses poucos a atuante presença da obstinada nação na vida da Bahia. Vários outros cidadãos, procedentes do pequeno grande estado, colaboram para a nossa vida e nossa cultura.

Para iniciar a relação desses sergipanos que aqui militam, nenhum nome melhor, mais significativo, do que o do escritor Mário Cabral. Poeta e romancista, eis aí um homem de letras que honra Sergipe e Bahia, prosador de frase correta e densa, posta a serviço de um nobre humanismo. Suas memórias contêm páginas de alto lirismo e de aguda conceituação; seus artigos de crítica literária tanto têm de penetrantes quanto de generosos; seu clima é o da amizade.

Outro escritor da mesma geração é Benedito Cardoso, magistrado no ócio da aposentadoria. Não se aposentou, no entanto, da poesia e das colunas dos jornais. Eu o conheci nos tempos heroicos de Pinheiro Viegas, antes de 1930. Devo-lhe ter sido um dos primeiros a escrever sobre o meu romance de estreia, *O país do Carnaval*. Seu artigo encheu de orgulho o coração do coronel João Amado de Faria, meu pai, que o lia em voz alta para os amigos, em Ilhéus.

De uma geração posterior, Nélson Araújo, contista e dramaturgo, é incansável trabalhador cultural. Dirigiu a Escola de Teatro da universidade, dirige hoje a revista do Centro de Estudos Afro-Orientais. Vem de escrever uma *História do teatro* que merece urgente editoração.

Também o jovem ficcionista Marcos Santarrita, apaixonado narrador da realidade da vida e do homem grapiúnas, nasceu em Aracaju, mas foi menino para Ilhéus. O chão de sua obra é a terra do cacau.

Outros ilustres sergipanos: Renato Mesquita, magistrado, desembargador, homem de trato amável — fomos colegas no Colégio dos Jesuítas, onde já brilhava pela inteligência; o professor Luís Fernando (Guga) Macedo Costa, grande médico, figura querida, amigo de grata convivência; a pintora Candoca, tia do escultor Mário Cravo, mãe do escritor Jorge dos Santos Pereira — pinta os telhados da Bahia, aquarelas lindas, não desmerece do sobrinho e do filho; a ginecologista Maria de Lurdes Burgos, de extensa clínica e de renome nacional; o professor de Medicina Geraldo Leite, reitor da Universidade de Feira de Santana; o coronel Francisco Cabral, diretor do Colégio Militar; o químico e folclorista Ivo Prado Sampaio, autor de curioso e bem informado *Quadro sinóptico dos orixás*; o legendário general José Lobo, homem de coragem e coração, personagem das *Memórias do cárcere*, de Graciliano Ramos. Muitos outros nomes mereceriam citação. Os sergipanos na Bahia são muitos e pertinazes, dominam em todos os ramos.

Os colonizadores não chegam apenas de Sergipe, também de outros estados. De Alagoas, veio cursar Medicina na Bahia e aqui fez-se mestre dos estudos afro-brasileiros o inesquecível Artur Ramos. Alagoano é igualmente Estácio de Lima, nome que dispensa qualquer adjetivo. Da Paraíba chegou o engenheiro Saulo Carneiro de Meneses, autor do romance *Cabo Lídio*, que mereceu entusiásticos elogios de Wilson Lins. Quanto ao artista Altamir Galimberti, é espírito-santense não sei de outro capixaba importante por essas bandas.

PROCEDÊNCIAS DIVERSAS

DA ARGENTINA VEIO EKEMBERG, MEIO-ALE-MÃO, SUAVE CRIATURA, gentilíssima pessoa, um artista de excepcional talento e de desesperada busca. Na Bahia, onde assentou sua tenda de experimentação, é um valor isolado, original.

Terciliano veio do candomblé, não sei de qual, é familiar de Oxóssi e pinta os pejis onde nasceu sua vocação.

Aderson do Prado, hoje conhecido em todo o Brasil, com ruidoso êxito, veio da facilidade e da imitação. Pintou Djaniras, Raimundos de Oliveira, Guignards, podia imitar o quadro de qualquer pintor, dono de impressionante capacidade de reproduzir cores e traços. Deixou em tempo tais divertimentos para ser um pintor de personalidade própria e valiosa. É filho de Iemanjá, seu protegido.

Miguel Najar veio do comércio de tecidos para o exercício do desenho. Artista sensível, homem cordial. Na opinião de Mirabeau Sampaio, autoridade no assunto, "trata-se de um desenhista de extrema acuidade, de traço nervoso e vibrátil". De acordo, acrescento eu.

Rômulo Serrano veio da timidez e do bom gosto, neles permanece.

Pintor de indiscutível vocação e real qualidade, esconde-se num certo amadorismo que impede maior audiência à sua pintura onde talento e ofício se conjugam.

Juarez Maranhão, meu vizinho, veio de obstinada inquietação para o quadro e a tapeçaria. De minha janela, eu o vejo misturando as tintas, criando as cores.

Edson Luz veio da Escola de Belas-Artes onde não sei se teve o que aprender, pois o que acrescenta diariamente ao milagre de sua arte, da que trouxe do berço, a de nascença, ele o aprende com a vida. Gravador, entalhador, persegue hoje os caminhos mais audaciosos, rompendo trilhas, levando a arte ao coletivo, despindo-a do visto e do fácil. Na cidade da criação baiana, Edson Luz tem o sentido do universal.

LUIZ JASMIN

O DESENHO DE LUIZ JASMIN SE PARECE COM ELE, é rico de imaginação e pleno de sutilezas, um traço alegre, um tanto ingênuo, de alguém que está deslumbrado diante do mundo, de alguém que não consegue ver o feio e o triste.

Ainda muito moço conheceu o sucesso, no Brasil e na Europa, o que seria fatal para outro qualquer. Mas Luiz Jasmin nunca se perderá por orgulho. Humildemente recomeçou como se nada tivesse havido e assim foi crescendo e ainda muito caminho tem em sua frente. Num painel, no Centro Administrativo, retirou a clássica venda da figura da justiça para que ela pudesse ver as mazelas do mundo. Mesmo com os olhos voltados para a festa, o coração do artista Luiz Jasmin é generoso e justo.

JORGE COSTA PINTO, O MAR E A MONTANHA

BRILHANTE ADVOGADO, JURISTA DE RENOME E SUCESSO, Jorge Costa Pinto tomava dos pincéis e da caixa de tintas quando as lides do fórum lhe deixavam tempo livre. Alguns amigos viam os quadros, achavam bonitos, elogiavam, falavam da mania pictórica do ilustre causídico.

Só que não era mania nenhuma e sim vocação decidida, para pintar nascera Jorge Costa Pinto; mania era a banca de advogado. Além dos amigos, os artistas e os críticos de arte passaram a se interessar pela obra plástica do jurista e, meio em brincadeira, meio a sério, veio a primeira exposição, saudada com entusiasmo pela crítica.

Jorge Costa Pinto compreendeu que não podia dedicar-se a dois amores: a arte e a advocacia. Fechou o escritório, abriu o ateliê. A Bahia e o Brasil ganharam um paisagista admirável: em seus quadros, o mar e a montanha adquirem volumes e densidades novas, numa matéria de constante pesquisa.

MARIA CREUZA, ANTONIO CARLOS E JOCAFI

CONHECI ANTONIO CARLOS, CREIO QUE POR INTERMÉDIO DE Ildásio Tavares, seu letrista em várias composições, antes dele haver formado dupla com Jocafi. Não era ainda célebre, mas já se casara com uma das maiores cantoras brasileiras, Maria Creuza, admirável artista e admirável pessoa, musa inspiradora do compositor. Ainda há pouco ouvi, num filme francês feito sobre um romance baiano, sua voz magnífica interpretando melodias da dupla e de Walter Queiroz Júnior.

Não conheço Jocafi pessoalmente, mas votei em composição sua, linda cantiga do Tororó, num festival de música do qual, ao lado de Caymmi e de Cyva Leite de Oliveira, fui juiz, festival inesquecível! Que vaia!

O sucesso acompanha a dupla Antonio Carlos-Jocafi desde que ela se formou e apareceu diante do público. Os dois moços baianos situam-se hoje entre os compositores mais populares do Brasil, conhecidos, aplaudidos, amados não apenas no país, também no estrangeiro. Houve um momento, em 1974, que em Paris a canção mais cantada e tocada era "Você abusou, tirou partido de mim, abusou". Perguntem a Calasans Neto que vibrava de patriotismo, a cada instante, com o sucesso dos rapazes.

Sucesso merecido. Duplamente merecido quando as músicas por eles compostas são interpretadas por Maria Creuza, voz da Bahia.

MANUEL JERÔNIMO

O ENGENHEIRO MANUEL JERÔNIMO FERREIRA FILHO OU APENAS Manuel Jerônimo, pintor. Uma pintura não somente de qualidade, mas também bonita, pintura para se olhar e ter na parede de casa, significando paz e alegria, humanismo. Existem quadros que a gente admira, louva o artista pela técnica, pela capacidade de inovação, pela coragem da experiência, por isso e por aquilo. Outros quadros a gente admira e ama, deseja possuir, levar consigo, olhar e se comover. São assim os quadros que Manuel Jerônimo pinta com sensibilidade e talento indiscutíveis.

Quando pela primeira vez soube desse pintor e olhei seus quadros, uma alegria enorme encheu meu coração. Porque esse Manuel Jerônimo, engenheiro e artista, é filho de outro Manuel Jerônimo, médico e lutador, fraterno amigo. Que alegria melhor do que saudar o talento do filho de um amigo?

O INTERNACIONAL RENOT

RECEBO CATÁLOGOS DE EXPOSIÇÕES DE TAPEÇARIA E PINTURA DE RENOT, realizadas nas grandes capitais da Europa: Madri, Londres, Paris, Bruxelas, Bonn e lá se vai o audaz baiano mundo afora, não tardará e o sol e as palmeiras de Salvador estarão no mundo árabe, onde nos poços de petróleo jorram dólares. O internacional Renot, como escreveria um cronista social.

Aliás, pela crônica social começou o jovem autodidata Reinaldo Marques, exercendo-a sob direção e controle de Odorico Tavares, mestre do jornalismo e da amizade, em gazeta hoje desaparecida, *O Estado da Bahia*. Dali o moço lançou seus tentáculos, os primeiros. Depois fez rádio, televisão, apresentou misses em concurso de beleza (e, como não é tolo, certamente não se reduziu a apresentá-las), promoveu banqueiros, industriais, artistas. Gostando de arte, com bastante jeito para os pincéis e as tintas, terminou por fundar, ainda sob a inspiração do citado mestre Tavares, homem que tanto concorreu para elevar o nível cultural da cidade, a Galeria Quirino, que teve uma importância decisiva no desenvolvimento das artes plásticas e na formação do mercado de arte na Bahia. Antecedendo-a de anos, a Galeria Oxumaré, sob a direção do poeta e crítico de arte Carlos Eduardo da Rocha, igualmente inspirado pelo poeta Tavares, desempenhou importante papel histórico, mas foi a Quirino, estabelecida no momento certo, quem deu o grande impulso.

Pouca gente soube que a galeria intitulava-se Quirino em homenagem a Manuel Quirino, o grande cronista da vida popular baiana, envolvido com artes visuais, professor que foi da Escola de Belas-Artes, mas todos a viram crescer num dos centros mais importantes da vida cultural da cidade. Ali expuseram os grandes nomes da escultura, da pintura, do desenho, da gravura da Bahia; ali jovens de talento revelaram sua vocação, encontraram o apoio de que necessitavam. Por diversos motivos, a Galeria Quirino valia uma visita: pelas exposições, pelo acervo que chegou a ser bastante importante, e por tudo quanto nela se vendia, trocava, barganhava, de anéis a relógios, de rádios de pilha a mulatas — ali vinha-se abastecer Di Cavalcanti —, de loiras trêfegas a discos de música clássica e popular, de pedras preciosas a peças de antiguidade. Há em Renot sangue cigano, certamente, e o sucesso artístico não conseguiu desviá-lo por completo do gosto pelo tentador comércio de ouro e prata, de esmeraldas e rubis.

Dessa Galeria Quirino, da Bahia, acabaram nascendo outras, de associados de Renot: a de seu irmão em São Paulo; a de Claudir Chaves, outro baiano competente, vitorioso no Rio de Janeiro.

Um dia Renot cansou-se de vender quadros, imagens e tapeçaria dos demais. Assistindo e concorrendo para o sucesso justo de alguns artistas verdadeiros e para o injusto sucesso de muitos outros que apenas tinham a cara e a coragem, recordando sua vocação inicial, fechou a galeria e abriu o ateliê. Não sei se foi Jenner Augusto quem o aconselhou, mas quando Renot expôs, fê-lo sob a chancela do nosso grande pintor, homem extremamente exigente na matéria. Jenner apresentou o catálogo de Renot quando de sua primeira mostra individual. O que dispensa qualquer outro elogio pois o louvor vindo de Jenner não promove, consagra quem o merece.

Daí para a frente, partiu Renot pelo mundo sem fronteiras com sua simpatia, o riso modesto, a audácia, o topete, os quadros, a tapeçaria, abriu ateliê em São Paulo, já não lhe bastando o mercado baiano. Dizem-no rico, não sei se será verdade ou não. Se for, a fortuna ele a mereceu por tê-la conquistado, devendo-a apenas à inteligência viva e ao bom gosto adquirido. Quando começou pouco sabia, não teve vergonha e medo de aprender.

Em simpatia, ninguém o vence, só mesmo Rosa, sua mulher, que um dia acolheu sua inquietação e lhe deu a segurança necessária. Esse baiano tem algo de grego, de cigano, de levantino, de paulista, mas suas raízes estão fincadas na rua Carlos Gomes, seu padroeiro se chamou Manuel Quirino, mestre de arte e do viver baiano.

O COMANDANTE COQUEIJO

QUANDO O CONHECI, HÁ MUITOS ANOS, ELE ERA PRESIDENTE da Associação Atlética da Bahia, a Azulina, como escreve a crônica esportiva e social, cargo que ocupou, creio, durante vários períodos, facilitando aos amigos entradas (disputadíssimas) para os bailes de Carnaval. Hoje é ministro do Superior Tribunal do Trabalho, reside aparentemente em Brasília, trata-se do ilustre dr. Carlos Coqueijo Costa. Digo que reside aparentemente em Brasília porque em verdade persiste em sua boa cidade da Bahia, onde em cada esquina se encontram marcas da presença e se lastima a ausência temporária do comandante Coqueijo. Ausência muito interrompida; quando menos se espera, topa-se com Coqueijo na rua; por dá cá aquela palha mete-se num avião com sua admirável Aydil e vem respirar o único ar que lhe dá sossego e alegria.

Alegria com certeza, sossego duvido, quem já viu Carlos Coqueijo sossegado? Não para nunca, cidadão de muitas artes, tocando diversos instrumentos, uma dessas pessoas catalisadoras, reunindo gente em torno dele, inventando o que fazer, criando cultura, comandando. Sua coorte de amigos é infindável e variada, vai de mestre Alves Ribeiro, colega na Justiça do Trabalho, admirável criatura humana, de convivência nem sempre fácil, grande poeta, a Mirandão, seu convidado de cada sábado para um tradicional almoço de juristas especializados em direito trabalhista — que diabo Mirandão, veterinário e pouco afeito ao trabalho de direito conhecendo apenas o torto, ia fazer em mesa profunda de tratadistas e juízes? Espalhar alegria que essa foi a missão, foi o ofício de Mirandão em toda sua vida. O almoço semanal, reunindo Coqueijo, Pinho Pedreira, Virgildal Sena, Tibúrcio Barreiros e outros bambas, realizava-se naquele que foi um dos menores, mais modestos e melhores restaurantes do mundo, na sala do fundo de um andar térreo da rua São Francisco, em cuja pequena cozinha minha saudosa comadre Maria, de pé ante o fogão, temperava o mais delicioso feijão, o arroz mais perfeito (e arroz não é fácil), a carne de porco, a galinha, o lombo, os quitutes sublimes e divinos. Culpada por muitos quilos de minha farta anatomia, não conseguiu minha comadre — rosto severo e bondoso, mulher de poucas palavras e muita energia — engordar Carlos Coqueijo, magro por natureza.

Jurista, professor de faculdade, juiz do trabalho: para a maioria das pessoas muita coisa, para ele muito pouco. Essa uma face de sua personalidade. Possui um outro lado, a meu ver o mais importante: cronista de livro publicado, escrevendo com vivacidade e graça, buscando no quotidiano a matéria de seu comentário, apaixonado pela vida e próximo ao povo. Mas sobretudo músico, letrista, compositor, com alguns sucessos nacionais e internacionais, parceiro de Alcivano Luz: ouvi composições da dupla tocadas e cantadas em Paris e em Nova York. Parceiro igualmente de Carlos Drummond de Andrade, pois musicou poemas do extraordinário mestre mineiro.

Antes mesmo de conhecê-lo pessoalmente, sabia dele através de João Gilberto, amigo comum que não tirava o nome de Coqueijo da boca. Recordo-me da primeira vez que o vi, a pedir notícias de Sosígenes Costa, num tempo em que o cantor do mar de Belmonte e das terras do cacau era quase inteiramente desconhecido, sua poesia um privilégio de raros, antes da publicação de *Obra poética* que iria revelar ao Brasil um poeta imenso.

Promotor de cultura, muitas das coisas mais importantes que se realizaram na Bahia nas últimas décadas, especialmente no que se refere à música popular, nasceram da atuação de Carlos Coqueijo Costa, de sua presença altamente fecundante e positiva.

Coqueijo é responsável pela maior vaia que levei em toda a minha vida quando aceitei, a convite seu, participar do júri de um concurso de música popular, desprezando o conselho e o exemplo de Sérgio Porto, na ocasião meu hóspede na Bahia, que, ao recusar a honra, me avisou: "Mestre Jorge, não se meta nisso!". Mas no júri se encontraram, sob a presidência de Caymmi, a moça Cyva, os maestros Oscar de Castro Neves e Manuel Veiga, Walter da Silveira, entre outros, e eu não me podia furtar a um pedido de Coqueijo: lá me sentei, no palco do Teatro Castro

Alves, entre Dorival e Cyva. Música vai, música vem, a rapaziada aplaudia e vaiava com força os concorrentes, demonstrando suas predileções, uma das quais me lembro por composição do então muito jovem Walter Queiroz Júnior, que aliás teve meu voto pelo mesmo motivo por que os jovens o apoiavam: falava em povo. Recordo ter votado também em composições de Jairo Simões, de Alcivano, de Antonio Carlos e de Jocafi, esses dois ainda não reunidos na dupla hoje famosa.

O público discordou do resultado do julgamento e a vaia foi monumental, não terminava nunca. Insultavam o júri, xingando-nos de traidores. A meu lado Caymmi, chateado, me disse: "Traidor de quê? Não gosto disso, meu irmãozinho. Esse Coqueijo arma cada uma!".

Com Coqueijo ninguém pode — ele planeja, realiza e comanda.

O GRAVADOR HANSEN BAHIA
COM SUA CRUZ NO PELOURINHO

NAQUELE TEMPO — O TEMPO DE AGORA, O DE HOJE — a vida do povo se tornou tão difícil e triste, tão cruel, a ponto dos homens e mulheres desconhecerem a aurora e a estrela, a flor desabrochada e o riso da criança. Mesmo porque as crianças só aprendiam a chorar, e nas ruas onde antes cresciam a liberdade e a alegria, agora habitam apenas a opressão e o medo. No Pelourinho, na cidade da Bahia, onde o povo era livre e a vida feita de ternura e de mistério, instalou-se também a tristeza, filha da fome e do temor. Foi então que ele chegou, com sua palavra de consolo; não só de consolo, com sua palavra de esperança e de luta. De onde vinha? Do Oriente distante, diziam. Da África, de entre os leopardos e os elefantes; da Alemanha, falavam outros, de um castelo com Walkírias e música. De onde quer que fosse, ele ali desembarcava porque soubera da desgraça do povo do Pelourinho: um povo de trabalhadores, de artesãos, de prostitutas, de cangaceiros, de camponeses curvados, de pescadores, nação de pobres.

Mas, apenas chegou, foi reconhecido e denunciado. Os mestres do terror, aqueles que cultivam os jardins da tirania e da fome, os risonhos donos da vida, os gorilas, logo o prenderam, logo o acusaram de subversivo, logo o trouxeram para o julgamento irrisório. As mulheres da vida, os marinheiros sem pouso, viram-no passar acorrentado.

O cangaceiro fora posto de sentinela, de arma apontada contra ele, de arma apontada contra o povo, contra si próprio, com sua fome, sua ignorância, sua dura solidão. Mulheres e homens comentavam: ali, no passado, se erguera o Pelourinho. Outra vez voltava a escravidão, novamente na praça ergueram o Pelourinho.

Viram-no passar com sua cruz por entre o mistério das ruas. Os capoeiristas o rodearam, os atabaques roncaram seu protesto. O povo o acompanhou pois aquela cruz era também sua: cruz de injustiças, de violências. Os gorilas surgiram com os chicotes, o Pelourinho se esvaziou, o medo engoliu a noite.

No chão, ele ficou caído sob o peso da aflição e do lenho.

Na solidão dos prostíbulos, as mulheres sem filhos e sem lar mastigam sua fome de feijão e de amor. Uma luz tremula no limite da noite derradeira. O amor já não existe, só as carabinas, as dragonas, e a música dos chicotes.

Ela veio do fundo de sua fome, de sua maldição, de seu ventre estéril e do chão o levantou. Tão frágil, tão doente, tão perdida, mas, da sombra de tanta desgraça, a puta surgiu com a força imortal do povo.

Depois vieram os pescadores, os filhos de Iemanjá, os que partem todos os dias na aventura da morte e contra a morte erguem seu branco escudo de velas e bravura. Também o mar fora degradado pelos donos do medo, pelos senhores da fome. E assim a cruz era dos pescadores, como das mulheres e dos aflitos.

A puta veio com seu último pedaço de pano, um trapo apenas, sua riqueza. E lhe enxugou o suor de sangue, sangue do povo, derramado.

Pelas sarjetas ele rolou, de todos abandonado, mesmo das mulheres pois era a hora crucial do sexo na ladeira e as meretrizes todas estavam ocupadas em seu ofício, atendendo à farda e à batina. Os padres pagavam só metade, para os soldados era de graça por obra de um decreto-lei.

Ainda assim as mulheres, na Flor de São Miguel, lar antigo do profeta e do marinheiro, se arrancaram do comércio triste e vieram chorar o destino daquele que tentava resgatar o medo.

Mas os gorilas surgiram nos prostíbulos, afastaram as mulheres, vieram torturar o homem da cruz, o povo em seu calvário. Cheios de empáfia e de medalhas, todos monstruosos, todos vorazes no desejo de comer, de encher o pandulho, de se locupletar com a fome do povo, de enricar, de obter posições, eram gorilas e eram ratazanas, os inimigos da vida.

O manto bordado na África, em Adis Abeba, com leopardos e lanças, com leões de Judá e com o espanto do conhecimento, foi disputado aos dados, para que precisava o povo de um manto tão belo? Os gorilas não queriam apenas o dinheiro e os postos. Também a arte, eles a desejavam roubar na noite do crime. As mulheres, porém, esconderam o manto onde a beleza resplandecia, guardaram-no para o amanhã.

Ofício de gorila é a tortura, o assassinato: de homens e nações. Ante o grito das mulheres, os gorilas exerceram plenamente o seu ofício.

Quando o viram morto por subversivo, condenado por seu amor e seu humanismo claro, por ter criado a alegria e a fartura com suas mãos de madeira e de goiva, os gorilas pensaram que para sempre se extinguira a liberdade e a coragem do povo. Mas o povo veio dos buracos mais esconsos, subindo todos os caminhos da ladeira, e do pelourinho outra vez erguido na praça, retirou o morto que resgatara a vida e de cujo sangue nasciam crianças libertárias.

As mulheres o perfumaram com aroma de pitanga e velaram seu corpo magro nas chagas da tortura, velaram-no vitorioso sobre os gorilas, o medo e a morte.

Fomos enterrá-lo pela madrugada, Mário Cravo, Carybé, um pai de santo, um ferreiro, um compositor de nome Dorival Caymmi, e eu, Jorge Amado, seu velho amigo, todos nós filhos do povo do Pelourinho, de santo assentado por mãe Senhora, nós, povo sofrido, massacrado, proibido e invencível. Levamos de volta à sua vida o gravador Hansen Bahia que veio juntar-se solidário ao povo em medo e fome e foi em via-crúcis talhado na madeira.

ILZE

QUANDO KARL HANSEN PARTIU DA BAHIA, DE RETORNO À ALEMANHA, juntou ao seu nome o da cidade onde encontrara a cordialidade e a ternura humana: Hansen Bahia. Ainda inquieto, no entanto, seu coração não tinha repouso, não havia paz em seu peito. Palmilhou os caminhos do mundo, mostrando, por onde passava, a beleza, o mistério e a miséria da Bahia, de seu povo admirável. Andou ceca e meca, dos castelos da Alemanha às florestas da África; ia acumulando vida e experiência. Nesse caminhar, nesse dar e receber, nesse ensinar e aprender, um dia encontrou Ilze. No inverno de brumas, no porto de Hamburgo. Para Hansen era mais do que o porto de abrigo, era lar, paz, alegria matinal e definitivo calor. Eis que o sol se levantou sobre o gelo e rompeu a névoa mais densa, de súbito fez-se primavera.

Hansen voltou à cidade da Bahia e dessa vez para sempre. Trouxe tudo quanto acumulara mundo afora, a sabedoria, a técnica, o artesanato e a grande arte de sua gravura. Trouxe, ademais, o sorriso de Ilze, sua tranquila certeza, sua doçura e também sua arte. Porque na casa construída na praia — uma das mais belas casas da Bahia — Ilze retomou seu trabalho e hoje exibe no Brasil a alegria de sua criação, toda a graça, todo o maravilhoso mundo (mágico como a África onde ela viveu) quase infantil de tão inocente, que extravasa de seu coração para a madeira e para a gravura. Apóstolos, feras, meninos, imperadores, cangaceiros, Europa, África, Brasil, tudo marcado pelo amor à vida, pelo amor ao ser humano.

Duvido que exista cidadão por mais duro e ruim de coração que não se comova ante toda essa poesia vivendo no trabalho de Ilze, saltando das mãos da moça alemã para criar a emoção e a ternura.

Moça alemã, acabo de escrever. É verdade: nascida em Hamburgo, no porto dos grandes navios e das brumas invernais. Moça baiana, na praia de Piatã, na pesca do xaréu, na roda de capoeira, no assento dos orixás, de mãos dadas com um antigo baiano, Hansen Bahia, da Flor de São Miguel, que a plantou aqui nessas areias e nesse mar para que Ilze florescesse nos frutos de sua arte.

CHIQUINHO, ILUSTRE ADVOGADO

AINDA HOJE, ALGUNS DE NÓS — Carybé e Nancy, Lúcia e Mário Cravo, eu e Zélia — o tratamos pelo afetuoso apelido de Chiquinho, ao renomado causídico Antônio Luís Calmon Teixeira, e assim o fazemos recordando o menino arteiro que, em companhia de Mariozinho, Ivan, Pingo e Ramiro, dominava as praias e o mar do Rio Vermelho. Chiquinho porque se parecia com o famoso herói das histórias infantis da inesquecível *O Tico-Tico*, por tantos anos a única revista das crianças brasileiras. No solar ilustre erguido sobre o mar, os pais ilustres reuniam a numerosa filharada, os parentes e os amigos em monumentais almoços domingueiros, inesquecíveis.

Chiquinho e seus irmãos cresceram em doutores, ilustres eles também para não fugirem à tradição familiar. Assim o advogado Antônio Luís Calmon Teixeira: apurou as armas no escritório de mestre Orlando Gomes e se especializou em ganhar causas, fazendo-se ele também um mestre do Direito, sobretudo no que se refere às questões agrárias, ao problema da terra no Brasil. Respeitado e aplaudido, culto e competente, é um baiano de gentileza exemplar, faz gosto tratar com este jovem e vitorioso jurista. Mantém a tradição do traje branco, bem engomado, dos filhos de Oxalá. No Axé Opô Afonjá é um predileto dos encantados.

O SOTEROPOLITANO JUCA CHAVES

EM TERRAS DE CALÁ I, REI DE ITAPUÃ, ERGUEU SUA CABANA o compositor, cantor e guerreiro Juca Chaves, e nela se recolhe para o festim de amor com sua Iara. Diga-se de passagem que a citada cabana é uma das residências mais belas da cidade, voltada para o mar, com um jardim soberbo, repleta de obras de arte que o artista veio juntando através dos anos.

O caso de Juca Chaves com a Bahia foi de amor à primeira vista, de definitiva paixão. Deu-se ele conta de que não poderia mais viver noutra cidade, e Iara foi de sua opinião. Em tempo recorde compraram terreno e construíram a vivenda magnífica. Aberta aos amigos, os da Bahia e os de fora, proibida aos chatos. Ganhou Salvador mais um habitante ilustre e uma cidadã de graça infinita. Agora, na doce paz de Itapuã, o guerreiro Chaves prossegue sua cruzada contra a hipocrisia, a burrice, a tola presunção, as mazelas da política, tudo quanto empequenece o homem e empobrece o país. Suas armas são a música e o canto. Está em tempo da Câmara de Vereadores conceder a Juca Chaves (e à sua Iara) o título de cidadão soteropolitano — o adjetivo é um palavrão, mas o título é uma glória: baiano por merecimento.

VOTEM EM FERNANDO SANTANA, DEPUTADO MELHOR NÃO PODE HAVER

QUANTAS VEZES RECOMENDEI O NOME DE FERNANDO SANTANA ao eleitorado estadual, quantas vezes nele votei e sempre me felicitei pela recomendação e pelo voto: deputado competente, trabalhador, fiel ao povo e à sua condição brasileira, nenhum melhor do que este cidadão baiano tão baiano. Moço bonito, na juventude arrancava suspiros à sua passagem, desfolhava corações nacionais e internacionais — ouvi confidências de tchecas apaixonadas, russas queriam partir no rastro do viajante dos trópicos, do mulato inzoneiro — creio que Ary Barroso inventou o adjetivo "inzoneiro" pensando em Fernando Santana. Ao que me dizem, ainda hoje preclaro homem político, continua a provocar suspiros e faniquitos quando alteia a voz de orador, metingueiro nato, ou quando solta o riso alegre de homem bom e direito. Hoje, porém, os únicos suspiros que o comovem são os de Gilka, sua companheira de luta e de vida, presença inspiradora.

Cassado seu mandato parlamentar pelos militares da última ditadura, contou-me que, ao ser proibido de concorrer às eleições e exercer mandato, entrava numa fase de prosperidade econômica: engenheiro excepcional, passava a ganhar sua vida com largueza; na atividade política, comunista, militando em partido clandestino e perseguido, sem poder exercer a profissão, vivia com os maiores apertos. Rico ou pobre, porém, sempre a serviço das causas mais nobres, infatigável.

Eu o conheço de toda a vida e o recordo, estudante de engenharia, soltando o verbo da sacada na Escola Politécnica, em São Pedro, à passagem do enterro do velho político liberal J. J. Seabra, falecido durante a guerra — nunca pude me esquecer do improviso primoroso onde o justo elogio de Seabra era o mote para a convocação do povo, na tarefa de organizá-lo para a luta contra o nazifascismo e a ditadura do Estado Novo. Tempos gloriosos aqueles dos anos 40, quando, sob o comando de Giocondo Dias, levantou-se na Bahia o maior movimento de massas populares, sem igual em todo o país, de apoio às Nações Unidas, pelo envio de tropas brasileiras para os campos de batalha na Itália.

Trajando duque branco desde os tempos de estudante aos dias de hoje — como compete fazer aos filhos de Oxalá —, Fernando Santana, riso alegre, tons oratórios na voz redonda, amigueiro, solidário, dengoso, valente, habilidoso, trabalhador, é deputado que serve realmente ao povo que o elegeu. Nas comissões, no plenário, na redação e discussão dos projetos, na conversação e no acerto político, sua presença é sempre marcante e, por vezes, decisiva. Inflexível na defesa de suas posições, é ao mesmo tempo o antissectário por excelência. Nasceu para o convívio e para a amizade.

DO LICOR DE JURUBEBA À UNIVERSIDADE, PASSANDO PELA TELEVISÃO E PELA PROPAGANDA, OU OS COSTA LIMA

CONHECI OS PAIS, DOIS VELHOS ADORÁVEIS, NA CASA-GRANDE DO BONFIM. O filho mais velho, Sinval, dirige a indústria familiar a fábrica de bebidas Leão do Norte, tão baiana que já a utilizei em meus romances para caracterizar a cidade. Fornece ao público famoso licor de jurubeba, de comprovadas virtudes afrodisíacas, além de um licor de jenipapo que de tão bom parece feito em casa. Filho de Oxalá, Sinval é um gigante amável, está-se tornando um patriarca.

Meus velhos amigos, Demerval e Epaminondas, ambos literatos, fizeram-se conhecidos e respeitados na televisão e na propaganda. Demerval foi um dos iniciadores da televisão no Brasil, depois de ter sido homem de jornal e de rádio dos mais brilhantes. Na propaganda, Epaminondas comanda contatos, redatores e anúncios.

A estrela da família é Vivaldo, penso que o mais moço dos irmãos. Professor universitário; sociólogo com presença marcante na fixação da filosofia a orientar a atividade da Fundação do Pelourinho; etnógrafo, especialista em assuntos relativos à herança negra e sua importância na cultura brasileira; estudou na África, na Europa, em São Paulo, mas aprende sobretudo com a gente da Bahia. Vem realizando uma obra de ensaísta de evidente importância, mas, sendo seu amigo, sinto-me no direito de reclamar de quem tanto sabe uma ainda maior contribuição no estudo de assuntos tão sérios que estão sendo degradados por vigaristas de todo o tipo. Vivaldo, talento e cultura para dar e sobrar, possui velha tendência a dividir-se em múltiplas tarefas, um inquieto.

Não tem direito a ser dispersivo, pois sua responsabilidade é grande; dele esperamos muito, apesar do muito que já nos deu. Tem compromissos com os deuses e com o povo.

CUÍCA DE SANTO AMARO

EM FRENTE AO ANTIGO MERCADO MODELO, DEVORADO PELO FOGO, fica o cais dos saveiros, a célebre "rampa". De velas arriadas, os saveiros descarregam frutas e verduras, peixes e mariscos. Lá atrás, o Elevador Lacerda, ligando as duas partes da cidade: a baixa e a alta.

Na rampa movimenta-se um mundo de intensa e dura vida: o mundo do cais, dos marinheiros, dos pescadores, dos vendedores de frutas e de animais, macacos e raposas, tatus e coelhos, pássaros de variada espécie. É o mundo das baianas com seus manuês e seus beijus, seus torsos de seda e seus panos da costa. Poucas vezes se pode sentir aquele ar de rainha de que falam os cronistas sociais como ao lado dessas baianas negras velhas e solenes, de rosto afável e alegre, graves e suaves ao mesmo tempo. Nesse mundo é que se movimenta o poeta Cuíca de Santo Amaro.

Cuíca de Santo Amaro ainda é bastante moço. Um crítico literário qualquer chamá-lo-ia de "jovem poeta". Mas dificilmente algum crítico literário importante tratará da personalidade de Cuíca, tampouco da sua poesia. Coisa, aliás, que não afeta a vaidade do poeta. Cuíca não liga o mais mínimo à crítica literária. Seus leitores estão todos no mundo do Mercado Modelo (e suas misteriosas ramificações pelos candomblés, feiras livres e armazéns das docas). Seus críticos mais severos são alguns lusitanos, donos de armazéns que fazem restrições ao "português", nem sempre correto, de Cuíca de Santo Amaro.

Criticam mas leem, todos eles são admiradores e amigos do poeta. Não só os portugueses como os espanhóis que lhe fiam o pão e a cachaça nas padarias e bares.

Cuíca de Santo Amaro é uma organização: escreve seus versos, manda imprimi-los, desenha ele mesmo os cartazes de propaganda que conduz sobre os ombros, vende os folhetos com os poemas e canta os melhores versos para atrair a freguesia. Qualquer das suas produções, famosas no mundo da rampa do cais, custa o parco preço de quarenta centavos como ele mesmo avisa, no fim de um de seus poemas da fase antinazista:

Baiano e brasileiro
Também eu sou de coração.
O leitor agora escute
A minha terminação:

Empreste-me por obséquio
Quatro níqueis de tostão...

Note-se a sua delicadeza: não exige o dinheiro, pede emprestado...

Cuíca de Santo Amaro é autor, editor, chefe de publicidade e livreiro ambulante. Um poeta que se basta e que tem um grande público. Não fica ele nos quinhentos exemplares a que montam as maiores edições dos nossos grandes poetas modernos. Se fizerdes um inquérito no mundo da rampa do Mercado (e adjacências) sobre poetas e poesia o único nome que ouvireis será o de Cuíca de Santo Amaro. Jamais outro qualquer, talvez muito mais ilustre, será pronunciado. Amado pelos seus leitores, Cuíca de Santo Amaro é, na vida baiana, uma personalidade importante. Elevou perante a população desse mundo trabalhador e pobre o conceito em que eram tidos os poetas. Foi ele, e mais ninguém, quem fez da poesia uma profissão digna, libertando-a, na fímbria do mar da Bahia, daquele conceito antigo que igualava o poeta ao vagabundo. Poesia queria dizer vagabundagem, ameaça de facada. Porque os poetas boêmios, falsos boêmios, frequentavam também o mundo da rampa do Mercado e, diga-se a verdade, deixavam uma bem pobre impressão dos poetas e da poesia. Cuíca, profissional e militante do verso, repôs a poesia e os poetas em sua dignidade. Assim aconteceu.

Homem célebre nas praças da cidade, a verdade é que Cuíca de Santo Amaro exerce importante função social.

Se o livro e o jornal não são muito lidos no mundo do Mercado Modelo a culpa não é do povo dali. O livro é caro e geralmente escrito em linguagem difícil. O jornal é mais barato mas, ainda assim, só uns poucos podem gastar todos os dias uns tantos cruzeiros para ler os telegramas que já ouviram no alto-falante da praça. Ademais a população do Mercado Modelo e adjacências não se interessa pela maioria dos assuntos tratados no jornal. Interessam os crimes, os cangaceiros, as aventuras dos Capitães da Areia, o preço alto da vida.

Sobre esses fatos que interessam ao povo da rampa — o último crime sensacional, o encarecimento da carne-seca e da farinha, o cômico incidente na porta de um bar entre dois bêbados, a última façanha dos cangaceiros, a luta contra a guerra — compõe Cuíca os seus versos e é por intermédio deles que o mundo do Mercado Modelo toma conhecimento do que vai pelo universo e pelo resto da cidade do Salvador.

É Cuíca quem ilustra os donos de vendolas e barracas, os mestres de saveiros, os canoeiros, os vendedores de laranja e abacaxi, as baianas dos tabuleiros, sobre os acontecimentos que abalam a vida dos homens fora dos limites (extensos) do mundo da rampa do Mercado. Tudo quanto acontece na Bahia e no mundo é tema para a poesia de Cuíca: assassinatos e roubos, vida cara, raptos românticos e tempestades que naufragaram saveiros. Seus folhetos, lidos em grupo, são jornal e livro, informação e cultura, comentário social e econômico, ironia e crítica, poesia e panfleto. Assim é Cuíca de Santo Amaro, poeta do Mercado Modelo, no cais da Bahia.

Escreve desafios, ABCS, histórias nos ritmos populares da redondilha, e seus poemas são logo cantados pelos cegos violeiros e andam, já anônimos, pelos caminhos do sertão nordestino.

Explora na sua poesia antifascista a veia humorística e ri dos que vestiram a camisa verde, ri da aversão de Hitler às mulheres, ri do teatro barato de Mussolini. Um dos seus folhetos narra como Plínio Salgado enganou muita gente com a demagogia integralista. E conta o fim do fracassado político, numa viagem para a Europa. O navio naufraga e um grande cação surge na frente de Plínio. O chefe nacional tenta salvar-se:

O navio foi a pique
Quando surgiu o cação.
Plínio quando reparou
que o cação era russo
disse quase chorando
em um enorme soluço
— Eu não sou Mussolini,
Não me coma, por favor!

Faz autocrítica:

Disse à fera, com meiguice:
— Olhe que eu sou reservista,
eu quero ser patriota
não ser mais integralista.

E termina pedindo:

Pediu ele suplicante
Amarelo pra chuchu:
— Rompa minha camisa verde
que ficou no meu baú...

Outra história narra o casamento de Hitler com a filha de Satanás, no inferno. Hiroíto e Mussolini são os padrinhos. Na hora H, quando a noiva apaixonada esperava que o noivo se explicasse, Hitler declara-se impotente:

Eu andava-me enganando.
Sonhava todo o dia
que estava-lhe amando.
Mas agora eu reconheço
que sou puro Ferdinando...

Eis que, noutro folheto, Satanás resolve ir buscar Adolf Hitler para que, no inferno, o chefe nazi pague seus crimes. E Adolf tenta negociar:

Eu não posso ir agora...
Primeiro vá Mussolini,..
ele não faz muita falta
Porque é burro demais.

Mas quando Satanás recusa qualquer adiamento, Hitler recomenda como bom delator:

Mande um telegrama
ligeiro pra o fascismo
Avisando que quando for
Levar o integralismo...

O mundo da rampa do Mercado se delicia com os folhetos de Cuíca de Santo Amaro. Ali, próximo ao Elevador Lacerda, vós o encontrareis, ao poeta. Seu chapéu de coco, envelhecido de muitos invernos chuvosos, os cartazes cobrindo as costas e o peito, o rosto alegre, cantando seus versos para os que passam. Por vezes, os Capitães da Areia se reúnem em torno dele para ouvi-lo. E soltam suas gargalhadas, aplaudindo os trechos mais cômicos ou mais heroicos. Vêm negras e negros, mulatos das docas e portugueses do Mercado, vendedores de peixe e camponeses do Recôncavo, e levam os folhetos mal impressos onde os versos antifascistas de Cuíca de Santo Amaro dizem da guerra e dos homens que lutam pela liberdade contra o terror.

Quando por ali passar o turista acostumado aos grandes e difíceis poetas de outros mundos, talvez Cuíca lhe ofereça, por quatrocentos réis, um dos seus poemas. Não pense o visitante que ele seja apenas um tipo de rua, figura popular e risível. É bem mais que isso. É a voz do povo trabalhador que, não encontrando ressonância nos poetas modernos, e tendo sede de poesia, cria seu bardo pobre e semianalfabeto. Os poetas estão nos bares inventando sonetos de rimas milionárias ou quebrando a cabeça em ritmos novos para poemas exotéricos. Só Cuíca de Santo Amaro canta para o povo pobre. Quando o forasteiro passar por ele talvez a figura e a voz do trovador mereçam apenas um sorriso dos seus lábios civilizados. Mas, que importa? O povo em torno não sorri do poeta. Ri e sofre com ele, combate e tem esperança!

TERRA, MAR E CÉU

INTERVALO PARA OS COMERCIAIS

A BOA INFORMAÇÃO

Os senhores e, sobretudo, as senhoras visitantes que desejarem informação completa e séria, com furos sensacionais, sobre a vida social, cultural e artística da Bahia e adjacências: Rio, Paris, São Paulo, Nova York — leiam diariamente no jornal *A Tarde* a coluna de July (na vida civil Julieta Isensée), escrita com graça e inteligência, repleta de novidades. O oposto do jornalismo cão: July ama divulgar as boas notícias e o faz com alegria e calor humano.

AJUDE IRMÃ DULCE QUE AMANHÃ
SERÁ SANTA DULCE DA BAHIA

Não saiam da Bahia sem enviar um óbolo, uma ajuda qualquer em dinheiro ou no que for, para as obras de caridade da irmã Dulce, santa de profissão. Hoje santa apenas na gratidão dos pobres, amanhã com certeza canonizada pelo Vaticano. Ela socorre centenas e centenas de necessitados, sobretudo velhos sem lar, crianças abandonadas. Irmã Dulce, santa da Bahia.

ESCOLA DE PÔQUER
QUATRO ASES E UM CURINGA

A escola de pôquer Quatro Ases e Um Curinga funciona na rua Ary Barroso, sob a direção do professor dr. Yves Palermo da Silva, meu compadre e querido amigo (nem por isso deixa de tomar meu dinheiro todo fim de semana, sem dó nem piedade). Catedrático emérito, profundo em todas as variantes da matéria, do estique ao pôquer paquistanês, invenção sua, leciona aos sábados e domingos em aulas práticas a preços razoáveis, apoiado em categorizada equipe de auxiliares.

Entre os professores que o ajudam na formação de novos profissionais, destaca-se de imediato o subdiretor Carlinhos Mascarenhas, mais conhecido como Mão-Leve ou Rapa-Tudo, que dita aulas sobre baralhos marcados — como marcá-los e usá-los — e explica os melhores métodos para confundir o adversário levando-o a abandonar fichas sobre a mesa e a mostrar o jogo: truques finos e decentes. Carlinhos Mascarenhas conserva o posto na escola exclusivamente devido à competência pois, ao que parece, tem tentado e conseguido engabelar o próprio diretor, aplicando-lhe sucessivos e desaforados blefes. O dr. Yves utiliza o talento e a capacidade de seu auxiliar imediato, mas o mantém distante de fichas e dinheiro e não aceita cheques assinados por Carlinhos Mão-Leve Mascarenhas.

A escola Quatro Ases e Um Curinga conta ainda com a eficiência de professores locais do gabarito de Mirabeau Sampaio, cuja especialidade é: como amedrontar o adversário com calundus, gritos, cara amarrada; Wilson Lins: como jogar apoiando-se em cartas de baixo valor; João Batista de Lima e Silva: variações sobre a Trinca Itabaianinha. Além de consagrados craques vindos de fora, a exemplo do pintor Di Cavalcanti e da sra. Giovanna Bonino. Em tempos fez parte da equipe, como assistente de batotas, Fernando Coelho. Foi mandado embora, por ser esperto demais. Se ficasse, terminaria dono da Escola.

Se por acaso o aluno, em consequência das emoções vier a sofrer de alguma moléstia de pele, terá direito a tratamento eficaz, com receita e cura, pois o dr. Yves Palermo da Silva, além de autoridade em pôquer, é médico, dermatologista afamado.

SEVERIANO NO PORTO DA BARRA, CABELEIREIRO UNISSEX

No Porto da Barra, em frente ao Grande Hotel da Barra, próximo ao Praiamar Hotel, funciona o salão de beleza do sr. Severiano José Vicente Neto, o famosíssimo Severiano — quem não corta o cabelo ou não se penteia em seu salão não tem direito a se afirmar elegante. Autoridade absoluta em corte e penteado de cabelo de senhoras e senhores, com cursos de extensão universitária em Paris, Londres, Genebra, Roma e outras capitais europeias, Severiano é o maior. Ademais, em seu salão pode-se admirar rico peji de Iansã e Xangô, santos de cabeça do cabeleireiro que protegem igualmente seus clientes, proporcionando-lhes sucesso em negócios e amores.

COMPRE POESIA, TÃO ESSENCIAL QUANTO O PÃO

Compre poesia, ela é tão essencial quanto o pão. Vá a uma das muitas livrarias de Dmeval Chaves ou do bom amigo Souza, adquira livros dos jovens poetas baianos para constatar como aqui se mantém na altura devida a criação do verso, consciência do povo.

Consciência do povo, "a poesia tem vísceras" — assim escreve João Carlos Teixeira Gomes, em *O domador de gafanhotos*, livro de grande, realmente grande beleza. Eis um poeta de profundo pensamento, canto dramático mas não amargo, plantado no chão e no tempo, de forma exata, livre e rigorosa, solta e estrita. "Este é o canto do meu tempo", por isso mesmo eterno — "minha eternidade é o momento em trânsito". O poeta Teixeira Gomes serve à causa do homem e o faz despido de qualquer compromisso imediato ou dogmático. Insuspeito para opinar sobre o poeta, eu o faço no amor à verdade e no prazer de admirar.

Compre e leia *A ilha* de Myriam Fraga. Que poderoso poeta é essa moça! Límpido mistério, obscura realidade de mar e sonho, eis a poesia de Myriam Fraga cujo nome ressoa em todo o território poético do país. Já publicou alguns livros, publicará muitos outros. Reservada alegria, inquieta busca e o verso brota, inquietante e mágico, afirmação e negação, uma sensibilidade que se resguarda e se expõe, se esconde e se mostra. Myriam Fraga herdou essa valentia e essa timidez do pai, Orlando de Castro Lima, médico ilustre e homem de gosto extremamente refinado. Entre santos raros, de marfim, cresceram Myriam e sua poesia.

Cid Seixas vem com as águas do rio Paraguaçu, poeta sem concessões ao fácil, jovem cedo amadurecido. Senta-se na mesma mesa e come do mesmo pão vital de que se alimentam Joaquim Cardozo e João Cabral de Melo Neto, de que se alimentou Carlos Pena Filho antes de nos deixar para ser anjo revel. Flui a poesia de Cid Seixas, fonte de água límpida ou correnteza sobre pedras, rumor quase murmurado. Intelectual de retidão pouco comum, é parte de uma geração de novos valores despidos de qualquer carreirismo. Na poesia de Cid, fulge uma estrela de imperecível brilho.

Da mesma estirpe de inteireza absoluta, é Carlos Cunha, outro jovem poeta no começo da maturidade. Diverso de Cid, porém, pois suas raízes assentam no popular, na verdade mais imediata do povo, o que dá a seu canto sentido extremamente baiano. Há em seu verso uma vibração citadina, um entusiasmo construtor, um gosto de esperança. Corre sangue em seus poemas que refletem o homem de pés plantados nas ruas, veias do coração.

Ruy Espinheira Filho é conhecido dos leitores sobretudo pela coluna diária num dos jornais da cidade, crônicas de conteúdo e forma admiráveis — umas quantas agora reunidas em livro. Mais além do cronista, porém, está o poeta erguendo bandeiras vitais num verso denso e caloroso, original e puro. Voz terna e ardente, Ruy Espinheira Filho coloca-se, a meu ver, na primeira fila dos jovens poetas baianos. Entre os melhores cronistas também, fazendo, numa época de jornalismo cão, prosa solidária e confiante.

Contista, ensaísta, cronista, crítico, panfletário, Ildásio Tavares. Obstinadamente poeta, penso eu. Espírito inquieto, cheio de interrogações, buscando ansioso resposta para uma quantidade de perguntas que estão em muitas bocas mudas. A poesia de Ildásio por vezes parece sacudida pelo vendaval das dores do mundo. Em sua circunstância poética, o social ocupa importante espaço, quando não a própria condição política do ser humano. Andou mundo, fez mestrado nos Estados Unidos, lá eu o vi buscando aprender literatura e vida, morto de saudades do Brasil. Jamais conseguiu, estivesse onde estivesse, desprender-se do chão da Bahia. Ultimamente, a presença do prosador Ildásio Tavares tem-se feito notar, com assiduidade; a meu ver, porém, sua voz primeira é a poesia, um grito alto e humano.

Jehová de Carvalho, um boêmio perdido dentro da noite, na roda de santo e no beco escuro, recorda-me os tempos em que, com Edison Carneiro, Dias da Costa, Clóvis Amorim, João Cordeiro, eu percorria os mesmos esconsos caminhos do mistério baiano e dele alimentava minha adolescência. Romântica e sensual, a poesia de Jehová possui ritmo largo, de fácil entendimento. Canto nascido da vida popular, dirigido ao povo.

Poesia presente em tudo quanto Jehová escreve, não apenas no verso; também na página jornalística escrita ao correr da pena, antes da noite o envolver e conduzir para os pastos do conhecimento humilde.

Não devia talvez caber aqui, por viver longe da cidade da Bahia, nos limites do cacau, em Itabuna, o poeta Telmo Padilha, mas seu nome se impõe. Autor de vários livros de méritos proclamados em todo o Brasil — Prêmio Nacional de Poesia de 1976 — e em várias línguas. Poeta traduzido em francês, espanhol, alemão, italiano — na Itália, traduzido e premiado. Assisti em Londres ao lançamento de uma coletânea de poemas de Telmo em tradução inglesa. Senhor de forte personalidade, o poeta exibe perfeita consciência do tempo dramático que vivemos, o que explica o sucesso permanente de seus livros.

Faz-se necessário comprar os livros de nossos jovens poetas, dos acima citados e dos demais, aqui não nomeados, não por má vontade, mas porque são muitos. Para citá-los, a todos, teria eu de aumentar sensivelmente as páginas deste guia, pois a poesia é condição baiana.

ALFREDO SANTEIRO, NO CABEÇA

Ficava no Cabeça a oficina do santeiro Alfredo Simões, figura ótima, personagem de vários de meus romances, a simpatia em pessoa. Restaurava imagens antigas, fabricava novas tão belas quanto as antigas, traçava uma cervejinha com o pintor Willys e seu Moreira, do Restaurante do Porto, ali nas imediações, batia longos papos comigo, Carybé e Mirabeau. Já não posso recomendar a tenda de imagens de Alfredo aos visitantes. Aproveitando-se de minha ausência, ele descansou das fadigas desse mundo, hoje é santo Alfredo do Cabeça no paraíso dos bons baianos, com seu cabelo branco e o sorriso afetuoso. Quando cheguei de viagem e fui procurá-lo para a boa prosa, as imagens todas choravam pelos olhos de madeira. As imagens, o português Moreira, o pintor Willys e a negra Vitu, que vendia acarajé defronte da oficina.

OS ACARAJÉS DE ROMÉLIA, NO PELOURINHO

No largo do Pelourinho, na calçada do Museu da Cidade, ou no pátio do Hotel do Pelourinho — o mais belo de Salvador e nem por isso o mais caro — diante do tabuleiro colorido e oloroso de cocadas, abarás, punhetas, cuscuz de tapioca e de puba, pés de moleque, do maravilhoso doce de gengibre que se chama "a moda", senta-se Romélia, mulher de mestre Pastinha, mulata risonha e ainda faceira, fritando acarajés de dar água na boca.

Os senhores visitantes devem provar de cada coisa. As senhoras não tenham medo: acarajé bem-feito não engorda. Não tenham tampouco medo da pimenta e do azeite de dendê, não causam indigestão nem dor de barriga. Provem de tudo, assim de volta à casa levarão na boca o sabor das gostosuras preparadas por Romélia de Pastinha, minha comadre, e nos olhos a visão de seu sorriso feito ele também de açúcar, uma doçura.

ATENÇÃO, CINEASTAS!

Está em moda rodarem-se filmes na Bahia, aproveitando-se a paisagem, o folclore, a temática, a grandeza, a resistência da cidade. Atualmente chegam a Salvador cineastas dos quatro cantos do mundo, bons e ruins como é natural. Aliás, não chegam apenas cineastas, chegam compositores, pintores, tapeceiros, dançarinos, diretores de teatro, argentinos, americanos, entalhadores e até pais de santo, todos eles, sem exceção, geniais; alguns, excepcionalmente, possuem certo jeito, poucos.

Na Bahia, além da paisagem e dos costumes, podem os cineastas do Sul ou do estrangeiro contar com artistas locais de primeira ordem para os papéis mais diversos, de mocinha e mocinho a meretriz e vilão, de velha senhora aristocrática a vagabundos, seresteiros, beatos e jagunços. Os artistas baianos são realmente dos melhores do país.

Os produtores e diretores de bom olho contratarão correndo Alvinho Guimarães (também aplaudido *metteur en scène* de teatro), Nilda Spencer, Jurema Pena, Sônia dos Humildes, Mário Gusmão, Jessy Jesse, Maria Adélia, Milton Gaúcho, Mira, Janete, Aydil Unhares, Wilson Melo, João Gama, Siri, Cavalcanti e Negrão (existem dois Negrão, ambos enormes, fortes e magníficos atores), sem falar em João Augusto, diretor, empresário, autor, ator, homem de sete instrumentos.

PRECISEM OU NÃO DE MÓVEIS,
VISITEM A SUPREMA

Provavelmente os senhores turistas não precisarão comprar móveis durante a curta estada na Bahia. Ainda assim devem aproveitar e ir à Suprema Móveis conhecer Jayme Fischmann, o proprietário. Não percam a oportunidade única de fazer amizade com um dos melhores sujeitos do mundo.

MILAGRES E EBÓS —
VÁ AO BONFIM E NÃO ESQUEÇA EXU

Para um milagre grande, garantido, a toda prova, o melhor ainda é apelar para Nosso Senhor do Bonfim, na colina do mesmo nome, onde se eleva a sua basílica. O museu que ali funciona demonstra cabalmente a eficiência e a generosidade do santo. É tiro e queda. Para milagres menores, Nossa Senhora das Candeias é das mais procuradas. Se o assunto for noivado e casamento, santo Antônio. Dinheiro, santo Onofre. Para certas doenças, são Lázaro.

Quanto a ebós, os diversos orixás são igualmente poderosos. Mas é necessário não esquecer Exu, jamais. Começar sempre por lhe dar comida e bebida. Assuntos de alta monta, Oxalá. Doenças, Omolu. Amores, Oxum, entendida no assunto. Tudo quanto se refira ao mar, Iemanjá. Aos campos, matas e florestas, meu pai Oxóssi. Xangô, para guerras e lutas. Antes de tomar, porém, qualquer providência desse tipo vale a pena consultar uma ialorixá ou um babalorixá. Não é recomendável meter-se alguém a fazer ebó por conta própria, pode virar o feitiço contra o feiticeiro.

DUAS CASAS DE ANTIGUIDADES:
ALGUNS GALEGOS E UM SÍRIO, GENTE BOA

Antiquário? Muitos, espalhados pela cidade. Tomem cuidado os senhores visitantes, pois esse é assunto de muito engano e fácil vigarice. Se não querem ser enrolados, levando alhos por bugalhos, latão por prata, metal dourado por ouro, pagando fortunas por antiguidades recém-fabricadas, por imagens do século XVII esculpidas há seis meses ou há seis dias, procurem a Casa Moreira, na ladeira da Praça, onde não se engana ninguém, comércio de gente séria, galegos escolhidos a dedo para renascerem baianos, estimável nação, pacífica e trabalhadora. Prata e ouro, imagens, móveis de inestimável valor. Na Casa Moreira vale a pena ver e comprar, conhecer essa família de bons baianos de sangue galego, comandados por Manolo e José Alberto, dois mestres da cordialidade e da cortesia.

Outro antiquário da maior seriedade e pessoa da maior simpatia: Jorge Tarrapp, um gigante no físico e na bondade, nascido sírio ou libanês, pouco importa, pois hoje é tão brasileiro quanto quem mais o seja. Por uma falseta do destino não nasceu na Bahia, corrigiu o destino.

Tem um irmão que é bispo católico no Oriente Médio, o que dá qualidades eclesiásticas, autenticidade maior às imagens, candelabros, altares que enchem salas e salas da sortida casa de antiguidades da rua Rui Barbosa. Lá se encontra de um tudo, desde peças de louça da Companhia das Índias até berliques e berloques de fino trabalho artesanal e, por cima de tudo isso, a calorosa humanidade de meu xará Jorge Tarrapp.

DOCES PARA FESTINHAS DE
CASAMENTOS, BATIZADOS, ANIVERSÁRIOS

Se ocorrer batizado, aniversário, noivado, casamento, desquite na família do visitante durante a permanência na Bahia e for o caso de uma festinha com salgados e doces, encomende-os a dona

Edna Leal, antiga diretora da Escola de Culinária Sabor e Arte (onde estudou dona Flor), hoje aposentada como professora, mas ainda aceitando encomendas de fregueses e amigos. Mãos de fada as de Edna: não se contenta em fazer os quindins e papos de anjo, olhos de sogra e fios-d'ovos mais gostosos do planeta, supera-se em bolos artísticos de grande efeito nessas festinhas: barcos de piratas, Branca de Neve e os Sete Anões, naves espaciais, com astronautas e marcianos, monumentos de ovos batidos, leite de coco, açúcar e chocolate. Artísticos, mas sobretudo deliciosos.

BERIMBAUS, OS DE MESTRE WALDEMAR

Todo turista ao partir da Bahia, de retorno ao lar, leva obrigatoriamente, como recordação da estada, um berimbau de capoeira. Faz bem: trata-se de lembrança colorida, curiosa, musical e de fácil transporte — o viajante empunha o instrumento e vai em frente. Ao comprar, porém, procure saber se o berimbau escolhido foi feito por mestre Waldemar, capoeirista renomado, em cujo terreiro na Liberdade, quando ele mantinha escola aberta, iam brincar os grandes mestres Traíra e Bom Cabelo, hoje desaparecidos. Os berimbaus de Waldemar não têm competidores, na aparência e no som.

Mesmo sendo trabalho de Waldemar o bonito berimbau, delicado suvenir de viagem, não dará som perfeito, afinado como deve ser, quando o feliz possuidor, de regresso ao lar, exibir-se para os amigos na melodia que mestre Gato lhe ensinou tocar, se ao comprá-lo esqueceu o turista de exigir a moeda de vintém, indispensável à limpidez e harmonia do som. Não esqueçam os viajantes da moeda nem do caxixi, necessário ao acompanhamento. No caso do vintém, prestem atenção à qualidade do cobre e ao aspecto revelador da data da emissão: houve ultimamente um derrame de vinténs falsos na praça da Bahia — o pintor Carybé andou envolvido no caso — e com vintém de latão o som do berimbau se perde e enrouquece, aparentando-se ao da gaita de foles. Aconselhe-se com Camafeu de Oxóssi, é solista de berimbau, autoridade na matéria. Ou com os mestres Pastinha, Gato, Canjiquinha, com o próprio Waldemar, homem direito.

POSTSCRIPTUM SOBRE
OS DOIS WALDEMAR PARA
ESCLARECIMENTO DOS PAULISTAS

Aos turistas vindos de São Paulo, tão numerosos e simpáticos, um esclarecimento se impõe, para evitar possíveis complicações. Mestre Waldemar, capoeirista, artesão fabricante de berimbaus, e o baiano Waldemar Sziniewski, residente na capital de São Paulo, *marchand de tableaux*, não são a mesma e única pessoa, como o último tem feito crer afoitamente. O primeiro reside na estrada da Liberdade, bairro operário de Salvador, e se ocupa apenas com seus berimbaus, enquanto o xará mora em bairro rico de São Paulo e vende em A Galeria (a preços altos) óleos, guaches, esculturas, desenhos, gravuras, talhas de artistas baianos que adquire em Salvador (a preços baixos). Quando não os consegue pelos preços desejados, ele os fabrica. Em comum, os dois Waldemar possuem apenas a cidadania, a habilidade manual e a simpatia irresistível.

IMPOSTO DE RENDA

Caso o visitante tenha alguma dúvida relativa a imposto de renda durante a estada em Salvador, abuse da bondade do dr. José Aragão Vila, alto e dedicado funcionário da Receita Federal que sobre o assunto é da maior sapiência e idoneidade. Se não fosse a infinita gentileza de Vila como iríamos nós Mário Cravo, escultor, Carybé, pintor, James Amado, escritor, eu próprio e muitos outros incompetentes — redigir nossa folha de imposto de renda, sem erros nem falcatruas? Estaríamos todos na cadeia, com certeza. Salva-nos a solícita cordialidade baiana de José Aragão Vila, além do mais bom de papo em sua bela casa de quadros e livros. Tanto ele como os filhos amam pintar e talhar a madeira.

EXUS E FERRAMENTAS DE ORIXÁS,
EXIJAM OS DE MANU – ABEBÊS E PAXORÔS,
OS DE MÁRIO PROENÇA

Manu, ogã do candomblé do Gantois, fabrica ferramentas de orixás, de Ogum, de Ossaim, de Oxóssi, esculpe a figura de Exu, ninguém o iguala ao malhar o ferro, ao transformar o metal bruto em objetos de culto. Situa-se no limite onde artesanato e arte se fundem numa única coisa.

Um imenso emblema de Oxóssi, o arco e flecha, encima minha casa no Rio Vermelho, guardada por um grande Exu. Nascidos o encantado e a arma do rei de Ketu das mãos calosas e sábias de Manu. Suas ferramentas são as preferidas dos orixás.

Outro extraordinário artesão, dominando o cobre, o zinco, os metais cromados, o latão, realizando maravilhas em matéria de abebês de Oxum e de Iemanjá, de paxorôs de Oxalá, é Mário Proença, colocado em idênticas fronteiras do artesanato e da arte. Genaro de Carvalho o tinha em alta estima: Mário realizou no cobre, a meu pedido, um desenho de Genaro, um grande paxorô. Também Aldemir Martins é seu fã incondicional. São homens — Manu, Mário Proença, Didi, Henrique, João dos Prazeres — que, trabalhando o ferro, o cobre, o zinco, os diversos metais, a madeira, o couro, a palha, elevaram o artesanato à categoria de arte decorativa. A esses nomes deve-se juntar o de Gérson, que trabalha a prata baiana mantendo perfeita consciência da tradição e da dignidade da matéria com que cria os maravilhosos balangandãs, as pencas de prata, as cuias para tirar a água dos potes. Um senhor prateiro, mestre Gérson.

PARA ESCREVER SEU DISCURSO DE AGRADECIMENTO, COM ELEGÂNCIA E CORREÇÃO GRAMATICAL, RECORRA À GENTILEZA DO NEGRO BATISTA

Precisa de um discurso, meu caro amigo? Para agradecer homenagens recebidas na Bahia, cortesias? Ou, quem sabe, quer aproveitar a viagem para terminar a redação do relatório do banco, da indústria de que é diretor, proprietário, sócio principal? Para uma e outra coisa, para obter redação cuidada, correta, clara, elegante, com lavores literários e citações eruditas, se necessário, procure João Batista de Lima e Silva, Negro Batista na voz afetuosa dos amigos, e lhe peça o favor. Sendo de natural amável e sergipano de nascimento, ou seja, acostumado à exploração do homem pelo homem, provavelmente o Negro escreverá o que o senhor quiser e nada lhe cobrará, pois são outros seus ofícios: o jornalismo — pode haver jornalista igual em terras do Brasil mas não melhor —, a cátedra universitária, as relações públicas e, antes dos demais, o exercício da amizade.

No apartamento onde reside duas admiráveis criaturas cuidam do fatigado coração do Negro Batista: Zuleika, sua mulher, e uma santa velhinha sergipana que um dia distante o pôs no mundo e até hoje prepara para ele um ensopadinho de bode e um cuscuz de milho que só comendo se pode adjetivar. Um felizardo, o Negro, sabe regras de concordância e vive no dengue.

HORA DA CRIANÇA

Outra obra benemérita a merecer todo apoio do viajante amigo da Bahia: a Hora da Criança, criação do jornalista Adroaldo Ribeiro Costa, que a vem mantendo em meio a grandes e crescentes dificuldades há um quarto de século. A Hora da Criança é hoje importante complexo cultural que vai do rádio à galeria de arte, do teatro de marionetes ao canto e à poesia. Na Hora da Criança ensaiaram os primeiros passos Cyva e suas irmãs, as do Quarteto em Cy. Também aí nasceu a poesia de Aramis Costa, sobrinho de Adroaldo, esse admirável Adroaldo Ribeiro Costa, verdadeiro idealista.

HOTEL DESTE TAMANHO NÃO É PARA A BAHIA

O HOTEL DA BAHIA, DURANTE UNS POUCOS ANOS O ÚNICO de categoria na cidade, foi construído em 1949, no governo Octavio Mangabeira, para hospedar os convidados e os visitantes ricos que viessem festejar o quarto centenário de Salvador. O projeto foi do arquiteto baiano Bina Fonyat, um dos astros da grande geração de Niemeyer e Lúcio Costa, responsável igualmente pelo Teatro Castro Alves. Bina fez um projeto de grande simplicidade e beleza para um edifício de doze andares com oito andares de apartamentos, reservada a altura de outros quatro para os serviços de recepção, a boate, o restaurante, o grande hall de lazer.

Quando sobre essa base se elevaram os quatro primeiros andares de apartamentos, houve — segundo contam — uma reunião em palácio de secretários de estado, técnicos, notabilidades que consideraram um absurdo o governo gastar um dinheirão para construir um hotel com oito pavimentos destinados a habitações: jamais a cidade abrigaria tantos visitantes capazes de ocupar aquele desparrame de habitações. Foi decidido parar a construção, e, para desespero de Bina, o Hotel da Bahia resultou num monstrengo arquitetônico com uma base enorme e um cocuruto reduzido, construção acachapada e feia.

Logo depois começaram a crescer o turismo e a indústria hoteleira baiana, hoje com numerosa rede de estabelecimentos do mais variado porte, sucedendo-se do centro da cidade a Itapuã. E somente em 1985 o velho Hotel da Bahia ganhou os quatro andares que lhe haviam sido retirados pelos administradores da época, assim como a piscina, tudo de acordo com o projeto inicial de Bina Fonyat. Foi restaurado — louve-se! —, o mural de Genaro de Carvalho, belíssimo, e Carybé enriqueceu o prédio com alguns painéis preciosos. Ainda bem.

PARA APRESENTAÇÃO DE ARTISTA EM CATÁLOGO DE EXPOSIÇÃO: CARLOS EDUARDO

O senhor é um artista do Sul ou do Norte, de Pernambuco ou de Goiás e vai expor quadros, talhas, esculturas, gravuras e desenhos na Bahia, numa das várias galerias da cidade? Precisa de quem lhe apresente o catálogo, dizendo do valor de sua obra, exaltando as qualidades, silenciando os defeitos, sendo ao mesmo tempo entendido, versado em arte, e generoso coração? Procure Carlos Eduardo da Rocha, peça--lhe com jeito e estará servido.

Forneço aqui a ficha do ilustre crítico: nascido no Acre chegou à Bahia carregado de poesia e a distribuiu pelos quatro cantos da cidade. São três irmãos, e o de nome Wilson também muito sabe de arte e é poeta de méritos proclamados no Brasil e em Portugal; o terceiro, José Olympio, é veterano jornalista.

Quanto ao nosso herói, dirigiu museus, entre os quais o Museu do Estado, fundou galerias, com uma delas, a famosa Galeria Oxumaré, entrou para a história da arte moderna da Bahia. Proclama-se homem bonito, é leal amigo, vive entre versos e quadros. Quantos artistas já apresentou ao público baiano? Perdeu a conta mas nem por isso deixará de apresentar qualquer outro em quem comprove uma nesga de talento e o fará com alegria — a inestimável alegria de ajudar.

BATIDAS E LAMBRETAS

Na orla marítima, na Pituba, Villar instalou o Sóbatidas: no gênero, impossível melhor. Villar é um dos grandes criadores de batidas, de renome nacional, várias vezes premiado nos Festivais de Batidas — um desses prêmios ele o obteve, em São Paulo, com a batida Gabriela, Cravo e Canela, realmente gostosíssima. O atendimento no Sóbatidas está à altura da alta qualidade das criações realizadas por Villar. Magnífico caldo de lambreta para acompanhar.

Na Mariquita, no Rio Vermelho, a casa especializada de Diolino apresenta uma esplêndida variedade de batidas de frutas, atraindo um público fiel e sempre crescente de baianos e turistas.

No Mercado Modelo são várias as barracas de batidas — de maracujá, pitanga, caju, limão, tangerina, coco, quantas outras! — e de lambreta. A lambreta é invenção baiana, a meu ver uma das grandes invenções do século. Lambreta é o nome que se dá a um fruto do mar, um marisco, a amêijoa. Tira-gosto sem igual para um gole de cachaça pura ou uma batida. O caldo da lambreta, temperado com molho de pimenta, nem se fala. Afrodisíaco retado, levanta as forças de defunto. Entre essas várias barracas de lambreta e batida, quero citar a Fênix, que vem do velho Mercado, primorosa na qualidade e no serviço.

FAÇA-SE SÓCIO DO
IPIRANGA FUTEBOL CLUBE

Outros clubes do futebol baiano podem ser mais ricos, mais prósperos, mais badalados pela imprensa, donos até de maior torcida e de maior número de títulos recentes. Nenhum de tão gloriosa tradição quanto o Ipiranga, o time de Popó, antigamente poderoso, milionário, invencível, supercampeão, hoje pobre e batido mas, em glórias, quem se compara a ele? Nem o Bahia, nem o Vitória, nem o Galícia, nem o Leônico (cito o Leônico sob violenta pressão familiar: minha mulher é torcedora do Leônico, creio que a única, apesar das afirmações em contrário). Sou torcedor do Ipiranga há mais de cinquenta anos. O Ipiranga pode perder à vontade porque já ganhou demais, já deu muita alegria aos seus fiéis torcedores. Se o visitante tiver de escolher um clube de futebol baiano, escolha o Ipiranga. Sofrerá sem dúvida com a notícia de constantes derrotas nos atuais campeonatos, mas em compensação que glorioso passado!

ACOMPANHANTE PARA
SOLTEIRAS E CASADAS

Para casadas que estejam viajando em férias matrimoniais, é claro, porque gastar com marido, ah! isso Oswaldinho Mendonça não faz. Bonito, rico, bem falante, fotógrafo amador, festeiro, romântico e sexy, conhecendo os cantos e os recantos da cidade, motorizado, entendido em candomblé e em passeios marítimos etc. e tal, Oswaldinho é o acompanhante ideal para solteiras carentes de ternura e para casadas (se bonitas e com o marido em São Paulo a ganhar dinheiro). Pessoa de inteira confiança e quanto à discrição, absoluta. Há outros nomes recomendáveis mas o de Oswaldinho abre a lista.

INFORMAÇÕES SOBRE
A ZONA CACAUEIRA, GRATUITAS

Se o visitante necessitar, como bem pode acontecer, de informações sobre a zona cacaueira e o povo grapiúna, procure o dr. Moysés Alves, advogado e fazendeiro, ele lhe contará do passado e do presente, de Itabuna e de Ilhéus, de Itajuípe quando era Pirangi, de Uruçuca quando era Água Preta, falará dos grandes coronéis, Henrique Alves, Basílio de Oliveira, Sinhô Badaró, José Nique, dos intelectuais nascidos na região, Adonias Filho, James Amado, Jorge Medauar, Hélio Pólvora, contará casos espantosos, todos verídicos. Quando Moysés Alves fala da zona do cacau transforma-se num poeta.

ROQUE, O MOLDUREIRO

Certamente o visitante comprou óleos, gravuras e desenhos dos mestres baianos, além de prazer estético, excelente aplicação de capital. Se quiser levá-los emoldurados procure Roque dos Santos, em frente ao Museu de Arte Sacra, e utilize sua casa de molduras. Se apreciar pintura primitiva vá um pouco mais adiante, à galeria de propriedade do mesmo Roque, e terá ampla escolha de primitivos, pois o moldureiro dublê de marchand tem prazer em apresentar valores novos ao lado de nomes consagrados. Sem contar o riso franco do bom Roque que vale quadro e moldura.

ADVOGADO?
PROCURE DR. TIBÚRCIO BARREIROS

A senhora, em visita à Bahia, apaixonou-se por alguém da terra e resolveu desquitar-se do marido afarista e triste que ficou na distante cidade não sei de onde? Ou, ao contrário, foi o senhor que veio repousar dos negócios e da esposa chatíssima e na Bahia encontrou a morena de sua vida, precisa de desquite urgente? Em qualquer caso e em todos os que envolvam questões legais, o certo é contratar os serviços do dr. Tibúrcio Barreiros. Certamente ele reconciliará os esposos pois, sendo bem casado, defende a instituição da família. Mas, em troca, a senhora ou o senhor ganha inestimável amigo para a vida inteira, exemplo da urbanidade baiana, íntimo do rico e do pobre.

GENTILEZA PARA DAR E VENDER

Vender ele não vende, a gentileza do baiano é gratuita, vem do berço, graças a Deus e aos Orixás. Na rota para a Bahia, se o viajante sair do Rio de Janeiro ou por ali passar, pode inteirar-se da gentileza dos naturais da Boa Terra, procurando nos escritórios da Varig o chefe de relações públicas, Fernando Hupsel de Oliveira. Sendo a gentileza em pessoa, como se isso não bastasse, escreve muito bem, é jornalista de primeira, cordial, informado, bom de prosa, enfim o que se chama, com toda a razão, um tipo encantador. Exilado no Rio de Janeiro, fica feliz quando pode servir um conterrâneo (ou um estrangeiro).

MARCEL RUSSI E OS JARDINS

O suíço Marcel Russi planta os mais formosos jardins da cidade, civilizado amante das flores e folhas tropicais. Durante anos foi meu vizinho, quase chorei quando se mudou para casa com terreno grande na Boca do Rio. Ao bater a vista num belo jardim público ou particular o visitante pode apostar que o responsável pela verde ilha vegetal, pela mistura acertada das plantas e flores, é Marcel Russi. Se quiser levar, em sua bagagem, planta baiana ou nordestina típica procure o suíço e ele providenciará tudo com aquele ar de anjo camponês perdido num céu botânico.

PASSEIOS NA BAÍA DE TODOS-OS-SANTOS

A Companhia de Navegação Baiana, cujo departamento turístico e de relações públicas funciona sob a direção capaz do escritor Vasconcelos Maia, um dos pioneiros da luta pela implantação de uma estrutura turística na cidade, mantém dois itinerários para passeios marítimos na baía de Todos-os-Santos.

O primeiro, às terças, quintas e sábados, sob o título de Veja do Mar a Cidade do Salvador, parte do cais da Baiana, contorna o Forte de São Marcelo, ruma no sentido da entrada da barra, indo até o Forte de São Diogo, o Farol da Barra. De volta interna-se no golfo, exibindo aos olhos do viajante as praias dos subúrbios da Leste Brasileira e toda a beleza de Monte Serrat e do casario da cidade visto do mar. O passeio, em pequeno navio da Baiana, dura três horas, das 9 às 12 da manhã.

Passeio às Ilhas é a segunda excursão oferecida pela Navegação Baiana, às quartas, sextas e domingos. Saída às nove horas, visita às ilhas de Maré, dos Frades, de Bimbarra, das Fontes, do Medo, até chegar à ilha de Itaparica para o almoço — vá comer em casa de Dety se quiser passar bem, regalar-se com os quitutes baianos. Em Itaparica, visitando a cidade histórica e as praias maravilhosas, os excursionistas permanecem até às dezesseis horas quando retomam a Salvador. Um belo passeio. *À côté*, como dizem os cronistas sociais, Carlito Maia, o contista: sabe tudo sobre a baía de Todos-os-Santos e é proprietário de umas quatro ilhas e de vários saveiros.

CHARUTOS BAIANOS?
VÁ DIRETO AO REI DO FUMO

Antigamente a escola era risonha e franca, como diz o esquecido e patriótico poema francês, recitativo de nossa meninice: os charutos baianos não eram apenas citados entre os melhores do mundo, eram também baianos, feitos a capricho em fábricas que funcionavam à base de capitais brasileiros, em São Félix, Cachoeira, Maragogipe, enquanto em todo o Recôncavo cresciam as plantações de fumo. Fabricávamos também cigarros ótimos, em Salvador. Tudo isso quando a escola era risonha e franca. Hoje tudo mudou. Dos grandes industriais de fumo, os Dannemann, os Suerdieck, restaram, como capital nosso, precioso, os descendentes, dos quais são exemplos a citar Geraldo Dannemann e Fernando Suerdieck, cidadãos cultos, inteligentes, encantadores;

honram, os dois, a tradição herdada e a terra onde nasceram. Mas já não são deles os charutos que levam os nomes tradicionais, garantias de qualidade, tudo isso hoje pertence a estrangeiros.

Assim sendo, se o viajante quiser manter-se ainda ligado à grande tradição do tabaco baiano, o melhor é dirigir-se ao Rei do Fumo, um jovem senhor de nome Mário Portugal, risonho e franco que nem a escola antiga, educadíssimo, mestre inconteste da baianidade. Pergunte-lhe pelos charutos, ele enviará a seu hotel caixas das melhores marcas, de presente. Depois levará o viajante golfo afora em lancha poderosa, lhe dará a beber o melhor vinho branco do Reno, o melhor tinto francês, a comer a mais requintada comida baiana, e a alegria de sua conversa, do senso de humor, da gentileza infinita pois se houver necessidade de citar o exemplo perfeito da cortesia baiana, o nome que logo ocorre é o do cidadão Mário Portugal, exportador de fumo, marido de Gilda, ex-gaúcha, hoje filha de Iemanjá no Rio Vermelho, pai prolífero de seis encantadores filhos, meu candidato a governador do estado.

OUÇA OS PROGRAMAS RADIOFÔNICOS
DOS DOIS TEIXEIRAS, O ERUDITO E O POPULAR

Dois radialistas produzem programas de grande audiência na cidade, os dois com o mesmo sobrenome, Teixeira, um Cid, outro França. Não sei se existe entre eles parentesco, mas possuem em comum a agudeza da inteligência e a vontade de servir, qualidade baiana a marcar os programas, tão diversos, de Cid e de França Teixeira.

Muito diferentes um do outro como pessoas e como profissionais, por vezes quase opostos, ao mesmo tempo são vertentes de idêntica matriz. Os programas de Cid Teixeira implicam sempre a análise e extensão cultural de um problema, um fato, uma figura, um aspecto da vida da Bahia, levam ao ouvinte a erudição e a pesquisa realizada por um intelectual da melhor estirpe para quem a cultura é um bem provindo do povo e que a ele deve ser restituído. Nos seus programas há sempre algo a aprender; usa o rádio como usa a cátedra.

Os programas de França Teixeira caracterizam-se pela intensa vibração popular, trazem ao grande público que os ouve a manchete palpitante, o acontecimento quotidiano levantado e dissecado por um homem de espírito esportivo e atento aos interesses imediatos da cidade. Sensacional sem ser jamais sensacionalista, sem recorrer à notícia falsa, ao boato, mantendo sua exaltada inventiva dentro de impecável correção. Além de tudo, torcedor do Ipiranga, o que revela bom caráter.

Ambos fugiram da Igreja de São Francisco, ambos barrocos. Cid é um anjo gordo escapado de uma colunata, França chega revestido de toda a ourama do teto e das paredes, encontram-se na defesa dos interesses da cidade. Ouçam os programas desses dois Teixeiras, tão diferentes e assim próximos, valem a pena os dois, o erudito e o popular, Cid e França.

PARA TRABALHOS DE PARTO? O GINECOLOGISTA CHAMA-SE DR. DAVID ARAÚJO

Se o casal veio de longe propositadamente para que a senhora dê à luz aqui, gratificando o filho com o melhor dos presentes, o privilégio da cidadania baiana, o nascimento na cidade mágica de Salvador da Bahia de Todos-os-Santos, o dr. David Araújo, ginecologista de longa experiência e comprovada capacidade, é o especialista indicado. David conserva as qualidades do antigo médico de família, ao mesmo tempo clínico e conselheiro, receitando para o corpo e a alma, curando gerações, espécie em vias de desaparecimento da qual ele é um dos derradeiros exemplares.

Depois que a criança nascer com a assistência e o conforto da ciência e da bondade de David, os pais devem seguir o conselho do nosso vate Caymmi: levem-na a batizar na Igreja do Bonfim, que é também um templo de Oxalá, tudo perfeito. Convidem David para padrinho, concedendo assim mais um privilégio a vosso filho. Se for menino, deem-lhe o nome de Antônio, em honra de Castro Alves, ou de Gregório, em homenagem a Gregório de Matos, e ele crescerá poeta. Se nascer menina, registrem-na Andreza, nome mais lindo não existe. Raro o barco de iaô no qual não exista uma Andreza — Andreza de Oxóssi, Andreza de Euá, Andreza de Oxum, cada qual mais bela.

IBIT

Numa cidade de alarmante proporção de tuberculosos, como já foi dito e provado páginas atrás, a importância de um instituto como o Ibit, dedicado ao estudo e tratamento das moléstias pulmonares, salta à vista. Assim como o apoio que lhe é devido não somente pelos baianos mas por todos os brasileiros. Apoiar o Ibit é um dever patriótico.

À testa do Instituto, garantia da importância científica do trabalho ali realizado, encontra-se um dos baianos mais notáveis de nosso tempo: o professor José Silveira, criatura maravilhosa, sábio na mais completa extensão da palavra, honra e orgulho de seus conterrâneos.

ANESTESISTA

Em caso de intervenção cirúrgica, o visitante tem ampla escolha de médicos operadores cada qual melhor bisturi; a Bahia é rica de facultativos. Não nos esqueçamos de que a Faculdade de Medicina do Terreiro de Jesus foi a primeira do Brasil e durante longos anos a mais famosa: vinha gente de todo o país estudar com os velhos catedráticos que ao conhecimento científico somavam o pernosticismo de linguagem, mistos de médicos e literatos. Em geral, bons médicos, maus literatos. Escolhido o operador, aconselho exigir que o anestesista seja o dr. Menandro Faria. Outros existem de idêntica capacidade. Apenas Menandro Faria é o mais surpreendente e imprevisível de todos os baianos. Sensacional.

Professor da Escola Baiana de Medicina, na sala de operações o mais cuidadoso, calmo e experiente anestesista. Fora de lá, a paixão pela vida, devoradora, o desejo de ajudar o próximo, de salvar o mundo.

BARBA & POESIA

NA RUA ARACAJU, 14, JARDIM BRASIL, BARRA AVENIDA, exerce o ofício de barbeiro o poeta Antônio de Jesus Santana. Não sei o que vale como barbeiro, se é competente no trato da navalha e da tesoura, mas posso garantir que o poeta é realmente bom, tem livro publicado e figura em antologias.

Só mesmo na cidade da Bahia pode existir um salão de barbeiro igual a esse: estantes de livros escolhidos, volumes da melhor poesia brasileira, leitura para encher o tempo de espera dos fregueses. Entre os fregueses de cabelo e barba, assíduos ao salão, encontram-se Carlos Cunha, Guido Guerra e James Amado. Ali discutem literatura e autores, e, na qualidade de confrades, têm direito a abatimento.

Maior ainda é a freguesia do vate Santana: seus poemas são lidos nos jornais e nas revistas, conheço moças que os sabem de memória. Nem por isso despreza seu digno ofício: sonha poder um dia cortar o cabelo de Carlos Drummond de Andrade; já aparou o cavanhaque de Vinicius de Moraes.

Entre um cabelo e uma barba, a estrofe nasce e vibra no salão — assim acontece o milagre da poesia.

OBJETOS DOS CULTOS AFRO-
-BRASILEIROS, AUTÊNTICOS,
EM O CARRAPICHO

SE O VISITANTE DESEJA COMPRAR OBJETOS RELACIONADOS com os cultos afro-brasileiros, obtendo garantia de autenticidade, deve procurá-los em O Carrapicho, no Hotel do Pelourinho. Ali encontrará as folhas sagradas para os banhos que limpam do mau-olhado, os defumadores, os obis e os orobôs para os ebós, as guias dos orixás. Encontrará também peças magníficas dos artesãos e artistas populares, a começar pelas de Didi, artista premiado. Os opaxorôs, os abebês, os xaxarás, os ogôs, os iriquerês, as armas e emblemas dos encantados, de Oxum a Xangô, de Exu a Omulu. Superintende a loja a competência de mãe Stella de Oxóssi, garantia absoluta da autenticidade dos objetos à venda.

QUER DECORAR A CASA QUE
ALUGOU PARA O VERANEIO NA BAHIA?

QUER O VISITANTE DECORAR A CASA QUE ALUGOU POR PREÇO EXORBITANTE para o veraneio em Itapuã ou na Pituba?

Procure, se é rico e de refinado gosto, o decorador José Pedreira, de fama nacional. Mandam buscá-lo do Rio e de São Paulo, contratam-no a peso de ouro.

E ainda assim é barato, pois não se trata de um simples decorador, José Pedreira é um erudito em imaginária e antiguidades, sabe dessas coisas como nenhum outro, além de ser um escritor cujo único defeito é esconder seus contos e romances, não publicá-los. Por que, meu querido Pedreira, tanta timidez e retraimento se até editor possui?

Antigamente, José Pedreira residia na rua da Forca e cuidava-lhe da casa e do bem-estar a mais doce velhinha que imaginar se possa, d. Zezé, minha recordada amiga.

Clara Melro, esposa do engenheiro João Melro, possui clientela vasta e distinta, decora clubes e cerimônias públicas, além de ser pintora de vanguarda.

Freddy Suy é campeão absoluto das decorações para as festas de Carnaval em clubes e ruas. Concorre com Juarez Paraíso e com Gato na disputa em torno da ornamentação da cidade para a grande festa. Trabalha sobre os motivos do folclore e tem um sentido alegre das cores. Um moço risonho, cuja face espelha a bondade e a alegria de viver.

OPORTUNIDADE DE OURO PARA OS AUTORES BAIANOS – ENVIE SUA FICHA IMEDIATAMENTE

D'ALMEIDA VICTOR, LITERATO ANTIGO, dos tempos da Academia dos Rebeldes e do Arco & Flexa, companheiro de toda a vida, autor de vários livros, folhetos e opúsculos sobre assuntos diversos, todos de válido interesse, está organizando em Brasília (onde vive morrendo de saudades da Bahia) um dicionário de autores baianos, que ele deseja completo, perfeito na informação sobre clássicos e modernos, velhos e jovens. Daqui transmito seu apelo a todos os interessados: enviem uma ficha com nome, endereço, títulos dos livros e publicações, datas, bibliografias, prêmios, crachás, traduções, quando as houver. O dicionário do generoso D'Almeida Victor garante-lhes um lugar na história literária. Aproveitem, a ocasião é única.

CITAÇÃO EM CRÔNICA SOCIAL DÁ STATUS E CONSAGRA A EXCURSÃO

QUE VIAJANTE NÃO GOSTARÁ DE VER SEU NOME CITADO nas colunas da crônica social? Brilhando entre os seletos convivas de inesquecível jantar no solar de Margarida e Fred

Luz (ah!, jantares realmente inesquecíveis pelo requinte e pela cortesia dos anfitriões perfeitos) ou velejando nas águas do golfo, no iate do casal George Calmon (também eles perfeitos na gentileza baiana)? Seu passeio a Salvador ganhará o status necessário, sua excursão estará completa.

Da crônica social, do registro dos amáveis acontecimentos, ocupam-se nos jornais, além da já proclamada July, que teve comercial à parte por merecimento e amizade, outras bem informadas colunistas.

Semanalmente, Teresinha Muricy comenta a vida elegante, relata eventos culturais em curtida prosa literária — onde se pode sentir rastros de Anatole France e de Guimarães Rosa. Dirige, ademais, um suplemento dedicado à mulher na edição dominical de *A Tarde*.

Regina Coeli, no *Jornal da Bahia*, Isolda Meneses, no *Diário de Notícias*, Sylvia Quadros, na *Tribuna da Bahia*, jornalistas provadas, de leitura leve e agradável, interessadas todas três nos acontecimentos relativos à cultura — exposições, lançamentos de livros, conferências, cursos, seminários —, rivalizam com July e Teresinha no registro do que ocorre na vida da cidade.

Se o visitante, além de ter seu nome citado por qualquer delas, for convidado a aparecer no programa de televisão de Teresa Fernandes, *Boa tarde, Bahia*, então alcançará a glória total. Teresa Fernandes possui o dom da comunicação, sua figura no vídeo é aliciante, alcança a cada dia maior audiência, está em todas as casas baianas na hora do almoço. Apresentadora capaz e correta, devotada, desejando fazer sempre melhor. Além disso é um encanto de pessoa.

SERVIÇO CONSULAR

FELIZES AQUELES VISITANTES QUE VENHAM, por acaso, necessitar dos serviços consulares da Áustria, pois conhecerão o cônsul mais fino, educado, competente, atencioso, de todo o país. O cônsul da Áustria na Bahia é a sra. Eva Adler, nascida no paraíso das valsas, mas baiana de natureza e vocação, nome dos mais repetidos na crônica social da cidade pela elegância, inteligência e cultura.

PARQUE DA CIDADE
E JARDIM ZOOLÓGICO

O Parque da Cidade, ocupando uma das raras áreas verdes preservadas na abertura de novos bairros, avenidas, vias de comunicação, pode vir a ser um dos lugares mais deliciosos da cidade, passeio ideal para as crianças — e seus pais — se a municipalidade lhe der a necessária atenção. Ao ser inaugurado oferecia conforto, tranquilidade, ar puro aos adultos, diversões à meninada. A falta de policiamento e de conservação ameaça destruir rapidamente tudo quanto foi feito para atendimento das crianças. Quanto à tranquilidade, essa acabou-se, liquidada pela presença de inúmeros marginais que se instalaram no parque. Uma pena, realmente.

O Jardim Zoológico, vítima constante de campanhas nem sempre sérias da imprensa que, não podendo atacar os grandes nem o regime, ataca os pobres animais do zoo e os funcionários que os mantêm em vida apesar das verbas limitadas, de deficiências de toda ordem. Não adianta o diretor, dr. Clóvis Franco, veterinário ilustre e apaixonado por seu jardim de animais, reclamar, não é ouvido. Sem as verbas necessárias, como fazer que o Zoológico da Bahia seja a festa da meninada (e dos adultos) como acontece com os das outras cidades, mundo afora?

O Parque da Cidade e o Jardim Zoológico, duas das poucas opções oferecidas às crianças baianas, estão a reclamar maior cuidado, atenção e carinho dos administradores e maiores verbas do estado e do município. O visitante deve reclamar também, fazendo-nos um favor. Talvez sua voz, sendo forasteira, seja ouvida e atendida.

LEMBRETE SOBRE ANIMAIS

Por falar em animais, se o cão ou o gato de estimação, tão querido a ponto do viajante tê-lo trazido na excursão que a família faz à Bahia, aparecer doente, sem apetite ou triste, chamem com urgência a dra. Maria da Luz Celestino Amado, médica veterinária, especialista em pequenos animais. Adora tudo quanto é bicho, posso afirmá-lo pois cuida de meus cães e gatos e ainda por cima é minha nora. Atendido o animal enfermo, façam questão de pagar a conta da doutora, mesmo que ela não queira cobrar pois tem essa deplorável mania, já pensaram?

POR FIM UNS CERTOS ROMANCES

Quem não anuncia a própria mercadoria, tendo anunciado a dos demais, tolo é. Assim sendo, termino esse intervalo para os comerciais propondo-lhes os livros de um escriba residente no Rio Vermelho, conhecido pelo nome de Jorge Amado, por acaso o meu, caudaloso romancista. Escreve sobre a zona do cacau, a violenta saga da conquista da terra, as plantações e a vida de coronéis e trabalhadores, do povo de Ilhéus e Itabuna; escreve sobre o agreste sertão de secas, miséria, beatos e cangaceiros; escreve sobretudo sobre a cidade da Bahia e seus acontecidos. Conta do que sabe por ter vivido, o herói de seus livros é o povo e propõe o futuro como meta a alcançar.

Com a família vive modestamente de direitos autorais, cercado de amigos, sua riqueza, única porém enorme. Ajude-o a sustentar a família e mais dois cães, dois gatos, um pássaro sofrê e alguns saguis ávidos de banana-prata, comprando-lhe os romances, expostos em qualquer das livrarias da cidade. Na opinião de alguns entendidos, tais romances concorrem para que o forasteiro, nacional ou gringo, possa melhor entender nosso mistério, a condição baiana do humanismo.

PESCA DE XARÉU

NESSAS PRAIAS DE AMARALINA E ITAPUÃ OS PESCADORES se reúnem para a pesca de xaréu, espetáculo que vale a pena ver. No primeiro dia, a rede imensa é posta no mar, conduzida numa grande jangada. Os pescadores, num total de sessenta homens, reúnem-se em torno do chefe e dos mestres, o de mar e o de terra. Mais além da arrebentação a rede recebe os cardumes. Na manhã seguinte os mergulhadores saltam das pequenas jangadas, somem na água, na avaliação da pesca. Toda a população está reunida na praia. Feito o cálculo da quantidade de peixes presos na rede, é transmitida a ordem para a puxada. O mestre de mar e o mestre de terra trocam sinais, o canto irrompe:

Eu não quero navegá
Aderecô Aninha
Fazê dos oios candeia
Até a hora de vortá...

Tem início a puxada, o colossal esforço coletivo. As mãos se unem solidárias, a rede pouco a pouco vem sendo trazida para a praia. Os pés negros marcam o ritmo do canto e do esforço. O coro de mulheres e meninos, de toda a gente do mar, se eleva na manhã de luz esplêndida. Todos participam da pesca. Não tardará e os peixes brilharão ao sol sobre as areias, os xaréus como lâminas de aço.

Nessas mesmas praias de tão suado labor, vêm-se banhar os turistas e os baianos endinheirados nas manhãs de sol que, em realidade, duram de janeiro a dezembro, com exceção de um ou outro dia inteiramente chuvoso. A chuva serve quase sempre para limpar o céu da cidade, para torná-lo mais puro em seu azul, mais límpido em seu sol que seria escaldante se não reinasse na Bahia, como outra Iemanjá, aquela inventada Nossa Senhora da Viração da qual dizia Octavio Mangabeira:

— É nossa santa principal, Nossa Senhora da Viração. É ela quem faz do nosso clima o mais doce clima do Brasil.

SAMBA DE RODA

PARA O SAMBA DE RODA BASTA COMO ACOMPANHAMENTO UM PRATO, uma faca ou uma colher. Se houver uma violinha então a coisa pega fogo. Mas se nada houver, marca-se o ritmo ao som das palmas batidas pelas mãos. O povo sempre consegue superar as dificuldades e viver. E sambar na hora do samba, do samba de roda que é uma dança coletiva. No meio da roda, a baiana canta:

Moinho da Bahia queimou
queimou
deixa queimar.

CAPOEIRA ANGOLA E CAPOEIRISTAS

A CAPOEIRA VEIO DE ANGOLA NOS NAVIOS NEGREIROS. Luta única no mundo, luta na qual a agilidade comanda. Os pés e a cabeça são decisivos. Perseguida e condenada, a capoeira,

para sobreviver, teve de acobertar-se nas sombras da música dos berimbaus, ser ao mesmo tempo luta e balé. Que graça, que força, que elegância nos movimentos dos lutadores! Assim, ao som dos berimbaus de capoeira, os negros puderam preservar sua luta, e, ao transformá-la, fizeram-na brasileira e única. Levando a agilidade ao absurdo, tornaram-se invencíveis. De nada adiantaram as perseguições, os editos policiais, a sanha da violência desatada.

A tradição oral e a admiração popular guardaram os nomes de grandes capoeiristas do passado. Mais de uma vez assisti Samuel Querido de Deus lutar, brincar o brinquedo, aplicar rabos de arraia. Já então era um velho de seus setenta anos.

Muitos outros nomes ficaram na lembrança e nas histórias do povo: o célebre Besouro, de cuja fama ainda hoje se encontram os rastros no Recôncavo. Chico Porreta de lutas lendárias com militares e policiais, tinha pacto com o diabo, desaparecia, virava fumaça quando cercado pela soldadesca. Zé Dou, Tibiri da Folha Grossa, Pantalona, Quebra Ferro, Sessenta, Biluaca, Gasolina, o açougueiro Cazumbá. Najá foi um assombro de valentia: morreu enfrentando cinco peixeiros armados, diante do Forte de Santa Maria. Todos eles contribuíram para trazer a capoeira até os nossos dias, todos eles a enriqueceram.

Enriqueceram-na primeiro com a música e com o canto. Em vez das palmas batidas com as mãos, os intrumentos de música incorporados aqui, na Bahia, à roda de capoeira: o berimbau de barriga com o caxixi e sua moeda de vintém, o pandeiro, o reco-reco, o atabaque, o chocalho, o agogô. E o canto:

Aruandê
ê aruandê, camarado
Galo cantou
ê galo cantou, camarado
cocorocô

Nas múltiplas escolas de capoeira espalhadas pela cidade, os berimbaus marcam o ritmo de luta nos toques diferentes: "Ave-Maria", "Amazonas", "Cavalaria", "Luna". Cada ritmo determina a forma de luta. Por exemplo, "Santa Maria" é toque para jogo de baixo, os lutadores quase deitados no chão, apoiados nas mãos.

Pode-se fazer camaradagem com qualquer dos mestres e assistir a uma demonstração. Os capoeiristas são gente boa, de fácil amizade. Na escola, o visitante ouvirá a orquestra dos berimbaus e os versos puxados pelos discípulos e pelos mestres:

Negra, o que vende aí
Vendo arroz de camarão,
Sinhá mandou vender
na cova de Salomão.

E o estribilho clássico:

Camaradinho, eh!
Camaradinho,
Camarada...

E a luta começa. Vão lutando e cantando. É como um desafio. Cada capoeirista tem seus versos próprios além daqueles que já perderam os direitos autorais e são propriedade de todos. Alguns com forte acento negro:

Volta do mundo, eh!
Volta do mundo, ah!
Aiúna é mandingueira
Quando está no bebedor...
Ela é muito sagonha
Capoeira pegou ela
e matou...

Alguns outros, lembrando os tempos da escravidão, definem o senhor branco, cheios de uma filosofia realista:

No tempo que eu tinha dinheiro
Comia na mesa com ioiô...
Deitava na cama com iaiá...
Depois que dinheiro acabou
Mulher que chega pra lá, camarada!
Camaradinho, eh!
Camarada!

Ou aquele verso que diz: "Quando eu tinha dinheiro ioiô me chamava de parente". Ai, camaradinho, eh!

Assim cantam nas rodas de capoeira os lutadores da Bahia. Podem ser vistos nas festas populares lutando graciosamente para divertir o povo, mostrando suas habilidades, cantando seus cantos, a orquestra tocando. É a mais bela luta do mundo e feliz quem assistiu Traíra e Pastinha num desafio de capoeira. As vozes cantando fraternalmente:

Camarada, eh!
Camaradinho,
Camarada...

CAPITÃES DA AREIA

OS MOLECOTES ATREVIDOS, O OLHAR VIVO, O GESTO RÁPIDO, a gíria de malandro, os rostos chapados de fome, vos pedirão esmola. Praticam também pequenos furtos. Há quarenta anos escrevi um romance sobre eles. Os que conheci naquela época são hoje homens maduros, malandros do cais, com cachaça e violão, operários de fábrica, ladrões fichados na polícia, mas os Capitães da Areia continuam a existir, enchendo as ruas, dormindo ao léu. Não são um bando surgido ao acaso, coisa passageira na vida da cidade. É um fenômeno permanente, nascido da fome que se abate sobre as classes pobres. Aumenta diariamente o número de crianças abandonadas. Os jornais noticiam constantes malfeitos desses meninos que têm como único corretivo as surras na polícia, os maus-tratos sucessivos. Parecem pequenos ratos agressivos, sem medo de coisa alguma, de choro fácil e falso, de inteligência ativíssima, soltos de língua, conhecendo todas as misérias do mundo numa época em que as crianças ricas ainda criam cachos e pensam que os filhos vêm de Paris no bico de uma cegonha. Triste espetáculo das ruas da Bahia, os Capitães da Areia. Nada existe que eu ame com tão profundo amor quanto estes pequenos vagabundos, ladrões de onze anos, assaltantes infantis, que os pais tiveram de abandonar por não ter como alimentá-los. Vivem pelo areal do cais, por sob as pontes, nas portas dos casarões, pedem esmolas, fazem recados, agora conduzem turistas ao mangue. São vítimas, um problema que a caridade dos bons de coração não resolve. Que adiantam os orfanatos para quinze ou vinte? Que adiantam as colônias agrícolas para meia dúzia? Os Capitães da Areia continuam a existir. Crescem e vão embora mas já muitos outros tomaram os lugares vagos. Só matando a fome dos pais pode-se arrancar à sua desgraçada vida essas crianças sem infância, sem brinquedos, sem carinhos maternais, sem escola, sem lar e sem comida. Os Capitães da Areia, esfomeados e intrépidos!

ÍDOLOS DO DESPORTO

EUCLIDES, O PSICÓLOGO, LUTAVA BOXE EM IMPROVISADO ringue na praça da Sé, derrubava campeões vindos do Sul, era um herói da meninada antes de 30. Jamais um boxeur teve nome tão expressivo.

Mestre Bimba foi o criador da "capoeira regional", introduzindo na tradicional capoeira angola golpes de outras lutas, do *catch-as-catch-can* ao caratê. Obteve sucesso, apesar de ter sido muito discutido, anatematizado pelos puristas. Fora do ringue, era homem cordato e cordial.

Mica (Alfredo Pereira de Melo), half-direito do Botafogo e da Associação Atlética, chegou à seleção brasileira, em 1922, jogador excepcional.

Que dizer de Popó, o maior ídolo do futebol baiano de todos os tempos? Jogou de *center forward*, de *center half*, de zagueiro. Sua fama de goleador atravessou as fronteiras do estado. Recordo a manchete de um jornal daqueles idos, resumindo partida interestadual de futebol — Ipiranga, da Bahia, contra Fluminense, do Rio: "popó, 5 — fluminense, 4". Chamava-se Apolinário de Santana e vinha a ser parente do pintor Licídio Lopes.

Creio que o único baiano a ostentar o título de campeão mundial de futebol foi o quarto zagueiro Zózimo, que jogava um futebol de extraordinária elegância. Puseram-no na reserva na Suécia, em 1958, por pertencer ao Bangu, time menor. Apesar de muito superior a Orlando, este era do Vasco da Gama, por isso fizeram-no titular da seleção. Mas em 1962, no Chile, Zózimo jogou todas as partidas, peça fundamental na conquista do título. Escritores baianos residentes no Rio, por iniciativa de Eduardo Portella, enviaram-lhe na ocasião um telegrama de aplauso e incentivo.

Termino recordando a formação da famosa seleção baiana de 1922 que derrotou os cariocas no Rio de Janeiro: Baby; Durval e Santinho; Mica, Popó e Nebulosa; Pinima, Petiot, Vivi, Manteiga e Sandoval.

Bons tempos, quando o futebol significava uma festa para os olhos e o objetivo era fazer gols, não se falava em polivalências e outras besteiras que tais, eram seis na defesa e cinco no ataque.

SANTA CASA DE MISERICÓRDIA

A SEDE DA SANTA CASA DE MISERICÓRDIA ESTÁ INSTALADA numa das mais belas construções da Bahia. Possui um pátio interno com magníficas arcadas. Uma escadaria trabalhada em mármore colorido de pequenos pedaços embutidos. Arcadas de mármore policrômico. No pátio encontra-se uma imagem em cuja base existe uma fonte na qual ainda se pode ver os cortes feitos na pedra pelas cordas com que os escravos puxavam água. Da fonte parte um subterrâneo. Nos pátios da casa funcionava um mercado de escravos dos mais importantes da cidade. Na fachada do prédio, na rua da Misericórdia, vê-se um nicho onde se venera um santo.

TRÊS MONUMENTOS RELIGIOSOS

NA ENTRADA DO BAIRRO DE SANTO ANTÔNIO PARA QUEM VEM DO CARMO, encontra-se erguido, em meio à rua, um oratório católico, a Fonte da Cruz do Pascoal. Cercado por um gradil, vem da época colonial, todo ele em magníficos azulejos portugueses — é uma graça, lindíssimo.

Na avenida Vasco da Gama, no sopé da colina onde fica o venerável candomblé do Engenho Velho, a Casa Branca, o mais antigo da Bahia, a casa-mãe, a Matriz, ergue-se o Barco de Oxum, monumento fetichista, sob o qual está enterrado, segundo dizem, o primeiro axé vindo da África.

No largo de Sant'Ana, no Rio Vermelho, nas proximidades da nova Igreja de Santana, ao lado da casa da Colônia de Pescadores (o peji da deusa do mar), levanta-se uma escultura de Iemanjá, em cimento armado, obra do artista Manuel Bonfim.

DUAS CASAS

DUAS DAS MAIS BELAS CASAS COLONIAIS DA BAHIA têm nomes dados pelo povo. A Casa dos Sete Candeeiros, na rua da Assembleia, com seus azulejos portugueses admiráveis. E a Casa das Sete Mortes no largo do Paço, onde as maravilhas arquitetônicas coloniais, os pátios e quartos subterrâneos, as fontes interiores de azulejos, os salões e os quartos, misturam-se com a lenda. Aqui um escravo, revoltando-se contra as barbaridades do senhor, matou o patrão num crime célebre.

MERCADOS E FEIRAS

O ATUAL MERCADO MODELO, SITUADO NA PRAÇA CAIRU, ao lado da grande escultura de Mário Cravo, uma fonte de Oxalá, ocupa um grande e belo prédio onde funcionou durante séculos a Alfândega. Substitui o antigo Mercado Modelo, de inesquecível memória, engolido pelo fogo em incêndio ao que tudo indica, proposital. Nunca se esclareceu como o fogaréu surgiu ao mesmo tempo nos quatro cantos e no centro do velho casarão. Consta que havia interesses de poderosos senhores, daí o inquérito não ter ido adiante. Em poucas horas foi devorado aquele centro de vida e alegria. Cheguei a tempo de amparar o desespero de meu irmão Camafeu de Oxóssi, em pranto diante das chamas que consumiam barracas e restaurantes. Depois ele havia de compor um samba celebrando o triste evento.

O novo Mercado, apesar de instalado em imóvel tão bonito, nada tem que recorde o antigo. Muito diferente, é uma imensa feira de artesanato, onde se encontra de tudo, desde belas esculturas do Louco até o lixo de todos os comércios desse tipo — o puro se mistura com o falso, o belo com o horrível. Em toda a parte do mundo é assim. Buscando, porém, o visitante pode encontrar bastante material digno de interesse e de compra, em couro, em madeira, em ferro, sem falar nos objetos rituais de candomblé e nos instrumentos de capoeira. Outra curiosidade do Mercado: os postos de venda de batidas; as lambretas são maravilhosa bebida. Dois restaurantes, um da família da falecida Maria de São Pedro, outro de Camafeu, servem excelente comida baiana.

Na baixa dos Sapateiros, fica o Mercado de Santa Bárbara, onde habita Iansã, cuja festa, em 4 de dezembro, é ali celebrada com brilho e garbo.

De bastante interesse, o Mercado do Ouro, na Cidade Baixa. Nas suas tendas, a farinha e o açúcar, o fumo de rolo e a carne de sertão misturam-se aos cânticos das filhas de santo que cozinham o peixe, o camarão, o polvo para os pequenos restaurantes de tempero divino.

O Mercado das Sete Portas, tradicional, reúne ainda, às noites, os apreciadores do bom sarapatel, para as longas prosas sobre as festas de candomblé e os afoxés de Carnaval. Ali fretam-se mulheres e ainda se ri a boa gargalhada. Há quem diga que o pintor Carybé nasceu nas imediações do Mercado das Sete Portas. Ele próprio o afirmou numa entrevista e o escultor Mirabeau Sampaio diz possuir provas do fato.

Esses são os mercados populares. Existem os supermercados onde o freguês chega, compra, paga caro e vai embora. Os aqui relacionados dão direito à conversa solta e sem pressa, ao trago de cachaça, ao caldo da lambreta, ao vatapá oloroso, ao sarapatel de miúdos de porco. Não é possível comparar os frios mercados da sociedade de consumo com esses cálidos centros de vida popular.

A Feira de Água dos Meninos era uma festa noturna, prodigiosa. Um incêndio colossal a destruiu numa noite de tragédia. Proposital, dizem, como o do Mercado Modelo. O incêndio comoveu toda a cidade e o pintor Jenner Augusto fixou para sempre, numa série de quadros belíssimos, o fogo a devorar barracas e entrepostos, labaredas e lágrimas. A feira mudou-se para São Joaquim, mais adiante, provisoriamente. Já vai sair dali, não se sabe ainda aonde irá parar em definitivo esse centro de abastecimento fundamental na vida de Salvador.

Existem ainda a Feira do Porto da Lenha, em Itapagipe; a do Curtume, no largo da Conceição, em frente à penitenciária; a do porto de Santo Antônio da Barra; a do largo Dois de Julho. Além das feiras livres em cada bairro, atravancando as ruas, dificultando a circulação dos veículos.

LICEU DE ARTES E OFÍCIOS

EM 1872, DE PASSAGEM NA BAHIA, O IMPERADOR LEMBROU a necessidade da fundação de uma organização de artesãos. Nasceu assim o Liceu de Artes e Ofícios que funcionava numa antiga casa nobre na rua Guedes de Brito. No hall de entrada pode-se ver ainda a "cadeirinha" na qual o nobre passeava na cidade. Penduram-na no teto para admiração dos que passam. Do hall parte larga e bela escadaria. Ao lado da casa, semioculta por uma porta, encontra-se uma cruz ante a qual paravam, antigamente, todas as procissões que por ali passavam. Incêndio recente destruiu o maravilhoso portão do Liceu de Artes e Ofícios.

CENTRO FOLCLÓRICO

O CENTRO FOLCLÓRICO DA BAHIA FOI INAUGURADO em dezembro de 1969, sob a iniciativa do jornalista Flávio Costa, na ocasião à frente da Superintendência de Turismo e, em hora feliz, posto sob a direção de Waldeloir Rego, etnógrafo competente, homem direito e real autoridade no que concerne ao folclore e à vida popular. Funciona na praça Castro Alves no mesmo local onde durante decênios existiu um cabaré famoso, o Tabaris, que continua a viver na memória de todos os baianos. Quem não dançou sua valsa ou seu tango, seu fox, seu samba nas pistas do Tabaris? Quem não se apaixonou perdidamente por uma atriz nos palcos do Tabaris? Argentina ou peruana, carioca ou paulista, artistas em geral na faixa da decadência mas ainda excitantes para o apetite provinciano dos boêmios locais. Quem não apostou nas roletas, no bacará do Tabaris? Por ali passaram as grandes figuras: Arigof, Mirandão, Anacreon, Vadinho, Valdomiro Lins, Mirabeau Sampaio, Ju Guimarães, Giovanni Guimarães, Wilson Lins. Hoje o Tabaris cedeu suas pistas para o folclore da prefeitura.

São ambiciosos os objetivos do Centro: "a recolha, preservação e divulgação de toda riqueza, que ainda sobrevive, da sabedoria popular da Bahia", segundo o material de propaganda da Superintendência de Turismo. Para isso "o Centro concentrará suas atividades em todo o território baiano, através de pesquisas e registros mecânicos e não mecânicos, em torno da literatura oral, folclore infantil, crendices e superstições, lúdica, artes populares, música, usos e costumes e linguagem popular". A tudo isso se propõe o Centro e certamente muito realizará se Waldeloir Rego contar com as verbas necessárias.

Por ora ali funcionam diariamente espetáculos folclóricos com conjuntos cuja qualidade é bastante desigual. Os principais conjuntos que se exibem na arena do Centro Folclórico são: Vivabahia, Maculelê de Santo Amaro, Filhas de Obá, Aberrê, Santa Bárbara Filha do Alecrim. Esses conjuntos apresentam números de capoeira angola, samba de roda, samba duro, samba de caboclo, samba de facão, samba de angola, samba-chulado, maculelê, puxada de rede, danças africanas de candomblé.

SUBTERRÂNEOS

VÁRIOS SUBTERRÂNEOS EXISTEM NA CIDADE, partindo em geral de igrejas e conventos, e em torno deles a imaginação popular teceu uma série de lendas. Dizem que são esconderijos de tesouros de padres, principalmente dos jesuítas. De um subterrâneo existente em Itapuã narra a lenda que servia de mercado para um negociante de escravos que continuou com seu comércio infame mesmo após a proibição. Ali ele escondia a mercadoria recém-chegada da África. Citam-se subterrâneos feitos para servir de locais de conspiração, onde eram planejadas revoltas, e fala-se também e insistentemente daqueles que comunicavam conventos de frades com conventos de freiras...

Alguns dos subterrâneos mais importantes são os que partem da catedral e o que sai do Convento de Santa Teresa. Existem outros na rua do Fogo, na rua Carlos Gomes, no quintal da antiga Casa de Orações dos padres jesuítas. Existem também na Fonte Nova, no Colégio de São Joaquim, no Tabuão, na ladeira do Inferno, na Roça do Godinho, no Castelo do Diabo e na Fortaleza de Santo Antônio. Em torno deles trabalha a imaginação popular.

No subterrâneo do Tabuão dizem ter-se escondido certa vez o tribuno republicano Silva Jardim perseguido pelos esbirros da monarquia.

COZINHA BAIANA

NOS NAVIOS NEGREIROS VIERAM O DENDÊ E O GOSTO DA PIMENTA, a culinária ritual dos negros, as comidas dos orixás. Os coqueirais cresciam nas praias, e o português guloso trouxe suas receitas de doces, seu açúcar. Misturaram-se os gostos: a mandioca dos indígenas, a branca farinha, o azeite cor de ouro do dendezeiro, a pimenta, o coco, o amendoim, o gengibre. Os pratos portugueses adquiriram maior picante, um gosto mais definido e forte. Os guisados africanos perderam sua agressividade, ganharam maior finura. A cozinha sadia e simples dos indígenas compareceu também com suas folhas, suas raízes, suas caças. Assim nasceu a culinária baiana, sem dúvida e sem exagero, uma das mais finas e saborosas do mundo. Certos pratos — como a moqueca de siri-mole, o vatapá, o efó podem figurar dignamente numa pequena e extremamente selecionada antologia da culinária universal. Uma cozinha nascida também ela, como se viu, da mistura, tendo concorrido para sua originalidade as três raças fundamentais de nossa fusão mestiça. Ainda aí se sente a matriz africana pesando sobre as demais: dela vem o gosto picante de nessa culinária. Não há dúvida: nosso umbigo é a África.

Na cozinha baiana, três são os elementos característicos: o dendê, o coco, a pimenta. Raro será o quitute onde pelo menos um deles não esteja presente. Os pratos mais saborosos e de fama mais proclamada são o vatapá — maravilha de cor e cheiro, e de sabor, é claro — o caruru, o efó, o acaçá, o acarajé, o abará, o sarapatel, o xinxim (de galinha ou de cabrito — xinxim de bode, como se diz), as frigideiras: de camarão, de caranguejo, de maturi, de aratu, de bacalhau, as moquecas: de peixe, de camarão, de siri-mole, o aberém, o arroz de hauçá.

Existe uma variante de culinária baiana também digna de interesse e que poderíamos chamar de feirense em homenagem a Feira de Santana, onde ela tem o seu centro. Trata-se da culinária mais próxima talvez à indígena: vive sobretudo de caça e de folhas. Seu prato mais célebre, a maniçoba, é feito com folhas de mandioca, que os índios chamavam de mani. Outro quitute finíssimo: teiú moqueado.

As sobremesas mais populares são os quindins, as cocadas, os doces de leite (ambrosia), a baba de moça, as fatias de parida, os manuês, as canjicas, os doces de frutas feitos em casa, alguns dos quais esplêndidos como os de carambola, os de caju, os de jenipapo, os de jaca, o doce de banana em rodinhas, dito doce de putas pois se encontra em todos os castelos e casas de mulher-dama. Delicioso.

Hoje, vários são os restaurantes que servem comida baiana de boa, por vezes de alta qualidade. Cito uns poucos, dos quais sou freguês. Na orla marítima: o Iemanjá — excelente, moquecas de primeira, a direção de Anália, poderosa figura, minha amiga e a graça de Conceição; o Bargaço, com seus maravilhosos pitus e a gentileza de Leonel. Sob a direção de Conceição Reis, nos Aflitos, a Casa da Gamboa oferece pratos baianos de admirável paladar — vista belíssima sobre o golfo. No Mercado Modelo, além dos conhecidos restaurantes de Maria de São Pedro e Camafeu de Oxóssi, encontram-se as baianas no andar térreo — qualquer delas cozinha e serve a moqueca de seus sonhos.

VITU, AS BAIANAS E OS TABULEIROS

VITORINA, FILHA DE OMOLU E DE TEMPO, A NEGRA VITU, frita o mais gostoso acarajé da Bahia e o vende na esquina do Cabeça: acarajé e abará, cocadas diversas, moda e pé de moleque, por vezes tem doce de tamarindo, uma coisa! Variam os doces no tabuleiro, não varia jamais o sorriso terno de Vitu a despachar crianças, a conversar com os fregueses, comadre de quanto artista e escritor exista na cidade, pois durante muito tempo fez ponto na porta do Anjo Azul, boate sofisticada e super (ou sub) intelectual. Não se intelectualizou Vitorina, mas certamente seu acarajé é uma obra de arte.

As baianas fornecem uma nota de alegre pitoresco às ruas e praças e nos dias de festa ritual vestem trajes magníficos, com as cores de seus orixás, os colares, as pulseiras, os torsos e os balangandãs. Algumas dessas baianas gozam de larga popularidade e seus quitutes possuem fama. Em frente ao edifício da Alfândega, na Cidade Baixa, Odília oferece uma cocada que é a maravilha das maravilhas. Outras mantêm-se no mesmo ponto durante decênios, a vender à tarde ou à noite — nada existe de mais saboroso do que mingau de puba (de tapioca ou de milho) pela madrugada, quentinho, na hora dos últimos boêmios, quando a cidade dorme. Damásia da Conceição sentou-se por mais de quarenta anos em frente à Escola de Belas-Artes. Gerações de mestres e alunos, de pintores e desenhistas foram seus fregueses, comprando-

-lhe acarajés e laranjas-de-umbigo. Quitéria de Brito ornou com sua jovial presença a baixa dos Sapateiros durante trinta anos. Amigos e conhecidos param e demoram numa prosa descuidada: comentam as festas de terreiro, assuntos de encantados e encantamentos, feitiços, amores e a vida cara.

Numa cidade pobre de restaurantes populares, na qual a população raramente almoça ou janta fora de casa, pobre sobretudo de restaurantes de preço barato e pratos típicos, as baianas enfeitam as ruas e servem ao povo. Se não fossem elas, com seu pequeno e oloroso comércio, onde saborear um abará, um acarajé, a perfumada moqueca de aratu?

A TARDE

CADA VEZ QUE TOMO CONHECIMENTO DE UMA ESTATÍSTICA relativa à venda das gazetas publicadas na Bahia, dou-me conta do significado do jornal *A Tarde* na vida da cidade e do estado. Poderia acrescentar: e do estado de Sergipe, pelo menos de referência há alguns anos atrás quando o jornal de Simões Filho era mais lido em Aracaju, Estância e Propriá do que as próprias folhas sergipanas. Não sei como será hoje, mas não creio tivesse havido grande mudança. O prestígio de *A Tarde* junto ao público não sofreu, ao que eu saiba, solução de continuidade até agora.

Já ouvi alguém dizer ser a leitura de *A Tarde* um hábito na vida do baiano. Se o cidadão não passar a vista nas páginas do vespertino, hoje sessentão, não dorme em paz mesmo tendo lido os outros jornais da terra e os de fora, os do Rio e de São Paulo, das grandes capitais. *A Tarde* faz parte de seu quotidiano como o banho, as refeições, o trabalho, o namoro. Foi-me dado igualmente ouvir, por mais de uma vez, a mesma frase definitiva, encerrando discussão acalorada:

— Li na *Tarde*.

O bastante para calar a boca do adversário e terminar com o debate. *A Tarde* não é somente um jornal lido, é um jornal acreditado, o público confia em suas informações, acredita em seu julgamento, considera-o sério e honesto.

Creio que cada uma das afirmações aqui feitas pode ser facilmente comprovada, não estou escrevendo elogios ao jornal, apenas constatando fatos, uma realidade que nem as mudanças na estrutura da cidade e do estado conseguiram afetar.

Posso acrescentar a esse quadro uma contribuição pessoal para a qual me chamou a atenção um leitor quando numa roda conversávamos sobre esse assunto. Nos meus vários romances de temática baiana — ou seja em quase toda minha obra romanesca — são citados vários jornais, de suposta publicação em nossa cidade, todos eles fictícios, os títulos inventados, nenhum deles retrata jornal existente, com uma única exceção: *A Tarde*. Lá está a velha gazeta, em meus livros, com seu nome verdadeiro, assim como estão o Elevador Lacerda, a Igreja de São Francisco, o Convento do Carmo, o Candomblé do Gantois, o Forte do Mar, o Farol da Barra, o Pelourinho, o Mercado Modelo, algo importante que caracteriza e marca a cidade, que é parte dela, integrante.

Por que isso acontece, por que essa preferência popular tão constante, como se tornou esse jornal carne da carne, sangue do sangue do povo baiano? Para responder em detalhe a tal pergunta, seria necessário um livro onde fosse narrada a história do jornal, desde sua fundação por mestre Simões Filho até os dias de hoje, e é necessário e urgente que os atuais proprietários e diretores do vespertino pensem nisso, cuidem de fazê-lo. Esse seria um livro realmente importante, contribuição substancial para história da Bahia, do estado e da cidade. Já faleceram alguns dos que poderiam tê-lo escrito com conhecimento e amor: antes de todos o próprio Simões Filho, continuando por Henrique Câncio, Carlos Chiacchio, Ranulfo de Oliveira e Giovanni Guimarães. Mas na redação de *A Tarde* estão outros tão capazes quanto esses, a começar por Jorge Calmon. Só esse livro quando escrito poderá esclarecer a questão.

Para uma condição de *A Tarde*, porém, desejo chamar a atenção pois me parece fundamental para a preferência e o prestígio de que goza o vespertino. Falo de sua fisionomia de jornal provinciano, no bom sentido, é claro, da palavra. Jornal provinciano, em nada por isso diminuído, ao contrário, importante por isso mesmo, pela sua contingência baiana que lhe dá régua e compasso para usar a expressão de nosso poeta Gil. *A Tarde* é um espelho da Bahia; em suas páginas, nós, os baianos, nos reconhecemos.

Regina e Renato Simões superintendem a vida do jornal. Na chefia da redação encontra-se Jorge Calmon, jornalista de mão cheia, de longa experiência, de vivência completa. Figura marcante da cidade, nele juntaram-se talento e dignidade para definir uma das presenças mais respeitadas na vida intelectual da Bahia. Rebento de tradicional família onde brilha, estrela maior, mestre Pedro Calmon, Jorge é a gentileza em pessoa, exemplo por excelência do baiano cordial e erudito.

Criatura de minha velha estima: estudamos no mesmo colégio, somos xarás, conterrâneos, colegas de profissão, amigos desde a infância, quase parentes.

AS LUZES DE MATARIPE

NA NOITE DA BAHIA, DE INUMERÁVEIS ESTRELAS SOBRE O MAR, uma luz nova, além da lua sobre os saveiros e o forte velho, fulge na distância, rasgando a escuridão. É um clarão de fogo subindo pelo céu vermelho, lá no fundo do golfo, às margens do rio Paraguaçu.

Ah! para que pudesse essa luz brilhar na noite da Bahia, muito foi necessário fazer, muito teve o povo de lutar, através dos anos, por vezes duramente, enfrentando a reação brutal, a cadeia, as pelejas de rua contra a polícia, sobretudo nos tempos do Estado Novo. Aquele clarão iluminando a noite vem das refinarias de Mataripe, é o petróleo da Bahia, riqueza do povo brasileiro.

Muitos homens foram parar no xadrez, e entre eles o escritor Monteiro Lobato, porque ousaram afirmar a existência de petróleo no Brasil. Os americanos da Standard Oil diziam que o petróleo não existia em nossa terra e toda a polícia da ditadura mobilizava-se para garantir a verdade ianque dos trustes. Mais poderosa, porém, que o dinheiro para comprar consciências e homens do governo, que a perseguição, as prisões e os processos, foi a luta do povo.

Vencida a primeira batalha, iniciou-se a segunda. Já não negavam as companhias imperialistas a existência do petróleo. Ao contrário: agora eram as primeiras a afirmar ser nosso país rico como poucos em ouro negro. Apenas queriam para si a exploração dos poços, queriam roubar-nos nossa riqueza. O povo lançou-se outra vez às ruas, na campanha de "O petróleo é nosso". Novas batalhas, novas lutas, novas prisões, processos, perseguições. E, finalmente, nova vitória do povo com a aprovação da lei do monopólio estatal do petróleo e a criação da Petrobras. Este clarão de fogo na noite da Bahia vem de Mataripe, das instalações da Petrobras, do petróleo baiano. A nova estrela a iluminar as trevas foi ali colocada pelas mãos do povo.

Aos visitantes da cidade é indispensável um passeio a Mataripe. A Petrobras possui, na cidade, excelente serviço de relações públicas e providencia, com presteza e boa vontade, a visita dos que desejem ver a realidade do petróleo brasileiro.

FONTES

VÁRIAS FONTES RESTAM AINDA PELA CIDADE, sobradas dos tempos antigos, algumas em ruínas, outras servindo todavia ao povo a água pura e límpida.

No Farol da Barra está a Fonte de Iemanjá ou a Fonte da Mãe-d'Água. Fica em meio às pedras da praia, quase dentro da água e quase em ruínas. No entanto ainda vem gente, de pote à cabeça, buscar água ali, naquela guarida de pedra onde dizem que também habita Inaê nos dias que se cansa do mar.

A Fonte da Cruz do Pascoal, em Santo Antônio, data dos tempos coloniais. No alto a imagem de Nossa Senhora do Pilar iluminada por uma lamparina de azeite.

Muitas das fontes da Bahia são verdadeiras obras de arte e uma visita às mais belas deve fazer parte de qualquer programa turístico. Vale a pena ver pelo menos as seguintes: a do Queimado, na Baixa da Soledade: a do Gravatá, no Gravatá; a de Gabriel, no largo Dois de Julho; a de São Pedro, no forte do mesmo nome; a das Pedras, na ladeira da Fonte das Pedras: a das Pedreiras, na Jaqueira: a do Tabuão, escavada no morro, no antigo Caminho Novo: e a de Santo Antônio, no largo de Santo Antônio.

MULATA BRANCA E BRANCO BAIANO

A BAHIA É UMA NAÇÃO MESTIÇA, O BRASIL É UM PAÍS MESTIÇO. Não somos negros nem brancos, somos mulatos de tonalidades diferentes buscando sua cor definitiva. Donald Pierson, ensaísta norte-americano que por aqui se demorou, criou a expressão "branco baiano" para se referir a certo tipo de baiano, em geral rico, quando não político maneiroso e hábil, às vezes nobre, barão do Império ou conde do papa; um mulato claro, de traços finos. Exemplo mais perfeito do branco baiano: Octavio Mangabeira, político, orador, liberal, de boa prosa, de perfeita cordialidade. Membro da Academia Brasileira de Letras (tenho a honra de ser seu sucessor na cadeira que tem como patrono José de Alencar e cujo primeiro ocupante foi Machado de Assis, de quem ele tratou em livro), líder parlamentar, governador do estado, um bom baiano. Ao deixar o governo, recebeu grande manifestação popular. Um operário, saudando-o, disse por que os trabalhadores o homenageavam:

— Doutor Octavio Mangabeira, o senhor governou a Bahia com muita delicadeza.

Essa frase constituía o maior motivo de orgulho de Octavio Mangabeira.

Outro exemplo digno de ser citado: o também ex-governador, ex-senador, ex-ministro da Educação Antônio Balbino. Inteligência aguda, alto saber jurídico, conhecimento profundo da vida e dos homens, extraordinária habilidade política, o amor à liberdade, Balbino possui desde os bancos escolares — fomos colegas de internato — todas as inexcedíveis qualidades do branco baiano, do mestiço que, como escreveu Manuel Quirino, é a maior riqueza do Brasil.

Há um tipo de mestiça, a "mulata branca", de pele branca, de cabelos longos e sedosos, por vezes loiros. Os demais caracteres indicam a matriz negra. Mulata sedutora, a cujo fascínio é difícil escapar, uma perdição. Na Bahia, mesmo as loiras mais loiras, as brancas mais brancas, trazem a lembrança do avoengo negro nas olheiras pesadas, nas ancas de requebro, nos lábios semiabertos de desejo, no dengue. Nas polegadas a mais de Marta Rocha. Mulata branca.

Branco puro, na Bahia, quem? Negro puro, na Bahia, onde? Somos mulatos, felizmente! Não pode haver nação melhor, mais inteligente, mais forte e mais capaz, mais terna e civilizada que a dos mestiços baianos. Desculpe quem não estiver de acordo, mas a verdade deve ser proclamada. Com a graça de Deus e as bênçãos dos orixás.

Com o que me despeço, dizendo: boa noite para quem é de boa-noite, a bênção para quem é de a bênção. Saravá, amém, axé.

ADEUS, MOÇA!

ADEUS, MOÇA! VISTE A BAHIA, ESCUTASTE SUA FALA DOCE, sentiste seu perfume de mel, oriental. Ruas, becos e ladeiras, as novas avenidas, os velhos quarteirões, o Pelourinho, o Terreiro de Jesus, as Portas do Carmo, agora te pertencem, levarás contigo nos olhos e no coração a lembrança da cidade e do povo, da beleza e da civilização. Regalaste a vista no ouro da Igreja de São Francisco e a entristeceste na pobreza do povo. Adoraste a comida baiana nos restaurantes do Mercado e um saveiro te levou até o Forte do Mar. Agora, chegou a hora de partir.

Os atabaques tocarão o toque de chamado dos santos, os berimbaus ressoarão reunindo os capoeiristas, viremos todos te dizer adeus. Virão os babalaôs e as mães de santo, os doze obás, os ogãs, as equedes e as iaôs, os mestres de saveiro e os Capitães da Areia. Os saveiros sairão barra afora, as velas soltas ao vento. Um canto para Iemanjá, em tua honra; uma dança para Oxum, a dona de tua cabeça, quem sabe. A canção de Caymmi, qualquer delas, cantada por ele próprio com sua voz inimitável e a infinita picardia. Adeus, moça.

Vais deixar minha cidade. Não quis te mostrar apenas a beleza, o mistério, o pitoresco, a poesia. Abri todas as portas para que passasses, as largas e as estreitas, mostrei o bom e o ruim, o limpo e o sujo, a flor e a chaga, nada escondi da curiosidade dos teus olhos para que assim teu coração possa amar a Bahia inteira. Aqui ficaremos nós, o povo baiano, cordial, resistente e bom. Um dia a miséria não mais manchará tanta beleza, tanta poesia, o mistério da cidade de Salvador da Bahia de Todos-os-Santos. Nas encruzilhadas de Exu, para o futuro, sobem as ladeiras da Bahia. Axé, moça.

Peri-Peri, setembro de 1944
Londres, junho de 1976

posfácio

Um canto de amor à cidade

Paloma Jorge Amado

Bahia de Todos-os-Santos foi escrito em 1944, dois anos após a volta de Jorge Amado do exílio na Argentina e no Uruguai. No período entre 1941 e 1942 escrevera *O Cavaleiro da Esperança*, a vida de Luís Carlos Prestes, e *Terras do sem-fim*, romance da saga do cacau. Ao voltar para o Brasil foi preso por um tempo e, ao sair do cárcere, teve ordens para cumprir prisão domiciliar na cidade do Salvador. Tempo de muito trabalho na redação de *O Imparcial*, de política dura, de campanha para a libertação de Prestes. Por outro lado, um mergulho de corpo e alma na cidade que o embalou na adolescência e juventude, lugar onde se fez homem. Escreveu então um *Guia de ruas e mistérios*, na verdade um canto de amor a esta cidade, contando da história, da gente, do sentir, da beleza, dos grandes personagens ali nascidos e criados e, sobretudo, da maneira de ser única e original dos seus habitantes. "Canto de amor à Bahia" foi o título que deu a um dos capítulos, que virou canção com música de Dorival Caymmi, seu irmão gêmeo, como gostava de dizer.

Jorge Amado costumava contar que jamais relia um livro seu depois de publicado. Podia ler um trecho aqui, outro ali, para buscar alguma referência rápida, mas nunca revisou ou alterou o escrito já entregue ao público leitor. Sempre acreditou que suas obras eram bem datadas, e qualquer interferência posterior viria a descaracterizá-las.

A exceção a essa regra foi precisamente o livro *Bahia de Todos-os-Santos*. Sendo uma obra de referência, era necessário ampliá-la ao passar do tempo, acrescentar a ela novos elementos, novos personagens, novas emoções, inserir as profundas mudanças por que passava a cidade.

A primeira atualização foi feita em 1960, quando decidiu mudar com a família para a Bahia e passou a viajar com mais frequência à procura de casa para morar. Era o reencontro com os velhos amigos e com uma Salvador que pouco se modificara, guardando seu ar provinciano. Acredito que reler o livro pela primeira vez foi um passo importante para a sua chegada definitiva, sua volta ao lar. Foram feitos cortes, como o do capítulo reproduzido a seguir, que fala da falta de bons cinemas na cidade. Em maior número foram os acréscimos, com a ampliação de textos já existentes, a inclusão de nomes de pessoas que brilhavam nas artes, outras que faziam o nome da Bahia.

CINEMAS

Falamos mal dos hotéis, dos restaurantes, dos cabarés. Falemos agora mal dos cinemas. A Bahia ainda está à espera do cinema que merece. Os que existem não estão à altura da cidade. De primeira linha são os seguintes: Guarani, na praça Castro Alves, velho cineteatro, em cujos fundos fica o Tabaris; o Glória, na rua Rui Barbosa, pequeno e quente; o Liceu, antiquado porém ainda assim o mais confortável, na rua do Liceu; o Excélsior, bem ruinzinho, no largo da Sé. Pertence aos padres que ainda possuem o Pax, o Popular e o Santo Antônio, cinemas de segunda linha. Os demais de segunda linha são: o Jandaia (que um anúncio caluniador avisa possuir "os melhores aparelhos de som de todo o mundo"), o Aliança, o Liberdade, o Itapagipe e o Bonfim, sendo os dois últimos na península de Itapagipe. Os cinemas de primeira linha dão uma sessão à tarde e duas à noite.

A segunda ampliação se deu seis anos depois. Neste período inicial da volta de Jorge Amado aconteceu uma verdadeira agitação cultural, mobilizando os mais diversos setores da vida da cidade. Ela fervilhava, nomes novos apareciam nas artes plásticas, no teatro, na música, no cinema. Aqueles já poderosos nos anos 60 ganhavam o país, ganhavam o mundo. Lá se foi Carybé pintar murais no aeroporto Kennedy, em Nova York. Mário Cravo foi passar temporada na Alemanha, Cravo Neto, na Europa, começou a fotografar. Shows no Teatro Vila Velha, espetáculos no Castro Alves, recém-inaugurado, exposições faziam o dia a dia dos habitantes. O ar de província continuava, mas ela assumia contornos de cidade grande. Os meninos de dona Canô e Gal e o grande grupo da Tropicália ainda eram muito iniciantes, só conseguiram espaço na revisão seguinte.

Foi em 1966 que Jorge Amado acrescentou um capítulo intitulado "Baiano é um estado de espírito", onde está a essência do ser baiano.

A terceira atualização, feita no início dos anos 70, foi a mais importante. Muitos dos artistas surgidos na década anterior já haviam decolado para o Sul em busca de mais espaço, levando o nome da Bahia, assim como Jorge Amado fizera, fazia e hoje, onze anos após sua morte, ainda faz. Sobre Caetano Veloso, escreveu capítulo intitulado "Caetano de Matos Castro Alves Veloso". Não tratou apenas do universo da arte, em franca expansão na cidade; falou também de amizade e de política. Estávamos em plena ditadura militar, governo Garrastazu Médici, e escreveu capítulo sobre Carlos Marighella. Transcrevo o que contou a Alice Raillard e que foi publicado no livro *Conversando com Jorge Amado*:

> Um grande homem. E um silêncio enorme se fez sobre ele, e sobre o movimento. Ninguém se arriscava a dizer palavra. Até uma música popular na qual aparecia o nome Carlos foi proibida: "Carlos" podia ser entendido como "Carlos Marighella"... Fui eu quem primeiro resgatei o nome de Marighella, nos anos 70-71, numa edição de *Bahia de Todos-os-Santos* em que escrevi um texto sobre ele — "Retiro teu nome da maldição e do silêncio e inscrevo aqui teu nome de baiano: Carlos Marighella". Foi uma figura extraordinária. Lembro-me que um dia recebi um telegrama avisando que se sua família não fosse recolher seus restos, eles seriam atirados numa vala comum — um telegrama sem assinatura e endereçado a mim.[*]

Não parou em Carlinhos sua coragem. Escreveu sobre Neném, seu querido amigo Giocondo Dias, dirigente do Partido Comunista Brasileiro.

Nos anos 70 começou um período de grandes viagens em sua vida. Passava temporadas na Europa, esteve por meses em universidade nos Estados Unidos como professor convidado. A cidade da Bahia crescia em ritmo alucinante, a cada chegada precisava "tomar pé das novidades", e elas eram muitas. Ora se divertia, ora se horrorizava, pois muita coisa ruim acontecia em nome da "modernidade". Escreveu um livro, *Tieta do Agreste*, para falar contra os desmandos de um desenvolvimentismo agressivo à vida, ao povo.

Somente em 1986 se dispôs a mais uma revisão, a última, da qual resultou o livro *Bahia de Todos-os-Santos* que se lhes apresenta agora, tal qual ele o deixou.

[*] Alice Raillard, *Conversando com Jorge Amado*, Rio de Janeiro, Record, 1990, pp. 177-8.

É muito importante entender que o livro de 1944 e este são o mesmo em sua essência. A essência da cidade da Bahia não mudou. Ser baiano continua sendo um estado de espírito. Fisicamente a cidade cresceu, superlotou, e hoje ela já está muito diferente daquela dos anos 80. O livro, no entanto, mantém-se atual em todas as referências. Carybé já se foi, mas Salvador é toda pontuada por suas obras, para citar um exemplo. As músicas de Caymmi continuam tocando e encantando nossos ouvidos. Ouça aí:

Adalgisa mandou dizer
Que a Bahia tá viva, ainda lá...

Mãe Senhora e mãe Menininha estão de prosa com Oxum em outros reinos, mas no Axé Opô Afonjá e no Gantois estão suas filhas Stella e Carmem, comandando a festa, cumprindo o rito. Tudo mudou? Nada mudou. O fundamental não mudou.

A história da cidade foi contada em 1944 e esses capítulos permanecem até hoje. Caso o leitor sinta vontade de conhecer outros aspectos da Bahia mais antiga, de 1944, 1960, temos na Fundação Casa de Jorge Amado exemplares de todas as edições revistas. Uma visita ao lindo prédio do Pelourinho é sempre um prazer e traz boas surpresas.

No início do ano 2000, quando conversamos pela última vez, papai me pediu que fizesse mais uma atualização. Pedi que não, ele entendeu. Minha cidade é parecida com a dele, mas não é a mesma. Esta que é cantada aqui, em canto de amor, é a sua cidade. A que amou com paixão, com ternura, com raiva, com zelo. A cidade do Salvador da Bahia de Todos-os-Santos.

Rio de Janeiro, 30 de maio de 2012

cronologia

Verdadeiro guia literário de Salvador, o livro contém aspectos históricos e antropológicos a cada página. O narrador descreve festas populares como a Lavagem do Bonfim; explica os rituais e o calendário do candomblé; menciona artistas eruditos e populares como Castro Alves, Emanoel Araújo, mestre Didi, Glauber Rocha e mestre Pastinha; conta a história de bairros e edifícios antigos, entre os quais a Santa Casa de Misericórdia e o Liceu de Artes e Ofícios.

1912-1919

Jorge Amado nasce em 10 de agosto de 1912, em Itabuna, Bahia. Em 1914, seus pais transferem-se para Ilhéus, onde ele estuda as primeiras letras. Entre 1914 e 1918, trava-se na Europa a Primeira Guerra Mundial. Em 1917, eclode na Rússia a revolução que levaria os comunistas, liderados por Lênin, ao poder.

1920-1925

A Semana de Arte Moderna, em 1922, reúne em São Paulo artistas como Heitor Villa-Lobos, Tarsila do Amaral, Mário e Oswald de Andrade. No mesmo ano, Benito Mussolini é chamado a formar governo na Itália. Na Bahia, em 1923, Jorge Amado escreve uma redação escolar intitulada "O mar"; impressionado, seu professor, o padre Luiz Gonzaga Cabral, passa a lhe emprestar livros de autores portugueses e também de Jonathan Swift, Charles Dickens e Walter Scott. Em 1925, Jorge Amado foge do colégio interno Antônio Vieira, em Salvador, e percorre o sertão baiano rumo à casa do avô paterno, em Sergipe, onde passa "dois meses de maravilhosa vagabundagem".

1926-1930

Em 1926, o Congresso Regionalista, encabeçado por Gilberto Freyre, condena o modernismo paulista por "imitar inovações estrangeiras". Em 1927, ainda aluno do Ginásio Ipiranga, em Salvador, Jorge Amado começa a trabalhar como repórter policial para o *Diário da Bahia* e *O Imparcial* e publica em *A Luva*, revista de Salvador, o texto "Poema ou prosa". Em 1928, José Américo de Almeida lança *A bagaceira*, marco da ficção regionalista do Nordeste, um livro no qual, segundo Jorge Amado, se "falava da realidade rural como ninguém fizera antes". Jorge Amado integra a Academia dos Rebeldes, grupo a favor de "uma arte moderna sem ser modernista". A quebra da bolsa de valores de Nova York, em 1929, catalisa o declínio do ciclo do café no Brasil. Ainda em 1929, Jorge Amado, sob o pseudônimo Y. Karl, publica em *O Jornal* a novela *Lenita*, escrita em parceria com Edison Carneiro e Dias da Costa. O Brasil vê chegar ao fim a política do café com leite, que alternava na presidência da República políticos de São Paulo e Minas Gerais: a Revolução de 1930 destitui Washington Luís e nomeia Getúlio Vargas presidente.

1931-1935

Em 1932, desata-se em São Paulo a Revolução Constitucionalista. Em 1933, Adolf Hitler assume o poder na Alemanha, e Franklin Delano Roosevelt torna-se presidente dos Estados Unidos da América, cargo para o qual seria reeleito em 1936, 1940 e 1944. Ainda em 1933, Jorge Amado se casa com Matilde Garcia Rosa. Em 1934, Getúlio Vargas é eleito por voto indireto presidente da República. De 1931 a 1935, Jorge Amado frequenta a Faculdade Nacional de Direito, no Rio de Janeiro; formado, nunca exercerá a advocacia. Amado identifica-se com o Movimento de 30, do qual faziam parte José Américo de Almeida, Rachel de Queiroz e Graciliano Ramos, entre outros escritores preocupados com questões sociais e com a valorização de particularidades regionais. Em 1933, Gilberto Freyre publica *Casa-grande & senzala*, que marca profundamente a visão de mundo de Jorge Amado. O romancista baiano publica seus primeiros livros: *O país do Carnaval* (1931), *Cacau* (1933) e *Suor* (1934). Em 1935 nasce sua filha Eulália Dalila.

1936-1940

Em 1936, militares rebelam-se contra o governo republicano espanhol e dão início, sob o comando de Francisco Franco, a uma guerra civil que se alongará até 1939. Jorge Amado enfrenta problemas por sua filiação ao Partido Comunista Brasileiro. São dessa época seus livros *Jubiabá* (1935), *Mar morto* (1936) e *Capitães da Areia* (1937). É preso em 1936, acusado de ter participado, um ano antes, da Intentona Comunista, e novamente em 1937, após a instalação do Estado Novo. Em Salvador, seus livros são queimados em praça pública. Em setembro de 1939, as tropas alemãs invadem a Polônia e tem início a Segunda Guerra Mundial. Em 1940, Paris é ocupada pelo Exército alemão. No mesmo ano, Winston Churchill torna-se primeiro-ministro da Grã-Bretanha.

1941-1945

Em 1941, em pleno Estado Novo, Jorge Amado viaja à Argentina e ao Uruguai, onde pesquisa a vida de Luís Carlos Prestes, para escrever a biografia publicada em Buenos Aires, em 1942, sob o título *A vida de Luís Carlos Prestes*, rebatizada mais tarde *O Cavaleiro da Esperança*. De volta ao Brasil, é preso pela terceira vez e enviado a Salvador, sob vigilância. Em junho de 1941, os alemães invadem a União Soviética. Em dezembro, os japoneses bombardeiam a base norte-americana de Pearl Harbor, e os Estados Unidos declaram guerra aos países do Eixo. Em 1942, o Brasil entra na Segunda Guerra Mundial, ao lado dos aliados. Jorge Amado colabora na *Folha da Manhã*, de São Paulo, torna-se chefe de redação do diário *Hoje*, do PCB, e secretário do Instituto Cultural Brasil-União Soviética. No final desse mesmo ano, volta a colaborar em *O Imparcial*, assinando a coluna "Hora da Guerra", e em 1943 publica, após seis anos de proibição de suas obras, *Terras do sem-fim*. Em 1944, Jorge Amado lança *São Jorge dos Ilhéus*. Separa-se de Matilde Garcia Rosa. Chegam ao fim, em 1945, a Segunda Guerra Mundial e o Estado Novo, com a deposição de Getúlio Vargas. Nesse mesmo ano, Jorge Amado casa-se com a paulistana Zélia Gattai, é eleito deputado federal pelo PCB e publica o guia *Bahia de Todos-os-Santos*. *Terras do sem-fim* é publicado pela editora de Alfred A. Knopf, em Nova York, selando o início de uma amizade com a família Knopf que projetaria sua obra no mundo todo.

1946-1950

Em 1946, Jorge Amado publica *Seara vermelha*. Como deputado, propõe leis que asseguram a liberdade de culto religioso e fortalecem os direitos autorais. Em 1947, seu mandato de deputado é cassado, pouco depois de o PCB ser posto na ilegalidade. No mesmo ano, nasce no Rio de Janeiro João Jorge, o primeiro filho com Zélia Gattai. Em 1948, devido à perseguição política, Jorge Amado exila-se, sozinho, voluntariamente em Paris. Sua casa no Rio de Janeiro é invadida pela polícia, que apreende livros, fotos e documentos. Zélia e João Jorge partem para a Europa, a fim de se juntar

ao escritor. Em 1950, morre no Rio de Janeiro a filha mais velha de Jorge Amado, Eulália Dalila. No mesmo ano, Amado e sua família são expulsos da França por causa de sua militância política e passam a residir no castelo da União dos Escritores, na Tchecoslováquia. Viajam pela União Soviética e pela Europa Central, estreitando laços com os regimes socialistas.

1951-1955

Em 1951, Getúlio Vargas volta à presidência, desta vez por eleições diretas. No mesmo ano, Jorge Amado recebe o prêmio Stálin, em Moscou. Nasce sua filha Paloma, em Praga. Em 1952, Jorge Amado volta ao Brasil, fixando-se no Rio de Janeiro. O escritor e seus livros são proibidos de entrar nos Estados Unidos durante o período do macarthismo. Em 1954, Getúlio Vargas se suicida. No mesmo ano, Jorge Amado é eleito presidente da Associação Brasileira de Escritores e publica *Os subterrâneos da liberdade*. Afasta-se da militância comunista.

1956-1960

Em 1956, Juscelino Kubitschek assume a presidência da República. Em fevereiro, Nikita Khruchióv denuncia Stálin no 20º Congresso do Partido Comunista da União Soviética. Jorge Amado se desliga do PCB. Em 1957, a União Soviética lança ao espaço o primeiro satélite artificial, o *Sputnik*.

Surge, na música popular, a Bossa Nova, com João Gilberto, Nara Leão, Antonio Carlos Jobim e Vinicius de Moraes. A publicação de *Gabriela, cravo e canela*, em 1958, rende vários prêmios ao escritor. O romance inaugura uma nova fase na obra de Jorge Amado, pautada pela discussão da mestiçagem e do sincretismo. Em 1959, começa a Guerra do Vietnã. Jorge Amado recebe o título de obá Arolu no Axé Opô Afonjá. Embora fosse um "materialista convicto", admirava o candomblé, que considerava uma religião "alegre e sem pecado". Em 1960, inaugura-se a nova capital federal, Brasília.

1961-1965

Em 1961, Jânio Quadros assume a presidência do Brasil, mas renuncia em agosto, sendo sucedido por João Goulart. Yuri Gagarin realiza na nave espacial *Vostok* o primeiro voo orbital tripulado em torno da Terra. Jorge Amado vende os direitos de filmagem de *Gabriela, cravo e canela* para a Metro-Goldwyn-Mayer, o que lhe permite construir a casa do Rio Vermelho, em Salvador, onde residirá com a família de 1963 até sua morte. Ainda em 1961, é eleito para a cadeira 23 da Academia Brasileira de Letras. No mesmo ano, publica *Os velhos marinheiros*, composto pela novela *A morte e a morte de Quincas Berro Dágua* e pelo romance *O capitão-de-longo-curso*. Em 1963, o presidente dos Estados Unidos,

John Kennedy, é assassinado. O Cinema Novo retrata a realidade nordestina em filmes como *Vidas secas* (1963), de Nelson Pereira dos Santos, e *Deus e o diabo na terra do sol* (1964), de Glauber Rocha. Em 1964, João Goulart é destituído por um golpe e Humberto Castelo Branco assume a presidência da República, dando início a uma ditadura militar que irá durar duas décadas. No mesmo ano, Jorge Amado publica *Os pastores da noite*.

1966-1970

Em 1968, o Ato Institucional nº 5 restringe as liberdades civis e a vida política. Em Paris, estudantes e jovens operários levantam-se nas ruas sob o lema "É proibido proibir!". Na Bahia, floresce, na música popular, o tropicalismo, encabeçado por Caetano Veloso, Gilberto Gil, Torquato Neto e Tom Zé. Em 1966, Jorge Amado publica *Dona Flor e seus dois maridos* e, em 1969, *Tenda dos Milagres*. Nesse último ano, o astronauta norte-americano Neil Armstrong torna-se o primeiro homem a pisar na Lua.

1971-1975

Em 1971, Jorge Amado é convidado a acompanhar um curso sobre sua obra na Universidade da Pensilvânia, nos Estados Unidos. Em 1972, publica *Tereza Batista cansada de guerra* e é homenageado pela Escola de Samba Lins Imperial, de

São Paulo, que desfila com o tema "Bahia de Jorge Amado". Em 1973, a rápida subida do preço do petróleo abala a economia mundial. Em 1975, *Gabriela, cravo e canela* inspira novela da TV Globo, com Sônia Braga no papel principal, e estreia o filme *Os pastores da noite*, dirigido por Marcel Camus.

1976-1980

Em 1977, Jorge Amado recebe o título de sócio benemérito do Afoxé Filhos de Gandhy, em Salvador. Nesse mesmo ano, estreia o filme de Nelson Pereira dos Santos inspirado em *Tenda dos Milagres*. Em 1978, o presidente Ernesto Geisel anula o AI-5 e reinstaura o *habeas corpus*. Em 1979, o presidente João Baptista Figueiredo anistia os presos e exilados políticos e restabelece o pluripartidarismo. Ainda em 1979, estreia o longa-metragem *Dona Flor e seus dois maridos*, dirigido por Bruno Barreto. São dessa época os livros *Tieta do Agreste* (1977), *Farda, fardão, camisola de dormir* (1979) e *O gato malhado e a andorinha Sinhá* (1976), escrito em 1948, em Paris, como um presente para o filho.

1981-1985

A partir de 1983, Jorge Amado e Zélia Gattai passam a morar uma parte do ano em Paris e outra no Brasil — o outono parisiense é a estação do ano preferida por Jorge Amado, e, na Bahia, ele não consegue mais encontrar a tranquilidade de que necessita para escrever. Cresce no Brasil o movimento das Diretas Já. Em 1984, Jorge Amado publica *Tocaia Grande*. Em 1985, Tancredo Neves é eleito presidente do Brasil, por votação indireta, mas morre antes de tomar posse. Assume a presidência José Sarney.

1986-1990

Em 1987, é inaugurada em Salvador a Fundação Casa de Jorge Amado, marcando o início de uma grande reforma do Pelourinho. Em 1988, a Escola de Samba Vai-Vai é campeã do Carnaval, em São Paulo, com o enredo "Amado Jorge: A história de uma raça brasileira". No mesmo ano, é promulgada nova Constituição brasileira. Jorge Amado publica *O sumiço da santa*. Em 1989, cai o Muro de Berlim.

1991-1995

Em 1992, Fernando Collor de Mello, o primeiro presidente eleito por voto direto depois de 1964, renuncia ao cargo durante um processo de *impeachment*. Itamar Franco assume a presidência. No mesmo ano, dissolve-se a União Soviética. Jorge Amado preside o 14º Festival Cultural de Asylah, no Marrocos, intitulado "Mestiçagem, o exemplo do Brasil", e participa do Fórum Mundial das Artes, em Veneza. Em 1992, lança dois livros: *Navegação de cabotagem* e *A descoberta da América pelos turcos*. Em 1994, depois de vencer as Copas de 1958, 1962 e 1970, o Brasil é tetracampeão de futebol. Em 1995, Fernando Henrique Cardoso assume a presidência da República, para a qual seria reeleito em 1998. No mesmo ano, Jorge Amado recebe o prêmio Camões.

1996-2000

Em 1996, alguns anos depois de um enfarte e da perda da visão central, Jorge Amado sofre um edema pulmonar em Paris. Em 1998, é o convidado de honra do 18º Salão do Livro de Paris, cujo tema é o Brasil, e recebe o título de doutor *honoris causa* da Sorbonne Nouvelle e da Universidade Moderna de Lisboa. Em Salvador, termina a fase principal de restauração do Pelourinho, cujas praças e largos recebem nomes de personagens de Jorge Amado.

2001

Após sucessivas internações, Jorge Amado morre em 6 de agosto de 2001.

índice remissivo

abará, 66, 126, 142, 191, 248, 267, 319, 351, 352, 354
abebé, 168, 169, 170, 323, 324, 334
Aberrê, conjunto, 350
Abissínia, 22
Abolição da escravidão, 33
Abreu, Bráulio de, 40, 55, 57, 62, 207
acaçá, 132, 142, 194, 351
"Acaçá" (Dorival Caymmi), 194
Academia Brasileira de Letras, 54, 61, 205, 226, 358
Academia dos Rebeldes, 54, 57, 207, 208, 210, 240, 241, 258, 335
acarajé, 66, 126, 142, 169, 191, 196, 267, 319, 351, 352, 354
açúcar, 21, 34, 43, 93, 282, 322, 348, 351
Adão, João de, 33, 94
adê, 168
Adélia, Maria, 320
Ademir, Luiz, 42
adivinhação, 161, 164, 171
Adler, Eva, 336
Adonias Filho, 41, 204, 205, 328
Afonjá, Xangô, 167
afoxé, 74, 122, 131, 180, 196, 218, 238, 348
África, 15, 23, 32, 33, 38, 39, 50, 58, 66, 115, 122, 125, 127, 136, 142, 147, 151, 152, 154, 160, 161, 162, 163, 169, 249, 271, 276, 285, 288, 301, 302, 303, 304, 307, 346, 350, 351
Aganju, Xangô, 167
Agnaldo ver Santos, Agnaldo dos
agogôs, 66, 125, 142, 342
Agostinho da Piedade, frei, 50, 111, 112, 113
Água barrenta (Ruy Santos), 43

"Água preta" (Jorge Medauar), 42
Água-mãe (Herman Lima), 56
aguardente, 21
Aguê, Oxóssi, 165
Aguiar, Pinto de, 56
Aíla, cozinheira, 81
Aioká, 127, 129, 130, 170, 180
Airá, Xangô, 167
Alagados, 16, 85, 87, 90, 200
alagbás, 161
Alagoas, 56, 294
Alaketu, candomblés, 136, 149, 158
Alambique, O (Clóvis Amorim), 43, 102, 241
alambiques, 21, 102, 241
Alberto, Rafael, 58
Aldeia de Zumino-Reanzarro Gangajti, 160
Aleijadinho, 113, 177, 180, 200
Além dos marimbus (Herberto Sales), 43
Alemanha, 32, 301, 303
Alencar, Heron de, 57
Alencar, José de, 72, 358
Alfândega, 28, 29, 218, 249, 347, 352
Aliança Liberal, 57, 243
Alice, mãe-pequena, 139, 140, 141
Almeida Filho, Naomar de, 43
Almeida, Renato, 44
aluá, 140, 143
Álvares, Catarina, 108
Alves, Castro, 22, 32, 40, 59, 142, 175, 193, 205, 238, 243, 253, 332
Alves, Dorothy e Moysés, 135
Alves, Eurico, 40, 55, 56
Alves, Henrique, 328
Alves, João, 50, 56, 117

371

Alves, Leopoldo, 43
Alves, Moysés, 328
amabilidade, 23
Amado, James, 40, 42, 58, 79, 145, 180, 200, 204, 235, 244, 274, 323, 328, 333
Amado, João Jorge, 131, 216, 273, 287
Amado, Maria da Luz Celestino, 337
Amado, Paloma Jorge, 216
amalá, 167, 168
Amaral, Tarsila do, 55
Amaralina, 79, 90, 95, 132, 267, 338
Amazonas, 56
Amazônia, 32, 212
Amoreira, 161, 163, 222, 276
Amorim, Clóvis, 43, 57, 62, 101, 102, 181, 207, 231, 240, 241, 242, 318
Amorim, Manuel Cerqueira de ver Nezinho, pai
amorôs, 161
Ana Lúcia, pintora, 50, 277
Anacreon, 349
analfabetismo, 85, 185
Anália, cozinheira, 352
Anastácio, Timóteo, d., 256
Andrade, Carlos Drummond de, 300, 334
Andrade, Cleriston de, 73
Andrade, Da Costa, 57, 240
Andrade, Oswald de, 113
Andreza de Euá, iaô, 332
Andreza de Oxóssi, iaô, 332
Andreza de Oxum, iaô, 332
Angola, 34, 58, 160, 262, 339
angolas, 51, 52, 122, 136, 139, 156, 160, 161, 163, 279, 345, 350

animais sacrificados, 139, 140, 141, 142, 162
Aninha, mãe, 139, 144, 149, 150, 151, 152, 157, 158, 176, 203, 243, 259, 338
Anjo Azul, boate, 352
Anjos, Maria Valentina dos ver Ruinhó, mãe
antiquários, 59, 321
Antoninho de Oxumarê, pai, 158
Antonio Carlos, 52, 228, 296, 301
Antônio, santo, 132, 165, 320
Apará, Oxum, 168
Aparições do doutor Salu, As (Guido Guerra), 43, 264
Aqueçã, Exu, 164
Aragon, Louis, 208
Aranha, Graça, 54
Araújo, César, 86
Araújo, David, 231, 241, 332
Araújo, Emanoel, 21, 50, 91, 164, 261, 268
Araújo, Guido, 44
Araújo, Nélson, 58, 293
Arco & Flexa (revista), 54, 56, 57, 58, 207, 335
arco-íris, 148, 149, 158, 168, 277
Arigof, 349
aristocracia, 34
Armandinho, 53
arranha-céus, 15, 28, 29, 31, 75, 83, 179
Arte de furtar, A, 103, 105
artesãos, 48, 64, 75, 83, 301, 334, 349
Ásia, 271
Assembleia Constituinte (1946), 206
Assis, Machado de, 226, 358
Associação Atlética da Bahia, 299

Associação Comercial, 28, 29

atabaques, 15, 17, 51, 63, 64, 66, 67, 125, 128, 129, 130, 142, 162, 194, 302, 359

Augusto, Jenner, 32, 50, 55, 58, 79, 90, 91, 176, 200, 261, 267, 272, 274, 275, 293, 298, 348

Augusto, João, 320

Axabó, 171

axé, 39, 147, 151, 177, 346, 358

Axé Iyamassê, 145, 157, 158

Axé Opô Afonjá, 136, 139, 143, 144, 150, 151, 157, 158, 162, 165, 167, 176, 190, 243, 279, 289, 305

Axé Yá Nassô, 156

axexê, 141, 145, 150

Ayres, Jayme Junqueira, 227, 228

Azaunoodor, 148

azeite de dendê, 135, 140, 168, 319

Azevedo, Inácio de, 109

Azevedo, Thales de, 44, 249, 257

azulejos portugueses, 108, 346, 347

"babá", significado, 151, 164

babá Abaolá, 163

babá Bakabaká, 164

babá Okin, 164

babá Olukotun, 164

babá Orumilá, 164

babalaôs, 59, 110, 130, 136, 147, 161, 244, 276, 359

babalorixás, 130, 136, 161, 321

Baby, jogador, 346

Bada, mãe, 150, 157

Badaró, Sinhô, 328

Bafono, 148

Bagnuoli, conde de, 112

Bahia, Hansen, 32, 81, 91, 261, 301, 303, 304

Baianim, 168

Baixa dos Sapateiros, 30, 75, 82, 83, 84, 121, 169, 348, 354

Balada da dor-de-corno (Godofredo Filho), 40

Balada de Ouro Preto (Godofredo Filho), 40, 56

"Balaio grande" (Dorival Caymmi), 194

Balduíno, Antônio, 195

Baleeiro, Aliomar, 227

Banco da Bahia, 117, 179, 180

Bando da Lua, 176

Bar Bahia, 101, 102, 182, 211

Bar Brunswick, 229

Bárbara, Julieta, 113

Barbosa, Antônio Nero, 184

Barbosa, Rui, 22, 23, 33, 44, 59, 226

Barco de Oxum, 346

Bardi, Lina Bo, 113, 114

Bargaço, restaurante, 352

Barreiros, Tibúrcio, 129, 300, 329

Barreto, Lima, 176

barroco, 48, 61, 108, 109, 110, 122, 135, 222, 291

Barros, Ismael de, 188, 189

Barros, José da Silva, 53

Bartolomeu, são, 168

Bastide, Roger, 139, 276

Basto, Hélio, 50, 58, 256

Bastos, Carlos, 7, 50, 55, 58, 79, 81, 91, 94, 224, 225, 226, 260, 275

Bastos, Elpídio, 57, 207

"Batalhão dos Periquitos", 253

Batatinha, 52, 132

Bate-Folha, candomblé, 124, 136, 160

Batinga, Fernando, 41

beatos, 37, 177, 258, 320, 338

beijus, 66, 308

Belmonte, 198, 300

Benjamim, José, 43

berimbaus, 51, 52, 121, 125, 142, 180, 217, 218, 219, 322, 323, 342, 343, 359

Bernabó, Hector Julio Páride ver Carybé

Bernardes, Sérgio, 270

Bernardino do Bate-Folha, pai, 160

Bessém, 148, 149, 168

Bethânia, Maria, 53, 225, 238

Bianchi, Flaviana Maria da Conceição, 159

Bilac, Olavo, 237

Biluaca, mestre, 342

Bimba, mestre, 345

Bitencourt Sobrinho, Otto, 57

Bittencourt, Matias, 116

Bloch, Adolfo, 225

Boa tarde, Bahia (programa de televisão), 336

boêmia, 102, 124, 245

Bogum, candomblé do, 136, 145, 148, 159

Bolívar, Simón, 72

Bom Cabelo, mestre, 322

Bonadei, 55

Bonfim, Manuel, 50, 79, 129, 284, 285, 347

Bonino, Giovanna, 316

Bonocô, 159

Bossa Nova, 190

Branco Filho, A. Coelho, 243

Brandão, Darwin, 57

Brasileiro, Antônio, 41

Brecht, Bertolt, 58

Breton, André, 208

Brito, Quitéria de, 352

Bugrinha (Afrânio Peixoto), 41

Burgos, Maria de Lurdes, 293, 294

burguesia, 29, 45, 62, 79, 83, 84, 211

búzios, 51, 64, 146, 149, 150, 152, 162, 165, 168, 169, 215

Cabo Lídio (Carneiro de Meneses), 294

Caboclo d'água (Martins de Oliveira), 43

caboclo, candomblé de, 136, 139, 156, 160, 161, 163

caboclos, 39, 48, 139, 140, 141, 142, 143, 153, 156, 160, 163, 221, 274, 350

Cabral, Francisco, 294

Cabral, Mário, 293

Cabras do coronel, As (Wilson Lins), 43

cacau, 41, 42, 196, 198, 205, 236, 293, 300, 318, 328, 338

cachaça, 16, 21, 38, 112, 121, 124, 164, 182, 187, 194, 241, 245, 247, 282, 308, 327, 344, 348

Caderno da Bahia, 57, 58

caetés, 105

Café Pirangi, 28

Calasans Neto, 39, 50, 58, 81, 91, 180, 200, 219, 220, 221, 222, 258, 261, 289, 296

Calazans, José, 32, 37, 44, 58, 293

Calmon, Jorge, 248, 275, 276, 355

Calmon, Miguel, 287

Calmon, Pedro, 23, 36, 44, 275, 356

Calvino Filho, 211, 240

Camafeu de Oxóssi, 52, 135, 157, 158, 165,

167, 180, 217, 218, 219, 226, 322, 347, 348, 352

Caminhão, doqueiro, 203

Campo da Pólvora, 35

Campos, Zu, 290, 291

Camus, Albert, 58

Camus, Marcel, 228

Canção do beco (Dias da Costa), 42

Câncio, Henrique, 355

Candoca, pintora, 293

candomblé, 22, 28, 30, 48, 49, 112, 126, 127, 129, 130, 136, 139, 140, 141, 142, 143, 144, 145, 146, 147, 149, 152, 154, 156, 157, 158, 159, 160, 161, 162, 163, 165, 167, 179, 190, 194, 203, 217, 258, 259, 261, 277, 279, 280, 285, 291, 294, 323, 328, 346, 348, 350

candomblés, 8, 21, 24, 25, 28, 51, 64, 87, 97, 124, 131, 133, 135, 136, 139, 141, 143, 149, 152, 154, 156, 157, 159, 160, 161, 162, 163, 165, 179, 259, 284, 308

Cangaceiros, Os (Lima Barreto), 176

Canô, dona, 238

cânticos, 15, 124, 126, 130, 348

Canudos, 37

Capela da Graça, 108

Capela de Monte Serrat, 106, 111, 112

Capinam, 32, 40, 41, 109

Capitães da Areia, 25, 30, 51, 74, 87, 93, 132, 309, 311, 344, 359

Capitães da Areia (Jorge Amado), 344

capoeira, 51, 74, 121, 124, 125, 127, 130, 131, 142, 194, 196, 217, 218, 230, 231, 232, 259, 261, 262, 279, 280, 284, 304, 322, 339, 342, 344, 345, 348, 350

Caramuru, 108, 252

Cardoso, Benedito, 293

Cardozo, Joaquim, 317

Caribé, João Batista, 97

Carnaval, 121, 123, 124, 127, 131, 132, 228, 229, 266, 299, 335, 348

Carneiro, Edison, 23, 44, 57, 101, 102, 123, 157, 158, 181, 207, 211, 240, 242, 244, 259, 318

Carneiro, João Durval, 95

Carneiro, Madalena, 242

Carneiro, Sousa, 57, 211, 240, 242, 243

carrancas, 49

Carrapicho, O, 334

Cartas (Vilhena), 39, 61

caruru, 66, 126, 135, 166, 167, 171, 180, 219, 248, 351

Carvalho Filho, 40, 55, 56, 239

Carvalho Neto, Manuel Joaquim de, 216

Carvalho, Flávio de, 55, 113, 192

Carvalho, Genaro de, 50, 55, 58, 114, 158, 165, 167, 212, 213, 214, 225, 234, 264, 324, 326

Carvalho, Jehová de, 41, 44, 149, 318

Carvalho, Nair de, 213, 214, 256

Carybé, 32, 50, 55, 66, 74, 79, 91, 96, 114, 115, 117, 128, 145, 147, 148, 151, 157, 158, 162, 165, 167, 175, 176, 177, 178, 179, 180, 191, 197, 199, 200, 202, 218, 224, 225, 260, 275, 277, 281, 289, 291, 303, 304, 319, 322, 323, 326, 348

Casa da Gamboa, restaurante, 352

Casa das Sete Mortes, 347

Casa dos Sete Candeeiros, 236, 347

Casa Moreira, 321

casarões, 16, 28, 29, 63, 64, 71, 85, 87, 242, 292, 344

casas coloniais, 29, 74, 93, 347

Cascalho (Herberto Sales), 43

castelos, 62, 96, 242, 303, 352

Castro, Frederico Sousa, 58

Castro, José A. Berbert de, 44

Castro, Sônia, 278

Catarino, Alberto Martins, 116, 216

Catarino, José Martins, 116, 216, 225

Catarino, Régis, 225

Catedral da Bahia, 109

catolicismo, 153, 156, 157, 252

cauris, 162

Cavalcanti (ator), 320

Cavalcanti, Jerônimo de Sá, d., 257

Cavalcanti, Rodolfo Coelho, 237

Cavalo de Deus, O (Nestor Duarte), 43

Cavalo e a rosa, O (Vasconcelos Maia), 42, 230

caxixi, 322, 342

Caymmi, Adelaide Tostes, 190

Caymmi, Danilo, 190

Caymmi, Dori, 190

Caymmi, Dorival, 11, 31, 52, 64, 79, 80, 81, 82, 87, 95, 125, 129, 145, 146, 147, 158, 167, 170, 177, 189, 190, 191, 192, 193, 194, 195, 196, 197, 200, 206, 218, 220, 225, 228, 261, 296, 300, 301, 303, 332, 359

Cazumbá, açougueiro, 342

Ceará, 274

Cecília de Omolu, mãe, 159

Ceilão, 59

Celestino, Antônio, 32, 40, 44, 114, 200, 254, 255, 275

Central da Bahia, 93

Centro Administrativo, 91, 180, 260, 295

Centro Cruz Santa do Axé Opô Afonjá *ver* Axé Opô Afonjá

Centro Folclórico da Bahia, 349

Chagas, o Cabra, 50, 74, 112, 199

Chamado do mar, O (James Amado), 42, 235

Chame-Chame, 79, 135, 201, 202

Chaplin, Charlie, 245

charutos, 84, 246, 330, 331

Chaves, Dmeval, 39, 79, 162, 288, 289, 316

Chaves, Gilberbert, 79, 272, 273

Chaves, Juca, 305

Chegada de d. João VI ao Brasil, A (Portinari), 117

Chiacchio, Carlos, 54, 57, 207, 355

Chico Diabo, 72

Chico Porreta, mestre, 342

China, 59, 66, 85

Chiquinho *ver* Teixeira, Antônio Luís Calmon

Chirico, Pasquale de, 188

cidades portuguesas, 28

Cinema Novo, 58, 245

Circular *ver* Companhia Linha Circular de Carros da Bahia

Ciríaco, candomblé, 160, 162

cocada, 16, 66, 83, 267, 352

Coelho, Fernando, 50, 91, 261, 289, 290, 316

Coeli, Regina, 336

Colégio da Bahia, 44

Colégio dos Jesuítas, 101, 109, 293

Companhia de Navegação Bahiana, 76, 93, 330

Companhia Linha Circular de Carros da Bahia, 101, 102, 103, 104, 105, 106, 108

Conceição, Damásia da, 352

Congo, 58

congos, 122, 136, 156, 160, 161, 163

Conselheiro, Antônio, 37, 113, 200, 233

Conselho de Obás, 151

contistas, 42, 56, 79, 102, 158, 212, 229, 230, 233, 293, 330

Contos da Bahia (Vasconcelos Maia), 42, 230

Contreiras, Áureo, 182

Contreiras, José, 58

Convento da Lapa, 44, 61

Convento de Santa Teresa, 45, 350

Convento do Carmo, 74, 112, 114, 199, 355

Convento do Desterro, 53, 61

Cordeiro, João, 42, 57, 101, 181, 207, 211, 212, 240, 318

Corisco, 115, 223, 269

Corja, A (João Cordeiro), 42, 211, 240

Corpo vivo (Adonias Filho), 41

Correa, Roberto, 56

Correia, Diogo Álvares, 252

Correio da Manhã, 237

Cosme e Damião, 52, 135, 171, 180, 284

Costa Filho, Antônio J. da, 43

Costa, Adroaldo Ribeiro, 44, 325

Costa, Álvaro da, 33

Costa, Carlos Coqueijo, 44, 52, 189, 228, 287, 299, 300

Costa, Dias da, 42, 57, 62, 101, 102, 181, 207, 229, 240, 242, 243, 318

Costa, Duarte da, 33

Costa, Flávio, 349

Costa, Gal, 53, 225

Costa, Lúcio, 325

Costa, Macedo, 287, 293

Costa, Sosígenes, 40, 55, 57, 181, 198, 199, 207, 215, 216, 240, 300

Cotinha de Euá, mãe, 158

Coutinho, Afrânio, 44

Coutinho, Elsimar, 80, 81, 263

Coutinho, Riolan, 258, 264

Coutinho, Sônia, 42

Coutos (subúrbio), 97

Cravo Júnior, Mario, 58, 234

Cravo Neto, Mario, 234, 261

Cravo, Jorge Aminthas, 234

Cravo, Lúcia, 235

Cravo, Mario, 37, 49, 55, 62, 64, 79, 91, 113, 114, 145, 165, 176, 180, 188, 197, 198, 200, 225, 233, 234, 235, 260, 267, 272, 275, 285, 293, 303, 304, 323, 347

Creusa, mãe, 146, 158

Creuza, Maria, 53, 228, 296, 297

Criaturas de Jorge Amado (Paulo Tavares), 251

crônica social, 297, 335, 336

cronistas, 39, 44, 61, 201, 308, 318, 330

Cuíca ver Santo Amaro, Cuíca de

culinária, 39, 106, 194, 219, 239, 248, 351

cultos afro-baianos, 49, 51, 115

cultura africana, 259

cultura baiana, 24, 79, 113, 261, 263, 266

cultura mestiça, 39, 50

cultura negra, 38, 147, 152, 277

cultura popular, 38, 39, 48, 49, 50, 197, 218, 284

Cunha, Carlos, 41, 239, 317, 333

Cunha, Helena, 41
Curva da estrada, A (Xavier Marques), 41
Curvelo, Edgard, 183, 214
Cyva *ver* Oliveira, Cyva Leite de

Dadá (viúva de Corisco), 223
dadaísmo, 208
dagãs, 161
Damasceno Filho, 56
dança, 22, 32, 58, 130, 131, 134, 142, 143, 144, 148, 149, 152, 153, 154, 161, 164, 167, 168, 171, 180, 200, 218, 244, 339, 359
Dangbé, 148, 149
Dannemann, Geraldo, 117, 330
Dantas, Paulo, 237
Daomé, 50, 58
De Chevalier, Ramyana, 56
Demê *ver* Chaves, Dmeval
democracia, 32, 48, 82, 122, 216, 226
"Dengo, O" (Dorival Caymmi), 194
Dety, cozinheira, 135, 239, 240, 330
Di Cavalcanti, Emiliano, 55, 114, 117, 225, 298, 316
Diário de Notícias, 264, 336
Dias, Cícero, 55
Dias, Giocondo, 210, 306
Didi, mestre, 49, 165, 276, 277, 324, 334
Dilogum, 162
Djanira, 114, 117, 225, 294
doces, 351, 352
Dois metros e cinco (Cardoso de Oliveira), 41
Domador de gafanhotos, O (Teixeira Gomes), 317

Dome, José de, 32, 130, 258, 275, 293
Domingos, Luiz, 249
Dona Flor e seus dois maridos (Jorge Amado), 202, 272
Drummond *ver* Andrade, Carlos Drummond de
Duarte, Nestor, 43, 227, 228
Dulce, irmã, 315
Durval, jogador, 346

ebômis, 144, 148, 161
ebós, 21, 38, 136, 140, 143, 146, 150, 166, 176, 289, 290, 320, 321, 334
Edisoleda, 277
Eduardo de Ijexá, pai, 147, 159
efó, 66, 126, 135, 219, 246, 248, 351
eguns, 141, 161, 163, 169, 276
Ekemberg, 294
Elbein, Juana, 276
Eletrobras, 101
Elevador Lacerda, 17, 84, 124, 308, 311, 355
Eliot, T. S., 58
Elomar, 52
Éluard, Paul, 208, 262
Emiliana do Bogum, mãe, 159
Engenho Velho, candomblé, 124, 139, 145, 148, 150, 156, 157, 158, 159, 161, 162, 170, 180, 346
ensaístas, 39, 44, 56, 279
Entre duas épocas (José Queirós), 56
equedes, 146, 148, 151, 152, 359
Ernesto, Pedro, 227
Escola de Belas-Artes, 44, 188, 237, 264, 265, 292, 295, 298, 352
Escola de Pintura da Bahia, 110

Escolas de Samba, 52

escravidão, 33, 35, 36, 39, 144, 157, 162, 217, 285, 288, 302, 343

escravos, 16, 33, 34, 35, 36, 38, 40, 58, 59, 60, 64, 73, 74, 84, 112, 122, 128, 143, 152, 175, 217, 227, 238, 256, 288, 346, 350

Esfinge, A (Afrânio Peixoto), 41

Espanha, 25, 126

Espinheira Filho, Ruy, 41, 44, 239, 317, 318

espiritismo, 159

Espírito Santo, Maria Bibiana do *ver* Senhora, mãe

Estado da Bahia, O, 297

Estado Novo, 55, 226, 243, 283, 306, 356

Estados Unidos, 249, 318

Estrada de Ferro de Nazaré, 93

Etiópia, 22

Euá, 9, 75, 82, 153, 169

Euclides, o Psicólogo, 102, 103, 345

Europa, 23, 41, 50, 54, 101, 191, 223, 245, 252, 260, 266, 271, 275, 276, 295, 297, 304, 307, 310

Expedito, são, 167

Exu, 17, 21, 38, 50, 58, 64, 66, 122, 136, 140, 142, 152, 153, 158, 159, 161, 164, 180, 200, 217, 233, 235, 268, 320, 323, 324, 334, 359

ex-votos, 49, 123, 258

Fábula civil (Florisvaldo Mattos), 239

Face oculta (Carvalho Filho), 40

Faculdade de Medicina da Bahia, 24, 101, 115, 333

Faria, Cosme de, 16, 84, 131, 134, 159, 181, 182, 183, 184, 185, 226

Faria, João Amado de, 205, 293

Faria, Menandro, 333

fascismo, 82, 271, 311

Feira de Água de Meninos, 29, 64, 195, 232, 348

Feira de Santana, 93, 102, 241, 282, 288, 294, 351

Feira de São Joaquim, 29

Feira do Curtume, 348

Feira do largo Dois de Julho, 348

Feira do Porto da Lenha, 348

Feira do porto de Santo Antônio da Barra, 348

Feital, Júlia, 253, 254

Feiticeiro, O (Xavier Marques), 41

feitiços, 21, 25, 38, 66, 87, 136, 140, 141, 161, 354

Fernandes, Teresa, 336

Ferraz, Aydano do Couto, 57, 212, 240, 258

Ferraz, Renato, 114, 235

Ferreira Filho, Manuel Jerônimo, 297

Ferreira, Pedro, 64

Festa da Conceição da Praia, 121, 127, 196

Festa de Iansã, 136, 196

Festa de Iemanjá, 127

Festa de Nosso Senhor dos Navegantes, 122

Festa de Pedra Preta, 140

"Festa de rua" (Dorival Caymmi), 194

Festa de santa Bárbara, 121

Festa do Dois de Julho, 134

Festas juninas, 132, 134

festas populares, 22, 104, 121, 122, 127, 131, 344

Festival de Arte Negra de Dakar, 198

379

fetiches dos santos, 141

ficção, 41, 211, 212, 233, 264, 277

filá, 165

Filhas de Obá, conjunto, 350

filhas de santo, 66, 124, 126, 128, 139, 141, 142, 144, 150, 161, 177, 348

Filhos de Gandhy, afoxé, 122

filhos de santo, 66, 146, 160, 161

Fischmann, Jayme, 320

Fiúza, Luciano, 80

Flaviano, pescador, 129, 267, 284

Flor de São Miguel, 74, 302, 304

Flux et reflux (Verger), 288

folclore, 146, 196, 243, 319, 335, 349, 350

Folha Grossa, Tibiri da, 342

Fonte da Cruz do Pascoal, 346, 357

Fonte de Iemanjá, 357

fontes da Bahia, 357

Fontes, Oleone Coelho, 43

Fonyat, Bina, 56, 273, 325, 326

Forte de Santo Antônio, 80

Forte de São Marcelo, 71, 218, 330

Forte, O (Adonias Filho), 41, 205

Fraga, Alberico, 201, 287

Fraga, Carlos, 201

Fraga, Myriam, 40, 41, 201, 239, 317

França, Gildete Maria de Jesus *ver* Dety, cozinheira

France, Anatole, 336

Franco, Clóvis, 337

freiras, 61, 62, 111, 350

Freire, Junqueira, 32, 40, 112

Freitas, Cavalcante, 56

Freyre, Gilberto, 22, 54, 208

Fruta do mato (Afrânio Peixoto), 41

Fundação Cultural do Estado da Bahia, 56, 113

futebol, 51, 225, 289, 327, 345, 346

futurismo, 208

Gabriela, cravo e canela (Jorge Amado), 272

Gado humano (Nestor Duarte), 43

Galeria Oxumaré, 298, 326

Galeria Quirino, 298

Galimberti, Altamir, 81, 215, 294

Galo, Nélson, 42

Galos da aurora, Os (Hélio Pólvora), 42

Gama, João, 320

Gamo, mãe, 147, 149, 159

Gantois, candomblé, 124, 136, 145, 146, 153, 157, 158, 165, 355

Gardel, Carlos, 178

Garrincha (marido de mãe Mirinha), 153

Gasolina, mestre, 342

Gattai, Zélia, 9, 169, 188, 189, 191, 192, 201, 202, 214, 283, 304

Gaúcho, Milton, 320

Gente da terra (Antônio Celestino), 44, 255, 275

Gérson, mestre, 324

Gil, Gilberto, 52, 190, 238

Gil, Paulo, 58, 221, 258, 259, 260

Gilberto, João, 52, 189, 300

Ginásio Ipiranga, 56, 205

Goa, 59

Godofredo Filho, 39, 40, 54, 56, 188, 239, 285, 286

Goeldi, 55

Góes, Fernando, 117

Gomeia, candomblé, 124, 139, 141, 142, 143, 153, 160

Gomes, Dias, 57, 240

Gomes, Eugênio, 44, 56

Gomes, João Carlos Teixeira, 41, 317

Gomes, Orlando, 305

Gomide, 55

Gordilho, Pedro, 152

Graciano, 55, 191

Gramacho, Jair, 41, 58

Grieco, Agripino, 207

grunces, 151, 170

grunci, negros, 151, 152

Guedes, Humberto Fialho, 41

Guerra do Paraguai, 72, 217

Guerra, Guido, 40, 43, 79, 264, 333

Guignard, 294

Guimarães, Alvinho, 320

Guimarães, Giovanni, 202, 214, 271, 349, 355

Guimarães, Hamilton, 202

Guimarães, José, 188, 189

Guimarães, Ju, 349

Guimarães, Wenceslau, 202

Gusmão, Mário, 320

Hansen, Karl, 32, 303

Helmut, 111

Henrique, mestre, 324

hierarquia dos candomblés, 161

História da Bahia (Dias Tavares), 251

"História de pescadores" (Dorival Caymmi), 194

Histórias da gente baiana (Vasconcelos Maia), 230

Histórias do povo baiano (Vasconcelos Maia), 42

Hitler, Adolf, 283, 310, 311

holandeses, 103, 105, 110, 111

Honória, Sinhá, 159

Hora da Criança, 44, 325

Hotel da Bahia, 256, 325, 326

Hughes, Langston, 58

humanismo, 31, 48, 51, 191, 203, 206, 207, 212, 284, 293, 297, 303, 338

Humildes, Sônia dos, 320

"iá", significado, 151

Iá (Iemanjá), 127, 151, 152, 158, 170

ialorixás, 59, 130, 136, 145, 161, 321

Iangui, Exu, 164

Iansã, 64, 75, 121, 136, 139, 141, 149, 158, 167, 168, 169, 196, 280, 285, 316, 348

iaôs, 15, 32, 139, 141, 142, 144, 146, 148, 161, 180, 192, 194, 332, 359

iaquequerê, 158, 161

iatebexê, 161

Iatu de Omolu, mãe-pequena, 159

Ibaru, Aganju, 167

Ibejis, 135, 171

Ibualama, Oxóssi, 165, 166

Ieiê Ipondá, Oxum, 166

Ieiê Oquê, Oxum, 168

Iemanjá, 15, 28, 32, 50, 52, 63, 91, 94, 121, 122, 125, 127, 128, 130, 139, 141, 142, 151, 154, 158, 160, 166, 169, 170, 180, 191, 194, 195, 197, 200, 213, 215, 220, 233, 250, 267, 275, 280, 282, 285, 294, 302, 321, 324, 331, 339, 347, 357, 359

Iemanjá, restaurante, 352

Iewá, rio, 169
Ifá, 161, 164, 171
Ifon, 170
Igreja da Ajuda, 108
Igreja da Barroquinha, 112
Igreja da Boa Viagem, 122
Igreja da Conceição da Praia, 110, 121, 122, 124
Igreja da Ordem Terceira, 109
Igreja da Piedade, 111
Igreja da Sé, 102, 103, 105
Igreja da Soledade, 111
Igreja de Nossa Senhora do Rosário dos Negros, 112, 121, 143
Igreja de Santa Luzia, 110
Igreja de Santa Teresa, 110, 113
Igreja de São Bento, 111
Igreja de São Francisco, 73, 108, 109, 188, 332, 355, 359
Igreja do Bonfim, 49, 109, 123, 127, 332
Igreja do Carmo, 111, 112
Igreja do Rosário dos Negros, 38, 144, 180
igrejas, 8, 15, 16, 25, 28, 59, 63, 64, 66, 73, 93, 101, 106, 109, 112, 115, 122, 162, 176, 192, 219, 224, 236, 252, 278, 281, 292, 350
ijexá, 147, 156, 159
Ijimu, Oxum, 168
ikedes, 191
Ilê Iyá Omin Axé Iyamassê *ver* Axé Iyamassê
Ilê Ogunjá, candomblé, 158
Ilha, A (Myriam Fraga), 317
Ilhéus, 41, 87, 196, 198, 200, 205, 236, 243, 293, 328, 338
Ilze, 304

impaludismo, 87, 96, 97
Imparcial, O, 181, 183
imperialismo, 101, 106, 356
Inaê, 30, 94, 127, 129, 130, 170, 357; *ver também* Iemanjá
"Incêndio, O" (Jorge Medauar), 42
Independência do Brasil, 35, 116, 134
Índia, 86, 288
índios, 30, 31, 33, 103, 105, 106, 154, 177, 200, 252, 274, 351
injustiças sociais, 51
Inlê, Oxóssi, 166
Inqué, Oxóssi, 165
Instituto do Cacau, 28
iorubá, língua, 15, 48, 51, 124, 147, 151, 156, 162
Ipiranga Futebol Clube, 327
Irmãs Franciscanas do Sagrado Coração de Jesus, 61
Iroco, 149, 167
Isabel, princesa, 33
Isensée, Julieta, 201, 315, 336
Itabuna, 41, 42, 318, 328, 338
Itacaranha (subúrbio), 90, 96
Itaparica, ilha de, 31, 49, 90, 93, 110, 135, 161, 163, 197, 239, 330
Itapuã, 33, 64, 79, 80, 81, 87, 90, 95, 128, 177, 197, 200, 220, 221, 222, 263, 264, 305, 326, 334, 338, 350
Iyami Oxorongá, 166

jagunços, 37, 79, 115, 177, 230, 283, 320
Jana e Joel (Xavier Marques), 41, 233
Janaína, 64, 94, 122, 127, 170, 225, 235; *ver também* Iemanjá

Janete (atriz), 320
Japão, 86, 87
Jardim Zoológico, 337
Jasmin, Luiz, 91, 225, 295
Jatobá, Paulo, 57
Jeje, candomblé do, 148
jeje-nagô, 136, 156, 158
jejes, 122, 145, 147, 148, 149, 159, 161, 163, 165, 168
Jesse, Jessy, 320
jesuítas, 103, 109, 271, 276, 350
Jesus Cristo, 30, 282
Jesus, Teófilo de, 109, 110
Joana Angélica, soror, 45, 253
Joana de Xangô, mãe, 160
João III, d., 31
"João Valentão" (Dorival Caymmi), 195
João VI, d., 29, 112, 117
João, são, 132
Joãozinho da Gomeia, pai, 139, 140, 141, 142, 153, 160
Jobim, Antonio Carlos, 189
Jocafi, 52, 228, 296, 301
Jorge, são, 141, 154, 157, 165, 218, 256, 290
jornais, 30, 44, 104, 143, 148, 182, 183, 187, 192, 210, 216, 264, 282, 293, 317, 333, 336, 344, 354, 355
Jornal da Bahia, 336
Jornal, O, 243
Jubiabá (Jorge Amado), 195
Jubiabá, pai, 140, 176
July ver Isensée, Julieta
jumentos, 125
jurema, 140

Kangô, 285

Ketu, 165, 166, 176, 177, 180, 218, 324
Kilkerry, Pedro, 40
Knoff, Udo, 281
Kruchewski, Mercedes, 280

La Barbinais, Monseigneur Le Gentil de, 61
Lacerda, Carlos, 53
ladeira da Montanha, 29
ladeira do Tabuão, 49, 64, 72, 74, 75
lagoa do Abaeté, 81, 177, 224
Lampião, 50, 115, 223
latifundiários, 34
latim, 124, 156
Latin American painters and painting in the 1960's: The emergent decade, 283
Lavagem da Igreja do Bonfim, 123, 124, 125, 126, 127
Lázaro, são, 165, 320
Leal, Edna, 322
Leite, Geraldo, 294
Lemos, Pinheiro de, 56
Leque de Oxum, O (Vasconcelos Maia), 42, 230
levantes de negros, 33
Levy, Walter, 55
Liceu de Artes e Ofícios, 349
Licutã, alufá, 34, 35, 36
Lima, Alberto Castro, 43
Lima, Camilo de Jesus, 58
Lima, Demerval Costa, 307
Lima, Epaminondas Costa, 307
Lima, Estácio de, 115, 294
Lima, Herman, 56
Lima, Hermes, 23, 44, 227, 228
Lima, Manuel, 57, 102

Lima, Orlando Castro, 116, 201, 317

Lima, Sinval Costa, 158, 307

Lima, Vivaldo Costa, 44, 156, 307

Lima, Walmir, 52, 132

Lins, Waldomiro, 214, 349

Lins, Wilson, 43, 55, 79, 230, 241, 242, 248, 294, 316, 349

Lisboa, Elísio, 116

Lita (mulher de Willys), 250

Lobato (subúrbio), 96

Lobato, Monteiro, 356

Lobo, José, 294

Logum Edé, 159, 166

Lopes, Licídio, 50, 129, 267, 278, 345

Lorca, García, 126

Luana, 169

Lubé, Aganju, 167

Luiz da Muriçoca, pai, 136, 147, 152, 159, 279

Luiz, André, 235

luta de classes, 51

Luz, Alcivano, 52, 300, 301

Luz, Edson, 295

Luz, Margarida e Fred, 335

mabaças, 52, 171

Mabe, Manabu, 117

Machado, Camilo José, 160

Machado, Otávio, 116

Maculelê de Santo Amaro, conjunto, 350

macumba(s), 16, 25, 64, 66, 124, 126, 139, 140, 142, 143, 157, 193, 194, 196

mães de santo, 25, 28, 130, 135, 149, 153, 156, 244, 359

Magalhães, Antonio Carlos, 225, 260, 261

Magalhães, Eliete, 114

Maia, Carlito, 330

Maia, Pedro Moacir, 57

Maia, Vasconcelos, 42, 57, 158, 230, 330

malês, 34, 35, 36, 122

Malfatti, Anita, 55

Manchúria, 86, 87

Mangabeira, Eduardo *ver* Eduardo de Ijexá, pai

Mangabeira, Francisco, 40

Mangabeira, João, 23, 44

Mangabeira, Otávio, 95, 227, 325, 339, 358

Manteiga, jogador, 346

Manu, ogã, 323

Manuel Jerônimo *ver* Ferreira Filho, Manuel Jerônimo

maometanos, 34

Mapa (revista), 58, 221, 258, 259, 269

"Mar, O" (Dorival Caymmi), 194

Maranhão, 32, 159, 274, 295

Maria Bonita, 115, 223

Maria Bonita (Afrânio Peixoto), 41

Maria Célia, 56

Maria de Oxum, mãe, 159

Maria Dusá (Lindolfo Rocha), 41

Mariani, Clemente, 116, 117

Marieta de Tempo, mãe, 160

Marighella, Carlos, 33, 206

Marinetti, Filippo, 208

Maron, Zadala, 42

Marques, Xavier, 41, 230, 233

Martiniano do Bonfim, pai, 28, 150, 161, 259

Martins, Aldemir, 177, 324

Martins, Álvaro, 59, 60

Martins, Manuel, 7, 55, 140
Máscara (revista), 59, 60
Mascarenhas, Augusto, 79
Mascarenhas, Carlinhos, 132, 260, 315
Mascarenhas, Natália e Mecenas, 135
Mascarenhas, Sílvio, 117
Massanganga do Beiru, pai, 160
Massapê (Clóvis Amorim), 43, 241
Massi, tia, 145, 157
Massora, Anísio, 116
Mata, Edgard, 44
Mataripe, 93, 356, 357
Matos, Almir, 215
Matos, Ariovaldo, 42, 79, 215
Matos, Artur, 214
Matos, Ciro de, 42
Matos, Edilene, 56, 57
Matos, Eusébio de, 112
Matos, Florisvaldo, 40, 41, 58, 239, 259
Matos, Gregório de, 23, 24, 32, 40, 112, 175, 181, 205, 226, 235, 236, 238, 241, 332
Matos, Matilde, 44
Matos, Ramiro de, 43
Matos, Sérgio, 41
Matriz da Vitória, 108
Medauar, Jorge, 42, 205, 328
Melhor, Carlos Anísio, 41, 58
Melo Neto, João Cabral de, 317
Melo, Wilson, 320
Melro, Clara, 335
Melro, João, 335
Memória da Sé (Rocha Peres), 105, 262
Memórias de Lázaro (Adonias Filho), 41
Memórias do cárcere (Graciliano Ramos), 294

Mendes Neto, 42
Mendonça Filho, 115, 188
Mendonça, Mário, 79, 273
Mendonça, Oswaldinho, 328
Meneses, Isolda, 336
Meneses, Saulo Carneiro de, 294
Menezes, Sá, 44
Menininha do Gantois, mãe, 28, 136, 145, 146, 147, 150, 153, 157, 158, 165, 169, 190, 197, 226, 279
Mercado das Sete Portas, 15, 348
Mercado Modelo, 29, 76, 122, 124, 135, 180, 217, 218, 231, 248, 308, 309, 327, 347, 348, 352, 355
Meridiano (revista), 54, 57, 207
merindilogun, 162
Mesa de Rendas Estadual, 29
Mesquita, Renato, 293
mestiçagem, 24, 38, 61, 190, 277
Metro Goldwyn Mayer, 272
México, 25
Mica, jogador, 345
Milhomens, Jonathas, 56
Mílton, Clodoaldo, 57, 207
Milton, Lygia, 278
Minas Gerais, 41
Mira, 320
Miranda, Adalmir da Rocha, 57
Miranda, Carmen, 176
Mirandão, 214, 245, 246, 247, 272, 299, 349
Mirante dos Aflitos, 64, 71, 94, 229
Mirante dos aflitos (Dias da Costa), 42
Mirinha do Portão, mãe, 129, 136, 153, 154, 160
misticismo, 110, 146

mistura de sangue, 8, 24

mitologia nagô, 151

modernismo, 40, 54, 55, 56, 239

Moema, índia, 31, 252, 253

monarquia, 40, 75, 350

Monteiro, Mário, 181

moqueca, 66, 218, 243, 248, 272, 286, 351,
352, 354

Moraes, Santos, 41

Moraes, Vinicius de, 40, 80, 131, 170, 189,
221, 225, 273, 334

Moreno, Tatti, 50, 91, 280

Motel Maxim's, 95

Moura, Clóvis, 58

mulatos, 30, 34, 38, 61, 141, 142, 180, 312,
357, 358

Muricy, Teresinha, 336

Muritiba, 93, 153, 159

Museu Costa Pinto, 75, 113, 115

Museu da Cidade, 113, 114, 319

Museu de Arte Moderna da Bahia, 37, 50,
113, 114, 214, 255

Museu de Arte Popular, 113, 114

Museu de Arte Sacra, 113, 236, 290, 328

Museu do Estado, 8, 113, 114, 326

Museu do Negro, 115

Museu do Recôncavo, 115

Museu Nina Rodrigues, 115

música, 15, 51, 52, 67, 95, 121, 124, 128, 142,
143, 153, 189, 191, 192, 193, 194, 195,
196, 197, 218, 226, 228, 238, 244, 249,
251, 261, 268, 271, 296, 298, 300, 301,
302, 305, 342, 350

Mussolini, Benito, 22, 310, 311

Nabuco, Joaquim, 226

Nações Unidas, 271, 306

Nada, Wanda do, 281

nagô, língua, 139

nagôs, 64, 122, 139, 142

Najá, mestre, 342

Najar, Miguel, 294

Nanã, 166, 284, 285

Nana, Caymmi, 190

"Navio negreiro" (Castro Alves), 142

navios negreiros, 38, 285, 339, 351

Nazaré, Maria Escolástica da Conceição
ver Menininha do Gantois, mãe

nazismo, 210, 226, 308

Nebulosa, jogador, 346

Negrão (ator), 320

negros, 15, 22, 24, 25, 33, 34, 35, 38, 39, 45,
49, 54, 59, 64, 71, 73, 75, 84, 103, 123,
125, 126, 128, 135, 139, 142, 151, 154, 159,
170, 175, 193, 194, 195, 196, 217, 285,
312, 339, 342, 351, 357

Neive Branco, pai, 136, 160

Neruda, Pablo, 192, 193

Neves, Oscar Castro, 228, 300

Nezinho, pai, 153, 169

Nicinha *ver* Gamo, mãe

Niemeyer, Oscar, 270, 325

Nigéria, 58

Nique, José, 328

Nóbrega, Manuel da, 109

Novos Baianos, 52

Obá, 32, 167, 168, 171, 190, 192

Obá, rio, 171

Obaluaê, 160, 165

obás, 51, 128, 144, 157, 158, 162, 167, 190, 197, 203, 262, 359

obé, 168

obis, 334

Obra completa (Gregório de Matos), 40, 226

Obra poética (Sosígenes Costa), 40, 198

Ocô, 171

Odília, vendedora de doces, 352

ofá, 165, 166, 168

ogãs, 51, 112, 128, 129, 130, 139, 141, 142, 144, 148, 149, 152, 158, 162, 165, 194, 284, 285, 323, 359

ogó, 164

Ogodô, Xangô, 167

Ogum, 64, 75, 133, 141, 157, 158, 161, 164, 323

Ogunjá, Ogum, 164

Oiá, Iansã, 169

oiês, 161

Oké, mãe, 157

Olga do Alaketu, mãe, 136, 149, 158, 167, 218, 279

Olinto, Antônio, 158

Oliva, Afonso Ruy Zitelmann, 44

Oliva, Zitelmann de, 283

Oliveira, Armando, 44

Oliveira, Basílio de, 328

Oliveira, Cardoso de, 41

Oliveira, Cyva Leite de, 52, 53, 228, 296, 300, 301, 325; *ver também* Quarteto em Cy

Oliveira, Fernando Hupsel de, 329

Oliveira, Martins de, 43

Oliveira, Raimundo de, 56, 282, 283, 294

Oliveira, Ranulfo de, 275, 355

Oliveira, Waldir Freitas de, 44

oluôs, 162

Olympio, José, 326

Omemê, Ogum, 164

Omolu, 64, 141, 158, 164, 165, 166, 180, 285, 320, 352

Ondina, 90

Ondina, mãe, 157

Onilé, 170

Onofre, santo, 320

opaxorô, 170, 217

opelê Ifá, 162

operários, 75, 83, 84, 96, 97, 131, 133, 245, 344

"Oração de mãe Menininha" (Dorival Caymmi), 190

Orfanato de São Joaquim, 29

Oriente, 31, 59, 86, 123, 236, 301, 321

orixá(s), 8, 21, 39, 48, 49, 58, 75, 82, 110, 122, 125, 126, 127, 130, 131, 136, 139, 140, 143, 144, 145, 146, 147, 148, 149, 151, 152, 153, 157, 159, 162, 163, 164, 165, 166, 167, 168, 169, 170, 171, 177, 179, 180, 191, 197, 198, 215, 218, 233, 243, 258, 276, 284, 285, 291, 294, 304, 320, 323, 324, 334, 351, 352, 358; *ver também orixás específicos*

Orlando, jogador, 345

orobôs, 334

Orunmilá, Ifá, 171

Osmar e Dodô, 52, 132

Ossaim, 167, 276, 323

ossi obá, 162

Oswald, Henrique, 32, 291, 292

Otim, Oxóssi, 165, 171

otum obá, 162

Oxaguiã, Oxalá, 157, 170

Oxalá, 39, 123, 124, 125, 141, 142, 144, 146, 151, 154, 157, 164, 166, 169, 170, 190, 280, 289, 305, 306, 307, 320, 324, 332, 347

Oxalafalaquê, mãe, 159

Oxalufã, Oxalá, 123, 124, 170

oxo, 145

Oxorongá *ver* Iyami Oxorongá

Oxóssi, 9, 50, 64, 113, 136, 139, 141, 142, 146, 152, 154, 157, 158, 159, 164, 165, 166, 168, 171, 176, 177, 180, 198, 218, 280, 285, 290, 294, 321, 323, 324

Oxum, 9, 144, 146, 157, 158, 159, 160, 166, 167, 168, 169, 171, 176, 177, 180, 243, 320, 324, 334, 346, 359

Oxum, rio, 168

Oxumarê, 75, 148, 149, 158, 168, 215, 277

Oyó, 167

padê, 17, 140, 161, 164

Padilha, Telmo, 41, 318

pais de santo, 28, 51, 140, 156, 194, 279, 320

País do Carnaval, O (Jorge Amado), 241, 293

Palermo, Yves, 231, 241, 315, 316

Palmares, quilombo de, 33, 238; *ver também* Zumbi dos Palmares

Pancetti, 55, 66, 117, 188, 291

Pantalona, mestre, 342

Paraguaçu, índia, 252

Paraguaçu, rio, 15, 17, 31, 93, 94, 317, 356

Paraíba, 294

Paraíso, Juarez, 50, 91, 258, 261, 265, 266, 277, 335

Paranhos, Mário, 41

Paripe (subúrbio), 90, 96, 97

Parque da Cidade, 337

Passé, conde de, 116

passeios marítimos, 328, 330

Passos, Jacinta, 32, 41, 58

Pastinha, mestre, 180, 262, 263, 319, 322, 344

Pastores da noite, Os (Jorge Amado), 228

Paulo, Antônio Daniel de, 161

Paulo, Eduardo de, 161

paxorôs, 323, 324, 334

Pedra Preta, caboclo, 140, 141, 142, 153, 160

Pedra, Jamison, 79, 209, 273

Pedreira, José, 42, 57, 334, 335

Pedreira, Pinho, 300

Pedro I, d., 35, 253

Pedro II, d., 33

Pedro, são, 132

Pedroso, pintor, 50, 56

Peixoto, Afrânio, 41, 42

peji, 128, 129, 141, 146, 149, 151, 164, 203, 215, 243, 258, 267, 275, 294, 316, 346

peji-gã, 162

Pelé, 225

Pelourinho, 38, 51, 64, 71, 73, 74, 75, 85, 87, 112, 114, 121, 134, 143, 144, 180, 197, 211, 223, 242, 263, 273, 301, 302, 303, 307, 319, 334, 355, 359

Pena Filho, Carlos, 317

Pena, Jurema, 320

Percegonho céu azul do sol poente (Guido Guerra), 43

Pereira, Jorge dos Santos, 293

Peres, Fernando da Rocha, 41, 58, 105, 239, 262, 285

perfumes, 59, 128, 179, 246

Peri-Peri (subúrbio), 90, 96, 97, 133

pesca de xaréu, 22, 338

pescadores, 51, 81, 87, 96, 127, 128, 129, 130, 170, 177, 193, 194, 195, 197, 200, 225, 267, 284, 285, 287, 301, 302, 308, 338

Petiot, jogador, 346

Petrobras, 29, 356, 357

petróleo, 74, 93, 96, 282, 297, 356, 357

Pierson, Donald, 37, 357

Pinguinho, mãe, 158

Pinho, Péricles Madureira de, 44

Pinho, Rubim de, 32, 158

Pinho, Wanderley de, 44, 116

Pinima, jogador, 346

Pinto, Carlos Costa, 115

Pinto, Epaminondas de Sousa, 57

Pinto, Jorge Costa, 91, 295, 296

pintores, 32, 66, 79, 90, 115, 231, 278, 293, 319, 352

Pirajá, 33, 253

Pithon, Francisco, 245

Plano Inclinado Gonçalves, 84, 101

Plataforma (subúrbio), 96

poesia, 16, 17, 28, 39, 40, 41, 54, 57, 60, 62, 66, 124, 126, 133, 154, 175, 181, 189, 198, 199, 201, 206, 207, 208, 213, 221, 233, 236, 237, 239, 242, 249, 254, 256, 259, 274, 278, 282, 283, 285, 286, 292, 293, 300, 304, 308, 309, 310, 312, 316, 317, 318, 325, 326, 333, 334, 359

poetas, 32, 39, 40, 56, 62, 63, 104, 175, 182, 198, 199, 207, 216, 239, 272, 286, 309, 312, 317, 318

polícia, 55, 94, 152, 187, 243, 344, 356

Polônia, 66

Pólvora, Hélio, 42, 205, 328

Ponte Preta, Stanislaw, 62

Popó, 327, 345

população de cor, 24

Portella, Eduardo, 233, 345

Portinari, Candido, 55, 117

Porto Alegre, 28, 77

Porto da Barra, 80, 95, 316

Porto, Sérgio, 62, 63, 234, 300

Portugal, 8, 16, 28, 31, 32, 35, 109, 110, 122, 129, 230, 255, 326

Portugal, Mário, 331

Pound, Ezra, 58

Prado, Aderson do, 294

Praia Grande, 90, 96, 97

praias, 17, 79, 87, 90, 95, 128, 143, 154, 177, 194, 200, 219, 224, 230, 236, 240, 304, 330, 338, 339, 351

Praieiros, Os (Xavier Marques), 41

Prazeres, João dos, 324

preconceito racial, 24

"Preta do acarajé, A" (Dorival Caymmi), 194

primitivismo, 31, 258

procissão de Bom Jesus dos Navegantes, 225

Procissão de Iyamassê, 168

Procissão do Bom Jesus dos Navegantes (Carlos Bastos), 91

"Procissão e os porcos, A" (Jorge Medauar), 42

Procópio, pai, 152, 159

Proença, Mário, 323, 324

proletariado, 29, 83

"Promessa de pescador" (Dorival Caymmi), 194

Quadro sinóptico dos orixás (Prado Sampaio), 294

Quadros, Sylvia, 336

Quarteto em Cy, 52, 325

"Que é que a baiana tem?, O" (Dorival Caymmi), 194

Quebra Ferro, mestre, 342

Queirós Júnior, José, 56

Queirós Júnior, Walter, 228, 296

Queirós, José, 56

Queiroz, Luz da Serra, 52, 229, 256

Queiroz, Walter, 52, 301

Querido de Deus, Samuel, 231, 232, 342

quetu, 136, 156, 159, 160, 161, 163

Quirino, Manuel, 44, 159, 298, 299, 358

Quitéria, Maria, 253

quizilas, 153, 169

Ramos, Artur, 44, 57, 158, 259, 294

Ramos, Fernando de Souza, 43

Ramos, Graciliano, 105, 236, 294

Ramos, Heloísa, 236

Rebolo, 55

Rebouças, Antônio, 50, 56, 91, 258, 261, 274, 280

Rebouças, Diógenes, 56, 273

Recife, 28, 59, 193, 286, 288

Recôncavo, 21, 35, 41, 43, 51, 54, 59, 60, 73, 76, 93, 94, 115, 116, 154, 159, 180, 194, 218, 219, 241, 242, 253, 261, 312, 330, 342

Reduto, O (Wilson Lins), 43

Régis, Olga Francisca *ver* Olga do Alaketu, mãe

Rego, Waldeloir, 44, 145, 148, 166, 279, 280, 349, 350

Reis, Conceição, 352

Reis, Francisco Assis, 273

Reis, Raimundo, 44, 260

religião, 21, 24, 123, 129, 167, 256

religiões negras, 147, 156

Remanso da valentia (Wilson Lins), 43

Renot, 234, 297, 298

"Requebre que eu dou um doce" (Dorival Caymmi), 194

Rescala, 32, 66, 113, 236, 291

Responso das almas (Wilson Lins), 43

Retratos da Bahia (Verger), 288

Revolta dos malês, 34

Revolução Francesa, 199

Revolução Pernambucana, 35

Riachão, 52, 132

Ribeiro, Alves, 40, 55, 57, 101, 102, 181, 207, 208, 210, 239, 240, 242, 259, 299

Ribeiro, Carneiro, 23

Ribeiro, João Ubaldo, 42, 79, 192, 235, 236, 239, 240

Ribeiro, Pedro, 116

Rio de Janeiro, 28, 41, 50, 51, 54, 57, 62, 77, 102, 160, 190, 193, 196, 200, 211, 225, 237, 243, 275, 298, 329, 334, 346

Rio Vermelho, 33, 79, 90, 93, 127, 128, 130,

160, 162, 170, 201, 247, 267, 272, 274, 275, 278, 285, 304, 324, 327, 331, 338, 346

Robato, Sílvio, 273

Robatto Filho, Alexandre, 261

Rocha, Carlos Eduardo da, 8, 32, 41, 115, 224, 298, 326

Rocha, Glauber, 40, 58, 221, 223, 245, 258, 261

Rocha, José Joaquim da, 110

Rocha, Lindolfo, 41

Rocha, Madalena, 50, 280, 281

Rocha, Marta, 169, 358

Rocha, Wilson, 41, 44, 57

Rocha, Wilson da, 32

Rodrigues, Lopes, 115

Rodrigues, Nina, 44, 159

Roma, padre, 35

"romance de 30", 55

romancistas, 39, 41, 42, 43, 72, 79, 95, 105, 202, 205, 215, 225, 233, 235, 237, 239, 241, 242, 293, 338

Romeiros, Os (Martins de Oliveira), 43

Romélia, 319

Rondas (Carvalho Filho), 56

Roque, são, 165

Rosa, Auta, 58, 81, 220, 222

Rosa, Guimarães, 336

Rosa, Mercedes, 115

Rufino de Oxum, pai, 160

Ruinhó, mãe, 145, 148, 149, 159

Russi, Marcel, 329

Sá, Mem de, 109

Sabinada, 34

Sacramento, Manuel Rufino do ver Rufino de Oxum, pai

Saldanha, Antônio de Jesus, 41

Sales, Artur de, 40

Sales, David, 42, 44

Sales, Herberto, 43, 205

Salgado, Plínio, 310

Salles, Artur de, 56

Salles, David, 232, 233

Salomão, Waly, 43

samba, 51, 52, 121, 124, 126, 127, 130, 131, 132, 180, 194, 196, 229, 263, 284, 339, 347, 349, 350

Samba (revista), 54, 57

"Samba da minha terra" (Dorival Caymmi), 194

Sampaio, Castellar, 57

Sampaio, Ivo Prado, 294

Sampaio, Mirabeau, 50, 56, 58, 63, 79, 91, 96, 112, 116, 170, 176, 199, 200, 202, 214, 224, 231, 236, 241, 261, 270, 275, 281, 294, 316, 348, 349

Sampaio, Norma Guimarães, 135, 201, 202, 271

Sandoval, jogador, 346

Santa Bárbara Filha do Alecrim, conjunto, 350

Santa Rosa, 55

Santana, Antônio de Jesus, 333

Santana, Fernando, 306

Santana, Gilka, 306

Santana, Miguel, 158, 167, 203, 276

Santarrita, Marcos, 43, 293

Santinho, jogador, 346

Santo Amaro da Purificação, 21, 238

Santo Amaro, Cuíca de, 308, 309, 310, 311, 312

santos católicos, 49, 135, 142, 154, 179; *ver também santos específicos*

Santos, Agnaldo dos, 49, 50, 56, 64, 113, 197

Santos, Deoscóredes M. dos *ver* Didi, mestre

Santos, Edgard, 45, 48, 51, 113, 226, 269, 287

Santos, Maria Amélia, 269

Santos, marquesa de, 35, 253

Santos, Milton, 44

Santos, Nélson Pereira dos, 152

Santos, Roberto, 48, 269, 287

Santos, Roque dos, 328

Santos, Ruy, 43, 81, 140

São Francisco, rio, 49, 52, 230, 242

São Paulo, 35, 50, 54, 55, 56, 77, 101, 139, 176, 177, 192, 193, 207, 217, 253, 256, 275, 298, 299, 307, 315, 323, 327, 328, 334, 354

São Pedro, Maria de, 135, 230, 248, 249, 348, 352

São-João (festa junina), 132

sarapatel, 15, 67, 232, 243, 348, 351

Sardinha, Fernandes, d., 105

Sargento Getúlio, O (João Ubaldo Ribeiro), 42, 235

Sargento Pedro, O (Xavier Marques), 41

Sartre, Jean-Paul, 50

saveiros, 15, 17, 22, 25, 29, 31, 51, 64, 76, 80, 90, 91, 93, 94, 101, 122, 124, 130, 177, 194, 196, 218, 219, 243, 282, 308, 310, 330, 356, 359

Sawzer, Benzinho, 161

Scaldaferri, Sante, 58, 91, 114, 189, 221, 225, 258, 261, 289

Scliar, Carlos, 91

Seabra, José Joaquim, 82, 306

sectarismo, 224

Segall, Lasar, 55

Segunda Guerra Mundial, 105

Segunda-feira da Ribeira, 124, 127

II Congresso Afro-Brasileiro, 259

Seixas, Cid, 41, 239, 317

Seixas, Raul, 52

Seljan, Zora, 158

Semana de Arte Moderna, 54, 56, 208

"Semana de Arte Moderna" (Graça Aranha), 54

Sena, Virgildal, 300

Senhor capitão, O (Luiz Henrique), 43

Senhora, mãe, 143, 144, 149, 150, 151, 153, 157, 169, 176, 180, 218, 243, 249, 289, 303

senhores de escravos, 33, 34, 35, 39, 162

"Sentinela, O" (James Amado), 42

senzalas, 33, 39, 52, 76, 114

Sergipe, 32, 42, 58, 236, 292, 293, 294, 354

Serrano, Rômulo, 294

sertão, 31, 37, 41, 42, 43, 52, 93, 175, 189, 223, 258, 282, 310, 338, 348

Servos da morte, Os (Adonias Filho), 41

Sessenta, mestre, 342

Sete sonetos dos vinhos (Godofredo Filho), 40

Setembro não tem sentido (João Ubaldo Ribeiro), 42

sífilis, 75

Silva Castro, major, 253
Silva, Cardoso e, 50, 56, 91, 110, 111, 117, 252, 278
Silva, Claudino José da, 206
Silva, João Batista de Lima e, 32, 231, 316, 324
Silva, João Duarte da, 49
Silva, Mota e, 57
Silva, Presciliano, 111, 115, 188
Silva, Zuleika, 324
Silveira, José, 333
Silveira, Junot, 32, 293
Silveira, Walter da, 44, 57, 228, 240, 244, 245, 259, 300
Simões Filho, 272, 275, 354, 355
Simões, Alfredo, 49, 319
Simões, Hélio, 40, 55, 56, 239, 249, 250
Simões, Isa, 249
Simões, Jairo, 52, 301
Simões, Mário, 181
Simões, Regina e Renato, 355
Simpliciana de Ogum, mãe, 149, 158
sincretismo, 21, 38, 110, 121, 128, 151, 154, 156, 157, 160, 165, 167, 168, 169, 276, 279
Siri, 320
Smarchewsky, Lew, 56, 269, 270, 273
Smetack, 53
Soares Filho, Manuel Rodrigues ver Neive Branco, pai
Soares, Arlete, 287, 288
Soares, Paulo Gil, 58, 259, 260
Sóbatidas, 327
Sociedade Beneficente São Lázaro, 159
Sociedade de Belas-Artes da Bahia, 59

Sociedade dos Fiéis de São Bartolomeu, 148
Sociedade São Jerônimo Ilê Maroialaji, 158
Sociedade São Jorge do Engenho Velho, 156
Sociedade São Jorge do Gantois, 158
Sodré, Aurélio, 222
Solar do Unhão, 37, 113, 114
Sousa, Tomé de, 31, 59, 108
Souza, Procópio Xavier de ver Procópio, pai
Spencer, Nilda, 225, 320
Spínola, Lafayete, 55
Spínola, Lafayette, 57, 230
Standard Oil, 356
Star, Edy, 53
Stella de Oxóssi, mãe, 136, 150, 151, 157, 165, 176, 191, 279, 334
subterrâneos, 350
subúrbios, 86, 87, 90, 96, 97, 133, 330
Sued, Ibrahim, 225
Suerdieck, Fernando, 330
superstição, 24, 133
surrealismo, 208
Suy, Freddy, 335
Sziniewski, Waldemar, 323

Tabacof, Germano, 197, 287
Tabaris, 349
Taboada, Antonieta e Nélson, 135
Tarde, A, 44, 57, 272, 275, 315, 336, 354, 355
Tarrapp, Jorge, 59, 321
Tavares, Cláudio Tuiuti, 57
Tavares, Ildásio, 41, 42, 158, 296, 318
Tavares, Luís Henrique Dias, 43, 58, 251

Tavares, Odorico, 32, 37, 40, 55, 74, 79, 113, 116, 224, 231, 248, 260, 264, 275, 283, 286, 297

Tavares, Paulo, 44, 251

Teatro Castro Alves, 62, 228, 273, 287, 300, 325

Tebasa, 101

Teixeira moleque (Ruy Santos), 43

Teixeira, Anísio, 23, 44, 227

Teixeira, Antônio Luís Calmon, 304, 305

Teixeira, Cid, 331

Teixeira, Floriano, 32, 50, 79, 91, 200, 261, 274, 277, 289, 291

Teixeira, França, 331

Tenda dos Milagres (Jorge Amado), 36, 152, 202, 210

Tentação de santo Antônio, A (Mario Cravo), 91, 260

Ternos de Reis, 122, 123

Terreiro de Jesus, 73, 108, 109, 237, 240, 333, 359

terreiros, 28, 66, 131, 136, 154, 156, 160, 164, 190, 249; *ver também terreiros específicos*

Tião Motorista, 52

Tico-Tico, O, 304

Tigipió (Herman Lima), 56

Tiriri, Exu, 164

Tom e Dito, 52

Toquém, 148

Toquinho, 80

Torres, Antônio, 43

tráfico de escravos, 35, 58, 288

Traíra, mestre, 322, 344

Travessia (Hermes Lima), 228

"365 igrejas" (Dorival Caymmi), 194

Tribuna da Bahia, 336

Trio Elétrico, 52

tuberculose, 44, 86, 87, 212

turistas, 61, 77, 131, 147, 163, 217, 249, 320, 323, 327, 339, 344

Tzara, Tristan, 208

Uari, Ogum, 164

Unhares, Aydil, 320

Universidade Federal da Bahia, 45, 51, 113, 269, 287

Vadinho, 214, 349

Valadares, Clarival, 44, 48

Valença, Alberto, 115, 188

Valentim, Rubem, 56, 58, 158

Vasconcelos, Almir, 43

Vasconcelos, Marta, 169

Vasconcia, 25

vatapá, 16, 66, 126, 135, 194, 196, 219, 246, 248, 286, 348, 351

"Vatapá" (Dorival Caymmi), 194

Vaticano, 315

Vaz, Hélio, 57

Veiga, Carlos, 53

Veiga, Manuel da, 53, 228, 300

Velasco, 109, 110, 161

Velhas, As (Adonias Filho), 41

Vellame, Aurélio, 43

Vellame, Ivo, 44

Veloso, Caetano, 21, 52, 132, 189, 225, 238

Veloso, José Teles, 238

Vencecavalo e o outro povo (João Ubaldo Ribeiro), 42

Verger, Pierre, 31, 56, 115, 145, 158, 218, 230, 276, 288

Viana Filho, Luís, 44, 115, 226, 227, 228

Viana, Augusto, 94

Vianna, Hildegardes, 39, 44

Vicente do Salvador, frei, 116

Vicente Neto, Severiano José, 316

Victor, D'Almeida, 57, 335

vida popular, 50, 51, 73, 190, 226, 228, 229, 230, 243, 249, 279, 280, 298, 318, 348, 349

Viegas, Pinheiro, 40, 54, 57, 101, 181, 207, 208, 210, 229, 240, 262, 293

Vieira, Antônio, padre, 32, 102, 103, 105, 109

Vieira, Sabino Álvares da Rocha, 34

Vila, José Aragão, 323

Vilaboim, Manuel Artur, 184

Vilhena, Luís dos Santos, 39, 61, 179

Villa, Pancho, 25

Villar, Pethion de, 40

vinhos, 282, 286, 331

Vitorina, vendedora de doces, 352

Vitu, negra, 319, 352

Vivabahia, conjunto, 350

Vivi, jogador, 346

"Você já foi à Bahia?" (Dorival Caymmi), 194

vonduci, 161

Waldemar de Oxum, pai, 161

Waldemar, mestre, 322

Wildberger, Arnold, 116

Willys, pintor, 50, 56, 79, 91, 117, 250, 251, 261, 267, 278, 319

Xangai, 85, 86, 87

Xangô, 32, 50, 64, 136, 141, 142, 143, 144, 148, 150, 151, 157, 158, 159, 162, 164, 166, 167, 168, 169, 171, 176, 177, 180, 190, 191, 203, 217, 218, 249, 280, 285, 289, 316, 321, 334

Xapanã, Omolu, 165

xaréu, pesca de, 22, 338

xaxará, 165, 277, 334

xinxim, 66, 142, 219, 248, 351

Xoroquê, Ogum, 164

Zapata, Emiliano, 25

Zé Dou, mestre, 342

Zélia Maria, 79

Zoológico ver Jardim Zoológico

Zózimo, jogador, 345

Zumbi dos Palmares, 35, 72, 238